Isla de Alcatraz

BAHÍA DE SAN FRANCISCO

Fisherman's Wharf y North Beach

Pacific Heights y Marina District

Chinatown y Nob Hill

Financial District y Union Square

Civic Center

Haight Ashbury y Mission

PÁGINAS 68-77
Planos del Callejero 3, 4

PÁGINAS 78-93
Planos del Callejero 4, 5, 6

PÁGINAS 94-105
Planos del Callejero 4, 5, 6

PÁGINAS 106-121
Planos del Callejero 5, 6, 11

0 kilómetros   2

0 millas   1

GUÍAS VISUALES EL PAIS AGUILAR

SAN FRANCISCO

GUÍAS VISUALES EL PAIS AGUILAR

SAN FRANCISCO

POWELL AND MARKET

HYDE & BEACH FISHERMANS WHARF

9

"Meet me at the St. Francis"

EL PAIS AGUILAR

EL PAIS
AGUILAR

Coordinación editorial: Carmen G. Barragán
Traducción: Mª del Mar López Gil
Edición: El País-Aguilar
Adaptación: Sara Torrico
Maquetación: Mercedes García

Fotografías
Neil Lukas, Andrew McKinney

Ilustraciones
Arcana Studios, Dean Entwhistle, Nick Lipscombe

•

Primera edición, 1994
Séptima edición, 2010

Título Original: **Eyewitness Travel Guide**
San Francisco & Northern California
© 2010 Dorling Kindersley Limited, Londres
www.dk.com
© Santillana Ediciones Generales, S.L.
2010 para la presente edición
Torrelaguna, 60. 28043 Madrid
Tel. 91 744 90 60
www.elpaisaguilar.es

ISBN: 978-84-03-50818-7

• Aguilar, Altea, Taurus, Alfaguara S. A.
Avda. Leandro N Alem, 720. C1001AAP Buenos Aires
• Aguilar, Altea, Taurus, Alfaguara S. A. de C. V.
Avda. Universidad, 767, Col. del Valle, México, D.F. C. P. 03100

Impreso en China

Toda la información práctica recogida en esta guía
ha sido debidamente comprobada a fecha de su edición.
La editorial no se hace responsable de los cambios
ocurridos con posterioridad.

Imagen principal de cubierta: Golden Gate Bridge
desde Marin Headlands

◁ **El Golden Gate Bridge entre la niebla**

CONTENIDOS

CÓMO UTILIZAR ESTA
GUÍA **6**

**Ilustración antigua de un buscador
de oro (1848)**

**Ghirardelli Square,
Fisherman's Wharf**

Vista de Mendocino, norte de California

Cangrejo Dungeness

Casa Haas-Lilienthal, Pacific Heights

CÓMO UTILIZAR ESTA GUÍA

Esta guía ayuda a sacar el máximo partido de la estancia en San Francisco. En el primer capítulo, *Aproximación a San Francisco,* se ubica la ciudad en su contexto geográfico e histórico y se describen los acontecimientos que se celebran a lo largo del año. En *San Francisco de un vistazo* se enumeran los principales lugares de interés de la ciudad. En *Itinerarios por San Francisco,* se describen los lugares de interés recomenda-

Planeando el día en San Francisco

dos de la ciudad con mapas, ilustraciones y fotografías. El capítulo *Norte de California* comprende los emplazamientos destacados de la región y dos propuestas de excursiones. Las reseñas de restaurantes, tiendas, hoteles, ocio, deportes y actividades infantiles se facilitan en *Vivir San Francisco.* El último capítulo, *Guía esencial,* contiene consejos prácticos sobre diferentes aspectos, desde seguridad personal a cómo utilizar el transporte público.

ITINERARIOS POR SAN FRANCISCO

Cada una de las ocho zonas de interés de la ciudad está identificada con un color diferente. Cada capítulo comienza con una introducción de la zona, una descripción de su historia y características

y un plano en 3 dimensiones. Ubicarse en cada capítulo resulta fácil gracias al sistema de numeración. Los lugares de interés más importantes se describen con detalle en dos o más páginas.

Cada zona posee un color distintivo.

El plano de situación ubica la zona en su entorno.

Plano de situación

El itinerario sugerido comprende las calles más interesantes.

1 Introducción
Los lugares de interés de cada zona se enumeran y señalan en un plano de la zona para facilitar su localización. También se indican estaciones BART, plataformas giratorias de tranvías y aparcamientos. Los lugares de interés más significativos se clasifican en categorías: iglesias y templos, museos y galerías de arte, calles y edificios históricos, calles comerciales, y parques y jardines.

El área de color rosa se muestra en detalle mediante un plano en 3 dimensiones en las páginas siguientes.

2 Plano en 3 dimensiones
Ofrece una vista detallada de la parte más destacada de cada zona. La numeración de los lugares de interés se corresponde con la del plano de la zona y con las descripciones de las páginas siguientes.

Recomendamos indica aquello que el viajero no debe perderse.

PLANO DE SAN FRANCISCO

Las zonas señaladas con colores en este plano *(ver guarda delantera)* constituyen las principales áreas de interés, cada una de las cuales es abordada en una sección de *Itinerarios por San Francisco (pp. 52-181)*. También hay otros planos zonales a lo largo de la guía. Por ejemplo, *San Francisco de un vistazo (pp. 34-47)*, facilita la localización de los principales monumentos. El plano de la zona también proporciona información sobre las principales áreas comerciales *(pp. 246-247)* y locales de ocio *(pp. 260-261)*.

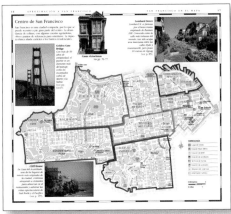

Las fachadas de los edificios importantes se muestran para ayudar a reconocerlas con rapidez.

La información práctica aporta todos los datos necesarios para visitar el lugar de interés, incluida una referencia al callejero *(ver pp. 252-257)*.

Los números sirven para identificar la ubicación del lugar de interés en el plano y en el capítulo.

Información esencial proporciona todos los datos prácticos para planear la visita.

3 Información detallada de cada lugar de interés

Todos los lugares de interés importantes de San Francisco se describen de forma individual. Figuran en el mismo orden en el que aparecen en el plano de la zona. Se facilita información práctica, con horarios, números de teléfono, precio de entrada e instalaciones y servicios. El significado de los símbolos se encuentra en la solapa posterior.

4 Principales monumentos de interés

Las plantas de museos siguen un código de colores para destacar las salas más interesantes; los edificios históricos se diseccionan para mostrar su interior.

Las estrellas indican aquello que el viajero no debe perderse.

APROXIMACIÓN A SAN FRANCISCO

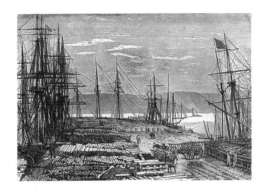

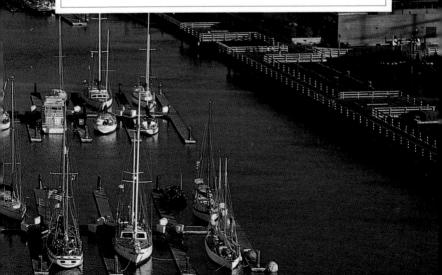

CUATRO DÍAS EN SAN FRANCISCO

Rinoceronte, Asian Arts Museum

Enclavada entre empinadas colinas boscosas y rodeada casi por completo por una inmensa bahía, esta espléndida ciudad es, ante todo, fotogénica. Se recomienda coger la cámara, un plano y buen calzado para caminar, y lanzarse a descubrir sus monumentos históricos, tesoros culturales y animados barrios. Los lugares de interés importantes van acompañados de la referencia de la página en la que se describen, donde se puede obtener más información. Los precios orientativos incluyen el coste del desplazamiento, comidas y entradas.

El pensador, de Rodin, Legion of Honor

ARTE ANTIGUO Y MODERNO

- **Obras maestras en la Legion of Honor**
- **Arte contemporáneo en SFMOMA**
- **Tesoros y té en el Asian Art Museum**
- **Tiendas en Hayes Valley**

2 ADULTOS mínimo 122 $

Mañana
Se puede comenzar recorriendo la **Legion of Honor** de Lincoln Park *(ver pp. 156-157)*. Desde aquí se puede disfrutar de las vistas de la bahía. El itinerario continúa subiéndose al tranvía Muni hasta el latino Mission District *(ver p. 131)* para apreciar floridos murales y curiosear en tiendas. Se recomienda una comida rápida en **La Taquería** *(ver p. 236)*.

Tarde
En un Muni se llega al **SFMOMA** *(ver pp. 118-121)*; alberga obras de Warhol, Picasso y otros maestros contemporáneos. Desde aquí se puede caminar hasta Civic Center Plaza y el **Asian Art**

Museum *(ver p. 126)*, uno de los mayores museos del mundo de arte asiático, donde se sugiere hacer una parada en el café. Cruzando la plaza se accede a la rotonda *beaux arts* del **ayuntamiento** *(ver p. 127)*. De camino a **Hayes Valley** *(ver p. 128)* se puede admirar la fachada del **Davies Symphony Hall** *(ver p. 126)*, y la **War Memorial Opera House** *(ver p. 127)*. Los amantes de las compras disfrutan en las tiendas de Hayes Valley. Se puede terminar el día en **Absinthe Brasserie and Bar** *(ver p. 235)*.

SÓLO PARA NIÑOS

- **Juegos en Yerba Buena Gardens**
- **Picnic**
- **Diversión en Fisherman's Wharf**
- **Barcos antiguos en Hyde Street Pier**

FAMILIA DE 4 mínimo 111 $

Mañana
En **Mel's Drive-In** *(ver p. 243)* se sirven desayunos de tortitas. A media manzana de aquí se hallan los jardines **Yerba**

Buena Gardens *(ver pp. 114-115)*, donde se pueden subir las rampas hasta el parque infantil Rooftop para contemplar un panorama de 360º de la ciudad. Los adolescentes se entretienen en Zeum, con actividades relacionadas con las artes escénicas, mientras que los más pequeños se entusiasman con el tiovivo de 1906. Se puede comprar algo en uno de los cafés al aire libre.

Tarde
La tarde comienza paseando hasta el **Embarcadero Center** *(ver p. 110)* y a lo largo del puerto o tomando un tranvía hasta **Fisherman's Wharf** *(ver pp. 79-81)*. En Pier 45, se puede echar unos centavos en cualquiera de las 200 máquinas del Musée Méchanique. En **Pier 39** *(ver p. 82)*, un complejo de tiendas y restaurantes, hay espectáculos callejeros. La galería Riptide Arcade alberga un carrusel veneciano, tiburones en Underwater World y videojuegos. Para terminar el día, se puede subir a una goleta y pasearse por el **Maritime Historical Park** *(ver p. 83)*.

Diversión infantil, Fisherman's Wharf

Casas de Ocean Beach, magnífica playa de arena con espléndidas vistas

DÍA AL AIRE LIBRE

- Vista del mar en **Ocean Beach**
- **Golden Gate Park**
- **Paseo por el Golden Gate Bridge**
- **Chocolate en abundancia**
- **Paseo en tranvía hasta Nob Hill**

2 ADULTOS mínimo 100 $

Mañana

El día comienza desayunando en Beach Chalet (1000 Great Highway), en **Ocean Beach** *(ver p. 153)*. Tras contemplar los murales de la Depresión, se avanza hacia **Golden Gate Park** *(ver pp. 144-145)* hasta el **Conservatory of Flowers** *(ver p. 152)*, un invernadero victoriano con de plantas exóticas. Se puede pasear por el **Japanese Tea Garden** *(ver p. 147)*, alquilar una bicicleta o una barca, o visitar el jardín botánico **Strybing Arboretum** *(ver p. 152)*. A la salida del parque, el restaurante japonés **Ebisu** *(ver p. 237)* prepara almuerzos de sushi.

Tarde

En un Muni se sube el **Golden Gate Bridge** *(ver pp. 64-67)*, que se puede recorrer a pie. Caminando bajo el puente se llega a **Fort Point** *(ver p. 62)*, anterior a la guerra de secesión, y se continúa por el camino de la bahía hasta **Crissy Field** *(ver p. 62)* para observar los barcos. Aquí se puede beber algo caliente en el War-

ming Hut Café. El Exploratorium del **Palace of Fine Arts** *(ver pp. 60-61)* ofrece una o dos horas de entretenimiento. A continuación, se camina hasta **Ghirardelli Square** *(ver p. 83)*, con sus tiendas, restaurantes, una antigua fuente de soda y una fábrica de chocolate. En la plataforma giratoria del tranvía se puede subir hasta **Nob Hill** *(ver p. 101)*. Tras dar un paseo, se recomienda bajar hasta Chinatown *(ver pp. 94-100)*.

PASEO JUNTO AL MAR

- **Estadio de los Giants**
- **Delicias para el paladar**
- **Paseo por Levi's Plaza Park**
- **Travesía por la bahía o visita a Alcatraz**

2 ADULTOS mínimo 102 $

Mañana

Tras tomar un café en **Caffè Roma** *(ver p. 242)*, la jornada comienza en el **AT&T Park** *(ver p. 272)*, campo de los San Francisco Giants, donde se disfruta de vistas fabulosas. El paseo continúa hacia **Ferry Building** *(ver p. 112)*, con un centro comercial donde se puede comprar queso artesanal, té exótico, pastas y productos locales. El **Embarcadero Center** *(ver p. 110)*, al otro lado de la calle, es un gran complejo de tiendas y restaurantes. Desde aquí, se llega a la orilla del mar, donde se puede descansar en un banco, ver a los pescadores y

los barcos y la **Transamerica Pyramid** *(ver p. 111)*, que se alza sobre el paisaje. El itinerario sugerido conduce a **Levi's Plaza** *(ver p. 93)*, un recinto de césped con el telón de fondo de las casas antiguas de Telegraph Hill y la **Coit Tower** *(ver p. 93)*. **Fog City Diner** *(ver p. 230)*, un local al estilo de la década de 1930 con vistas al mar, resulta perfecto para almorzar unas hamburguesas o costillas.

Tarde

En un tranvía o caminando se llega al Pier 41, en **Fisherman's Wharf** *(ver pp. 80-81)*, para realizar una de las travesías turísticas de una hora en torno a la bahía que organiza Blue and Gold Fleet. Otra opción consiste en dar un paseo en barco hasta la prisión de la isla de **Alcatraz** *(ver pp. 84-87)*, y recorrerla en una visita guiada. De regreso al muelle, se recomienda entrar en el **Wax Museum** *(ver p. 82)*. La jornada acaba en **Fort Mason** *(ver pp. 74-75)*, para contemplar la puesta de sol sobre la bahía.

Fog City Diner, restaurante de la década de 1930

San Francisco en el mapa

San Francisco es, después de Nueva York, la segunda
ciudad con mayor densidad de población de Estados
Unidos, con 750.000 habitantes concentrados en un
área de 122 km². Se sitúa en el extremo de una
península accidentada en la costa oeste de
Norteamérica, bañada por el océano Pacífico.
En los tres aeropuertos de la zona de la bahía operan
tanto vuelos nacionales como internacionales.
Las autopistas interestatales y líneas ferroviarias conectan con la costa este, otras zonas del país y Canadá.

**Financial District y puente de
San Francisco-Oakland al atardecer**

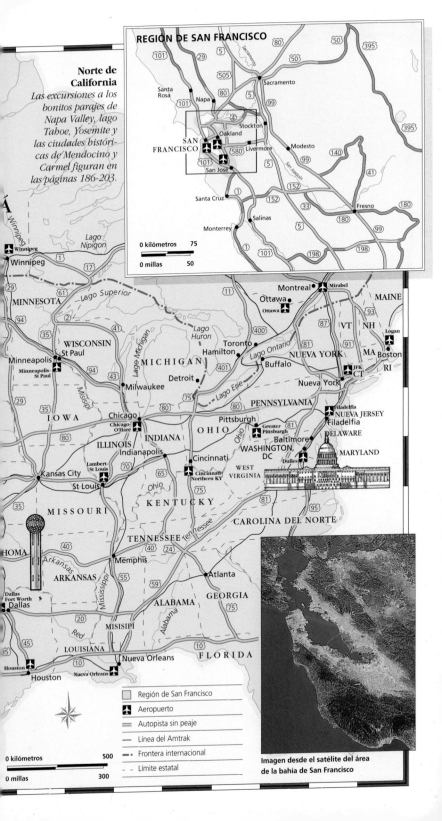

REGIÓN DE SAN FRANCISCO

Santa Rosa
Napa
Sacramento
Stockton
Oakland
SAN FRANCISCO
Livermore
Modesto
San José
Santa Cruz
Salinas
Fresno
Monterrey

0 kilómetros 75
0 millas 50

Norte de California

Las excursiones a los bonitos parajes de Napa Valley, lago Tahoe, Yosemite y las ciudades históricas de Mendocino y Carmel figuran en las páginas 186-203.

Lago Nipigon
Lago Winnipeg
Winnipeg
Lago Superior

MINNESOTA

Lago Huron

WISCONSIN
St Paul

Lago Michigan

Montreal   Mirabel
Ottawa
MAINE
VT NH
Logan

Minneapolis
Minneapolis-St Paul

Toronto
Hamilton
Lago Ontario

NUEVA YORK
Boston
MA
RI

IOWA

Chicago
Chicago-O'Hare
Detroit
Milwaukee
Lago Erie

Buffalo

Nueva York
CT
JFK

INDIANA
ILLINOIS
Indianapolis

OHIO

PENNSYLVANIA
Pittsburgh
Greater Pittsburgh
Filadelfia
NUEVA JERSEY
Filadelfia
DELAWARE

Kansas City
Lambert-St Louis
St Louis

Cincinnati
Cincinnati Northern KY

WASHINGTON, DC
Baltimore
Dulles
MARYLAND

WEST VIRGINIA

MISSOURI

KENTUCKY

CAROLINA DEL NORTE

OMA

Arkansas

TENNESSEE   Tennessee

Dallas
Fort Worth
Dallas

Memphis

ARKANSAS

Atlanta

ALABAMA   GEORGIA

MISISIPÍ

Red

LOUISIANA

Houston
Houston

Nueva Orleans
Nueva Orleans

FLORIDA

Región de San Francisco
✈ Aeropuerto
Autopista sin peaje
Línea del Amtrak
Frontera internacional
Límite estatal

0 kilómetros 500
0 millas 300

Imagen desde el satélite del área de la bahía de San Francisco

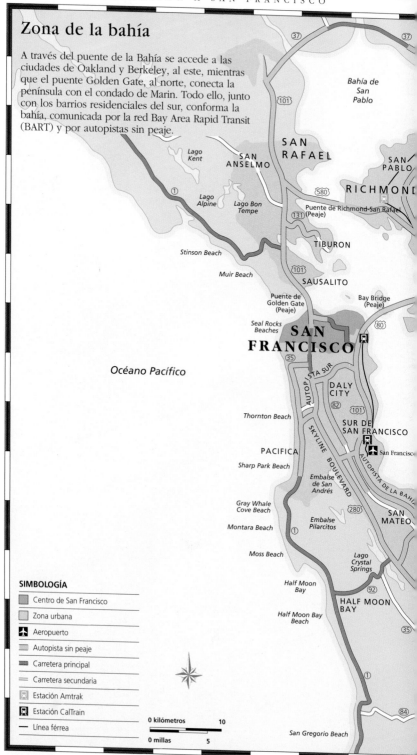

Zona de la bahía

A través del puente de la Bahía se accede a las ciudades de Oakland y Berkeley, al este, mientras que el puente Golden Gate, al norte, conecta la península con el condado de Marin. Todo ello, junto con los barrios residenciales del sur, conforma la bahía, comunicada por la red Bay Area Rapid Transit (BART) y por autopistas sin peaje.

Bahía de San Pablo

SAN RAFAEL

SAN PABLO

RICHMOND

Lago Kent

SAN ANSELMO

580

Lago Alpine

Lago Bon Tempe

Puente de Richmond-San Rafael (Peaje)

131

TIBURON

Stinson Beach

Muir Beach

101

SAUSALITO

Puente de Golden Gate (Peaje)

Bay Bridge (Peaje)

Seal Rocks Beaches

80

SAN FRANCISCO

35

Océano Pacífico

DALY CITY

82

101

SUR DE SAN FRANCISCO

San Francisco

Thornton Beach

AUTOPISTA SUR

PACIFICA

SKYLINE BOULEVARD

AUTOPISTA DE LA BAHÍA

Sharp Park Beach

Embalse de San Andrés

Gray Whale Cove Beach

Montara Beach

Embalse Pilarcitos

280

SAN MATEO

Moss Beach

Lago Crystal Springs

SIMBOLOGÍA

- Centro de San Francisco
- Zona urbana
- ✈ Aeropuerto
- Autopista sin peaje
- Carretera principal
- = Carretera secundaria
- Estación Amtrak
- Estación CalTrain
- — Línea férrea

Half Moon Bay

92

HALF MOON BAY

Half Moon Bay Beach

35

0 kilómetros   10

0 millas   5

San Gregorio Beach

84

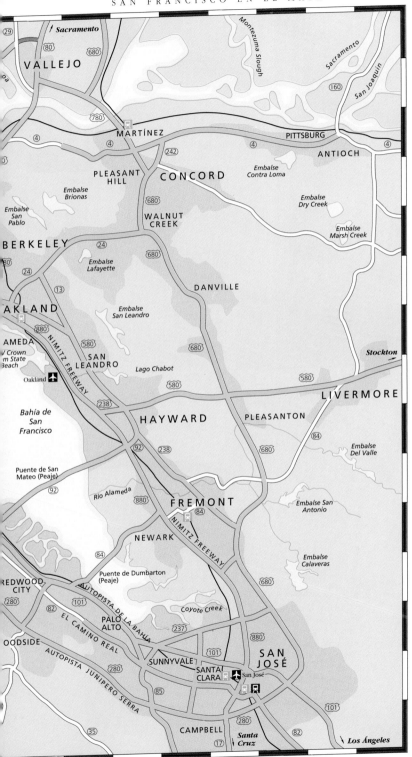

Centro de San Francisco

San Francisco es una ciudad compacta, por lo que se puede recorrer a pie gran parte del centro. La abundancia de colinas, con algunas cuestas agotadoras, ofrece puntos de referencia para orientarse. La riqueza étnica añade carácter a los barrios residenciales.

Casas victorianas
Ver pp. 76-77.

Golden Gate Bridge
Con más de 50 años de antigüedad, el puente es un elemento más del paisaje, como los escarpados cabos de Marin y la bahía (ver pp. 64-67).

Cliff House
La Casa del Acantilado, uno de los lugares de interés más originales de la ciudad, continúa atrayendo a visitantes para almorzar en el restaurante y admirar las vistas espectaculares de Seal Rocks y el Pacífico (ver p. 157).

Lombard Street
Lombard St. es famosa por el breve tramo empinado de Russian Hill. Conocida como la calle más tortuosa del mundo; tan sólo ocupa una manzana entre las calles Hyde y Leavenworth, pero posee 10 curvas en zigzag (ver p. 85).

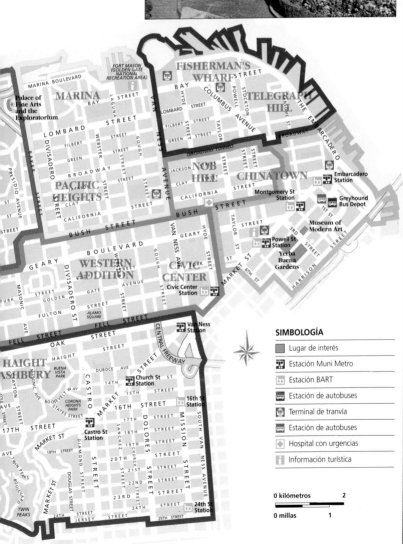

SIMBOLOGÍA

- Lugar de interés
- Estación Muni Metro
- Estación BART
- Estación de autobuses
- Terminal de tranvía
- Estación de autobuses
- Hospital con urgencias
- Información turística

0 kilómetros   2

0 millas   1

Terremotos

San Francisco se sitúa sobre la falla de San Andrés y sufre continuas amenazas de seísmos. El terremoto de Loma Prieta del 17 de octubre de 1989, que recibe su nombre de la colina cercana al epicentro, en las montañas de Santa Cruz, fue el más devastador que sufrió la región desde 1906 *(ver pp. 28-29)*. Se están reforzando numerosos edificios, y existen refugios para casos de emergencia como el del Moscone Center *(ver pp. 114-115)*. La mayoría de los hoteles cuenta con sus propios procedimientos de evacuación y en la guía telefónica se dedican cuatro páginas a consejos.

El terremoto de 1989 *registró 5,5 en la escala de Richter. Su intensidad provocó el desplazamiento de los cimientos de algunas viviendas construidas sobre terreno ganado al mar en Marina District.*

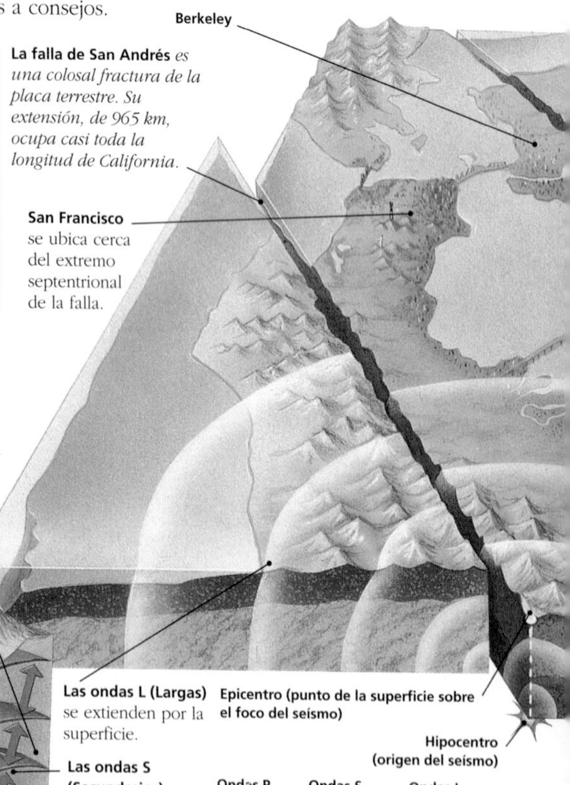

Berkeley

La falla de San Andrés *es una colosal fractura de la placa terrestre. Su extensión, de 965 km, ocupa casi toda la longitud de California.*

San Francisco se ubica cerca del extremo septentrional de la falla.

PLACAS TECTÓNICAS NORTEAMERICANA Y DEL PACÍFICO

La falla de San Andrés es el resultado del choque entre dos importantes placas de la corteza terrestre, la del Pacífico y la norteamericana.

Falla de San Andrés

Placa norteamericana

Las ondas L (Largas) se extienden por la superficie.

Epicentro (punto de la superficie sobre el foco del seísmo)

Hipocentro (origen del seísmo)

Las ondas S (Secundarias) atraviesan partes sólidas de la corteza.

Ondas P   Ondas S   Ondas L

Las ondas P (Primarias) recorren el núcleo terrestre.

Placa del Pacífico   Hipocentro

La energía producida por los terremotos *se desplaza en forma de ondas a través de la corteza terrestre. El intervalo entre las ondas P y S indica a qué distancia se encuentra en epicentro.*

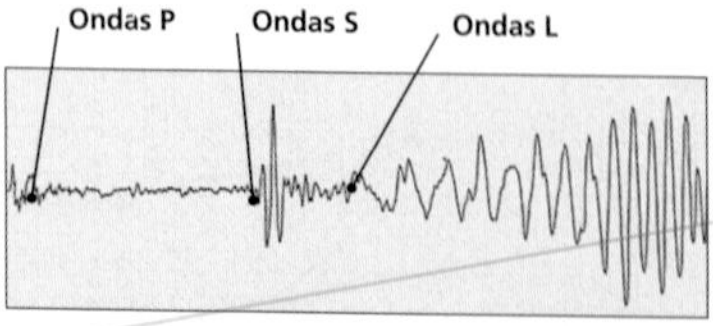

El sismógrafo *muestra gráficamente la intensidad de las vibraciones de un terremoto. Este aparato dibuja el movimiento de las ondas P (Primarias), S (Secundarias) y L (Largas) sobre una bobina rotatoria.*

Los científicos controlan *el estado de la falla de San Andrés haciendo rebotar una serie de rayos láser que despide una red de reflectores. El sistema es capaz de registrar movimientos de menos de 0,6 mm a 6 km de distancia, lo que permite a los sismólogos prever la posibilidad de terremotos.*

Las colinas y la cadena costera se han formado por la presión que ejercen las placas, que comprimen y levantan el terreno.

Falla Hayward

En Oakland fallecieron 42 personas en 1989 cuando un tramo elevado de la autopista se derrumbó y 44 bloques de hormigón, cada uno de 661 toneladas, aplastaron los vehículos.

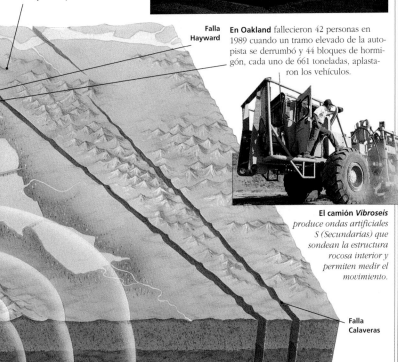

El camión *Vibroseis* *produce ondas artificiales S (Secundarias) que sondean la estructura rocosa interior y permiten medir el movimiento.*

Falla Calaveras

CRONOLOGÍA

1769 Los miembros de la expedición de Portolá son los primeros europeos en vivir un terremoto en California

1865 La ciudad sufre el primer terremoto de importancia el 9 de octubre, seguido por un segundo temblor el 23 de octubre

1872 Un terremoto destroza la localidad de Lone Pine y Sierra Nevada se eleva 4 m

1890 Temblor de tierra acusado

1989 El terremoto de Loma Prieta golpea la ciudad y el área de la bahía; mueren 67 personas y 1.800 pierden su hogar. Fue el terremoto más devastador desde 1906

1750   **1800**   **1850**   **1900**   **1950**

Don Gaspar de Portolá

1857 Fuerte temblor de tierra seguido por pequeñas sacudidas en el área de la bahía

1868 Fuerte temblor en la falla Hayward

Secuelas del terremoto de 1906

1957 Fuerte temblor en la zona de la bahía

1906 El mayor terremoto de la historia: el incendio arrasa durante tres días gran parte de la ciudad con un saldo de 3.000 muertos y 250.000 personas sin hogar

1977 Se producen ocho temblores

HISTORIA DE SAN FRANCISCO

Tras el descubrimiento de América, San Francisco continuó siendo una tierra desconocida durante un periodo sorprendentemente prolongado. Unos cuantos exploradores europeos, entre ellos el portugués João Cabrilho y el inglés sir Francis Drake, surcaron de norte a sur las aguas de todo el litoral californiano en el siglo XVI, pero ninguno divisó la bahía que se ocultaba tras el estrecho Golden Gate. No fue hasta 1769 cuando los primeros extranjeros atisbaron lo que hoy es San Francisco; a partir de esta fecha el área fue colonizada rápidamente por los españoles. En 1821, cuando México declaró su independencia de España, pasó a formar parte del territorio mexicano.

Escudo de la ciudad y condado de San Francisco

DESARROLLO DE LA CIUDAD

El primer crecimiento demográfico significativo se produjo en 1848 a raíz del descubrimiento de oro en Sutter's Mill, a los pies de Sierra Nevada, en las inmediaciones de Sacramento. Cientos de miles de buscadores acudieron a California en la fiebre del oro de 1849; de hecho, los buscadores de esta época eran conocidos como los Forty-Niners o '49ers (los del 49). Esto coincidió con la conquista de la costa oeste por parte de Estados Unidos. En 1869, San Francisco se había convertido en una importante ciudad, conocida tanto por su salvaje Barbary Coast, que se extiende al oeste, como por las fortunas que se amasaron especulando con las riquezas descubiertas en la frontera estadounidense.

TERREMOTO Y RECUPERACIÓN

A medida que aumentaba la población, la ciudad creció hacia el oeste hasta ocupar por completo la península. Se edificaron manzanas de casas victorianas y para subir las empinadas colinas se construyeron tranvías. El gran terremoto e incendio de 1906 asolaron la mayor parte de la ciudad, pero no su espíritu, y el proceso de reconstrucción se emprendió en seguida. A pesar de la desgracia, San Francisco conservó su carácter único y su energía incomparable. En las páginas siguientes se recogen los periodos más significativos de la historia de la ciudad.

Telegraph Hill y North Beach en la época de la fiebre del oro

◁ *Vista sur de la ciudad y Market St. desde el mar*, grabado de 1873

Orígenes de San Francisco

Los primeros habitantes de la bahía fueron los amerindios, que se agrupaban en dos tribus principales: los miwok en el norte y los ohlone en el sur. Hacia mediados de la década de 1500, los buques europeos exploraron la costa de California, pero no se estableció contacto alguno con los indios hasta que sir Francis Drake fondeó junto a Point Reyes y lo conquistó para la reina Isabel I de Inglaterra. La bahía no fue descubierta hasta 1769, y en 1776 España estableció un pequeño presidio (o fuerte) y una misión, que fueron bautizados en honor a San Francisco de Asís.

Batidor de semillas

EXTENSIÓN DE LA CIUDAD

☐ *Hoy*   ■ *1800*
▨ *Territorio anexionado desde 1800*

Indios tcholovoni
Varias tribus, incluidos los indios tcholovoni, se establecieron en pequeñas aldeas en las orillas de la bahía de San Francisco.

Los misioneros españoles intentaron convertir a los indios al cristianismo, obligándolos a vivir en barracas y a realizar trabajos forzados.

Los taparrabos se adornaban con plumas y conchas.

Drake desembarca en Point Reyes (1579)
Se cree que sir Francis Drake pisó tierra en lo que se conoce como la bahía de Drake; fue recibido por los indios miwok.

CRONOLOGÍA

10000 a.C. Los primeros indios llegan al área de la bahía

João Cabrilho (¿?-1543)

1542 d.C. El explorador João Cabrilho, oriundo de Portugal, divisa bajo bandera española las islas Farallón junto a la costa de San Francisco

1579 Sir Francis Drake desembarca cerca de Point Reyes para reparar su nave

1595 Naufragio del buque comercial español *San Agustín* frente a Point Reyes

1602 Sebastián Vizcaíno visita Point Reyes, pero no avista la bahía. Sus brillantes informes propiciaron la última expedición en la que se descubrió la bahía de San Francisco

10000 a.C.	d.C. 1550	1600	1650

Mapa donde figura California como una isla, 1666

Indios kule loklo

Estos antiguos habitantes de la bahía son los protagonistas de un mural de Anton Refregier situado en el vestíbulo de Rincon Center Annex (ver p. 113).

Las misiones

Bajo la dirección del padre Narciso Durán, la misión de San José se convirtió en la mayor y más próspera del área de la bahía.

La lanza era un importante accesorio de las danzas.

Los hombres se pintaban el cuerpo con pigmentos rojos, negros y blancos para bailar.

DÓNDE VER EL ORIGEN DE SAN FRANCISCO

Las primeras herramientas amerindias se conservan en la California Academy of Sciences *(pp. 150-151)*. En Misión Dolores *(p. 137)* y en el Oakland Museum *(pp. 166-167)* se exponen piezas de la época de las misiones.

El icono del siglo XVII *de san Pedro, tallado en México y trasladado a California, se exhibe en el Oakland Museum* (p. 166).

'DANZAS EN MISIÓN DOLORES'

El artista ruso Ludovic Choris (1795-1828) pintó este cuadro, en el que los indios bailan en el exterior de Misión Dolores en 1816. Decoraban su cuerpo para danzar para los misioneros todos los domingos.

1701 El padre Kino cruza el río Colorado y demuestra que Baja California es una península y no una isla

Expedición de Portolá, 1769

1776 Juan de Anza dirige la primera partida terrestre de colonos, que llega a San Francisco el 28 de marzo

1816 Mercaderes rusos llegan en la nave *Rurik* y quedan consternados por la alta tasa de mortalidad de los indios

1700   **1750**   **1800**

1769 Don Gaspar de Portolá, a la cabeza de una expedición por tierra, descubre la bahía en noviembre de 1769

1775 El buque español *San Carlos*, capitaneado por el alférez de navío Juan Manuel de Ayala, es el primero en arribar a la bahía de San Francisco

1797 Fundación de la misión de San José

Indios jugando

La fiebre del oro

Tras obtener la independencia de España en 1821, México abrió California al mercado exterior. Los buques balleneros y comerciales fondearon en la bahía y comenzó a prosperar un pequeño pueblo. El año 1848 constituye una fecha clave debido al descubrimiento de oro en las estribaciones de Sierra Nevada y la anexión de California a EE UU. En

Pepitas de oro

dos años atravesaron el Golden Gate 100.000 buscadores de oro y San Francisco se convirtió en una salvaje ciudad fronteriza.

EXTENSIÓN DE LA CIUDAD

☐ Hoy   ▨ 1853

Copa de Vallejo
Esta elegante copa refleja el refinado estilo de vida del general Vallejo, el último gobernador mexicano de California.

Sam Brannan fundó el primer periódico de la ciudad en 1847.

Bomberos con equipos antiincendios

La toma de San Francisco
El 9 de julio de 1846, EE UU se hizo con el control de la indefensa bahía con el Portsmouth; 70 marineros y marines estadounidenses izaron la bandera de su país en la plaza central.

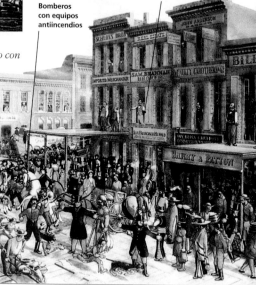

Apuestas
Las fortunas se jugaban a las cartas; las apuestas constituían un modo de subsistencia.

CRONOLOGÍA

1820 Los buques balleneros utilizan Sausalito como base de operaciones

1823 Fundación de la misión de San Francisco de Solano en Sonoma

1828 El trampero de pieles Jedediah Smith llega a Presidio; es el primer hombre que atraviesa las escarpadas montañas de la costa

1834 Se clausuran las misiones y se reparten sus bienes entre los terratenientes mexicanos

1820

1830

1821 La revolución mexicana pone fin al dominio español sobre California

Mapa de Yerba Buena (San Francisco) trazado a mano por Richardson en 1835

1835 Williams Richardson funda Yerba Buena, posteriormente rebautizada como San Francisco

DÓNDE VER LA FIEBRE DEL ORO

Queda poco de la ciudad de la fiebre del oro, pero se puede hacer una idea de esta época en el Wells Fargo History Museum *(ver p. 110)*, Museum of Money in the American West del Bank of California *(p. 112)* o en el Oakland Museum *(pp. 166-167)*.

Balanza utilizada en Wells Fargo

Minero

Un buscador afronta el largo camino hasta las tierras del oro; muchos regresaron de vacío.

El teatro burlesco era un popular entretenimiento en la floreciente ciudad.

Administradores de Wells Fargo

Los barcos transportaban a buscadores de oro de todo el mundo.

La noticia del oro se difunde

El hallazgo de oro, confirmado por el presidente Polk en diciembre de 1848, animó a muchos a marchar al oeste.

Bateas de oro

En 1849, más de 90.000 Forty-Niners atravesaron San Francisco. Se enfrentaron a largas horas de trabajo removiendo las bateas en los arroyos de los valles de Sacramento y Sierra Nevada.

MONTGOMERY STREET EN 1852

Esta calle era el núcleo comercial. Aquí Wells Fargo, que con sus diligencias surtía de provisiones a los mineros y transportaba el oro recogido, construyó el primer edificio de ladrillo de la ciudad.

1836 Juan Bautista Alvarado declara California Estado libre y soberano de la República Mexicana

1846 El explorador John Fremont y los colonos protagonizan una revuelta en mayo. Las tropas estadounidenses ocupan la capital del Estado (Monterrey) el 7 de julio y toman Yerba Buena el 9

1851 El clíper *Flying Cloud* realiza la travesía de Nueva York a San Francisco en 89 días

1840	1850

John Fremont (1813-1890)

1847 El pueblo de Yerba Buena es rebautizado oficialmente como San Francisco. La ciudad cuenta entonces con 200 edificios y 800 habitantes

1850 California es incluida en Estados Unidos

1848 John Marshall descubre oro en las estribaciones de Sierra Nevada; un año más tarde surge la fiebre del oro

La época victoriana

Tren transcontinental

El auténtico apogeo de la ciudad se produjo durante la segunda mitad del siglo XIX, cuando algunos habitantes amasaron grandes fortunas gracias a las minas de oro de Comstock Lode, en Sierra Nevada, y al ferrocarril transcontinental, completado en 1869. En el legendario Barbary Coast District abundaban las tabernas y burdeles, mientras que los ricos construían sus mansiones en la cima de Nob Hill. Las calles se fueron llenando de casas victorianas y, a principios del siglo XX, la población ascendía a 300.000 habitantes, convirtiéndose en la mayor ciudad al oeste de Chicago.

EXTENSIÓN DE LA CIUDAD

| ☐ Hoy | ■ 1870 |

Baño con bañera y losas originales

Urna de plata
Esta urna, regalada al senador Edward Baker en 1860, selló diversos negocios en San Francisco, entre los que destacaba el del ferrocarril transcontinental.

El comedor se utilizaba para comidas familiares y cenas formales.

Taberna de Barbary Coast
Las apuestas y la prostitución estaban a la orden del día en Barbary Coast; se obligaba a los hombres ebrios a alistarse.

Comedor del sótano

La segunda habitación era una sala de estar privada para la familia.

El vestíbulo de entrada se utilizaba sólo para el ocio.

CRONOLOGÍA

1856 Aumentan los desórdenes; los vigilantes ahorcan a cuatro hombres	**1862** Primera conexión telegráfica entre Nueva York y San Francisco	**1869** Se completa el ferrocarril transcontinental, con el que se enriquecen los Cuatro Grandes *(ver p. 102)*	**1873** Levi Strauss patenta la fabricación de vaqueros remachados *(ver p. 135)*
1850	**1860**		**1870**
El emperador Norton (m.1880)	**1854** El excéntrico Joshua Norton se autoproclama emperador de Estados Unidos y protector de México, y acuña su propia moneda	**1863** Acondicionamiento de terreno en Sacramento para el ferrocarril *Union Pacific*, se contrata a miles de chinos para las obras	**1873** Se prueba el primer tranvía de San Francisco en Clay St.

Ferrocarril Union Pacific

En 1869, el Union Pacific alcanzó la terminal de San Francisco, Central Pacific, se inauguraba el ferrocarril transcontinental.

CASA DE HAAS-LILIENTHAL

En 1886, William Haas construyó esta casa, una de las muchas de los barrios residenciales de la época victoriana, al estilo reina Ana. Hoy acoge un museo donde se ilustra la vida cotidiana de las familias acomodadas a principios del siglo XX.

DÓNDE VER LA CIUDAD VICTORIANA

En todo San Francisco se pueden ver edificios victorianos bien conservados, pero sólo abren al público regularmente Haas Lilienthal House *(ver p. 72)* y Octagon House *(p. 75)*. El Jackson Square Historical District *(ver p. 110)* es el mejor testimonio que sobrevive de Barbary Coast.

Jaula de pájaros neogótica decimonónica del Oakland Museum *(pp. 166-167)*

Baños de Sutro

Estos baños públicos, conservados hasta la década de 1960, fueron construidos en 1896 por Adolph Sutro, filántropo y antiguo alcalde.

La sala de **estar** fue en su origen el dormitorio principal.

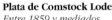

Plata de Comstock Lode

Entre 1859 y mediados de la década de 1880 se obtuvieron 440 millones de dólares en las minas.

Porche

Recibidor con sofá rinconero victoriano

1886 10.000 sindicalistas participan en la mayor manifestación obrera hasta la fecha en San Francisco

1896 Adolph Sutro inaugura los baños públicos mayores del mundo al norte de Cliff House

1901 El magnate de la electricidad Abe Ruef monopoliza San Francisco

1880

1900

1887 El jardinero escocés John McLaren es contratado para trazar Golden Gate Park. Permanece aquí 50 años *(ver p. 146)*

1899 Frank Norris escribe la novela clásica *McTeague: Historia de San Francisco*

1900 Se construye el muelle Fisherman's Wharf

Adolph Sutro (1830-1898)

Terremoto e incendio de 1906

El terremoto que azotó San Francisco el 18 de abril de 1906 fue uno de los mayores desastres de la historia de EE UU. El seísmo, de mucha más intensidad que cualquier otro sufrido en la ciudad, derrumbó cientos de edificios y provocó varios incendios que asolaron el centro. Más de 15 km² quedaron reducidos a escombros. La cifra oficial de fallecidos se fijó en 700 personas, aunque otras fuentes hablan de 3.000 muertos, mientras que 250.000 personas perdieron sus hogares. La mayoría de los propietarios estaban asegurados en caso de incendio y gracias a ello la ciudad pudo reconstruirse rápidamente. Hacia finales de la década se retomaba la actividad cotidiana.

El ayuntamiento después del terremoto

EXTENSIÓN DE LA CIUDAD

☐ *Hoy*   ◼ *1906*

Los tranvías de Powell St. volvieron a funcionar a los dos años. El resto de la red, mucho más reducida, retomó la actividad en 1915.

La Casa del Júbilo
En 1906 más de 100.000 habitantes se vieron obligados a vivir en campos de refugiados.

El Ferry Building se salvó de la destrucción gracias a los barcos antiincendios, que lanzaron agua desde la bahía.

Chinatown quedó reducida a cenizas.

El espíritu de San Francisco
Los caricaturistas mostraban con humor el cambio producido en la vida diaria; la escasez de agua provocó algún que otro comentario irónico.

CRONOLOGÍA

Fairmont Hotel

1905 El arquitecto Daniel Burnham presenta planes radicales para revitalizar el centro urbano

1907 Reapertura del Fairmont Hotel un año después del terremoto

1909 Jack London escribe *Martin Eden*, una novela autobiográfica

1905	1906	1907	1908	1909

1906 El terremoto de intensidad 8,25 en la escala de Richter y el incendio de tres días reducen la ciudad a escombros

Plan Burnham

1907 Abe, *el jefe* Ruef se defiende de las acusaciones de extorsión

Jack London (1876-1916)

Comida para las personas sin hogar en Union Square
El ejército proporcionó alimento y refugio a las miles de víctimas que perdieron a familiares, hogares y posesiones.

South of Market District, construido sobre terreno inestable, fue una de las áreas más afectadas por el terremoto.

El Fairmont Hotel se incendió, pero fue reconstruido tras la fachada original.

El armazón de piedra de Flood Mansion se salvó del seismo; hoy alberga el Pacific Union Club.

DÓNDE RECORDAR EL TERREMOTO DE 1906

Los objetos y exposiciones relacionados con el terremoto de 1906 pueden verse en toda la ciudad. La información sobre el seísmo se facilita en la recepción del Sheraton Palace Hotel y en www.sfmuseum.org

Entre las piezas expuestas en el Oakland Museum *(pp. 166-167)* se encuentran algunas tazas y platos fundidos por el fuego.

LA DESTRUCCIÓN

El terremoto, que se desplazó a una velocidad de 11.265 km/h, asoló el centro de la ciudad. Las conducciones de gas estallaron en llamas y, durante tres días, el fuego quemó 28.000 edificios.

Sin hogar
Muchas personas salvaron lo que pudieron y abandonaron la ciudad para rehacer sus vidas.

Las mansiones de madera de Nob Hill ardieron en llamas.

La reconstrucción
En cuanto se extinguieron las llamas, se demolieron los edificios y se retiraron los escombros para reconstruir la ciudad.

El alcalde Sunny Jim *Rolph* 1869-1948

Proyecto para San Francisco, la ciudad de la Exposición

1913 Se retira el último tranvía arrastrado por caballos

1914 Apertura del túnel de Stockton St.

1910	1911	1912	1913	1914

1911 *Sunny Jim* Rolph es elegido alcalde; ocupa el cargo hasta 1930

1912 San Francisco es nombrada sede oficial de la Exposición Panamá-Pacífico de 1915

1913 El Congreso aprueba entre una gran controversia la construcción de una presa que inunda el valle Hetch Hetchy, 240 km al este de la ciudad

La época dorada

**Cartel de
la Exposición
Panamá-Pacífico**

Ni la I Guerra Mundial en Europa ni el inicio de la Prohibición en EE UU menoscabaron el ánimo revitalizador que nació en 1906. En la década de 1920 se crearon numerosos museos, teatros y otros edificios públicos. La Gran Depresión no tuvo un efecto tan negativo como en el resto del país; de hecho, muchos monumentos de la ciudad, entre ellos la Coit Tower y los dos puentes de la bahía, se construyeron durante estos años. La II Guerra Mundial propició la inversión industrial en los astilleros de Richmond y Sausalito. Fort Mason fue la principal fuente de reclutas de la costa del Pacífico; aportó un millón y medio de soldados.

EXTENSIÓN DE LA CIUDAD

☐ Hoy   ■ 1920

**Torre de las Joyas, decorada
con 102.000 gemas de cristal**

**Palacio de Bellas Artes, único edificio
que se conserva en la actualidad**

EXPOSICIÓN PANAMÁ-PACÍFICO DE 1915

Para celebrar la recuperación de la ciudad tras el terremoto de 1906 y la conclusión del canal de Panamá, San Francisco acogió esta exposición, que atrajo a 20 millones de visitantes a lo largo de 10 meses (ver p. 72).

Fuente de la energía, de A. Stirling Calder, representa la juventud victoriosa

Palacio de Horticultura, con plantas de todo el mundo

Tierra de la abundancia
Los campos californianos se convirtieron en los más productivos de EE UU en la década de 1920.

**Banda criolla
de King Oliver**
Esta banda de jazz fue la más famosa durante la década de 1920.

CRONOLOGÍA

*Medalla conmemorativa
de la exposición*

1917 Inauguración del aeródromo Crissy Field en Presidio

1921 Inauguración del Young Museum

1924 Inauguración del Palacio de la Legión de Honor de California

1929 La caída de la Bolsa provoca la Gran Depresión

1915	1920	1925	1930

1917 Inauguración de la primera biblioteca pública en Civic Center

1915 La Exposición Panamá-Pacífico se celebra desde el 20 de febrero al 4 de diciembre

1920 Inicio de la Prohibición

1923 El presidente Warren G. Harding muere en el Palace Hotel

1924 El primer correo aéreo aterriza en Crissy Field

1927 Inauguración del aeródromo Mills Field, actual emplazamiento del aeropuerto internacional de San Francisco

Llegada de clípers panamericanos
La bahía fue el punto de despegue de aviones que sobrevolaron el Pacífico.

El reto de la Prohibición
A pesar de que la Ley Seca no se aplicó con todo su rigor en la ciudad, había que beber con discreción.

DÓNDE VER LA ÉPOCA DORADA
El único testimonio de la exposición de 1915 es el emblemático Palace of Fine Arts *(pp. 60-61)*. La Old US Mint *(p. 117)* y la History Room de la Main Library *(p. 125)* acogen amplias exposiciones de objetos de este periodo.

Entrada para la Feria Mundial de la isla de Tesoro

Festival Hall, la sala de música de la exposición, albergaba 3.500 butacas.

McLaren's Hedge, zona de césped

Huelga de estibadores
El del 5 de julio de 1934, la policía abrió fuego contra los estibadores que se manifestaban por condiciones mejores; hubo dos muertos.

Astillero de Sausalito
Los operarios de este astillero fabricaban un barco al día durante la II Guerra Mundial.

Presa de Hetch Hetchy	**1939** Estallido de la II Guerra Mundial en Europa. Inauguración de la Feria Mundial	**1941** Japón ataca a EE UU en Pearl Harbor	**1942** Inicio de la contienda entre Japón y EE UU	**1945** Fin de la II Guerra Mundial
	1937 Inauguración del Golden Gate Bridge			
	1935	**1940**		**1945**
1933 Se levanta la Prohibición	**1936** Inauguración del puente de la Bahía. Clípers panamericanos llegan a la ciudad			**1945** La Conferencia de Paz de Naciones Unidas se celebra del 25 de abril al 25 de junio para fundar la ONU
1934 Se finaliza la presa de Hetch Hetchy. Huelga general de tres días en solidaridad con los estibadores	*Firma de la Carta de Naciones Unidas en la ciudad en 1945*			

La posguerra en San Francisco

Desde la II Guerra Mundial, San Francisco ha disfrutado de altibajos de prosperidad. Lugar de la fundación de Naciones Unidas en 1945, la ciudad vio nacer el beat en la década de 1950 y fue escenario de la paz y amor de los *hippies* en la década de 1960. En la bahía se organizaron manifestaciones contra las guerras y a favor de los derechos cívicos. La zona, una de las más ricas del país, sufrió las duras secuelas del sida, la mendicidad y un devastador terremoto en 1989.

Década de 1970 Huey Newton (*derecha*), líder de las Panteras Negras de Oakland, se granjea numerosos simpatizantes en campus universitarios durante las décadas de 1960 y 1970

1969 El Movimiento de los Indios Americanos ocupa Alcatraz para divulgar los agravios contra su población

1969 Janis Joplin, estrella de blues y soul de San Francisco, muere en 1970 de sobredosis

1978 El alcalde George Moscone es asesinado en el ayuntamiento por Dan White, un antiguo policía que también mata al político gay Harvey Milk

George Moscone

Neal Cassady y Jack Kerouac | **Década de 1950** Jack Kerouac, Neal Cassady y Allen Ginsberg, entre otros, se mueven entre el desencanto y la creatividad; nace el movimiento *beat*, la política del inconformismo y el amor libre

1945	1950	1955	1960	1965	1970	1975	1980

1945	1950	1955	1960	1965	1970	1975	1980

15 de agosto de 1945 Explosión de júbilo en San Francisco por el fin de la II Guerra Mundial. Miles de tropas regresan a EE UU a través del Golden Gate

1954 En el antiguo aeródromo de Mills Fields se inaugura el nuevo aeropuerto internacional de San Francisco

1965 En Grant Avenue se despeja terreno para la Dragon Gateway

1973 Se completa la Transamerica Pyramid

1978 Apple Computer, una de las compañías más importantes de la bahía, diseña y fabrica su primer ordenador personal

1958 El equipo de béisbol New York Giants se traslada a San Francisco, fomentando el deporte profesional de ligas de primera en la costa oeste

1951 Seis días después del cese de la contienda entre EE UU y Japón se firma un tratado de paz en la War Memorial Opera House

Willie Mays, de los San Francisco Giants

1967 La primera concentración de Human Be-In reúne a 25.000 personas en Golden Gate Park para una jornada de música. El festival de pop de Monterrey presenta a talentos de la talla de Jimi Hendrix, Otis Redding o The Who

1992 Las llamas se propagan en Oakland; mueren 26 personas y se queman 3.000 viviendas

1995 Candlestick Park es rebautizado como 3Com Park

2007 Tiene lugar un terremoto de 4,2 en la escala Richter

2000 Partido de inauguración en el Pacific Bell Park (el actual AT&T Park)

1985	1990	1995	2000	2005	2010	2015	2020
1985	1990	1995	2000	2005	2010	2015	2020

1994 La base del ejército de Presidio pasa a ser gestionada por el National Park Service

2008 Se inaugura el Contemporary Jewish Museum, diseñado por Daniel Libeskind

2006 La congresista de San Francisco Nancy Pelosi se convierte en la primera mujer en ser elegida presidenta de la Cámara de Representantes de Estados Unidos

1989 Un fuerte terremoto sacude San Francisco; la autopista se derrumba con un saldo de docenas de víctimas mortales

1999 Después de 15 años como portavoz de la asamblea de California, el demócrata Willie Brown toma posesión como primer alcalde negro de San Francisco

SAN FRANCISCO DE UN VISTAZO

En el capítulo *Itinerarios por San Francisco* se describen más de 200 lugares de interés, que incluyen desde los bulliciosos callejones, tiendas y restaurantes de Chinatown a los espacios de césped de Golden Gate Park, pasando por ornamentadas casas victorianas y los altos rascacielos del centro.

Las 12 páginas siguientes presentan una breve guía de lo mejor que San Francisco ofrece a los visitantes. Se dedican diferentes secciones a museos y arquitectura, así como a las diversas culturas que le imprimen a la ciudad su carácter distintivo. A continuación figuran los lugares de visita obligada.

LO MEJOR DE SAN FRANCISCO

California Academy of Sciences
Ver pp. 148-151

Coit Tower
Ver p. 93

Ghirardelli Square
Ver p. 83

Golden Gate Bridge
Ver pp. 64-67

Golden Gate Park
Ver pp. 142-153

Grant Avenue
Ver p. 99

Tranvías
Ver pp. 104-105

Union Square
Ver p. 116

Isla de Alcatraz
Ver pp. 84-87

Japan Center
Ver p. 128

◁ **De fiesta en un viaje en tranvía** *(ver p. 279)*

Lo mejor de San Francisco: museos y galerías de arte

Los museos y galerías de la ciudad comprenden desde la Legion of Honor y el de Young Museum hasta el Museum of Modern Art y el Yerba Buena Center for the Arts. Existen algunos museos de ciencia excelentes, como el Exploratorium y la California Academy of Sciences. Otros están dedicados al patrimonio, a las gentes y a los acontecimientos que convirtieron San Francisco en la ciudad que es hoy. En las páginas 38 y 39 se facilita más información sobre los museos de la ciudad.

El Exploratorium
En este importante museo de ciencias, el público experimenta con Sun Painting, una explosión de luz y color.

Legion of Honor
Orillas del Sena (c.1874), de Monet, forma parte de una colección de arte europeo desde la Edad Media al siglo XIX.

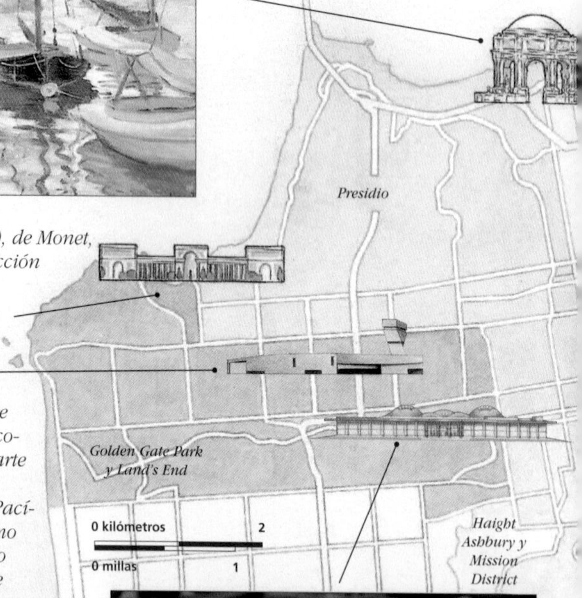

Presidio

de Young Museum
Este importante museo exhibe colecciones de arte de América, África y el Pacífico, así como un conjunto llamativo de tejidos, fotografías, esculturas, artesanía y arte moderno y contemporáneo.

Golden Gate Park y Land's End

0 kilómetros   2

0 millas   1

Haight Ashbury y Mission District

California Academy of Sciences
La Academia de Ciencias de California, que abrió de nuevo en 2008 después de una importante reforma, está integrada en el entorno natural del Golden Gate Park.

Chinese Historical Society Museum

Esta magnífica cabeza de dragón pertenece a la sociedad que administra uno de los museos más pequeños de la ciudad. En el interior hay una colección única que ilustra la historia de las comunidades chinas en California.

Museos del Fuerte Mason

Muto (1985), de Mimo Paladino, se expone en uno de los museos de cultura étnica.

Wells Fargo History Museum

Esta diligencia de bronce (1984) es obra de M. Casper. La pequeña galería donde se exhibe recorre la interesante historia de California desde los primeros días de la fiebre del oro.

Fisherman's Wharf y North Beach

Chinatown y Nob Hill

Pacific Heights y Marina Disctrict

Financial District y Union Square

Civic Center

San Francisco Museum of Modern Art

Aquí se puede contemplar Back view (1977), *de Philip Guston. En 1995 el museo fue trasladado a unas instalaciones diseñadas por el arquitecto Mario Botta.*

Yerba Buena Center for the Arts

Esta galería, en Yerba Buena Gardens, organiza exposiciones temporales de arte contemporáneo; carece de colección permanente.

Museo de Arte Asiático

Este museo está situado en el Civic Center, un precioso edificio beaux arts *de 1917.*

Visitando los museos y galerías de arte

San Francisco posee un buen número de apreciadas y consolidadas colecciones de pintura, escultura, fotografía, diseño y otros. Los grandes proyectos, como la construcción de una nueva sede para el Museum of Modern Art y la remodelación del palacio de la Legion of Honor de California, garantizan la posición de la ciudad como centro cultural y artístico de la costa oeste estadounidense. Los numerosos museos de ciencia y tecnología son otras de las joyas de la bahía.

Vasija de barro de C. Bailey, Craft and Folk Art Museum

San Juan Bautista en el desierto (c.1660), de Mattia Preti, Legion of Honor

PINTURA Y ESCULTURA

Los edificios de **Legion of Honor** y **de Young Museum,** dos prestigiosos museos de arte, constituyen espectaculares marcos para una lograda colección de pintura y escultura europea y norteamericana, respectivamente. La Legion of Honor se centra en arte francés de finales del siglo XIX y principios del XX, con obras de Renoir, Monet y Degas, así como más de 70 esculturas de Rodin. Aquí también se expone la famosa colección de artes gráficas propiedad de la Fundación Achenback.

El **Asian Art Museum** tiene su sede permanente en la antigua biblioteca principal. Alberga pinturas, esculturas, interesantes figurillas de jade y otros objetos procedentes de Extremo Oriente.

El museo de arte más dinámico de San Francisco es el **Museum of Modern Art**

(SFMOMA), con ingentes fondos de pintura y escultura del siglo XX. Contiene obras de Picasso, Matisse y una extensa colección de dibujos y pinturas de Paul Klee. En esta notable colección se incluyen también expresionistas abstractos, como Mark Rothko y Clyfford Still, y artistas californianos representados por Sam Francis y Richard Diebenkorn.

Merece la pena visitar el **Yerba Buena Center for the Arts,** otro activo espacio de artistas contemporáneos, y la comercial **John Berggruen Gallery,** donde se expone una amplia variedad de trabajos tanto de artistas emergentes como de otros ya consolidados.

El Museo de Arte de la **Universidad de Stanford,** a las afueras de la ciudad, alberga magníficas esculturas de Rodin. El Museo de Arte de la **Universidad de Berkeley** y el **Oakland Museum** también poseen valiosas colecciones de arte.

DISEÑO

Muchos de los museos mayores y más prestigiosos de San Francisco atesoran excelentes fondos de diseño y artes aplicadas. Las principales colecciones de maquetas y dibujos de arquitectura se conservan en el **Museum of Modern Art.**

En el **Oakland Museum** se pueden contemplar obras de arte y artesanía popular de finales del siglo XIX y otras piezas vinculadas con las misiones.

Una pequeña e interesante muestra de objetos y mobiliario de finales del siglo XVIII se exhibe en **Octagon House;** el edificio constituye un espléndido ejemplo de casa victoriana *(ver pp. 76-77).*

La **California Historical Society** *(ver p. 113)* presenta una ecléctica exposición de bellas artes y artes decorativas además de la mayor colección pública de grabados y fotografías de California del siglo XIX.

FOTOGRAFÍA Y GRABADOS

La fotografía es un campo en el que destacan los museos de San Francisco, con magníficos ejemplos de la mayoría de los periodos y estilos. La colección del **Museum of Modern Art** comprende desde las primeras formas de daguerrotipos hasta imágenes clásicas realizadas por maestros contemporáneos como Helen Levitt, Robert Frank y Richard Avedon.

El **Oakland Museum** organiza exposiciones de fotógrafos residentes en la bahía como Ansel Adams e Imogen Cunningham; y tiene colecciones documentales, como una buena selección de obras de iconos estadounidenses como Dorothea Lange. Las galerías de arte **Vision** y **Fraenkel** son excelentes. En lo que respecta a grabados, la Achenbach Foundation for Graphic Arts de la **Legion of Honor** atesora más de 100.000 obras.

M, escultura de Fletcher Benton, Oakland Museum

Después del terremoto (1986), fotografía del museo de Misión Dolores

HISTORIA Y CULTURA LOCAL

No existe ningún museo dedicado en exclusiva a la historia de la ciudad, sino que hay diversas colecciones que ilustran aspectos diferentes del pasado de San Francisco. El pequeño museo de **Misión Dolores** relata los orígenes de la ciudad; el **Wells Fargo History Museum** ilustra la fiebre del oro; el pequeño museo **Presidio Visitor Center** custodia el legado militar del área, y la **California Historical Society** ofrece material de interés para estudiosos y aficionados a la historia.

Merece la pena visitar el **Chinese Historical Society Museum** y el African-American Historical and Cultural Society Museum de **Fort Mason,** que documentan respectivamente las historias de las comunidades china y afroamericana de San Francisco.

CIENCIA Y TECNOLOGÍA

El **Exploratorium,** uno de los museos tecnológicos más destacados del mundo, posee cientos de experimentos interactivos que desvelan el lado científico de la vida cotidiana. Se trata de uno de los museos más populares de San Francisco y resulta especialmente fascinante para los niños.

El Lawrence Hall of Science, al otro lado de la bahía, en la **UC Berkeley,** es igualmente importante a la hora de fomentar el interés por la ciencia. Al sur de la ciudad, el **Tech Museum of Innovation** de San José ilustra el sistema interno de los ordenadores, desarrollados en el cercano Silicon Valley; también ofrece emocionantes muestras interactivas.

HISTORIA NATURAL

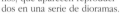

La **California Academy of Sciences** *(ver p. 113)* atesora una extensa colección de historia natural en la que destacan exposiciones como la evolución de las especies, placas tectónicas (con una plataforma vibratoria que simula un terremoto), piedras preciosas y minerales. Posee un gran planetario, así como una zona de acuario, donde el público cruza una pasarela rodeada por un tanque con tiburones y otras especies marinas. El **Oakland Museum** dedica una planta a los diversos ecosistemas californianos, que aparecen reproducidos en una serie de dioramas.

Pulpo del Oakland Museum

ARTE ÉTNICO

El arte y los objetos de las culturas nativas de California se exhiben en el Hearst Museum of Anthropology, en la **UC Berkeley;** las exposiciones se componen de piezas seleccionadas de los fondos del museo. La **Albers Gallery of Inuit Art,** en Market St., acoge muestras de artistas inuit.

Fort Mason reúne un gran y rico legado de arte de otras culturas: el folclore norteamericano se puede contemplar en la African American Historical and Cultural Society y en el San Francisco Craft and Folk Art Museum; las obras italoamericanas del siglo XX se exponen en el Museo ItaloAmericano.

BIBLIOTECAS

San Francisco posee amplias bibliotecas, como la **Main Library,** que alberga una colección de investigación con cientos de volúmenes y miles de fotografías dedicadas a la historia de la ciudad. Las dos universidades principales de la región, **UC Berkeley** y **Stanford,** disponen de amplios fondos.

Mural (1940-1945), de A. Ramos Martínez, Mexican Museum

La diversidad cultural de San Francisco

La mitad de la población de San Francisco está compuesta por extranjeros y por primeras generaciones de estadounidenses. Los primeros españoles y mexicanos que llegaron en el siglo XVIII y principios del XIX fundaron las bases de la ciudad actual, y la fiebre del oro *(ver pp. 24-25)* atrajo a buscadores procedentes de todos los rincones del mundo. Los inmigrantes formaron nuevas comunidades y algunas, como la italiana y la china, han conservado sus tradiciones.

Mural de Mission District en conmemoración del cese del fuego en El Salvador

HISPANOS

Resulta fácil apreciar el legado hispano de San Francisco, una ciudad que fue el enclave más septentrional de Hispanoamérica, bajo gobierno de México. Tras la conquista norteamericana en 1846 *(ver pp. 24-25)*, los buscadores de oro y los colonos desplazaron a los terratenientes mexicanos y la mayoría perdió sus posesiones. A pesar de ello, muchos continuaron afincados en la bahía y desde entonces la comunidad hispana se ha mantenido estable (alrededor del 10% del total de la población). Merodeando por las taquerías y mercados de Mission District se capta todo el ambiente latino de la ciudad.

CHINOS

Esta comunidad ha mantenido una presencia significativa desde los días de la fiebre del oro a finales de la década de 1840, cuando unas 25.000 personas emigraron de China para trabajar en las minas californianas. En la década de 1860 se produjo una segunda oleada de inmigrantes, procedentes casi en exclusiva de Cantón, para trabajar en las vías férreas transcontinentales. Hacia la década de 1870, los chinos formaban el grupo minoritario más importante de la ciudad, con 40.000 personas viviendo en condiciones precarias en Chinatown y sus inmediaciones (en esta época había 20 hombres chinos por cada mujer china). Durante las décadas posteriores, la comunidad disminuyó debido a la regulación de la inmigración. En la década de 1960, el presidente Kennedy liberalizó los controles de entrada en el país, y se permitió la llegada de los objetores al régimen de Mao que vivían en Hong Kong. La población actual supera las 100.000 personas, aproximadamente uno de cada cinco habitantes.

Chinatown *(ver pp. 96-100)* sigue siendo la zona más poblada de la ciudad y el corazón de la comunidad china. Los bancos, escuelas y periódicos atestiguan su autonomía.

IRLANDESES

A finales de la década de 1800, miles de irlandeses emigraron a San Francisco. Muchos trabajaron como operarios en las palas utilizadas para rellenar las marismas de la ribera, mientras que otros entraron en la policía y en patrullas de bomberos. Hacia finales del siglo XIX, los líderes obreros irlandeses se habían convertido en importantes figuras de la ciudad. Aunque no existe un barrio irlandés propiamente dicho, en los distritos de Sunset y Richmond abundan las tabernas irlandesas, y el desfile anual del Día de San Patricio *(ver p. 48)* reúne a multitudes.

ITALIANOS

Los primeros italianos de San Francisco se ganaban la vida en la pesca. Hoy en la bulliciosa North Beach residen los descendientes de los pescadores del sur de Italia que emigraron para establecerse aquí en la década de 1800. Los antiguos inmigrantes de esta zona procedían en su mayor parte de Génova.

Joven de San Francisco luciendo un quimono

Hacia finales del siglo XIX, los sicilianos dominaban la zona. En la década de 1940, los italianos integraban la mayor comunidad de origen extranjero de la ciudad, con unos 60.000 viviendo y trabajando sólo en la zona de North Beach.

Los descendientes de las familias que poseían y explotaban la flota de Fisherman´s Wharf montaron tiendas y pequeños negocios, que prosperaron después de la II Guerra Mundial. En las décadas de 1950 y 1960 numerosas familias se trasladaron a los barrios residenciales. Sin embargo, todavía se desplazan a Little Italy (Pequeña Italia) para disfrutar de los excelentes cafés y restaurantes italianos de la zona.

Adorno de una tienda rusa, Richmond District

Puesto callejero afrocaribeño de batatas y ñames

AFROAMERICANOS

La gran comunidad afroamericana de la ciudad constituye un fenómeno relativamente reciente. En la década de 1930 residían en San Francisco menos de 5.000 afroamericanos. Durante la II Guerra Mundial llegaron otros miles más para trabajar en las fábricas y astilleros, multiplicando la población negra por 10. Algunos se establecieron en las áreas que quedaron libres tras la reclusión de japoneses norteamericanos, y otros, en nuevas urbanizaciones cerca de los astilleros de Hunters Point.

RUSOS

Los primeros rusos viajaron a la bahía en la década de 1800. Russian Hill recibe su nombre de un grupo de marineros siberianos que, al parecer, están enterrados en el lugar. Los rusos formaron una importante colonia durante breve tiempo en Fort Ross (ver p. 189), 160 km al norte de la ciudad, y muchos aún residen en San Francisco. Desde 1921 se publica el *Russian Times* para los 25.000 rusos que se concentran en Richmond District, en los alrededores de la catedral de la Santa Virgen (ver p. 63).

JAPONESES

Durante la década de 1980, las empresas japonesas adquirieron y construyeron numerosas oficinas y hoteles de categoría en el centro. Pero, en términos generales, la comunidad japonesa, compuesta por 15.000 personas, no destaca especialmente. La excepción es el Japan Center (ver p. 128), un complejo cultural y comercial situado en Geary Boulevard. A finales de la década de 1930, esta área ocupaba unas 40 manzanas. Durante la II Guerra Mundial, los japoneses de la costa oeste estadounidense fueron internados en campos de concentración. Tras la guerra, regresaron a la ciudad. En la actualidad, la comunidad apenas ocupa seis manzanas.

CRISOL DE CULTURAS

Otras culturas también están presentes en la ciudad, aunque no son tan numerosas. Comparada con Nueva York o Los Ángeles, la comunidad judía de San Francisco es muy pequeña; no obstante ha ejercido una poderosa influencia a lo largo de la historia de la ciudad.

Los inmigrantes procedentes de Extremo Oriente también han formado sus grupos. En el barrio de Tenderloin residen vietmanitas y camboyanos; los coreanos y tailandeses viven en otros puntos de la ciudad.

Los indios y paquistaníes se han establecido en la bahía de San Francisco, principalmente en Berkeley y en el corazón de la industria informática, Silicon Valley, al sur.

***Koban** (caseta) de policía, Japantown*

Historia de la comunidad homosexual

Los avatares de la comunidad de lesbianas, gays, bisexuales y transexuales (LGBT) de San Francisco forman parte sustancial de la historia de la diversidad sexual. La ciudad ha sido un importante centro homosexual durante gran parte de su existencia, y los logros sociales y políticos obtenidos aquí han tenido una repercusión internacional. La comunidad actual está repartida por toda la ciudad, no sólo en Castro *(ver p. 136)*, y se puede ir de la mano con una pareja del mismo sexo en cualquier lugar desde el Financial District a Pacific Heights. Esta libertad es resultado de una dura lucha.

Black Cat Café, en Montgomery St., inaugurado en 1933

EL NACIMIENTO: 1849-1960

La fiebre del oro californiana de 1849 atrajo a un buen número de aventureros a la bahía; el agitado ambiente forjó una fama caracterizada por el libertinaje sexual. Vivir en el litoral de Barbary Coast suponía una libertad que chocaba con el conservadurismo del resto del país. A principios del siglo XX la ciudad recibía el apelativo de "Sodoma junto al mar". Durante la II Guerra Mundial, la población homosexual de la ciudad experimentó un considerable incremento. San Francisco constituía un importante punto de despliegue y regreso de tropas, y los soldados gays contaban con una gran oferta de bares y locales privados *sin restricciones*. Los homosexuales fueron vigilados y se les expulsó del ejército; muchos de estos hombres optaron por trasladarse a San Francisco para huir de la posible marginación en sus ciudades natales.

En la década de 1950 surgió la conciencia social de grupo, con la fundación de diversas organizaciones que defendían la igualdad de las parejas homosexuales y promovían la integración dentro de una sociedad mayoritariamente heterosexual. El primero de estos grupos fue la Mattachine Society, que consideraba a los homosexuales como una minoría oprimida, y las Daughters of Bilitis, la primera organización sociopolítica de lesbianas de Estados Unidos.

ORGANIZACIÓN: DÉCADAS DE 1960 Y 1970

En la década de 1960 eran habituales las redadas policiales en locales para gays, que con frecuencia implicaban la identificación pública del detenido. En 1961 José Sarriá, un artista del transformismo del Black Cat Café, pasó a la historia al presentar su candidatura en las elecciones del condado como individuo homosexual. A pesar de no ser elegido, demostró que existía el voto gay e inspiró la fundación de Tavern Guild, la primera asociación comercial homosexual del país.

En 1965, la policía hostigó y fotografió a los invitados al baile de recaudación de fondos para el Consejo de Religión y Homosexuales (CRH). El Sindicato Americano de Libertades Civiles intervino y proporcionó apoyo legal a los gays.

Las revueltas de Stonewall en Nueva York, en 1969, resultaron ser fundamentales. Tras hacer frente a la policía, los homosexuales no se conformaron con la simple aceptación. La liberación y el orgu-

El desfile del Día del Orgullo Gay, celebrado por la comunidad homosexual de la ciudad

CRONOLOGÍA

1948 Se publica el rompedor *La conducta sexual del hombre*, de Alfred Kinsey	*Alfred Kinsey*	**1955** Fundación de Daughters of Bilitis, la 1ª organización de lesbianas de la ciudad	**1970** Primer desfile del Orgullo Gay en San Francisco, denominado Gay-In			**2002** Inauguración del primer centro LGBT		**2008** La Corte Suprema de California prohíbe el matrimonio homosexual
			1974 Primera feria de Castro St.					

1930	1940	1950	1960	1970	1980	1990	2000	2010

c.1930 Surgen los primeros bares para gays, entre ellos locales de artistas, como el Black Cat Café, o Mona´s, un bar de lesbianas		**1964** El artículo *Homosexualidad en Norteamérica* de la revista *Life* define San Francisco como la capital del mundo gay		**1969** Redada en Stonewall Inn, en Nueva York. Las revueltas posteriores marcan el inicio del movimiento de liberación	**1981** Primer caso de sarcoma de Kaposi (cáncer relacionado con el sida)		**2004** El alcalde autoriza los matrimonios del mismo sexo, pero son anulados	

llo se convirtieron en las palabras claves del movimiento.

La comunidad adquirió mayor fuerza a nivel político con el establecimiento de Castro como zona gay. En 1977, Harvey Milk, fue elegido en las elecciones del condado, convirtiéndose en el primer gay reconocido votado por el pueblo. Pero en 1978, él y el alcalde George Moscone fueron asesinados por Dan White en el ayuntamiento. Esto avivó más las reivindicaciones: cuando White fue declarado culpable de homicidio involuntario y condenado a una pena leve, la ciudad se sublevó en la White Night (Noche Blanca).

EL SIDA: LA DÉCADA DE 1980

El 1981 salió a la luz el primer caso de una extraña variedad de cáncer y en pocos meses se difundió el rumor de la existencia de una enfermedad apodada el *cáncer gay*. Posteriormente, se averiguó que se trataba del sida (Síndrome de Inmunodeficiencia Adquirida), causado por el virus del VIH (Virus de Inmunodeficiencia Humana). La comunidad homosexual de la ciudad se vio golpeada, con la mitad de los hombres gays infectados por el VIH. Esto generó una importante movilización de respuesta; la gente se organizó de inmediato para educar y prevenir, y se crearon diversos servicios en la comunidad para cuidar a los enfermos. Además, San Francisco fomentó las primeras investigaciones al instituir la Fundación del Sida de San Francisco y el Centro de Investigación y Prevención del Sida de la Escuela de Medicina de la UCSF.

El matrimonio entre homosexuales es una batalla política activa

RECUPERACIÓN: DE 1990 HASTA EL PRESENTE

La influencia política de la comunidad homosexual destacó especialmente en la década de 1990, con la promulgación de leyes para parejas de hecho, mayor número de representantes políticos homosexuales, injusticias cometidas en el seno del ejército, etc.

Lamentablemente, el sida causó una gran mortandad y todavía sigue provocando muchos fallecimientos en el mundo. En San Francisco, la población reaccionó frente a la enfermedad con nuevas formas de participación y, en cierto modo, la comunidad homosexual de San Francisco se unió más. Gracias a la lucha por los derechos y las libertades, la sociedad es hoy más tolerante y la diversidad sexual.

Con todo, la homosexualidad continúa siendo un tema de discusión, que saltó a primera plana cuando el alcalde Gavin Newsom intentó legalizar el matrimonio entre personas del mismo sexo. En febrero de 2004 contrajeron matrimonio 3.000 parejas en el ayuntamiento, un acontecimiento histórico a nivel internacional. Posteriormente, los tribunales anularon dichos enlaces, pero sin duda alguna sólo es un retroceso en el largo camino hacia la igualdad y la libertad.

Fundación del Sida de San Francisco, hoy Fundación de Emergencia del Sida (AEF), fundada en 1982

EVENTOS HOMOSEXUALES

Vigilia con velas por el sida
May, normalmente 3er do.
Tel *415-331-1500 ext 2437.*
Marcha de San Francisco por el sida
Jul, día variable.
Tel *415-615-9255.*
Feria callejera de Castro
Oct, normalmente 1er do.
Tel *415-777-3247.*
Marcha reivindicativa
Jun, noche sá anterior al Día del Orgullo Gay.
Tel *415-777-3247.*
Feria callejera de Folsom
Sep, normalmente último do.
Tel *415-648-3247.*
Último y principal evento de la Leather Week, no sólo para la comunidad de cuero y fetiches.
Mes del orgullo gay
Jun. Varios eventos.
Desfile del orgullo gay
Jun, último do.
Tel *415-864-3733.*
Halloween
31 oct. Celebración en las calles Market y Castro. **Plano** 10 D2.
A casa por vacaciones
24 de dic. Coral de Navidad de Gays de San Francisco en el Castro Theatre (ver p. 136).
Sábado Rosa
Jun, noche sá anterior al Día del Orgullo Gay (hombres y mujeres). Desfile y fiesta alternativa del orgullo gay para mujeres en Castro.
Festival internacional de cine de gays y lesbianas de SF
Jun, normalmente 10 días antes del Día del Orgullo Gay.
Tel *415-703-8650.*
Feria Up Your Alley
Ago, normalmente 1er do.
Feria de Dore Street, en SoMa.
Plano 11 A2.

INFORMACIÓN

Betty's List
Tel *415-861-1637.*
www.bettyslist.com
Directorio web de la comunidad.
GLBT Historical Society
657 Mission Street. **Plano** 6 D4.
Tel *415-777-5455.*
Línea de VIH/SIDA
Tel *415-863-2437.*
James C. Hormel Gay and Lesbian Center
100 Larkin St. **Plano** 11 A1.
Tel *415-557-4400.*
SF City Clinic
356 7th Street. **Plano** 11 B2.
Tel *415-487-5500.*
Pruebas y asesoramiento sobre ETS.
SF LGBT Community Center
1800 Market Street. **Plano** 10 E1.
Tel *415-865-5555.*
Servicio de información sexual
Tel *415-989-7374.*
Servicio de prevención de suicidios
Tel *415-781-0500.*

Lo mejor de San Francisco: arquitectura

Los lugares de interés arquitectónico de San Francisco son principalmente de pequeñas dimensiones; es el conjunto el que le imprime a la ciudad su carácter único, por encima de monumentos específicos. Una característica esencial es la gran variedad de estilos de construcción, desde *arts and crafts* hasta *beaux arts*. En este plano se señalan algunos lugares de interés y en las páginas 46-47 se ofrece más información detallada.

Octagon House
Las casas octogonales se pusieron muy de moda a mediados del siglo XIX porque disfrutaban de más luz natural que los tradicionales diseños victorianos.

Haas-Lilienthal House
Esta gran casa estilo reina Ana es una vivienda típica de clase media-alta de finales del siglo XIX.

Presidio

Pacific Heights y Marina District

Civic Center

Golden Gate Park y Land's End

Haight Ashbury y Mission District

0 kilómetros   2

0 millas   1

CITY HALL

Ayuntamiento
Muchos de los edificios civiles de la ciudad se realizaron en el estilo clásico de beaux arts.

Goslinsky House
El atractivo estilo arts and crafts *era popular a finales del siglo XIX en San Francisco.*

Hotaling Building *(1866)*
Este bloque de Jackson Square es el mayor de los edificios residenciales de la fiebre del oro que sobrevivieron al terremoto de 1906. Era una destilería y almacén de whisky.

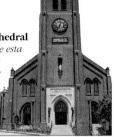

Coit Tower *(1934)*
La columna de la Coit Tower, en Telegraph Hill, es una de las construcciones más conocidas de la ciudad.

Old St. Mary's Cathedral
Los muros de ladrillo de esta iglesia gótica, que se alza entre las pagodas de Chinatown, datan de la fiebre del oro.

Financial District y Union Square

Hallidie Building
Construido en 1917 por el prolífico arquitecto local Willis Polk, fue el primer edificio revestido de cristal del mundo. Está coronado por una elaborada cornisa de hierro colado.

Union Square
El arquitecto Frank Lloyd Wright experimentó con el empleo de rampas en esta pequeña tienda de Union Square antes de proyectar el famoso Museo Guggenheim de Nueva York.

MOMA
Construido en 1955, el San Francisco Museum of Modern Art es uno de los museos de arte contemporáneo mayores de Estados Unidos.

Descubriendo la arquitectura

Las estructuras que se conservan del periodo de las misiones o de la fiebre del oro son escasas. El terremoto y el incendio de 1906 destruyeron numerosos edificios victorianos importantes. A medida que se reconstruía San Francisco, los esplendorosos edificios de estilo *beaux arts* representaron el resurgir de la ciudad. Hacia la década de 1930, los bloques de oficinas del Financial District se erigieron como **Misión Dolores** centro mercantil del oeste. Los avances en ingeniería y el desorbitado coste de la vivienda a finales de la década de 1960 trajeron consigo los rascacielos de San Francisco.

toda la ciudad, pero sólo dos abren al público: **Haas-Lilienthal House** y **Octagon House**. También merece la pena visitar las viviendas del lado este de **Alamo Square**, el grupo bien conservado de cabañas de clase obrera de **Cottage Row**, y **Clarke's Folly**, una casa de campo de estilo reina Ana de 1892 situada hoy en medio del paisaje urbano.

MISIONES

Entre 1776 y 1823, los misioneros españoles emplearon mano de obra amerindia para construir siete misiones y tres fortalezas (también llamadas presidios) en la bahía. Conocida como estilo misión, esta arquitectura se caracteriza por recios muros de ladrillos de adobe en bruto, cubiertas de tejas rojas y galerías con arcadas en torno a patios centrales. **Misión Dolores,** la construcción más antigua de San Francisco, y la misión de **Carmel** constituyen magníficos ejemplos de este estilo.

FIEBRE DEL ORO

Durante el apogeo de la fiebre del oro, la mayoría de las construcciones fue sólo temporal, pero, a medida que la población se establecía, se empezaron a utilizar ladrillos a prueba de fuego. Los mejores testimonios de esta época se conservan como parte de **Jackson Square Historical District**. Entre los ejemplos más destacados se encuentran el almacén y destilería Hotaling, que data de la década de 1860, tres edificios de la década de 1850 en la manzana 700 de Montgomery St.

ÉPOCA VICTORIANA

La arquitectura urbana de este periodo se compone de una gran variedad de viviendas victorianas con ornamentación elaborada *(ver pp. 76-77).* Estas casas, con entramado de madera, se pueden observar en

'ARTS AND CRAFTS'

A partir de finales del siglo XIX se adoptó un estilo más rústico y sencillo inspirado en el movimiento inglés *arts and crafts*. Los arquitectos emplearon secuoya y piedra y los decoraban con motivos japoneses, en busca de un aspecto natural. **Goslinsky House,** de Bernard Maybeck, es una casa de Pacific Heights rodeada por una manzana de viviendas *arts and crafts;* **Church of Christ, Scientist,** en Berkeley, es un ejemplo notable.

Mansión victoriana, construida para Mark Hopkins en Nob Hill, asolada en el incendio que siguió al terremoto de 1906

ARQUITECTURA RELIGIOSA

La diversidad arquitectónica de la ciudad queda patente especialmente en las iglesias. Desde las primeras misiones sencillas, de paredes blancas y cubierta de tejas rojas, en la ciudad se han construido edificios religiosos en una amplia gama de estilos desde el gótico al barroco. Durante el ecléctico periodo victoriano de finales del siglo XIX se levantó un buen número de templos de interés, cuyos estilos arquitectónicos reflejan las tradiciones de los países de origen de sus fieles.

Iglesia luterana de San Esteban Renacimiento alemán

First Unitarian Church Neogótico

Palace of Fine Arts, en *beaux arts*

'BEAUX ARTS'

A partir del terremoto de 1906, en el diseño urbano de San Francisco se aplicó el riguroso estilo neoclásico de la Escuela de Bellas Artes parisina. Las columnatas, esculturas y frontones opulentos son característicos de esta corriente, que fue adoptada con entusiasmo por la ciudad.

La construcción más representativa del estilo *beaux arts* es el **Palace of Fine Arts** de Bernard Maybeck, proyectado como centro de la Exposición Panamá-Pacífico de 1915, y considerado por algunos como el elemento arquitectónico más notable de la ciudad.

Existen otros ejemplos impresionantes que flanquean Center Plaza: el **ayuntamiento** (Arthur Brown, 1915); la antigua **Main Library,** hoy el **Asian Art Museum** (George Kelham, 1915); la **War Memorial Opera House** y el **Veteran's Building** (ambos de Arthur Brown, 1932), y la estructura más antigua del Civic Center, el **Bill Graham Civic Auditorium** (John Galen Howard, 1915).

COMERCIAL

Los dos bloques de oficinas de mayor relevancia son el **Hallidie Building** (1917), de Willis Polk, la primera estructura revestida de cristal de la historia, y su moderna **Merchant's Exchange** (1906).

El edificio de Timothy Plueger situado en **450 Sutter Street** (1929) es un notable ejemplo de diseño *art déco.* El vestíbulo presenta preciosos detalles de mármol rojo y relieves sobre aluminio.

El **Union Square Frank Lloyd Wright Building** (galería Xanadu) fue diseñado por Wright en 1949. En su fachada destaca una entrada en forma de arco.

La **Transamerica Pyramid** (William Pereira, 1972), de 256 m, es otra muestra notable de arquitectura comercial.

Vestíbulo *art déco* **de 450 Sutter Street**

CONTEMPORÁNEA

El **Marriott Hotel** (Anthony Lumsden, 1989), legado del auge inmobiliario de la década de 1980, es la construcción moderna más criticada de la ciudad. Los imaginativos proyectos de la década de 1990 tuvieron más aceptación, en especial el **Yerba Buena Center for the Arts,** diseñado por Fumihiko Maki (1993), y el **Museum of Modern Art,** de Mario Botta (1994).

Fachada del Museum of Modern Art

San Pablo
Gótico

San Bonifacio
Románico

Nuestra Señora de la Victoria
Romano-bizantino

SAN FRANCISCO
MES A MES

Con la llegada de la primavera, San Francisco despierta de su inactividad invernal, en los árboles brotan las hojas y las últimas ballenas grises emigran al norte surcando la costa. En mayo y junio el aire suele ser templado y se puede ver a los winsurfistas en la bahía. En agosto avanza desde el mar una bruma matinal, pero en septiembre vuelve el tiempo veraniego. Hacia finales de año las noches son frescas y despejadas, con nevadas ocasionales en el monte Diablo. A continuación se enumeran los principales eventos del año. San Francisco Convention and Visitors Bureau *(ver p. 278)* facilita un calendario gratuito.

PRIMAVERA

La primavera es la estación idónea para dar largos paseos por San Francisco y recorrer los parques o las calles del centro, mojados por la lluvia de la noche. En abril rebrotan las plantas en parques y jardines, y las flores silvestres cubren los dos cabos que flanquean el Golden Gate. En mayo miles de participantes corren en el maratón Bay to Breakers.

MARZO

Día de San Patricio *(do más próximo al 17 mar)*. El día se celebra con pasacalles por Market St. y los bares se llenan de gente.
Premios de música de la bahía *(prin-med mar)*. Los fans galardonan a los músicos locales con los premios Bammie.

Trajes tradicionales japoneses
en el festival de las cerezas

SEMANA SANTA

Servicios de Semana Santa al amanecer. Miles de fieles se congregan al amanecer delante de la gran cruz del monte Davidson, la colina más alta de la ciudad.

ABRIL

Festival de las cerezas *(med-fin abr)*. Esta feria de arte y artesanía japonesa atrae a bailarines, músicos, artistas y artesanos de toda la bahía. Se organiza en el Japan Center *(ver p. 128)*, donde se programan actuaciones y pasacalles.
Festival internacional de cine de San Francisco *(fin abr-prin may)*. Durante dos semanas se proyectan a diario películas en el Kabuki *(ver p. 262)* y otras salas. Las cintas, tanto estadounidenses como extranjeras, son en muchos casos estrenos nacionales.
Paseos entre flores silvestres. Se organizan recorridos guiados por voluntarios en varios espacios naturales de San Francisco. En Marin Headlands *(ver pp. 174-175)* se programan itinerarios comerciales guiados.
Apertura de la temporada de béisbol *(fin abr-prin may)*. Los aficionados acuden a ver los partidos de béisbol al AT&T Park y Oakland Coliseum.

Celebración del carnaval en Mission District, San Francisco

MAYO

Bay to Breakers *(fin may)*. Auténtico maratón y, a la vez, desfile de disfraces; los participantes corren 12,5 km desde el Ferry Building hasta Ocean Beach *(ver p. 153)*.

Carrera Bay to Breakers

5 de mayo *(prin may)*. Fiesta cultural mexicana con carnaval en el Civic Center y actividades en Mission District.
Carnaval de SF *(últ fin de semana)*. Festival latinoamericano y caribeño en Mission District con salsa y bandas de reggae.

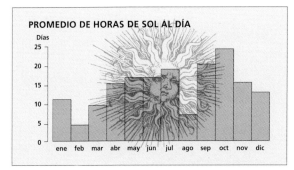

PROMEDIO DE HORAS DE SOL AL DÍA

Días: 25, 20, 15, 10, 5, 0

ene feb mar abr may jun jul ago sep oct nov dic

Horas de sol
Septiembre y octubre son los meses más soleados en San Francisco. A mediados de verano, casi todos los demás lugares de la bahía son más templados y soleados. El valle de Napa (ver pp. 190-191) y otros parajes del interior son extremadamente secos y calurosos.

VERANO

Al parecer, Mark Twain comentó que el invierno más frío que había pasado fue un verano en San Francisco. En junio y julio toman la ciudad visitantes de todos los rincones del mundo, que suelen quejarse del descenso de temperaturas que a veces estropea las vacaciones.

JUNIO

Día del Orgullo Gay *(do fin jun).* El evento más importante de San Francisco y mayor de este tipo en EE UU, con más de 300.000 personas que participan en el desfile por Market St.y las celebraciones del Civic Center.
Feria de Height Street *(sá o do fin jun).* Actuaciones de grupos musicales y puestos de comida en Height St.*(ver p. 134).*
Festival de North Beach *(med jun).* Arte, artesanía, grupos musicales y puestos de comida en el barrio italiano en Grant Ave., Green St. y Washington Sq.

Golden Gate Bridge en la niebla

DÍAS NUBLADOS

Durante los meses estivales por la tarde y por la noche, San Francisco suele cubrirse de niebla, que se forma mar adentro, se despliega sobre el Golden Gate y envuelve partes de la ciudad en una bruma fría y húmeda. Esta niebla a veces es tan densa que puede hacer descender la temperatura hasta 10° en cuestión de horas.

Juneteenth *(fin jun).* Festival afroamericano con bandas de jazz y blues junto al lago Merritt de Oakland *(ver p. 164).*

JULIO

Fuegos artificiales del 4 de julio. Tienen lugar en la orilla de Crissy Field National Recreation Area *(ver p. 59).* El Día de la Independencia de Estados Unidos se celebra con una muestra pirotécnica en el Golden Gate Bridge.
Maratón de San Francisco *(fin jul).* Unos 3.500 atletas salen del Golden Gate Bridge para correr por toda la ciudad.

AT&T Park, sede del equipo de béisbol de los Giants

AGOSTO

Béisbol *(temporada abr-sep).* A lo largo del verano disputan sus partidos *(ver p. 272)* los San Francisco Giants y Oakland Athletics, en la liga superior. Generalmente se pueden adquirir las entradas el mismo día, pero los mejores asientos se agotan con antelación. AT&T Park fue inaugurado en el año 2000.
Festival de dramaturgia de San Francisco *(últ semana ago).* Fort Mason Center *(ver pp. 74-75).* Lecturas, talleres y representaciones de estreno. En sesiones especiales, los asistentes pueden comentar las obras con los artistas.

Desfile del Día del Orgullo Gay hasta el Civic Center

PROMEDIO MENSUAL DE TEMPERATURAS

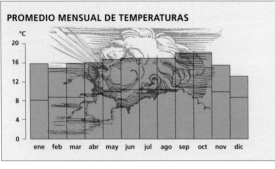

°C
20
16
12
8
4
0

ene feb mar abr may jun jul ago sep oct nov dic

Temperaturas
En el gráfico se muestran las temperaturas mínimas y máximas de cada mes. En San Francisco y en la bahía el clima es suave durante todo el año; las temperaturas rara vez superan los 21° o descienden por debajo de los 4°.

OTOÑO

San Francisco se vacía de turistas en septiembre, cuando comienza el tiempo veraniego en el área de la bahía. En las calles y parques se organizan numerosos festivales y eventos culturales; también se inaugura la temporada de fútbol, ópera y orquestas sinfónicas.

SEPTIEMBRE

Fútbol de 49ers y Raiders *(inicio temporada sep)*. Diversos estadios. Hasta diciembre o enero si los equipos disputan partidos de desempate *(ver p. 272)*.
Noche de inauguración de la ópera de San Francisco. Una glamurosa ceremonia de gala que da comienzo a la temporada de ópera de San Francisco, que discurre de septiembre a diciembre. Este baile de etiqueta se celebra en la War Memorial Opera House, Van Ness Ave *(ver p. 264)*.
Valley of the Moon Vintage Festival *(fin sep)*. El festival vinícola más antiguo de California se celebra en Sonoma Plaza, Sonoma.
Festival de blues de San Francisco *(últ fin de semana)*. En dos días de conciertos al aire libre actúan algunas de las mejores estrellas de blues en Great Meadow, Fort Mason *(ver p. 267)*.
Feria callejera Folsom *(último do)*. Acontecimiento predominantemente homosexual entre las 11th St. y 17th St. Se dona toda la recaudación de la feria.

La temporada se inicia en septiembre

OCTUBRE

Feria callejera de Castro *(1er do)*. Una de las fiestas callejeras más grandes y arraigadas de la ciudad *(ver p. 136)*.
Desfile del Día de Colón *(do más próximo al 12 oct)*. Pasa por Columbus Ave., en North Beach, y finaliza en Fisherman's Wharf.
Halloween *(31 oct)*. Miles de personas se disfrazan en esta noche de otoño y se concentran en las calles Market y Castro. Todavía continúa habiendo muchos opositores.
Shakespeare in the Park *(varios sá y do desde el Día del Trabajo)*. Representaciones gratuitas en Golden Gate Park *(ver p. 259)*. En Liberty Meadow se monta un escenario al aire libre especialmente para la ocasión.

Desfile del Día de los Muertos

Desfile del Día de Colón

Semana de la Flota *(prin oct)*. En honor a la Marina estadounidense. Espectáculo aéreo de los Blues Angels; los buques navales se reúnen junto al Golden Gate Bridge.
Festival de la cosecha y mercado artesanal de Navidad *(fin oct-med nov)*. Popular feria de artesanía durante dos fines de semana.

NOVIEMBRE

Día de los Muertos *(2 nov)*. Celebración mexicana con un desfile nocturno por Mission District. Disfraces, bailes y comida para la ocasión.
Festival de jazz de San Francisco *(fin oct-prin nov)*. Conciertos con todo tipo de jazz *(p. 266)*.
El Gran Partido *(3er sá)*. Importante cita de fútbol universitario en las universidades de Stanford o Berkeley *(ver p. 272)*.
Feria internacional de automoción *(fin nov)*. En el Moscone Center *(ver pp. 114-115)*.

PROMEDIO MENSUAL DE PRECIPITACIONES

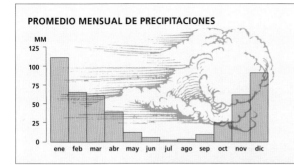

Precipitaciones
El promedio anual de precipitaciones en San Francisco es de unos 122 cm³. La época de las lluvias suele extenderse de noviembre a marzo, a veces durante varios días; con frecuencia se producen lluvias torrenciales. Los época más seca va de mayo a septiembre.

INVIERNO

El periodo de compras navideñas comienza el día siguiente al de Acción de Gracias con la iluminación del árbol de Union Square. En los escaparates de la tienda Gump's se exhiben bonitas mascotas *(ver p. 120)*. Familias de ballenas grises realizan su migración anual entre Alaska y México.

DICIEMBRE

Adornos de Navidad. Las tiendas de Union Square *(ver p. 116)* compiten entre sí.
Cascanueces *(3ª semana)* es representada en la War Memorial Opera House *(ver p. 264)*.
Sing-It-Yourself Messiah *(prin dic)*, Louise M. Davies Symphony Hall *(ver p. 126)*. El público canta acompañado por orquestas.
Sing for your Life *(30-31 dic)*. 24 horas de música en Grace Cathedral *(ver p. 103)*.

Celebración del Año Nuevo chino en Chinatown

ENERO

Baño de Año Nuevo *(1 ene)*. Baño gestionado por Aquatic Park *(ver pp. 172-173)*.
Navidad ortodoxa rusa *(7-8 ene)*. Ceremonia en Holy Virgin Cathedral *(ver p. 63)*.
Migración de ballenas grises *(ene-abr)*. Se las puede observar desde la bahía *(ver p. 272)*.

FEBRERO

Mes de la historia negra. Se organizan celebraciones afroamericanas por toda la ciudad.
Desfile de Año Nuevo chino *(fecha variable, normalmente prin feb)*. Pasacalles con un colorido dragón a través del Financial District y Chinatown *(ver pp. 94-100 y 107-121)*.

DÍAS FESTIVOS

Año Nuevo (1 ene)
Día de Martin Luther King (3er lu ene)
Día del Presidente (3er lu feb)
Día de la Conmemoración (últ lu feb)
Día de la Independencia (4 jul)
Día del Trabajo (1er lu sep)
Día de Colón (2º lu oct)
Día de las Elecciones (1er ma nov)
Día de los Veteranos (11 nov)
Día de Acción de Gracias (4º ju nov)
Día de Navidad (25 dic)

Árbol y adornos navideños en los grandes almacenes Nieman Marcus

ITINERARIOS POR SAN FRANCISCO

49-Mile Scenic Drive

Señal oficial

La ruta panorámica de 49 millas (79 km) que conecta los barrios más singulares de la ciudad pasa junto a lugares de interés fascinantes, ofrece panorámicas espectaculares y proporciona una visión general de San Francisco. Circular por esta ruta es bastante fácil: basta con seguir los indicadores azules y blancos con una gaviota. Algunos están ocultos por la vegetación o por edificios, por lo que es preciso prestar atención. Se recomienda dedicarle un día completo; hay muchos puntos donde detenerse y contemplar las vistas.

Marina Green ㉗
Se trata de un excelente punto panorámico para contemplar el Golden Gate Bridge.

El Palace of Fine Arts y el Exploratorium ㉘
se levantan junto a la entrada del arbolado Presidio.

Lago Stow ⑨
En la isla de este pintoresco lago hay una cascada y un pabellón chino. Se alquilan barcas.

San Francisco Zoological Gardens ⑧
es uno de los seis mejores zoos de EE UU. Destacan el Mundo de los Gorilas y el Centro de Descubrimiento de Primates.

Twin Peaks ⑬
Desde estos picos, se obtiene una panorámica magnífica. La escalada merece la pena.

◁ Vista de la Transamerica Pyramid

ALGUNOS CONSEJOS

Salida: el itinerario está diseñado para seguirlo en sentido contrario al de las agujas del reloj comenzando y finalizando en cualquier punto.
Cuándo realizarlo: evitar las horas punta, de 7.00 a 10.00 y de 16.00 a 19.00.
Aparcamiento: utilizar cualquier aparcamiento del Financial District, Civic Center, Nob Hill, Chinatown, North Beach y Fisherman's Wharf. En otros sitios, por lo general, se puede aparcar en la calle.
Altos en el camino: hay numerosos cafés, bares y restaurantes (ver pp. 222-243).

El Civic Center ⑰ es el centro oficial y administrativo del Estado en la ciudad, con imponentes edificios *beaux arts* alrededor de una plaza central.

El Maritime National Historic Park Visitor Center ㉕ alberga una notable colección de maquetas navales, fotografías y otros objetos. En el cercano Hyde Street Pier están amarrados numerosos barcos históricos.

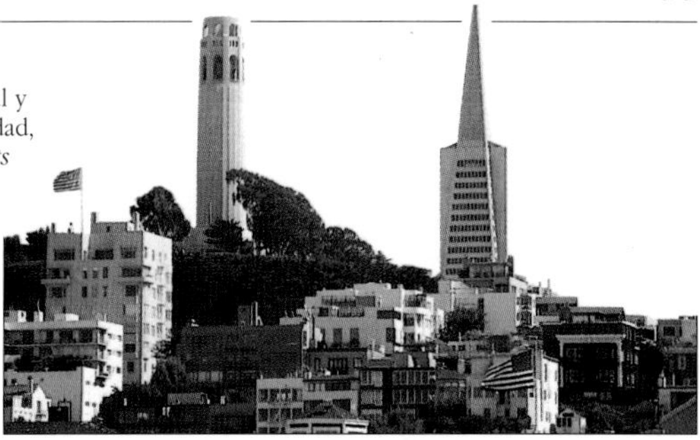

Coit Tower ㉔
Esta torre, que corona Telegraph Hill, posee impresionantes murales y una terraza con vistas a North Beach.

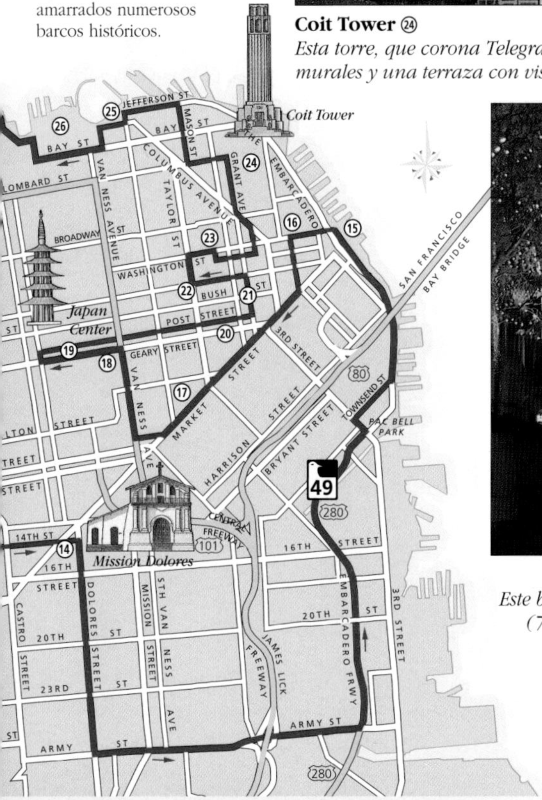

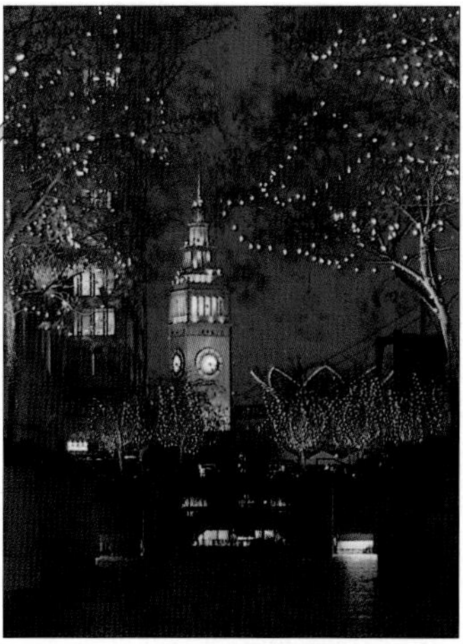

Ferry Building ⑮
Este bloque y su característica torre (70 m) sobrevivieron intactos al terremoto de 1906.

SIMBOLOGÍA

- 49-Mile Scenic Drive
- Punto panorámico

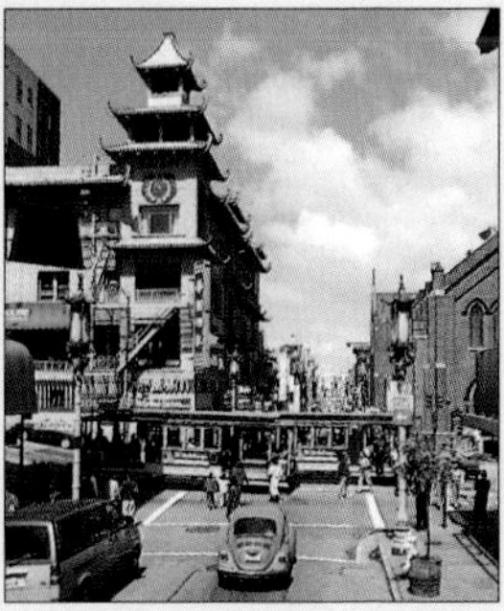

Grant Avenue de Chinatown *(ver p. 99)*, San Francisco

LUGARES DE INTERÉS

PRESIDIO

Este bonito rincón de la ciudad ofrece vistas incomparables del Golden Gate Bridge y del estrecho de la bahía de San Francisco. Fundado como colonia del imperio español en el Nuevo Mundo en 1776, Presidio fue durante largo tiempo un destacamento militar. En 1994 pasó a ser propiedad del Servicio Nacional de Parques. Hoy es una zona de bellos

Cañón de Fort Point

contrastes: los visitantes pueden recorrer los puestos de la guerra de Secesión y los recintos de desfiles y cuarteles de soldados del siglo XIX, así como disfrutar de un agradable paseo a través de kilómetros de paraje boscoso. A través del parque se puede acceder a Baker Beach y a un notable monumento, el Palacio de Bellas Artes, situado al este.

LUGARES DE INTERÉS

Calles y edificios históricos
Clement Street **8**
Golden Gate Bridge
  pp. 64-67 **5**
Palace of Fine Arts and the
  Exploratorium pp. 60-61 **1**
Presidio Officers' Club **3**

Museos
Fort Point y Crissy Field **4**
The Walt Disney Family
  Museum **2**

Iglesias y templos
Holy Virgin Cathedral **7**
Temple Emanu-El **9**

Playas
Baker Beach **6**

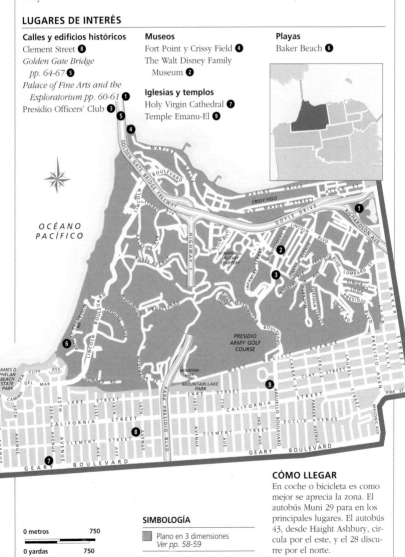

SIMBOLOGÍA

Plano en 3 dimensiones
Ver pp. 58-59

0 metros   750
0 yardas   750

CÓMO LLEGAR
En coche o bicicleta es como mejor se aprecia la zona. El autobús Muni 29 para en los principales lugares. El autobús 43, desde Haight Ashbury, circula por el este, y el 28 discurre por el norte.

◁ **Golden Gate Bridge desde Baker Beach**

Un paseo por Presidio

Insignia de Presidio Park

Las sinuosas carreteras y exuberante paisaje de Presidio contrastan con su larga historia militar. Este prominente emplazamiento ha desempeñado un papel esencial en el desarrollo de San Francisco. En cualquier punto es posible apreciar los vestigios de su legado militar, incluidos cuarteles y puestos de artillería. También ofrece numerosas rutas de senderismo, pistas para bicicletas y playas. El Golden Gate Bridge cruza la bahía desde el noreste de Presidio.

Fort Point
Este fuerte de ladrillo, hoy monumento histórico-nacional, vigilaba el Golden Gate durante la guerra de Secesión ❹

Centro de visitantes de Golden Gate

La Fundación Gorbachov se dedica al fomento de la cooperación internacional.

★ Golden Gate Bridge
Inaugurado en 1937, este puente consta de un único tramo de 1.280 m ❺

Marine Drive es un paseo marítimo con palmeras.

Inicio de la Ruta Costera

Lobos Creek, un arroyuelo que nace en Mountain Lake, proporciona agua potable a Presidio.

Baker Beach
La mejor playa de la ciudad se encuentra separada del resto de Presidio, a los pies de abruptos acantilados ❻

El cementerio de mascotas se utilizaba para enterrar a los perros guardianes de los militares. Desde 1945 descansan aquí las mascotas de las familias.

Crissy Field, ganada a las marismas para la Exposición Panamá-Pacífico de 1915, se utilizó como aeródromo de 1919 a 1936. Hoy es un área nacional de recreo.

PLANO DE SITUACIÓN
Ver callejero, plano 1

PRESIDIO

GOLDEN GATE PARK Y LAND'S END

CIVIC CENTER

En el cementerio militar descansan los restos de casi 15.000 soldados estadounidenses que fallecieron en diversas guerras.

★ **Palace of Fine Arts y Exploratorium**
El palacio, diseñado como una construcción romana, alberga el museo de ciencias Exploratorium ❶

La Ruta Ecológica comienza en Boulevard Gate.

Campo de golf

El recinto de desfiles fue proyectado en 1776. Entre las estructuras que lo rodean destacan los cuarteles de la década de 1880 y las dependencias de oficiales de la guerra de secesión.

Mountain Lake es un gran lago. El Presidio original fue fundado en sus inmediaciones en 1776.

| 0 metros | 500 |
| 0 yardas | 500 |

Presidio Officers' Club
Este club se construyó sobre los restos del antiguo presidio español, que aún se conservan en el interior ❸

Cañón capturado
En el recinto se puede contemplar este cañón del siglo XIX, confiscado en la guerra hispano-estadounidense.

RECOMENDAMOS

★ Golden Gate Bridge

★ Palace of Fine Arts

Palace of Fine Arts y Exploratorium ❶

El único recuerdo de los numerosos y grandiosos monumentos que se construyeron para la Exposición Panamá-Pacífico *(ver pp. 30-31)* es el neoclásico Palacio de Bellas Artes, el edificio principal del evento. En su interior se sitúa el Exploratorium, uno de los museos de ciencias más entretenidos de EE UU. Fundado en 1969 por Frank Oppenheimer, contiene cientos de muestras interactivas, un estudio de grabación digital y un centro de aprendizaje multimedia.

Detalle de la base de la rotonda

★ La rotonda
La bóveda de la rotonda se sustenta sobre un friso griego clásico y una arcada octogonal.

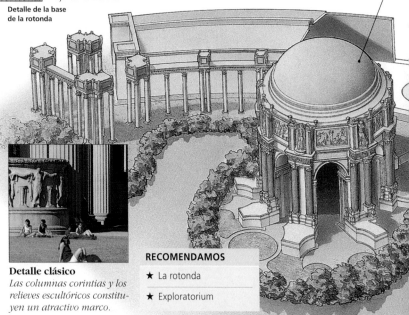

Detalle clásico
Las columnas corintias y los relieves escultóricos constituyen un atractivo marco.

RECOMENDAMOS

★ La rotonda

★ Exploratorium

CONSTRUCCIÓN DEL PALACIO DE BELLAS ARTES

El interesante palacio de Bellas Artes es una de las obras arquitectónicas más notables de San Francisco. Esta emblemática estructura, diseñada por el arquitecto de la bahía Bernard R. Maybeck, consta de una rotonda central, situada al borde de una laguna, que está flanqueada por un peristilo de columnas corintias con intrincados detalles. Concebida como una melancólica evocación, está inspirada en los grabados al agua fuerte barrocos de Piranesi y en *La isla de los muertos,* una pintura del artista suizo Arnold Böcklin.

Como no estaba previsto conservarlo después de la exposición de 1915, el palacio de Bellas Artes se construyó originariamente con madera y escayola económica, con un presupuesto de 700.000 $. Tras descartar la demolición,

Bernard Maybeck

El palacio de Bellas Artes en un estado de severo deterioro

se dejó que los revestimientos de la estructura se deterioraran hasta 1962, fecha en la que se restauró con hormigón.

Vista
Aquí se puede aprender sobre ilusiones ópticas y el funcionamiento de los ojos.

INFORMACIÓN ESENCIAL

3601 Lyon St, Marina District.
Plano 3 C2. 🚌 22, 29, 30, 43, 45, 47, 49. **Exploratorium**
🎟 561-0360. **Bóveda táctil**
Tel 561-0362. ⏰ 10.00-17.00 ma-do, lunes festivos (se recomienda reservar con antelación). ⬤
Día de Acción de Gracias, 25 dic.
📷 *gratis 1ᵉʳ mi de mes.* ♿ 🅿
📷 **www**.exploratorium.edu

Movimiento
En esta sección el público puede participar en una competición de ruedas o probar la emocionante máquina del movimiento.

Electricidad y magnetismo

Calor y temperatura, modelos

Sonido y oído

Bóveda táctil

Complejidad

Ciencias naturales

Péndulos

★ Exploratorium
Se anima a los visitantes a explorar el mundo de la ciencia y a participar en cientos de experimentos.

GUÍA DEL EXPLORATORIUM
Las exposiciones se distribuyen en cinco extensas áreas temáticas situadas en la planta principal y el entresuelo. El interior de la bóveda táctil es negro como la noche; los visitantes deben gatear, escalar y deslizarse por ella.

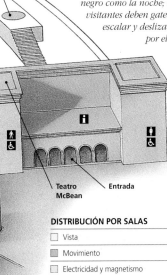

Teatro McBean   Entrada

Sombras de colores
Cuando la sombra cubre un color, los otros dos colores primarios se funden en uno nuevo.

DISTRIBUCIÓN POR SALAS

☐	Vista
☐	Movimiento
☐	Electricidad y magnetismo
☐	Calor y temperatura, modelos
☐	Ciencias naturales
☐	Sonido y oído
☐	Complejidad
☐	Péndulos

Palace of Fine Arts y Exploratorium **❶**

Ver pp. 60-61.

Barracones históricos de Presidio

The Walt Disney Family Museum **❷**

104 Montgomery Street. **Plano** 3 A2. **Tel** 345-6800. ◗ 10.00-18.00 mi-lu. ◖ 1 ene, 4 jul, Acción de Gracias, 25 dic. 🖼️
www.waltdisney.org

Abierto en 2009, este museo se centra en la vida y los logros de Walt Disney. Alberga diez galerías interactivas en las que se muestran fragmentos de películas y guiones para contar la historia del hombre y su apasionante carrera. Los visitantes pueden contemplar la primera película animada de Hollywood sin cortes y dibujos tempranos de Mickey Mouse, así como exposiciones dedicadas a la vida personal de Disney, que incluyen fotografías y películas caseras.

Presidio Officers' Club **❸**

50 Moraga Ave. **Plano** 3 A2. 🚍 29. ◗ 9.00-17.00 todos los días. ◖ algunos festivos.

Situado en la esquina suroeste de la Plaza de Armas, el club de oficiales, con vistas al recinto de desfiles de Presidio y a los cuarteles del siglo XIX, fue construido al estilo de las misiones españolas *(ver p. 46)*. Data de la década de 1930, aunque incorpora unos restos de adobe del fuerte español original, del siglo XVIII.

Fort Point y Crissy Field **❹**

Marine Drive. **Plano** 2 E1.
📞 556-1693.
◗ 10.00-17.00 vi-do.
📷 ♿ parcial.

Este fuerte, completado por el ejército estadounidense en 1861, fue construido con dos finalidades: proteger la bahía de San Francisco de posibles ataques y defender los cargueros que transportaban el oro procedente de las minas de California. Se trata de la más importante de las muchas fortificaciones construidas a lo largo de la costa, y constituye un clásico ejemplo de las fortalezas de ladrillo anteriores a la guerra de secesión. La estructura quedó obsoleta en poco tiempo, ya que los muros de ladrillo de 3 m de grosor no resistirían a los proyectiles del armamento moderno. Se clausuró en 1900 sin haber sufrido ningún asalto.

Las bóvedas de ladrillo son muy inusuales en San Francisco, donde el fácil acceso a madera de calidad facilitaba la construcción en este material. Tal vez esta fue la razón que evitó que el fuerte se derrumbase en el terremoto de 1906 *(ver pp. 28-29)*. Estuvo a punto de ser demolido en la década de 1930 para dejar espacio al Golden Gate Bridge, pero se conservó y hoy constituye un buen lugar desde donde contemplar el puente. Los guardabosques del Servicio Nacional de Parques realizan visitas guiadas. Una marisma cubría el área llamada Crissy Field que, después de dos siglos de uso militar, ha sido transformada en un parque marítimo recreativo y educativo.

Golden Gate Bridge **❺**

Ver pp. 64-67.

Golden Gate Bridge visto desde Baker Beach

Baker Beach **❻**

Plano 2 D4. ◗ amanecer-anochecer todos los días.

Baker Beach es la playa de arena mayor y más popular de la ciudad. La gente acude a ella principalmente a tomar el sol, puesto que las aguas frías y las fuertes corrientes hacen que resulte un lugar peligroso para nadar. También es estupenda para dar paseos y pescar. En los promontorios que bordean la playa, donde crecen pinares y cipreses, los visitantes pueden explorar Battery Chamberlin, un puesto de tiro de 1904. El primer fin de semana de mes los guardabosques muestran el arma que se empleaba aquí, un rifle pesado que se puede ocultar tras un grueso muro.

Cañón del patio de Fort Point

Holy Virgin Cathedral ❼

6210 Geary Blvd. **Plano** 8 D1.
📞 *221-3255.* 🚌 *2, 29, 38.*
✝ *8.00 y 18.00 todos los días.*

Unas cúpulas bulbosas y doradas coronan la catedral ortodoxa rusa de la Santa Virgen de la Iglesia Rusa en el Exilio, uno de los edificios más emblemáticos del barrio residencial de Richmond District. Construida a principios de la década de 1960, por lo general, sólo abre para servicios. En este templo los servicios se celebran con la congregación en pie, por lo que no hay asientos ni bancos.

La catedral y los muchos negocios de propiedad rusa de las inmediaciones, como el animado restaurante Russian Renaissance, están situados en el corazón de la numerosa comunidad rusa de San Francisco *(ver p. 41)*. Ésta floreció a partir de la década de 1820, pero creció considerablemente con la llegada de nuevos inmigrantes tras la Revolución Rusa de 1917 y con otra oleada que se produjo a finales de las décadas de 1950 y 1980.

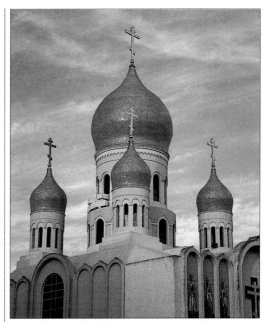

La catedral ortodoxa rusa de la Santa Virgen

Clement Street ❽

Plano 1 C5. 🚌 *2, 28, 29, 44.*

Aquí se encuentra la ajetreada vía principal de Richmond District, por lo demás un barrio apacible. Hay numerosas librerías, pequeñas *boutiques* y un amplio repertorio de bares, locales de comida rápida y restaurantes étnicos. La mayoría suele estar frecuentada más por residentes que por turistas. En torno a Clement Street se extiende New Chinatown, habitada por más de un tercio de la población china de San Francisco. Por ello, se pueden encontrar algunos de los mejores restaurantes chinos de la ciudad, que, por lo general, prestan especial atención a la cocina del este asiático. Sin embargo, la zona es más conocida por la diversidad de sus restaurantes, ya que también acoge establecimientos peruanos, rusos y franceses, entre muchos otros. La calle se extiende desde Arguello Boulevard hacia las calles perpendiculares conocidas como Las Avenidas, y desemboca cerca de la Legion of Honor *(ver pp. 156-157)*.

Interior del templo Emanu-El con el arco sagrado

Temple Emanu-El ❾

Lake St. y Arguello Blvd. **Plano** 3 A4.
Tel *751-2535.* ⬤ *sólo visitas guiadas; 13.00-15.00 todos los días.*
www.emanuelsf.org

Tras la I Guerra Mundial, cientos de judíos de Rusia y Europa del Este se instalaron en Richmond District y construyeron edificios religiosos que todavía hoy son monumentos emblemáticos. Un buen ejemplo lo constituye el templo de Emmanuel, cuya cúpula está inspirada en la basílica de Santa Sofía, en Estambul. Esta majestuosa obra arquitectónica fue construida en 1925 para la congregación judía más antigua de la ciudad (fundada en 1850). Su arquitecto fue Arthur Brown, que también diseñó el ayuntamiento de San Francisco *(ver p. 125)*. Con su cúpula de azulejos rojos, Emmanuel es un híbrido arquitectónico californiano que combina el estilo local de las misiones *(ver p. 46)* con la ornamentación bizantina y las arcadas románicas. Su interior, con cabida para casi 2.000 fieles, brilla cuando el sol entra a través de las vidrieras de las ventanas de piedra.

Golden Gate Bridge ❺

El puente recibe su nombre del estrecho de Golden Gate de la bahía de San Francisco, nombrado así por John Fremont en 1844. Esta obra de ingeniería fue inaugurada en 1937 y conecta la ciudad con el condado de Marin. Dispone de un carril peatonal y seis para el tráfico, y ofrece vistas insuperables. Se trata del tercer puente de tramo único mayor del mundo y, cuando fue construido, era la estructura colgante de mayor longitud y altura.

Obrero del puente con máscara protectora

La longitud del puente es de 2,7 km, con un pilar central de 1.280 m de altura.

Los cimientos
Los cimientos de las torres gemelas constituyen un magnífico logro de la ingeniería. El pilar sur, a 345 m de la orilla, se hundió 30 m bajo el mar.

Base del pilar de 20 m de grosor

Protector de 47 m de altura

Armazón de hierro de refuerzo

La calzada sobresale 67 m sobre el agua, con 97 m de grosor.

Buzos
Para trabajar en la roca del fondo se contrataron buzos para dinamitar agujeros de 6 m de profundidad en el lecho de la bahía.

Protector de hormigón
Durante las obras, la base del pilar sur se protegió del azote de las mareas con una compuerta de hormigón. Se bombeó agua para crear una zona estanca.

THE GOLDEN GATE BRIDGE

La calzada
La calzada original de hormigón reforzado con acero fue construida desde las torres en ambas direcciones, de modo que el peso se distribuyese equilibradamente.

Construcción de las torres
Las torres gemelas de acero están huecas; se elevan a 227 m de altura sobre el nivel del mar.

Joseph Strauss
Joseph Strauss está reconocido oficialmente como el autor del puente, aunque a su asistente, Charles Ellis, se le adjudica el diseño del vano. Irving F. Morrow trabajó como arquitecto consultor.

Colocación de los remaches
Trabajando en cuadrillas de cuatro, un hombre calentaba los remaches y se los pasaba a otro, que los guardaba. Los otros dos ajustaban las secciones con los remaches aún calientes.

CRONOLOGÍA DE LA CONSTRUCCIÓN DEL PUENTE

1933	1934	1935	1936	1937
Enero Inicio de los anclajes y los pilares	**Octubre** Se comienzan las torres — **Diciembre** Finalización del muelle de San Francisco	**Junio** Finalización de las torres — **Julio** Comienzo de las obras del cable	**Junio** Se completa la construcción de los cables y se inicia la de la calzada — **Abril** Finalización de la calzada	
Febrero Inicio oficial de las obras	**Junio** Un buque destruye parcialmente las obras — **Mayo** Finalización de la torre Marin — *Ceremonia de finalización de la torre Marin*	**Julio** Primer cable del Golden Gate — **Junio** Un terremoto sacude con violencia las torres — **Septiembre** Se coloca el último cable de suspensión	**Mayo** Día de la inauguración — **Febrero** Se ajusta el último remache	

Inauguración del puente

El puente, que en opinión de la mayoría nunca se podría construir, se completó a tiempo y ajustándose al presupuesto en plena Gran Depresión. Finalmente Joseph Strauss consiguió un apoyo masivo, y los 35 millones de dólares necesarios para cuatro años de obras se financiaron con una emisión de bonos. Durante la inauguración sonaron todas las sirenas y campanas de San Francisco y Marin.

Primeros vehículos
A las 9.30 del 28 de mayo de 1937 se levantaron las barreras del peaje y una comitiva oficial de limusinas inauguró el tráfico rodado en el puente.

Multitud del día inaugural
El 27 de mayo de 1937 se inauguró el puente sólo para peatones. Casi 18.000 personas esperaban junto a las barreras, controladas por numerosos policías.

EL PUENTE EN CIFRAS

• Cada año cruzan el puente más de 40 millones de vehículos y cada día lo recorren unos 120.000 coches.
• La capa de pintura original se conservó 27 años y sólo necesitó retoques. Desde 1965 una cuadrilla se dedica a retirar la pintura desconchada para dar una capa más duradera.
• Los dos enormes cables de 2.332 m de longitud tienen más de 1 m de grosor y están formados por 128.744 km de alambre de acero, suficiente para rodear la Tierra a la altura del Ecuador tres veces.
• El volumen de hormigón depositado en los pilares y los anclajes durante la construcción del puente serviría para construir una calzada de Nueva York a San Francisco de 1,5 m de ancho y más de 4.000 km de longitud.
• El puente fue diseñado para resistir vientos de 160 km/h
• Cada muelle soporta una corriente de 97 km/h

Pintura original del puente

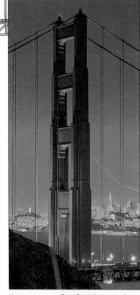

Panorama desde Vista Point
Desde el lado de Marin se disfruta de las mejores vistas del puente y de San Francisco.

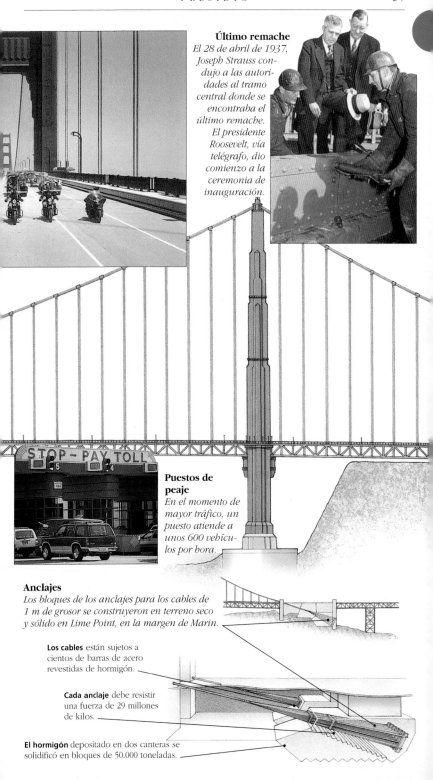

Último remache
El 28 de abril de 1937, Joseph Strauss condujo a las autoridades al tramo central donde se encontraba el último remache. El presidente Roosevelt, vía telégrafo, dio comienzo a la ceremonia de inauguración.

Puestos de peaje
En el momento de mayor tráfico, un puesto atiende a unos 600 vehículos por hora.

Anclajes
Los bloques de los anclajes para los cables de 1 m de grosor se construyeron en terreno seco y sólido en Lime Point, en la margen de Marin.

Los cables están sujetos a cientos de barras de acero revestidas de hormigón.

Cada anclaje debe resistir una fuerza de 29 millones de kilos.

El hormigón depositado en dos canteras se solidificó en bloques de 50.000 toneladas.

PACIFIC HEIGHTS Y MARINA DISTRICT

Pacific Heights es un barrio residencial exclusivo situado sobre la ladera de una colina. Esta zona se urbanizó en la década de 1880 debido a la puesta en marcha de los tranvías que la conectaron con el centro de la ciudad. Gracias a sus magníficas vistas, no tardó en convertirse en un solicitado barrio. Las viviendas victorianas aún flanquean sus calles; la mayoría es de propiedad privada, aunque la casa de

Símbolo de Fort Mason

Haas-Lilienthal, de estilo reina Ana, abre al público. Hacia el norte de Broadway, las calles descienden abruptamente hasta Marina District y desembocan en la bahía de San Francisco. Las casas de este barrio están construidas sobre un antiguo paraje de marismas, que fue saneado y drenado para la Exposición Panamá-Pacífico *(ver p. 72)*. Ofrece un ambiente costero, con *boutiques*, cafés y dos puertos deportivos.

LUGARES DE INTERÉS

Calles y edificios históricos
Convent of the Sacred Heart **6**
Cow Hollow **8**
Fort Mason **15**
Haas-Lilienthal House **1**
Octagon House **11**
Spreckels Mansion **2**
Trinity Episcopal Church **7**
Wave Organ **14**

Parques y jardines
Alta Plaza **4**
Lafayette Park **3**
Marina Green **13**

Iglesias y templos
Church of St. Mary the Virgin **9**
Vedanta Temple **10**

Calles comerciales
Chestnut Street **12**
Fillmore Street **5**

SIMBOLOGÍA

▨ Plano en 3 dimensiones
Ver pp. 70-71

🚋 Terminal de tranvía

CÓMO LLEGAR

Los autobuses Muni 1 y 12 circulan por Sacramento St. y Pacific St. respectivamente. El tranvía de California St. llega hasta Lafayette Park. Los autobuses 41 y 45 discurren por Union St. hasta la Marina; el 22 baja por Fillmore St.

0 metros 500
0 yardas 500

◁ **Detalle de la fachada sur de Spreckels Mansion**

Pacific Heights en 3 dimensiones

Las manzanas comprendidas entre Alta Plaza y Lafayette Park conforman el corazón de Pacific Heights. Las calles, tranquilas y cuidadas, están flanqueadas por elegantes bloques de apartamentos y casas señoriales. Algunas datan del siglo XIX, mientras que otras se construyeron tras el incendio de 1906 *(ver pp. 28-29)*. Al norte del barrio, las calles descienden pronunciadamente hacia Marina District, con preciosas vistas de la bahía. Se puede disfrutar de los dos grandes parques de la zona y acabar la visita en uno de los numerosos bares, cafés y restaurantes de la animada Fillmore St.

Conejo de juguete de Haas-Lilienthal House

La vista desde Alta Plaza hacia la cuesta de Pierce St., al norte, comprende Marina District y ofrece una espléndida panorámica con la bahía de fondo.

Washington Street se extiende al este de Alta Plaza. Las casas victorianas de diferentes estilos arquitectónicos ocupan una manzana completa.

★ Alta Plaza
Proyectado como parque público en la década de 1850, este espacio verde ofrece un parque infantil y bonitas vistas ④

A parada de autobús (nº 12)

0 metros	100
0 yardas	100

RECOMENDAMOS

★ Alta Plaza

★ Spreckels Mansion

SIMBOLOGÍA

– – – Itinerario sugerido

La hilera de casas simétricas de Webster St. ha sido declarada Patrimonio Histórico. Se construyeron para familias de clase media en 1878; posteriormente han sido restauradas.

★ **Spreckels Mansion**
Esta impresionante mansión de piedra caliza, construida a imitación de los palacios barrocos franceses, es desde 1990 la residencia de la familia de Danielle Steele, la prolífica novelista ❷

El nº 2004 de Gough Street, una de las viviendas victorianas más bellas de Pacific Heights, fue construido en 1889.

PLANO DE SITUACIÓN
Ver callejero, planos 3 y 4

A los autobuses 47, 76

Lafayette Park
Este parque ofrece bonitas vistas de las casas victorianas que lo rodean ❸

El nº 2151 de Sacramento Street es una ornamentada mansión de estilo francés. Una placa conmemora la visita del escritor sir Arthur Conan Doyle en 1923.

Haas-Lilienthal House
Esta residencia, decorada al estilo victoriano, es sede de la Fundación del Patrimonio Arquitectónico ❶

Haas-Lilienthal House ❶

2007 Franklin St. **Plano** 4 E3. **Tel**
441-3004. ▦ 1, 19, 27, 47, 49, 83.
▣ 12.00-15.00 mi y sá, 11.00-16.00
do (los horarios varían; llamar para
confirmar). **www**.sfheritage.org/house

Esta esplendorosa casa señorial de estilo reina Ana (ver
pp. 76-77) fue construida en
1886 por encargo del adinerado comerciante William Haas.
Alice Lilienthal, su hija, vivió
aquí hasta 1972,
fecha en la que
la cedió a la
Fundación
del

Haas-Lilienthal House, mansión
de estilo reina Ana de 1886

Patrimonio Histórico de San
Francisco. Es la única vivienda privada intacta de este periodo abierta como museo.
Está repleta de mobiliario original. La estructura, un notable ejemplo de residencia victoriana, posee gabletes de
madera, una torre circular y
una lujosa ornamentación.
    El sótano alberga una mues-
tra de fotografías que ilustran la
construcción de la casa y que
revela que esta mansión era
modesta en comparación con
algunas de las viviendas arrasadas por el incendio de 1906.

Spreckels Mansion ❷

2080 Washington St. **Plano** 4 E3
▦ 1, 47, 49. ◉ al público.

Esta imponente mansión de
estilo beaux arts (ver pp. 46-
47) que domina el costado
norte de Lafayette Park recibe
el sobrenombre de Partenón
del Oeste. Fue mandada construir en 1912 por Alma de Bretteville Spreckels y su esposo,
Adolph, heredero de la fortuna
azucarera de Claus Spreckels
(ver p. 134). Ocupa una manzana de Octavia St., que está
pavimentada y ajardinada al
estilo de la sinuosa Lombard St.
(ver p. 88). El diseño de la residencia se debe al arquitecto

Imponente fachada de la Spreckels
Mansion, en Lafayette Park

George Applegarth, que en
1916 proyectó la Legion of
Honor (ver p. 156). Los Spreckels donaron el palacete a la
ciudad en 1924.

Lafayette Park ❸

Plano 4 E3. ▦ 1, 12.

Lafayette Park, una de las
zonas verdes más bonitas de
las colinas, conforma un oasis
frondoso y verde, aunque su
actual tranquilidad contrasta
con su turbulento pasado. Esta
zona, junto con Alta Plaza y
Alamo Square, se reservó
como espacio público al aire
libre en 1855, pero varias personas la ocuparon (entre
otros un ex fiscal municipal),
reclamaron la pro-
piedad del terre-
no y levantaron
sus casas. La
mayor de
todas se
alzó en
el cen-

EXPOSICIÓN PANAMÁ-PACÍFICO (1915)

San Francisco celebró su recuperación
del terremoto de 1906 con una monu-
mental exposición (ver pp. 30-31),
aunque oficialmente fue concebida
para festejar la apertura del canal de
Panamá. Los proyectos pretendían
que fuese la feria mundial más
esplendorosa de la historia. Un
visitante la recorrió la describió como "Constantinopla en
miniatura". La feria se levantó
sobre tierra ganada a la bahía

de San Francisco, en
el emplazamiento del
actual Marina District.
Todos los Estados del
país y 25 naciones
extranjeras construye-
ron espectaculares
pabellones. Los edi-
ficios reproducían
diferentes obras y
estilos arquitectóni-

**Ferry Building en la
Exposición Panamá-Pacífico**

cos. La lujosa torre de las Joyas, en el centro
de la entrada, se completó con incrustaciones de piedras de cristal y se la iluminó
con proyectores. Al oeste se situaba
el Palace of Fine Arts (ver pp. 60-61),
la única construcción de la exposición que se conserva en la actualidad; los visitantes accedían a él en
góndola a través de la laguna.

**Panorámica de la Exposición
Panamá-Pacífico**

tro del parque hasta 1936, debido a que su morador se negaba a abandonarla. Finalmente, cuando las autoridades acordaron cambiarla por un solar en Gough St., fue demolida. Hoy se accede a la cima del parque, que disfruta de preciosas vistas, a través de empinados escalones. En las calles aledañas se sitúan numerosos edificios palaciegos, por ejemplo en Broadway, Jackson St. y Pacific Avenue, de este a oeste, y en Gough St., Octavia St. y Laguna St., de norte a sur.

Alta Plaza ❹

Plano 4 D3. 🚌 *1, 3, 12, 22, 24.*

Ubicado en el centro de Pacific Heights, Alta Plaza es un parque urbano con un bello trazado adonde la clase alta de San Francisco acude a relajarse. Desde Clay St., en la parte sur, comienzan unas escaleras de piedra, con estupendas vistas de la ciudad. Estos escalones han aparecido en varias películas; Barbra Streisand los bajó en coche en *¿Qué me pasa, doctor?* El parque cuenta con pistas de tenis y un área de recreo infantil. Desde el lado norte se pueden contemplar espléndidas mansiones, como Gibbs House, en el nº 2622 de Jackson St., que fue construida por Willis Polk en 1894.

Fillmore Street ❺

Plano 4 D4. 🚌 *1, 2, 3, 4, 22, 24.*

La calle Fillmore sobrevivió al terremoto de 1906 *(ver pp. 28-29)* prácticamente intacta, y durante los años siguientes se utilizó como sede administrativa de la ciudad. En los comercios, viviendas y hasta en las iglesias se instalaron oficinas municipales e incluso empresas privadas. Hoy se ubica aquí la principal área comercial de Pacific Heights, desde Jackson St. hasta Japantown *(ver p. 128)*, en las inmediaciones de Bush St. En esta zona abundan las librerías, restaurantes y *boutiques*.

Alta Plaza

Convent of the Sacred Heart ❻

2222 Broadway. **Plano** 4 D3. 📞 563-2900. 🚌 *22, 24.* 🚫 *al público.* ♿

Esta villa neoclásica se conocía antaño como Mansión Flood. Fue diseñada por los arquitectos Bliss y Faville por encargo de James Leary Flood, hijo del magnate de Comstock Mine *(ver p. 102)*. Completada en 1915, muestra proporciones armoniosas, impecables detalles y una fachada de mármol de Tennessee, que la convierten en la mansión más hermosa de Pacific Heights. En 1919 acogió una de las escuelas privadas más antiguas de California.

Trinity Episcopal Church ❼

1668 Bush Street. **Plano** 4 D4. *Tel 775-1117.* 🚌 *2, 3, 4, 19, 22, 49.*

El imponente edificio de la iglesia episcopal de la Trinidad imita a la catedral de Durham, en Inglaterra, considerada por muchos uno de los ejemplos más relevantes de arquitectura normanda. La Trinidad, la iglesia episcopal más antigua de la costa del Pacífico, celebró su 150º aniversario en 1999. Sus coloridas vidrieras fueron diseñadas por un alumno de John LaFarge, una figura destacada de la escena artística neoyorquina de finales del siglo XIX. El altar mayor guarda la Cruz de la Trinidad, con incrustaciones de piedras preciosas y 100 años de antigüedad; fue entregada como ofrenda por las mujeres de la parroquia el Domingo de Trinidad.

Cow Hollow ❽

Plano 4 D2. 🚌 *22, 41, 45.*

Cow Hollow (Hondonada de las Vacas), una zona comercial situada en Union St., recibe este nombre porque se empleó como campo de pasto para las vacas lecheras de la ciudad hasta la década de 1860. Posteriormente se expropió para levantar un barrio residencial. En la década de 1950, el área se puso de moda y los antiguos comercios del barrio fueron sustituidos por elegantes *boutiques*, tiendas de antigüedades y galerías de arte. Muchos de estos negocios ocupan edificios decimonónicos restaurados.

Vista de Cow Hollow desde Fillmore Street

Church of St. Mary the Virgin **❾**

2325 Union St. **Plano** 4 D3. **Tel** 921-3665. 🚌 22, 41, 45. 🕐 9.00-17.00 lu-vi. 🕐 8.00, 9.00, 11.00 y 17.30 do. 🚫 durante servicios.

Santa María la Virgen, una iglesia episcopal rústica de tablillas de madera, que recuerda el periodo rural del siglo XIX en Cow Hollow (ver p. 73), se levanta en el extremo oeste de la bulliciosa zona comercial de Union St.

En el recinto aún corre el agua de uno de los manantiales naturales donde abrevaban los rebaños de vacas lecheras de Cow Hollow, aunque permanece oculto por la entrada y el seto del cementerio original de la iglesia.

El edificio, pequeño y de escasa ornamentación, es un ejemplo temprano del estilo arts and crafts (ver p. 46), que posteriormente se adoptó en la construcción de las iglesias más importantes de la bahía. Bajo los inclinados techos, los muros están revestidos con tablillas de madera roja solapadas sobre la estructura de madera. En la década de 1950 se remodelaron partes de la iglesia y se trasladó la entrada de Steiner St. al otro extremo del edificio. Se conserva en buen estado.

Detalle del Vedanta Temple

Vedanta Temple **❿**

2963 Webster St. **Plano** 4 D2. **Tel** 922-2323. 🚌 22, 41, 45. ⬤ cerrado excepto para servicios. 🕐 8.00 vi. 🚫 durante servicios.

El templo Vedanta, una de las construcciones más singulares de la bahía, es una combinación de multitud de estilos decorativos. El techo está rematado con una cúpula bulbosa roja similar a las de las iglesias ortodoxas rusas. Posee una torre que se asemeja a la de un castillo almenado europeo y una cúpula octogonal propia de un templo hindú. Otros elementos arquitectónicos destacables son los arcos moriscos muy ornamentados, parapetos medievales, motivos estilo reina Ana (ver p. 77) y detalles coloniales. Fue diseñado en 1905 por el arquitecto Joseph A. Leonard, que colaboró estrechamente con Swami Trigunatitananda, ministro de la Sociedad Vedanta del Norte de California.

Vedanta es la escuela superior de las seis escuelas hindúes y el edificio simboliza el concepto de esta filosofía, según el cual cada religión ofrece un camino para alcanzar su dios. El templo está ocupado por un monasterio, pero merece la pena acercarse para contemplar la maravillosa fachada.

Fort Mason **⓯**

Plano 4 E1. 📞 441-3400. 🚌 22, 28, 30, 43. 📷 ♿ parcial. **Línea de eventos Tel** 345-7544. **www**.fortmason.org. Ver **Cinco paseos** pp. 172-173.

El fuerte Mason atesora la historia militar de San Francisco. La estructura original constaba de una serie de casas particulares, erigidas a finales de la década de 1850, que fueron confiscadas por el Gobierno estadounidense cuando el ejército de la Unión ocupó el lugar durante la guerra de secesión (1861-1865).

El fuerte sirvió de puesto de comandancia militar hasta la década de 1890 y también acogió a los refugiados que quedaron sin hogar a raíz del terremoto de 1906 (ver pp. 28-29). Durante la II Guerra Mundial, la base militar del fuerte Mason fue el punto de salida de un 1,6 millón de soldados.

En 1972 se destinó a uso civil, aunque algunas de las construcciones pintadas de

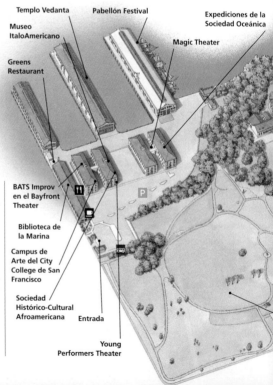

Templo Vedanta   Pabellón Festival

Museo ItaloAmericano

Expediciones de la Sociedad Oceánica

Magic Theater

Greens Restaurant

BATS Improv en el Bayfront Theater

Biblioteca de la Marina

Campus de Arte del City College de San Francisco

Sociedad Histórico-Cultural Afroamericana   Entrada

Young Performers Theater

Octagon House ⓫

2645 Gough St. **Plano** 4 E2. *Tel 441-7512.* 🚌 *41, 45, 47, 49.* 🕐 *12.00-15.00 2° do y 2° y 4° ju de mes excepto ene.* **Se admiten donativos.** 🚫 ♿ *parcial.* www.nscda.com

Construida en 1861, la casa octogonal recibe este nombre por su cúpula de ocho lados. Contiene una pequeña e interesante colección de artes decorativas y documentos históricos de los periodos colonial y federal, además de mobiliario, pinturas, barajas de cartas revolucionarias y las firmas de 54 de los 56 signatarios de la Declaración de Independencia.

Chestnut Street ⓬

Plano 3 C2. 🚌 *22, 28, 30, 43.*

Chestnut St., el centro comercial y nocturno de Marina District, cuenta con muchas salas de cine, mercados, cafés y restaurantes. La zona comercial se extiende a escasas manzanas de Fillmore St., en dirección oeste, hasta Divisadero St., y a partir de aquí se convierte principalmente en un barrio residencial.

Marina Green ⓭

Plano 4 D1. 🚌 *22, 28, 30.*

Marina Green es una popular franja de césped estrecha y larga que se extiende a lo largo de Marina District. El día 4 de julio desde este punto se puede contemplar de fuegos artificiales *(ver p. 49).* Los paseos resultan idóneos para pedalear, correr o patinar. El paseo Golden Gate Promenade se extiende desde el extremo oeste de los jardines hasta Fort Point, aunque también se puede ir hacia el este hasta el Órgano de la Ola, en el malecón del puerto.

Wave Organ ⓮

Plano 4 D1. 🚌 *30.*

Al final del rompeolas que protege la Marina se halla uno de los instrumentos musicales más peculiares del mundo. El Órgano de la Ola fue construido por científicos del Exploratorium *(ver p. 60-61)* y está compuesto por unos tubos submarinos que vibran y producen eco con el cambio de las mareas. Los tubos musicales están ubicados en un pequeño anfiteatro que ofrece vistas de Pacific Heights y de Presidio.

Órgano de la Ola, malecón del West Harbor

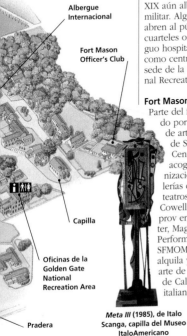

Albergue Internacional

Fort Mason Officer's Club

🚻 👫

Capilla

Oficinas de la Golden Gate National Recreation Area

Pradera

Meta III (1985), de Italo Scanga, capilla del Museo ItaloAmericano

blanco de mediados del siglo XIX aún albergan personal militar. Algunos edificios abren al público, como los cuarteles originales y el antiguo hospital, que funciona como centro de visitantes y sede de la Golden Gate National Recreation Area (GGNRA).

Fort Mason Center

Parte del fuerte está ocupado por uno de los centros de arte más importantes de San Francisco. El Centro Fort Mason acoge más de 25 organizaciones culturales, galerías de arte, museos y teatros, incluidos el Cowell Theater, BATS Improv en el Bayfront Theater, Magic Theater y Young Performers Theater. La SFMOMA Rental Gallery alquila y vende obras de arte de autores del norte de California. Los artistas italianos e italoamericanos exponen sus trabajos en el Museo ItaloAmericano. La Mariti-

me Library alberga una maravillosa colección de libros de historia naval, transcripciones de relatos orales y planos de barcos. El Maritime Museum, cerrado parcialmente hasta renovación hasta 2012 *(ver p. 83),* se encuentra cerca de Fisherman's Wharf. Entre los lugares para comer de Fort Mason Center destaca Greens *(ver p. 229),* uno de los mejores restaurantes vegetarianos de la ciudad.

El Conference Center edita un calendario mensual de eventos.

SS Balclutha, del Maritime Museum, en Hyde Street Pier

Casas victorianas

A pesar de los terremotos, incendios e incursiones de la vida moderna, miles de casas de finales del siglo XIX aún jalonan las calles de San Francisco. De hecho, en muchos barrios residenciales son el tipo de vivienda más habitual. Las casas victorianas son muy similares entre sí; todas poseen una estructura de madera y profusión de elementos decorativos. La mayoría se levantó sobre estrechas parcelas siguiendo una planta parecida, pero las características de las fachadas difieren. En la ciudad predominan cuatro estilos, aunque muchas casas, especialmente las que se construyeron en las décadas de 1880 y 1890, combinan estilos.

Ventana italiana

Detalle de puerta de estilo reina Ana del Château Tivoli

NEOGÓTICO (1850-1880)

Las casas neogóticas son las más fáciles de distinguir, ya que poseen arcos apuntados sobre las ventanas y a veces sobre las puertas. Otras de sus características son los tejados a dos aguas, fustes ornamentados (con motivos de arcos apuntados) y un porche a lo largo de toda la fachada. Las casas más pequeñas y sencillas generalmente están pintadas de blanco, a diferencia de los colores vivos de estilos posteriores.

El nº 1111 de Oak St. *es uno de los edificios neogóticos más antiguos. Su jardín delantero es muy amplio.*

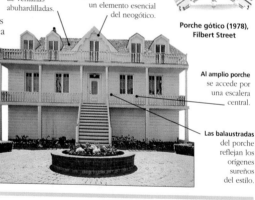

El tejado inclinado permite la creación de ventanas abuhardilladas.

El tejado a dos aguas con fustes decorados es un elemento esencial del neogótico.

Porche gótico (1978), Filbert Street

Al amplio porche se accede por una escalera central.

Las balaustradas del porche reflejan los orígenes sureños del estilo.

ITALIANO (1850-1885)

Las casas italianas fueron muy populares en San Francisco, tal vez porque su diseño compacto se adaptaba bien a la elevada densidad urbana. La característica más distintiva del estilo italiano es la cornisa superior, generalmente con una ménsula decorativa, que le confería un toque señorial. Otro rasgo típico es la elaborada decoración alrededor de puertas y ventanas.

El nº 1913 de Sacramento St. *presenta una fachada formal italiana típica, inspirada en un palacete renacentista. El exterior de madera imita la piedra.*

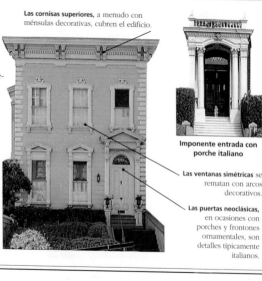

Las cornisas superiores, a menudo con ménsulas decorativas, cubren el edificio.

Imponente entrada con porche italiano

Las ventanas simétricas se rematan con arcos decorativos.

Las puertas neoclásicas, en ocasiones con porches y frontones ornamentales, son detalles típicamente italianos.

'STICK' (1860-1890)

Este estilo arquitectónico neorrománico, con su desafortunado nombre (palo), tal vez sea el más frecuente entre las viviendas victorianas de la ciudad. A veces también es denominado *stick-Eastlake,* por el diseñador de muebles Charles Eastlake. Se acentúan las líneas verticales, tanto en la estructura como en la ornamentación. Las ventanas saledizas, las falsas cornisas a dos aguas y las esquinas cuadradas son otras de sus características.

Tejado a dos aguas con ventanas Eastlake, nº 2931 de Pierce Street

Las bandas amplias forman a menudo un saledizo ornamental.

Los gabletes decorativos repletos de motivos luminosos aparecen en porches y marcos de ventanas.

El nº 1715-1717 de Capp Street *es un espléndido ejemplo de estilo stick-Eastlake, con una fachada sobria con motivos decorativos.*

Las puertas de entrada laterales pueden guarnecerse bajo en un pequeño porche.

REINA ANA (1875-1905)

El nombre reina Ana, acuñado por el arquitecto inglés Richard Shaw, no se refiere a un periodo histórico. Las viviendas de este estilo combinan diversos elementos ornamentales, pero se caracterizan por las torretas y grandes paneles. La mayoría de las construcciones también presenta piezas de madera decoradas en balaustradas, porches y saledizos de tejados.

En los gabletes se colocaban ventanas paladinas para provocar la apariencia de que había una planta más.

Gablete reina Ana con paneles ornamentales del n º 818 de Steiner St.

Torreta reina Ana en el nº 1015 de Steiner St.

Las torretas y torres circulares, cuadradas y poligonales son típicas de las casas de estilo reina Ana.

Los frontones del gablete acogen ventanas y paneles ornamentales.

El marco curvilíneo de la ventana no es característico del estilo reina Ana, pero muchas casas incluyen elementos de otros estilos.

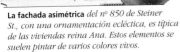

La fachada asimétrica *del nº 850 de Steiner St., con una ornamentación ecléctica, es típica de las viviendas reina Ana. Estos elementos se suelen pintar de varios colores vivos.*

FISHERMAN'S WHARF Y NORTH BEACH

Los pescadores genoveses y sicilianos llegaron a Fisherman's Wharf a finales del siglo XIX para fundar la industria pesquera de San Francisco. El barrio recibe al turismo desde la década de 1950, pero los barcos pesqueros, pintados con alegres colores, continúan saliendo a faenar en el puerto cada mañana. Al sur de Fisherman's Wharf se extiende North Beach, también conocida como Little Italy. En esta animada zona abundan los *delicatessen,* panaderías y cafés. Aquí residen familias italianas y chinas, así como unos cuantos escritores y bohemios. Jack Kerouac *(ver p. 32),* entre otros, encontró en este lugar inspiración para escribir sus libros.

FISHERMANS WHARF
OF SAN FRANCISCO

Símbolo de Fisherman's Wharf

LUGARES DE INTERÉS

Calles y edificios históricos
Filbert Steps 18
Greenwich Steps 19
Isla de Alcatraz pp. 84-87 1
Lombard Street 9
Pier 39 2
Upper Montgomery Street 20
Vallejo Street Stairway 11

Monumentos
Coit Tower 17

Iglesias
Saints Peter and Paul Church 15

Centros comerciales
The Cannery 6
Ghirardelli Square 7

Restaurantes y bares
Club Fugazi 12

Parques y jardines
Bocce Ball Courts 16
Levi's Plaza 21
Washington Square 14

Museos
North Beach Museum 13
Ripley's Believe It Or Not! Museum 5
San Francisco Art Institute 10
San Francisco Maritime National Historical Park Visitors' Center 8
USS *Pampanito* 3
Wax Museum 4

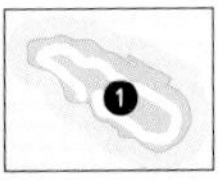

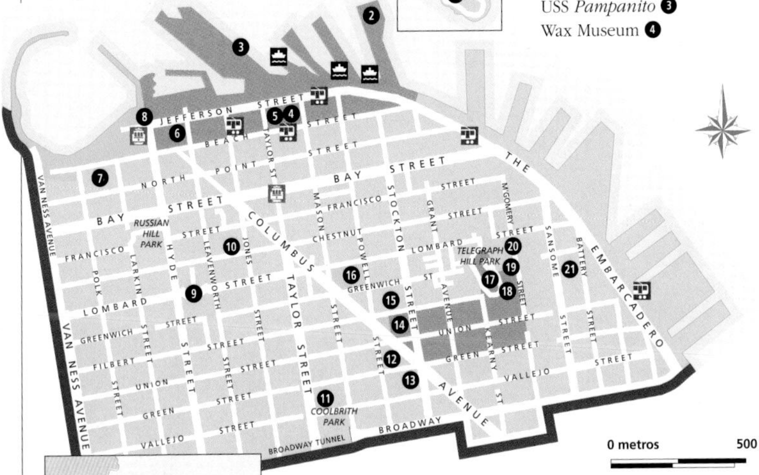
JEFFERSON STREET
BEACH STREET
NORTH POINT STREET
BAY STREET
FRANCISCO STREET
CHESTNUT STREET
LOMBARD STREET
GREENWICH STREET
FILBERT STREET
UNION STREET
GREEN STREET
VALLEJO STREET
BROADWAY
BROADWAY TUNNEL
COLUMBUS AVENUE
THE EMBARCADERO
VAN NESS AVENUE
POLK STREET
LARKIN STREET
HYDE STREET
LEAVENWORTH STREET
JONES STREET
TAYLOR STREET
MASON STREET
POWELL STREET
STOCKTON STREET
GRANT AVENUE
KEARNY STREET
M'GOMERY STREET
SANSOME STREET
BATTERY STREET
RUSSIAN HILL PARK
TELEGRAPH HILL PARK
COOLBRITH PARK
0 metros 500
0 yardas 500

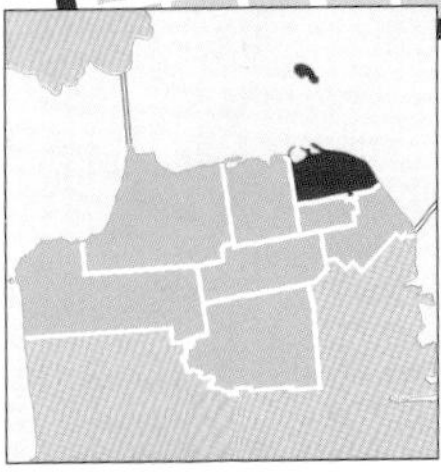

SIMBOLOGÍA

- Plano en 3 dimensiones *Ver pp. 80-81*
- Plano en 3 dimensiones *Ver pp. 90-91*
- Plataforma giratoria de tranvía
- Puerto de transbordador
- Línea de tranvía histórico

CÓMO LLEGAR

La línea del tranvía de Powell-Hyde llega a Ghirardelli Square y Russian Hill. La línea de Powell-Mason atraviesa North Beach hasta Fisherman's Wharf y Pier 39. Por el distrito circulan numerosos autobuses.

◁ **Fisherman's Wharf en la década de 1930, detalle del mural de la Coit Tower**

Fisherman's Wharf en 3 dimensiones

Las marisquerías italianas han sustituido a la pesca como fuente de ingresos principal de la economía del barrio Fisherman's Wharf. Los restaurantes y puestos de marisco sirven el célebre cangrejo Dungeness de San Francisco de noviembre a junio. Además de probar el marisco, el viajero también puede disfrutar de las tiendas, museos y otros entretenimientos que dan fama a Fisherman's Wharf.

En Fish Alley se descargan y preparan las capturas de la mañana.

La capilla del Pescador y Marinero se construyó sobre el muelle para que los hombres de la mar pudiesen rezar.

Pier 45

★ USS *Pampanito*
La visita proporciona una idea de los apuros que sufrieron los marineros en este submarino de la II Guerra Mundial ❸

Fisherman's Wharf es hoy una calle jalonada de restaurantes y puestos de marisco.

The Cannery
Esta antigua fábrica de conservas se ha transformado en un centro comercial con tiendas, restaurantes y un museo ❻

San Francisco Fire Engine Tours and Adventures ofrece a los viajeros visitas de la ciudad en un gran camión de bomberos rojo brillante.

A la plataforma giratoria del tranvía de Powell-Hyde (una manzana)

JEFFERSON

JONES STREET

LEAVENWORTH STREET

Centro comercial The Anchorage

La línea de tranvías históricos posee modelos antiguos y pintorescos que circulaban por la mayoría de las ciudades de Estados Unidos en la década de 1930.

SIMBOLOGÍA

- - - Itinerario sugerido

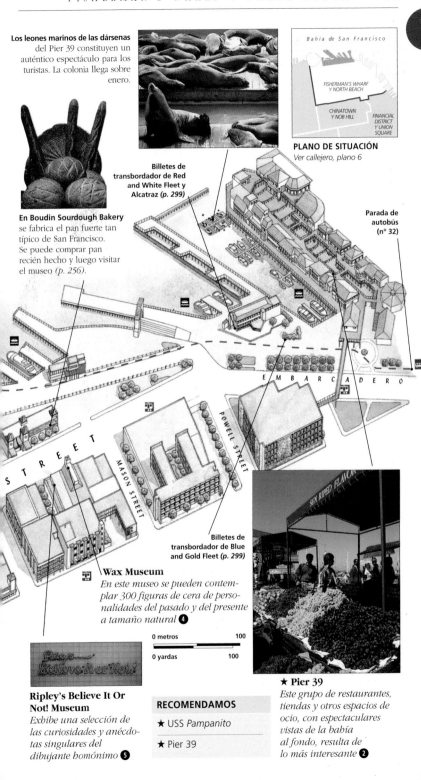

Los leones marinos de las dársenas del Pier 39 constituyen un auténtico espectáculo para los turistas. La colonia llega sobre enero.

En Boudin Sourdough Bakery se fabrica el pan fuerte tan típico de San Francisco. Se puede comprar pan recién hecho y luego visitar el museo *(p. 256)*.

Billetes de transbordador de Red and White Fleet y Alcatraz (p. 299)

PLANO DE SITUACIÓN
Ver callejero, plano 6

Bahía de San Francisco

FISHERMAN'S WHARF
Y NORTH BEACH

CHINATOWN
Y NOB HILL

FINANCIAL
DISTRICT
Y UNION
SQUARE

Parada de autobús (nº 32)

EMBARCADERO

POWELL STREET

MASON STREET

STREET

Billetes de transbordador de Blue and Gold Fleet (p. 299)

Wax Museum
En este museo se pueden contemplar 300 figuras de cera de personalidades del pasado y del presente a tamaño natural ❹

| 0 metros | 100 |
| 0 yardas | 100 |

Ripley's Believe It Or Not! Museum
Exhibe una selección de las curiosidades y anécdotas singulares del dibujante homónimo ❺

RECOMENDAMOS

★ USS *Pampanito*

★ Pier 39

★ **Pier 39**
Este grupo de restaurantes, tiendas y otros espacios de ocio, con espectaculares vistas de la bahía al fondo, resulta de lo más interesante ❷

Isla de Alcatraz ❶

Ver pp. 84-87.

Pier 39 ❷

Plano 5 B1. 🚋 *F.*
*Ver **Compras** p. 245.*

Este muelle de carga de 1905
fue remodelado a imitación de
una pintoresca aldea pesquera
de madera en 1978 para
albergar numerosas tiendas
de recuerdos y otros comercios repartidos en dos plantas.
　Los artistas callejeros y las
atracciones resultan muy entretenidos para familias. Se
puede subir al tiovivo o al
Turbo Ride, un simulador de
montaña rusa donde una proyección recrea la ilusión de
velocidad, o jugar en la
galería Riptide. Está prevista
la construcción de un acuario.
　San Francisco Experience, un
espectáculo multimedia, ofrece
un recorrido histórico por la
ciudad, incluidas las celebraciones del Año Nuevo chino,
la niebla y un terremoto.

Tiovivo en el Pier 39

USS 'Pampanito' ❸

Pier 45. **Plano** 4 F1. **Tel** *(415) 775-
1943.* 🚌 *47.* ⭘ *9.00-18.00 todos
los días (a veces hasta más tarde;
llamar para más detalles).* 📷 🚻
www.maritime.org

Este submarino de la II Guerra
Mundial participó y sobrevivió
a varias batallas en el Pacífico,
hundió seis buques enemigos
y dañó otros. Lamentablemente, dos de sus blancos fatales
transportaban prisioneros bri-
tánicos y australianos. El *Pampanito* logró rescatar a 73
hombres y ponerlos a salvo en
EE UU. La visita guiada conduce a los visitantes de popa a

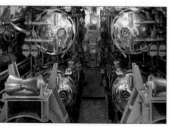

Cámara de torpedos del USS *Pampanito*

proa para contemplar la sala
de torpedos, la diminuta cocina y los camarotes de los oficiales. Cuando el *Pampanito*
estaba de servicio, albergaba
una tripulación de 10 oficiales
y 70 marineros.

Wax Museum ❹

145 Jefferson St. **Plano** 5 B1. 🖥
(800) 439-4305. 🚋 *F.* ⭘ *10.00-
21.00 lu-vi, 9.00-23.00 sá y do.*
📷 ♿ **www**.waxmuseum.com

Aquí se expone una de las
mayores colecciones de figuras de cera a tamaño real del
mundo. Una sec-
ción especial
recrea la tumba
milenaria del
faraón egipcio
Tutankamón; la
sala de las Religio-
nes acoge la Última
Cena.
　En la sala de Arte
Viviente cuelgan
retratos de cera
como *La Gioconda*.

Un sinfín de personajes de fic-
ción aparecen junto a personalidades históricas, incluidos 14
presidentes estadounidenses,
miembros de la familia real británica, sir Winston Churchill,
William Shakespeare, Mozart,
Mark Twain, Elvis Presley,
Marilyn Monroe y Al Capone.
La Cámara de los Horrores
alberga un surtido espantoso
de otros personajes.

Ripley's Believe It
Or Not! Museum ❺

175 Jefferson St. **Plano** 4 F1. **Tel**
771-6188. 🚋 *F.* ⭘ *10.00-22.00 do-
ju, 10.00-12.00 vi-sá; med jun-Día del
Trabajo: 9.00-23.00 do-ju, 10.00-24.00
vi-sá.* 📷 ♿ **www**.ripleysf.com

Robert L. Ripley, oriundo de
California, fue un ilustrador
aficionado a coleccionar anécdotas y objetos peculiares. Saltó
a la fama e hizo fortuna con su
célebre tira caricaturesca de la
prensa estadounidense, que se
llamaba *Lo veo y no lo creo*, de

Ripley. Entre las 350 rarezas que componen la muestra se incluye un tranvía construido con 275.000 cerillas, un becerro con dos cabezas, la imagen a tamaño natural de un hombre que tenía dos pupilas en cada ojo. Además, se exponen algunas de las tiras de Ripley.

The Cannery ❻

2801 Leavenworth St. **Plano** 4 F1.
🚌 *19, 30.* 🏬 *Ver* **Compras** *p. 245.*

El interior de esta fábrica de conservas de fruta fue remodelado en la década de 1960. Hoy alberga puentes peatonales, pasadizos y patios soleados con restaurantes y tiendas de ropa, muñecas de coleccionista y arte y artesanía amerindia.

The Cannery fue sede del Museo de la Ciudad de San Francisco, pero se clausuró a consecuencia de un incendio. La colección se ha trasladado al ayuntamiento *(ver p. 127)*, donde se expone íntegra al

público. Se puede contemplar la cabeza de la estatua que coronaba el ayuntamiento antes del terremoto de 1906 *(ver pp. 28-29)*. La corona sobre la cabeza fue uno de los primeros elementos en iluminarse con electricidad. Para más información, consultar www.sfmuseum.org.

Ghirardelli Square ❼

900 North Point St. **Plano** 4 F1.
🚌 *19, 30, 47, 49.* 🚋 *Powell-Hyde.*
Ver **Compras** *p. 244.*

Esta antigua fábrica de chocolate y molino de lana es la más bonita de los numerosos edificios industriales rehabilitados en San Francisco. Se trata de una mezcla de construcciones antiguas, que hoy acogen tiendas y restaurantes modernos. Este centro comercial conserva el famoso reloj de la torre, símbolo de Ghirardelli, y el cartel luminoso original.

Ghirardelli Square

Ghirardelli Chocolate Manufacturing, situada en la plaza, bajo la torre, aún guarda maquinaria para fabricar chocolate y vende sus productos, aunque las barritas de chocolate se elaboran en San Leandro, al otro lado de la bahía.

Fountain Plaza es un pintoresco espacio con comercios abiertos de día y de noche.

San Francisco Maritime National Historical Park Visitors' Center ❽

900 Beach St. **Plano** 4 F1. 🚌 *10, 19, 30.* 🚋 *Powell-Hyde.* **Museo** *Tel 561-7100.* 🌐 *parcialmente por renovación hasta 2012.* **Hyde Street Pier** *Tel 447-5000.* 🕐 *11.00-16.00 todos los días (durante la renovación).* 🚫 *1 ene, Día de Acción de Gracias, 25 dic.* 💲 *sólo muelle.* 📷 ♿ *sólo muelle y museo.* 📖 *Ver* **Cinco paseos** *pp. 172-173.* **www**.maritime.org

Construido en 1939, este edificio albergó originalmente el Museo Marítimo en 1951. Pese a estar en parte

Hyde Street Pier

cerrado por renovación, los visitantes pueden admirar su diseño moderno y estilizado que recuerda a un trasatlántico. Muy cerca, en Hyde Street Pier, se encuentra amarrada una de las mayores flotas de barcos

antiguos del mundo. Destaca el *CA Thayer*, una goleta construida en 1895 que surcó los mares hasta 1950. El *Thayer* transportaba madera a lo largo de la costa del norte de California, y más tarde utilizó como barco pesquero en Alaska. En el muelle también está anclado el *Eureka*, un transbordador de 2.560 toneladas construido en 1890 para transportar trenes entre Hyde Street Pier y los condados situados al norte de la bahía. Tenía capacidad para 2.300 personas y 120 vehículos.

'BALCLUTHA'
El barco estrella de Hyde Street Pier se botó en 1886 y navegaba dos veces al año entre Gran Bretaña y California cambiando cereal por carbón.

Palo mayor

Palo de mesana

Alcázar

Trinquete

Bauprés

Isla de Alcatraz ❶

Esta isla rocosa y con pronunciados acantilados recibe el nombre de las aves que fueron sus primeros habitantes. Su ubicación, 5 km al este del Golden Gate, resulta, por un lado, estratégica, pero, por otro, la expone a los vientos oceánicos. En 1859, militares estadounidenses establecieron aquí un fuerte para proteger la bahía; en 1907 se convirtió en prisión militar.

Insignia de la entrada al bloque de celdas

De 1934 a 1963 sirvió como penitenciaría federal de máxima seguridad. Abandonada hasta 1969, miembros del American Indian Movement (*ver p. 32*) la ocuparon. El grupo fue expulsado en 1971, y Alcatraz hoy forma parte de la Golden Gate National Recreation Area.

★ **Bloque de celdas**
La zona de celdas se compone de cuatro bloques independientes de celdas. Los calabozos de la Gran Casa, como los internos llamaban al bloque principal de la prisión, se levantaron sobre los cimientos de la antigua fortaleza militar.

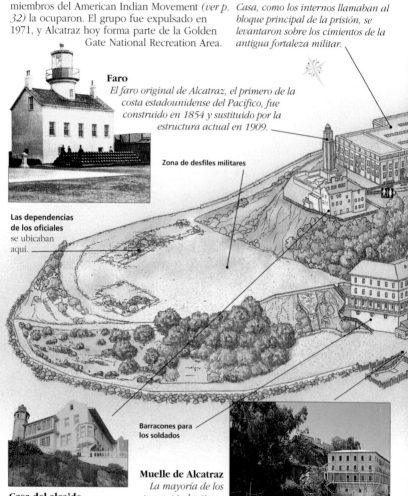

Faro
El faro original de Alcatraz, el primero de la costa estadounidense del Pacífico, fue construido en 1854 y sustituido por la estructura actual en 1909.

Zona de desfiles militares

Las dependencias de los oficiales se ubicaban aquí.

Barracones para los soldados

Casa del alcaide
Esta casa sufrió considerables daños a causa del fuego durante la ocupación de los indios entre 1969-1971.

Muelle de Alcatraz
La mayoría de los presos pisaba tierra firme aquí, en el muelle donde ahora desembarcan los visitantes.

Isla de Alcatraz desde el transbordador
La Roca carece de tierra natural. La tierra fue transportada desde la isla del Ángel para crear los jardines.

Los presos debían *pasar por los detectores de metales al salir o regresar del comedor y de los patios. La máquina expuesta formó parte del atrezo de la película* Fuga de Alcatraz.

La morgue militar no abre al público.

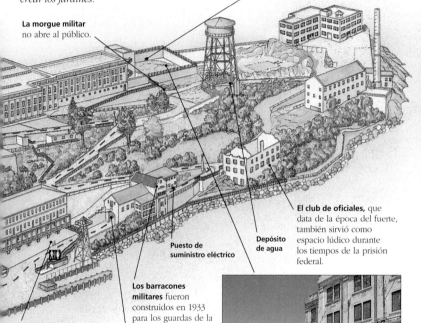

El club de oficiales, que data de la época del fuerte, también sirvió como espacio lúdico durante los tiempos de la prisión federal.

Depósito de agua

Puesto de suministro eléctrico

Los barracones militares fueron construidos en 1933 para los guardas de la prisión.

El centro de visitantes se sitúa en los antiguos cuarteles, detrás de la dársena del transbordador. Alberga una librería, exposiciones, un espectáculo multimedia que documenta la historia de Alcatraz y un mostrador de información.

Sally Port data de 1857. Desde este puesto de guardia, equipado con puente levadizo y foso seco, se defendía el fuerte de Alcatraz.

SIMBOLOGÍA

– – – Itinerario sugerido

0 metros	75
0 yardas	75

RECOMENDAMOS

★ Bloque de celdas

★ Patio de ejercicios

★ Patio de ejercicios
Las comidas y los paseos por el patio eran los alicientes de la vida diaria de los presos. El patio amurallado ha aparecido en varias películas rodadas en la prisión.

Interior de Alcatraz

A la prisión de máxima seguridad de Alcatraz, llamada por los presos La Roca, se trasladaron unos 264 delincuentes de entre los más peligrosos del país. Eran transferidos aquí por cometer actos de desobediencia durante sus condenas en otras cárceles. La disciplina de Alcatraz se endurecía con amenazas de reclusión en las celdas de aislamiento y con la pérdida de privilegios, como realizar trabajos especiales, disponer de tiempo libre, usar la biblioteca y recibir visitas.

Llave de celda

Bloque D
En las celdas de confinamiento del bloque D, los presos pasaban largas horas.

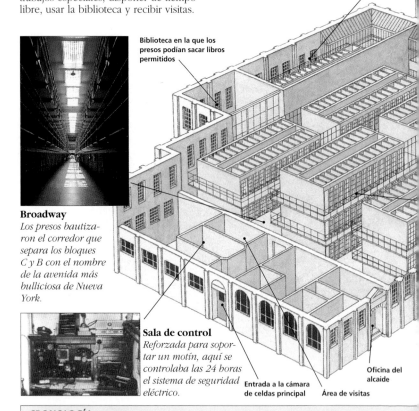

Biblioteca en la que los presos podían sacar libros permitidos

Broadway
Los presos bautizaron el corredor que separa los bloques C y B con el nombre de la avenida más bulliciosa de Nueva York.

Sala de control
Reforzada para soportar un motín, aquí se controlaba las 24 horas el sistema de seguridad eléctrico.

Entrada a la cámara de celdas principal

Área de visitas

Oficina del alcaide

CRONOLOGÍA

1775 El explorador español Juan Manuel de Ayala da nombre a la isla con el de las aves que la habitan

1859 Se completa el fuerte de Alcatraz, dotado con 100 cañones y 100 tropas

1909-1912 Prisioneros del ejército construyen el bloque de celdas

1972 Alcatraz se convierte en parque nacional

1962 Frank Morris y los hermanos Anglin se escapan

1750	1800	1850	1900	1950

1848 John Fremont adquiere Alcatraz para el Gobierno estadounidense

John Fremont

1857 Construcción de Sally Port
1854 Se construye el primer faro de la costa del Pacífico en Alcatraz

Sally Port

1963 Cierre de la prisión

1934 La Oficina Federal de Prisiones convierte Alcatraz en una prisión civil

1969-1971 Indios americanos ocupan la isla

Galería de Armas

Los guardas, armados con pistolas y rifles, patrullaban por los pasillos enrejados de los bloques de celdas.

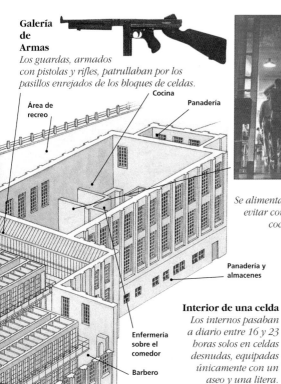

Cocina

Panadería

Área de recreo

Panadería y almacenes

Enfermería sobre el comedor

Barbero

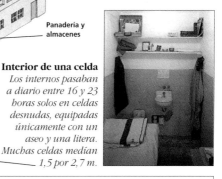

Comedor

Se alimentaba bien a los internos para evitar conflictos. En la entrada de la cocina se anunciaba el menú.

Interior de una celda

Los internos pasaban a diario entre 16 y 23 horas solos en celdas desnudas, equipadas únicamente con un aseo y una litera. Muchas celdas medían 1,5 por 2,7 m.

PRESOS FAMOSOS

Al Capone

El gánster de la época de la Ley Seca, *Scarface* Capone, fue condenado por evasión de impuestos en 1934. Pasó gran parte de su condena de cinco años en Alcatraz en una celda de aislamiento. Salió de prisión con problemas mentales.

Robert Stroud

Durante los 17 años que estuvo preso en La Roca, Stroud pasó la mayor parte del tiempo confinado en una celda de aislamiento. A pesar de que en *El hombre de Alcatraz* (1962) se muestra lo contrario, no le permitieron tener pájaros en la celda.

Carnes, Thompson y Shockley

En mayo de 1946 los presos, liderados por Clarence Carnes, Marion Thompson y Sam Shockley, atacaron a los guardas y les arrebataron las armas. Los reclusos no lograron escapar del bloque de celdas. En la lucha murieron tres internos y dos oficiales. Carnes fue condenado a una segunda cadena perpetua, y Shockley y Thompson fueron ejecutados en la prisión de San Quintín por instigadores del motín.

Los hermanos Anglin

John y Clarence Anglin, junto con Frank Morris, excavaron la pared del fondo de sus celdas, tapando los agujeros con pedazos de cartón. Dejaron un bulto en las camas y huyeron; nunca fueron capturados. Su historia constituye la trama de la película *Fuga de Alcatraz* (1979).

George Kelly

Kelly *el Pistola* era considerado el interno más peligroso de la prisión de Alcatraz, donde permaneció 17 años por secuestro y extorsión.

Coches en el tramo empinado de Lombard Street

Lombard Street ❾

Plano 5 A2. 🚌 *45.* 🚋 *Powell-Hyde.*

Con una inclinación natural de 27°, esta colina era demasiado pronunciada para el tráfico de vehículos. En la década de 1920 se acondicionó el tramo de Lombard St. cercano a la cima de Russian Hill y se suavizó trazando ocho curvas.

Es la calle más sinuosa del mundo. Los coches sólo pueden circular cuesta abajo, y los peatones pueden subir las escaleras o en tranvía.

San Francisco Art Institute ❿

800 Chestnut St. **Plano** 4 F2. ***Tel*** *771-7020.* 🚌 *30.* **Galería Diego Rivera** 🕐 *8.00-21.00 todos los días.* ⛔ *festivos.* **Galerías Walter y MacBean** 🕐 *11.00-18.00 ma-sá.* ♿ *parcial.* 🛍 ☕

El Instituto de Arte de San Francisco data de 1871. Antaño ocupaba la enorme mansión de madera construida para la familia de Mark Hopkins en Nob Hill *(ver p. 102),*

Paseo de 30 minutos por North Beach

Los chilenos y más tarde los italianos crearon el ambiente nocturno de North Beach que le dio al barrio su singular reputación. Este tipo de vida centrada en los cafés ha atraído siempre a bohemios, entre los que destaca la generación *beat* de la década de 1950 *(ver p. 32).*

Barrio de los 'beats'

El paseo comienza en la City Lights Bookstore ①, en la esquina suroeste de Broadway y Columbus Avenue. City Lights, propiedad del poeta *beat* Lawrence Ferlinghetti, fue la primera librería del país dedicada sólo a ediciones en rústica. Jack Kerouac, amigo de Ferlinghetti, acuñó el término *beat,* que más tarde se conocería como *beatnik.*

Jack Kerouac

Uno de los locales más populares de este movimiento fue el Vesubio ②, al sur de City Lights, en Jack Kerouac Alley. El poeta danés Dylan Thomas era asiduo. Desde el Vesubio se continúa en dirección sur por Pacific Avenue y se cruza al otro lado de Columbus Avenue. Volviendo por Broadway, se puede hacer una parada en Tosca ③. En las paredes de este bar y café cuelgan murales de la campiña toscana, y en la máquina de discos suenan temas de ópera italiana. Unos pocos pasos hacia el norte se encuentra Adler Alley ④, en el nº 2, un bar repleto de recuerdos de la generación *beat.* Se vuelve atrás por Columbus Avenue y a continuación se gira a la derecha por Broadway para llegar hasta Kearny St. y empaparse del ajetreo de la zona.

Columbus Café ⑪

The Strip

Esta parte de Broadway se conoce como The Strip ⑤ y es célebre por sus representaciones para adultos. En la confluencia de Broadway y Grant Avenue se encuentra el antiguo Condor Club ⑥, donde se dice que en 1964 la camarera Carol Doda protagonizó el primer espectáculo de *topless.*

que quedó destruida en el incendio de 1906 *(ver pp. 28-29)*. Hoy se halla en un edificio colonial de 1926, con claustros, una fuente en el patio y un campanario. La Galería Diego Rivera, dedicada al muralista mexicano, se sitúa a la izquierda de la entrada principal. Las galerías Walter y Mc Bean ofrecen exposiciones temporales, que abarcan desde fotografía contemporánea y proyecciones de películas hasta diseño y tecnología.

Galería del North Beach Museum

Vallejo Street Stairway ⓫

Mason St. y Jones St. **Plano** 5 B3. 30, 45. Powell-Mason.

La cuesta empinada desde Little Italy hasta la cima más meridional de Russian Hill ofrece una de las panorámicas más bonitas de Telegraph Hill, North Beach y la bahía circundante. La calle desemboca en una escalera en Mason St., que sube a través del Ina Coolbrith Park.

Más arriba, por encima de Taylor St., se extiende un laberinto de callejuelas con varias casas de madera notables de estilo victoriano *(ver pp. 76-77)*. En la cima de la colina está ubicada una de las escasas zonas de la ciudad que se salvaron del terremoto y el incendio de 1906 *(ver pp. 28-29)*.

Club Fugazi ⓬

678 Green St. **Plano** 5 B3. **Tel** 421-4222. 30, 41, 45. mi-do. Ver **Tiempo de ocio** p. 263.

Construido en 1912 como centro social de North Beach,

el Club Fugazi acoge el musical *Beach Blanket Babylon (ver p. 263)*. Este espectáculo, famoso por sus escandalosas canciones sobre la actualidad, lleva representándose más de 20 años y se ha convertido en una de las instituciones favoritas de la ciudad.

North Beach Museum ⓭

1435 Stockton St. **Plano** 5 B3. **Tel** 391-6210. 30, 41, 45. 9.00-16.00 lu-ju, 9.00-18.00 vi. festivos.

Este pequeño museo, situado en la segunda planta de Eureka Bank, ilustra la historia de North Beach y Chinatown a través de fotografías antiguas. Las exposiciones están dedicadas al legado de los inmigrantes chilenos, irlandeses, italianos y chinos que se han instalado en la zona desde el siglo XIX. Otras imágenes muestran la comunidad bohemia de North Beach.

Upper Grant Avenue
Al girar a la derecha por Grant Avenue se llega a The Saloon ⑦, con la barra original de 1861. En la esquina de Vallejo St. se sitúa el Caffé Trieste ⑧, la cafetería más antigua de San Francisco y un lugar de encuentro de escritores y artistas desde 1956. Ofrece ópera en directo los sábados por la tarde. Subiendo por Grant Avenue se pasa por el Lost and Found Saloon ⑨, antaño la Coffee Gallery, antes local de los *beats,* y hoy club de blues. Girando a la izquierda en Green St., hay que buscar el Columbus Café ⑩, con murales exterio-

Vesubio, un famoso bar *beat* ②

res. Después se tuerce a la izquierda por Columbus Avenue y se continúa por esta arteria principal de North Beach en dirección sur pasando por más cafeterías italianas hasta llegar al punto de salida.

ALGUNOS CONSEJOS

Salida: esquina de Broadway y Columbus Avenue.
Recorrido: 1,5 km.
Cómo llegar: el autobús Muni n° 41 circula por Columbus Avenue.
Altos en el camino: merece la pena tomar algo en cualquiera de los bares y cafés mencionados. Por lo general, no se permite la entrada a niños en los bares.

SIMBOLOGÍA
••• Itinerario sugerido

0 metros   200
0 yardas   200

Telegraph Hill en 3 dimensiones

Telegraph Hill recibe su nombre del telégrafo instalado en la cima en 1850 para avisar a los mercaderes de la llegada de los buques. Hoy la colina desciende abruptamente en la ladera este, que fue dinamitada para extraer roca con la que rellenar otros terrenos y pavimentar. En esta ladera de la colina hay caminos empinados rodeados de jardines. El flanco oeste desciende más suavemente hasta Litle Italy, la zona circundante de Washington Square. En el pasado, en la colina residían inmigrantes y artistas. Hoy estas viviendas de madera pintadas de color pastel están muy solicitadas, por lo que se ha convertido en un barrio exclusivo de la ciudad.

Monumento al cuerpo de bomberos

Telegraph Hill está dominada por la Coit Tower. Por la noche la torre se ilumina y se divisa desde numerosos puntos de la ciudad.

La estatua de Cristóbal Colón fue erigida en 1957.

La estatua de Benjamin Franklin se levanta encima de una cápsula del tiempo guardada en 1979 y que contiene unos vaqueros, un poema y una botella de vino.

Parada de autobús (nº 39)

Washington Square
Esta pequeña glorieta del centro de Litle Italy está presidida por la iglesia católica de los Santos Pedro y Pablo, conocida como la catedral Italiana ⑭

SIMBOLOGÍA

--- Itinerario sugerido

★ **Saints Peter and Paul Church**
Esta iglesia neogótica, consagrada en 1924, posee un elaborado interior con una espléndida imagen de Cristo ⑮

★ Coit Tower
Los frescos del interior fueron pintados por artistas locales en 1933 como parte de un proyecto federal ⑰

Parada de autobús (nº 39)

Greenwich Steps
Estos elegantes escalones ajardinados contrastan con el encanto rústico de Filbert Steps ⑲

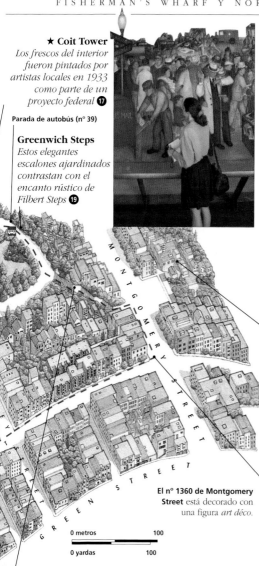

Bahía de San Francisco

FISHERMAN'S WHARF Y NORTH BEACH

CHINATOWN Y NOB HILL

PLANO DE SITUACIÓN
Ver callejero, plano 5

Napier Lane es una callejuela flanqueada por cabañas del siglo XIX. Este tranquilo lugar es la última calle con tablones de madera de San Francisco.

MONTGOMERY STREET

GREEN STREET

El nº 1360 de Montgomery Street está decorado con una figura *art déco*.

| 0 metros | 100 |
| 0 yardas | 100 |

★ Filbert Steps
Al descender por estos escalones entre jardines de flores se aprecian preciosas vistas del puerto del este de la bahía ⑱

RECOMENDAMOS

★ Saints Peter and Paul Church

★ Coit Tower

★ Filbert Steps

Fachada de la iglesia de los Santos Pedro y Pablo

El edificio, diseñado por Charles Fantoni, posee una fachada italiana y un bonito interior con numerosas columnas y un altar ornamental. También se puede contemplar estatuas y mosaicos iluminados por la luz que atraviesa las vidrieras. La estructura de acero y hormigón con dos agujas simétricas fue completada en 1924.

Cecil B. de Mille filmó a los obreros mientas trabajaban en los cimientos de la iglesia y después utilizó la grabación para la escena de la construcción del templo de Jerusalén que aparece en su película *Los diez mandamientos* (1923).

El templo es también conocido como la iglesia de los Pescadores (muchos italianos se ganaban la vida en el mar) y en octubre se oficia una misa en la que se bendice la flota. Los servicios se ofrecen en italiano, chino e inglés.

Bocce Ball Courts 🟢

Lombard St. y Mason St., área de recreo de North Beach. **Plano** 5 B2. **Tel** 274-0201. 🚌 30, 39, 41. 🚊 Day–Taylor. 🕐 amanecer-anochecer lu-sá. ♿

Los italianos han dejado notar su presencia en North Beach desde la primera oleada de inmigrantes llegados de Italia a finales del siglo XIX y principios del XX.

Además de su cocina, costumbres y religión, importaron juegos como el *bocce*, la versión italiana de la petanca sobre césped, que se practica todas las tardes en el área de recreo de North Beach. Este juego consiste en que cuatro jugadores (o cuatro equipos) hacen rodar una bola de madera contra una bola menor desde el extremo de un tramo de tierra. El objetivo es que las bolas se rocen *(bocce)* brevemente. El jugador que consiga aproximarse más al objetivo obtiene la mejor puntuación.

Partida de bocce en North Beach

Washington Square 🟢

Plano 5 B2. 🚌 30, 39, 41, 45.

Esta plaza, una sencilla explanada de césped rodeada de bancos y árboles, se extiende frente a las torres gemelas de la iglesia de los Santos Pedro y Pablo. Ofrece un ambiente con cierto aire mediterráneo, apropiado para la plaza del pueblo de Litle Italy, aunque la comunidad italiana está hoy menos presente en este barrio que cuando se trazó el parque en 1955. Cerca del centro de la plaza se levanta una estatua de Benjamin Franklin, bajo la cual se enterró una cápsula del tiempo en 1979 cuya reapertura está prevista para 2079. Contiene unos vaqueros, una botella de vino y un poema de Lawrence Ferlinghetti, el famoso poeta *beat* de San Francisco *(ver p. 88)*.

Saints Peter and Paul Church 🟢

666 Filbert St. **Plano** 5 B2. **Tel** 421-0809. 🚌 30, 39, 41, 45. ✝ misa y coro italiano 11.45 do; llamar para otros servicios. ♿

Aún conocida por muchos como la catedral Italiana, esta gran iglesia está situada en pleno centro de North Beach. Muchos italianos encontraron en este templo un lugar de bienvenida cuando llegaron a San Francisco. Aquí fue fotografiado el héroe local del béisbol, Joe di Maggio, tras casarse con la actriz Marilyn Monroe en 1957, aunque en realidad la boda se celebró en otro lugar.

Vista de la torre Coit, en la cima de
Telegraph Hill

Coit Tower ⓱

1 Telegraph Hill Blvd. **Plano** 5 C2.
Tel 362-0808. 🚌 39. 🕐 10.00-
18.30 todos los días. 🎫 a la torre.
♿ sólo murales. 📷

La Coit Tower fue construida
en 1933 en la cima de Telegraph Hill, de 87 m de altura,
con los fondos que donó a la
ciudad Lillie Hitchcock Coit,
una filántropa de San Francisco. El arquitecto Arthur Brown
diseñó esta torre de hormigón
reforzado de 63 m de altura
como una columna. Cuando
se ilumina por la noche se
divisa desde la mayoría de los
puntos de la mitad este de la
ciudad. La panorámica completa del norte de la bahía que
se obtiene desde el mirador

Escalones de Filbert Street, que
conducen a Telegraph Hill

(al que se accede en ascensor) resulta espectacular.

En el vestíbulo de la torre
se puede contemplar una
serie de murales sorprendentes *(ver p. 140)*. Fueron patrocinados en 1934 por un programa de financiación guber-
namental concebido para dar
trabajo a artistas durante la
Gran Depresión *(ver p.
30-31):* 25 artistas se
unieron para pintar un
retrato de la vida moder-
na en California. Las
escenas reproducen
desde las calles transitadas del Financial District
de la ciudad (donde se
recoge un robo) hasta
fábricas, astilleros y los
trigales de Central Valley.
Hay numerosos detalles
fascinantes, como un
interruptor eléctrico auténtico
incorporado con audacia en
una pintura, una familia de
inmigrantes acampada junto a
un río, titulares de prensa,
portadas de revistas y títulos
de libros. Los murales constituyen una auténtica crónica
social, a pesar de
tener una concep-
ción caprichosa.
También recogen
diversos aspectos
políticos relativos
a problemas labo-
rales y de injusti-
cia social. Muchos
de los rostros de
los murales perte-
necen a los artistas
y sus amigos,
junto a figuras
locales como el
coronel William
Brady, vigilante de la Coit
Tower. El contenido político
de la obra causó inicialmente
una gran controversia.

Filbert Steps ⓲

Plano 5 C2. 🚌 39.

La ladera este de Telegraph Hill
desciende abruptamente y las
calles se convierten en empinadas escaleras. Filbert St., que
baja de Telegraph Hill Boulevard, es una escalinata tortuosa
construida con madera, ladrillo
y hormigón y que está rodeada
de fucsias, rododendros, bu-
ganvillas, hinojos y zarzamoras.

Greenwich Steps ⓳

Plano 5 C2. 🚌 39.

La escalera de Greenwich St.,
que desciende en sentido
paralelo a Filbert Steps, ofrece
vistas espléndidas y está flanqueada por exuberantes jardines. Subir un tramo de escalones y bajar por otro es una
buena manera de dar un
paseo precioso por el lado
este de Telegraph Hill.

Upper Montgomery Street ⓴

Plano 5 C2. 🚌 39.

Hasta que fue pavimentada en
1931, Montgomery St., el extremo de Telegraph Hill, estaba
ocupada principalmente por
familias de clase obrera. También había unos cuantos artistas y escritores, atraídos por
el aislamiento, los bajos alquileres y las vistas. Sin embargo,
en la actualidad se trata de un
lugar residencial distinguido.

Restaurante Julius Castle, en Montgomery Street

Levi's Plaza ㉑

Plano 5 C2.

En esta plaza se ubica la sede
de Levi Strauss, la fábrica de
vaqueros azules *(ver p. 135)*.
Fue trazada por Lawrence
Halprin en 1982 con el objetivo de recordar la historia de
esta empresa californiana. La
plaza está cubierta de rocas
de granito y atravesada por
un curso de agua, que evoca
el paraje de cañones de Sierra
Nevada donde trabajaron los
mineros que vistieron por primera vez los vaqueros. Telegraph Hill, al fondo, aumenta
la evocación montañosa.

CHINATOWN Y NOB HILL

Símbolo chino de la fachada del Bank of America

L os chinos se establecieron en la plaza de Stockton St. en la década de 1850. Hoy los comercios y mercados recuerdan el ambiente de las ciudades del sur de China, a pesar de que la arquitectura, las costumbres y los eventos públicos mezclan la cultura cantonesa y la estadounidense. Este barrio cuenta con una gran población, concurridos mercados, templos, teatros, restaurantes y tiendas únicos; constituye una ciudad por sí misma y un lugar de visita obligada. Nob Hill es la colina más célebre de San Francisco, famosa por sus tranvías, lujosos hoteles y vistas. A finales del siglo XIX, los Cuatro Grandes, que construyeron el ferrocarril transcontinental, eran algunos de sus inquilinos más acaudalados. Enormes mansiones se levantaban en la colina, pero el terremoto e incendio de 1906 *(ver pp. 28-29)* asoló todo menos una de ellas. Los hoteles de hoy evocan la opulencia victoriana.

LUGARES DE INTERÉS

Calles y edificios históricos
Bank of Canton **8**
Callejones de Chinatown **6**
Chinatown Gateway **1**
Golden Gate Fortune
　Cookies **5**
Grant Avenue **7**
The Pacific Union Club **14**

Hoteles históricos
Fairmont Hotel **13**
Mark Hopkins
　Inter-Continental Hotel **12**

Museos
Cable Car Museum **15**
Chinese Historical Society **11**
Pacific Heritage Museum **10**

Iglesias y templos
Grace Cathedral **16**
Kong Chow Temple **3**
Old St. Mary's Cathedral **2**
Tin How Temple **4**

Plazas
Portsmouth Square **9**

CÓMO LLEGAR
Se recomienda hacer la visita a pie. A veces se puede dejar el coche en uno de los aparcamientos de los hoteles de Nob Hill, bajo Portsmouth Plaza o en St. Mary's Square, en Chinatown. Todos los tranvías llegan a Nob Hill y Chinatown.

SIMBOLOGÍA
　Plano en 3 dimensiones
　Ver pp. 96-97

　Plano en 3 dimensiones
　Ver p. 101

　Plataforma giratoria de tranvía

0 metros　　500
0 yardas　　500

◁ **Great Avenue, la ajetreada calle principal de Chinatown**

Chinatown en 3 dimensiones

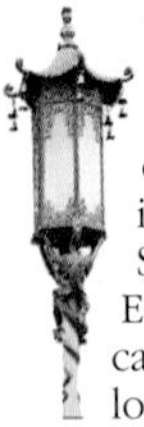

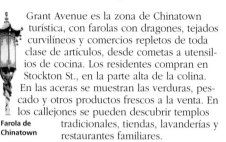

Grant Avenue es la zona de Chinatown turística, con farolas con dragones, tejados curvilíneos y comercios repletos de toda clase de artículos, desde cometas a utensilios de cocina. Los residentes compran en Stockton St., en la parte alta de la colina. En las aceras se muestran las verduras, pescado y otros productos frescos a la venta. En los callejones se pueden descubrir templos tradicionales, tiendas, lavanderías y restaurantes familiares.

Farola de Chinatown

★ Callejones de Chinatown
En estos bulliciosos callejones se disfruta de un ambiente de lo más oriental 6

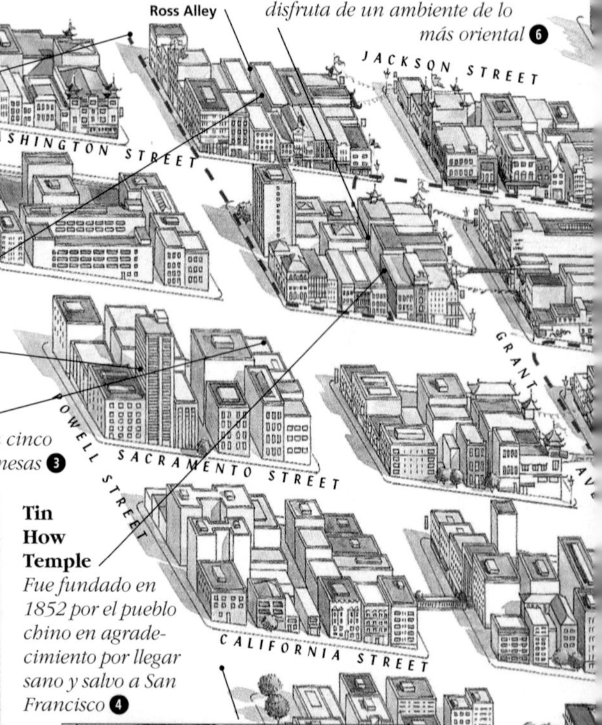

Ross Alley
A la parada de autobús (nº 83)
JACKSON STREET
WASHINGTON STREET
GRANT AVE
POWELL STREET
SACRAMENTO STREET
CALIFORNIA STREET
STOCKTON STREET
BUSH STRE
0 metros 100
0 yardas 100

Golden Gate Fortune Cookies
Los visitantes pueden observar el proceso de elaboración de las galletas 5

Chinese Historical Society 11

Kong Chow Temple
En este templo destacan cinco tallas de madera cantonesas 3

Tin How Temple
Fue fundado en 1852 por el pueblo chino en agradecimiento por llegar sano y salvo a San Francisco 4

廣東銀行中國城分行

Bank of Canton
Entre 1909 y 1946 fue sede de la Bolsa telefónica de Chinatown 8

Los tranvías circulan por Chinatown y forman parte esencial del ajetreado ambiente del barrio. Para llegar aquí se puede coger cualquiera de las tres líneas.

RECOMENDAMOS

- ★ Callejones de Chinatown
- ★ Grant Avenue
- ★ Chinatown Gateway

Portsmouth Plaza
Diseñada en 1839, fue el centro social del pueblo de Yerba Buena. En la actualidad constituye un lugar de encuentro de jugadores de cartas y mahjong **9**

★ **Grant Avenue**
En la década de 1830 y principios de 1840 era la principal vía de Yerba Buena. Hoy es el bullicioso núcleo comercial de Chinatown **7**

PLANO DE SITUACIÓN
Ver callejero, plano 5

SIMBOLOGÍA

- - - Itinerario sugerido

El Centro Cultural Chino alberga una galería de arte y una pequeña tienda de artesanía; también organiza un programa de conferencias y seminarios.

Pacific Heritage Museum
Este pequeño museo, instalado en un elegante edificio cerca del Bank of Canton, acoge notables exposiciones de arte asiático que cambian con regularidad **10**

KEARNY STREET

CLAY STREET

Old St. Mary's Cathedral
En el reloj de la torre, construido en los primeros años de la ciudad, figura una orden de arresto **2**

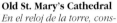
SON,OBSERVE THE TIME AND FLY FROM EVIL. ECC.IV.23.

PINE STREET

St. Mary's Square es una tranquila plaza.

A los autobuses nº 31 y 38

★ **Chinatown Gateway**
Conocida también como la Puerta de los Dragones, es la entrada sur de Chinatown **1**

Chinatown Gateway ❶

Esquina de Grant Ave. y Bush St.
Plano 5 C4. 🚌 *2, 3, 4, 30, 45.*

Esta puerta ornamentada, diseñada por Clayton Lee e inaugurada en 1970, ocupa la entrada a Grant Avenue, la vía más turística de Chinatown. Se trata de una estructura de tres arcos inspirada en las entradas ceremoniales de las aldeas chinas tradicionales, cubierta de tejas verdes y un buen número de animales de la fortuna elaborados en cerámica esmaltada —entre ellos dos dragones y dos carpas persiguiendo una madreperla—. Las puertas de las aldeas son levantadas con frecuencia por encargo de los clanes ricos para mejorar su prestigio; sus nombres se graban en la construcción. Esta puerta fue erigida por el Comité de Desarrollo Cultural de Chinatown con materiales donados por la República de China.

Está custodiada por dos leonas de piedra que amamantan a sus cachorros con las garras, tal y como recoge la tradición. Al otro lado de la puerta se encuentran algunas de las tiendas más elegantes de Chinatown, donde se pueden comprar antigüedades, seda y piedras preciosas, a veces a precios muy elevados.

Dragón de Chinatown Gateway

Old St. Mary's Cathedral ❷

660 California St. **Plano** 5 C4. **Tel** 288-3800. 🚌 *1, 30, 45.* 🚋 *California St.* **Misa** *7.30, 12.05 todos los días, también 17.00 sá, 8.30, 11.00 do.* 📷

La catedral Antigua de Santa María, la primera catedral católica de San Francisco, acogió una congregación principalmente irlandesa desde 1854

Entrada de Old St. Mary's Cathedral, bajo la torre del reloj

hasta 1891, fecha en la que se construyó la nueva iglesia de Santa María en Vass Ness Avenue. Debido a la dificultad de encontrar materiales de construcción, los ladrillos se importaron de la costa este, mientras que las piedras de granito para los cimientos se trajeron de China. En el reloj de la torre figura una gran inscripción que reza: Hijo, observa la hora y huye del demonio. Al parecer iba dirigida a los burdeles que se encontraban al otro lado de la calle. La estructura, conserva sus

muros y cimientos originales. El interior, con vidrieras y balcón, fue completado en 1909.

Kong Chow Temple ❸

4ª planta, 855 Stockton St. **Plano** 5 B4. **Tel** *788-1339.* 🚌 *30, 45.* 🕙 *10.00-16.00 todos los días.* **Se admiten donativos.** 📷 ♿

El templo Kong Chow, ubicado en la última planta de la oficina de correos, mira a Chinatown y al Financial District. Aunque el edificio data de 1977, el altar y la estatuaria conforman posiblemente el conjunto de culto chino más antiguo de Norteamérica. Uno de los altares se esculpió en Guangzhou (Cantón) y fue transportado a San Francisco en el siglo XIX. El altar mayor está presidido por una estatua tallada en madera de Kuan Di que también data del siglo XIX. Se trata de la deidad más común de los templos de las ciudades cantonesas.

Kuan Di también está presente en numerosos puntos de Chinatown: su característico rostro mira desde lo alto de los templos taoístas de muchos restaurantes del barrio. Normalmente se le representa con una gran espada en una mano y un libro en la otra, símbolos de su inquebrantable dedicación a las artes marciales y literarias.

Estatua tallada de Kuan Di, interior del templo Chow

Templo Tin How, fundado en 1852

Tin How Temple ❹

Última planta, 125 Waverly Pl.
Plano 5 C3. 🚌 *1, 30, 45.*
🕐 *9.00-16.00 todos los días.*
Se admiten donativos. 📷

Este singular templo está dedicado a Tin How (Tien Hau), reina del Cielo y protectora de los marineros y visitantes. Es el templo chino que lleva funcionado más tiempo en Estados Unidos; sus orígenes se remontan a 1852. Hoy está situado al final de tres tramos de escaleras de madera. Este estrecho espacio rezuma incienso y ofrendas de papel quemado, con cientos de farolillos dorados y rojos. Está iluminado con bombillas rojas y lamparitas de aceite. Delante de la estatua de madera de Tin Haw, sobre el altar tallado, se realizan las ofrendas de fruta.

Golden Gate Fortune Cookies ❺

56 Ross Alley. **Plano** 5 C3.
Tel *781-3956.* 🚌 *30, 45.*
🕐 *10.00-20.30 todos los días.*

Aunque existen otras panaderías en la bahía de San Francisco, donde venden galletas de la fortuna, Golden Gate Fortune Cookies es la que lleva funcionando durante más tiempo, desde 1962. La máquina de galletas ocupa casi toda la panadería; la masa se vierte en pequeñas planchas y posteriormente se hornea

sobre una cinta transportadora. Un empleado coloca las *fortunas* (trocitos de papel generalmente con predicciones de naturaleza positiva) antes de envolver las galletas.

Las galletas de la fortuna, a pesar de su estrecha relación con la cocina y cultura chinas, son un fenómeno desconocido en China. Las inventó el principal jardinero de la época, Makota Hagiwara, en 1900 en el Japanese Tea Garden *(ver p. 147)* de San Francisco.

Callejones de Chinatown ❻

Plano 5 B3. 🚌 *1, 30, 45.*

Los callejones del bullicioso barrio de Chinatown se extienden entre Grant Avenue y Stockton St. Estas cuatro callejuelas atraviesan Washington St. apenas separadas por una manzana. La mayor es Waverly Place, conocida como la calle de los Balcones Pintados. Los callejones acogen numerosos edificios antiguos, tiendas y restaurantes tradicionales. También hay viejos herbola-

Talla del dios de la Longevidad, Grant Avenue

Galletas de la fortuna

rios, que venden astas de alce, caballitos de mar, vino de serpiente y otros productos exóticos. Los pequeños restaurantes situados en la planta baja y en los sótanos sirven comida casera económica.

Grant Avenue ❼

Plano 5 C4. 🚌 *1, 30, 45.*
🚋 *California St.*

Grant Avenue, la principal arteria comercial de Chinatown, también se distingue por ser la primera calle de Yerba Buena, el pueblo que precedió a San Francisco. La placa del nº 823 señala la manzana donde William A. Richardson y su esposa mexicana erigieron la primera construcción de Yerba Buena, una tienda de campaña de tela, el 25 de junio de 1835. En octubre ya la habían sustituido por una casa de madera, y al año siguiente por una vivienda de adobe más resistente llamada Casa Grande. La calle en la que se ubicaba la vivienda de los Richardson se denominaba calle de la Fundación. Posteriormente, en 1885, fue rebautizada como Grant Avenue en memoria de Ulyses S. Grant, el presidente estadounidense y general de la guerra de secesión que falleció ese mismo año.

Bank of Canton ❽

743 Washington St. **Plano** 5 C3.
Tel 421-5215. 🚌 *1, 30, 45.*
◻ *9.00-17.00 lu-ju, 9.00-18.00 vi,
9.00-16.00 sá.*

Antes de ser adquirido por el
Banco de Cantón en la década de 1950, este edificio acogía la Bolsa Telefónica China.
Fue construido en 1909 en el
emplazamiento donde Sam
Brannan imprimió el primer
periódico de California. La
torre, de tres pisos, imita una
pagoda, con aleros curvados
hacia arriba y tejado con losas
de cerámica. Se trata de la
obra de arquitectura china
más relevante del barrio.

Los operadores telefónicos
trabajaban en la planta principal y vivían en la segunda.
Eran políglotas, pues habla-
ban cantonés y otros cuatro
dialectos chinos. Hoy se exhibe uno de los listines telefónicos originales en la Chinese
Historical Society, en Clay St.

Entrada del Bank of Canton

Portsmouth Square ❾

Plano 5 C3. 🚌 *1, 41.*

La plaza principal original de
San Francisco fue diseñada en
1839. Antaño constituía el centro social del pequeño pueblo
de Yerba Buena. El 9 de julio
de 1846, antes de que transcu-
rriera un mes de la declaración
de independencia de California
de México por rebeldes norte-

Portsmouth Square

americanos en Sonoma, una
partida de marines remó hasta
la orilla y colocó la bandera
estadounidense en la plaza,
tomando el puerto como parte de Estados Unidos *(ver pp.
24-25)*. El 12 de mayo de
1848, Sam Brannan anunció
aquí el descubrimiento de oro
en Sierra Nevada *(ver pp. 24-
25)*. Durante las dos décadas
siguientes, la plaza se convirtió en el centro de una ciudad
cada vez más dinámica. En la
década de 1860, Financial
District se trasladó al sureste,
lo que le restó protagonismo
a la plaza.

Portsmouth Plaza es el centro social de Chinatown. Por la
mañana, la gente practica taichi, y desde el mediodía hasta
la noche otros se reúnen para
jugar a las damas y a las cartas.

Pacific Heritage Museum ❿

608 Commercial St. **Plano** 5 C3. *Tel*
399-1124. 🚌 *1, 41.* ◻ *10.00-16.00
ma-sá excepto festivos.* 📷 ♿

El edificio del Museo de
Patrimonio del Pacífico es tan
elegante como las colecciones temporales de arte
asiático que alberga. El
recinto está formado por la
suma de dos edificios
diferentes. William
Appleton construyó
aquí la Reserva Fede-
ral estadounidense entre
1875 y 1877 sobre el
emplazamiento de la casa
de la moneda original de
San Francisco. Se pueden
observar restos de la
estructura antigua desde
una sección excavada en la
planta baja o bajar en el
ascensor para apreciarlas
más de cerca.

En 1984, los arquitectos
Skidmore, Owings y Merrill
proyectaron la sede de 17 pisos
del Banco de Cantón sobre la
construcción existente, de la
que conservaron la fachada
de la planta baja y el sótano.

Chinese Historical Society ⓫

965 Clay St. **Plano** 5 B3. *Tel* 391-
1188. 🚇 *Powell-Clay.* 🚌 *1, 30, 45.*
◻ *12.00-17.00 ma-vi, 11.00-16.00
sá.* ● *do, lu, festivos.* 💰 *excepto
1er ju de mes.* 🅿 📷 www.chsa.org

La Sociedad Histórica China,
fundada en 1963, es la organización más antigua e importante dedicada al estudio, y
difusión de la historia chi-
noamericana. Entre las exposiciones se incluye la Daniel
Ching Collection, un listín tele-
fónico escrito a mano en
chino, un disfraz ceremonial
de dragón y un tridente. Este
último se esgrimió en una de
las batallas libradas durante las
guerras Tong. Los numerosos
objetos, documentos y fotografías ilustran la vida cotidiana de los inmigrantes chinos
en San Francisco a finales del
siglo XIX y principios del XX.

La contribución china al
desarrollo de California fue
considerable: los chinos ayuda-
ron a construir la mitad oeste
de la primera línea ferroviaria
transcontinental y levantaron
diques a lo largo del delta del
río Sacramento. La CHSA patro-
cina el programa *En busca de
raíces*, un foro con
charlas mensuales
y otras actividades.

**Cabeza de dragón, Chinese
Historical Society**

Nob Hill en 3 dimensiones

Nob Hill, que se eleva a 103 m sobre la bahía, es el punto más alto del centro. Sus abruptas laderas eran poco seguras para los carruajes y los ciudadanos prominentes evitaron la colina hasta la inauguración de la línea de tranvía de California St. en 1878. A partir de entonces, los *nobs* (peces gordos) construyeron nuevas viviendas en la cima. A pesar de que las mansiones quedaron arrasadas en el incendio de 1906 (*ver pp. 28-29*), los hoteles de Nob Hill aún atraen a gente adinerada.

PLANO DE SITUACIÓN
Ver callejero, plano 5

Fairmont Hotel
Este hotel es conocido por el vestíbulo de mármol y el elegante comedor, donde sirve uno de los mejores restaurantes de la ciudad ⑬

The Pacific-Union Club
Hoy un club masculino exclusivo, antaño fue la mansión del millonario de Comstock James Flood ⑭

El Stouffer Renaissance Stanford Court Hotel ocupa el antiguo emplazamiento de la mansión de Stanford; se conservan los muros circundantes originales.

★ **Grace Cathedral**
Esta catedral es una imitación de Nôtre-Dame de París ⑯

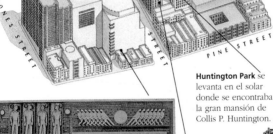

Huntington Park se levanta en el solar donde se encontraba la gran mansión de Collis P. Huntington.

El Masonic Auditorium es un tributo a los francmasones que murieron en las guerras norteamericanas.

RECOMENDAMOS

★ Grace Cathedral

★ Mark Hopkins Inter-Continental Hotel

El Huntington Hotel
con el Big Tour Bar and Restaurant, rezuma el ambiente de opulencia urbana de la época victoriana de Nob Hill.

0 metros	150
0 yardas	150

★ **Mark Hopkins Inter-Continental Hotel**
El bar del ático del hotel, Top of the Mark, es célebre por sus espectaculares vistas ⑫

Mark Hopkins Inter-Continental Hotel ⑫

999 California St. **Plano** 5 B4. **Tel**
392-3434. 🚃 1. 🚋 California St,
Powell–Mason, Powell–Hyde.
www.markhopkins.net

A petición de su esposa, Mary, Mark Hopkins encargó construir en Nob Hill una mansión de madera que superó al resto por su ostentosa ornamentación. Cuando falleció la señora Hopkins, la casa se convirtió en la sede del Instituto de Arte de San Francisco. Fue arrasada en el incendio de 1906 *(ver pp. 28-29)* y sólo se conservan los muros circundantes de granito. La actual torre de 25 plantas, coronada por una bandera, fue construida en 1925 por los arquitectos Weeks y Day. Top of the Mark *(ver p. 271)*, el bar con paredes de cristal de la planta 19, es uno de los más populares de la ciudad. Los militares de la II Guerra Mundial tenían la costumbre de dedicar un brindis de despedida la ciudad antes de marcharse al extranjero.

Fachada del Mark Hopkins Inter-Continental Hotel

Fairmont Hotel ⑬

950 Mason St. **Plano** 5 B4. **Tel**
772-5000. 🚃 1. 🚋 California St,
Powell–Mason, Powell–Hyde.
Ver **Alojamiento** p. 213.
www.fairmont.com

Este edificio *beaux arts*, construido por Tessie Fair Oelrichs, se concluyó la víspera del terremoto de 1906 *(ver pp. 28-29)* y sólo se mantuvo en pie dos días antes de incen-

diarse. Fue reconstruido por Julia Morgan conservando la fachada original, y un año más tarde abría sus puertas de nuevo. Después de la II Guerra Mundial acogió las reuniones que culminaron en la fundación de la ONU. Para disfrutar de vistas insuperables hay que subir al mirador más alto de la ciudad, Fairmont Crown, o al famoso Tonga Room and Hurricane Bar del hotel.

The Pacific-Union Club ⑭

1000 California St. **Plano** 5 B4.
Tel 775-1234. 🚃 1. 🚋 California St,
Powell–Mason, Powell–Hyde.
🚫 al público.

Augustus Laver diseñó esta casa adosada por encargo del *rey Bonanza* James Flood en 1885. La fachada italiana sobrevivió al incendio de 1906 *(ver pp. 28-29)*, pero las mansiones, de madera, quedaron carbonizadas. El solar y la fachada fueron adquiridos por el Pacific-Union Club, un club masculino exclusivo que se remonta a la fiebre del oro.

LOS 'NOBS' DE NOB HILL

El término *nob* (pez gordo) era uno de los más amables con los que referirse a los emprendedores sin escrúpulos que amasaron inmensas fortunas durante el desarrollo del oeste norteamericano. Algunos de los peces gordos que habitaron en Nob Hill fueron James C. Flood, James Fair, John Mackay y William O'Brien. En 1872, estos cuatro hombres monopoliza-

Mark Hopkins 1814-1878

ban las acciones de algunas minas productivas de Comstock, excavaron nuevos pozos y descubrieron una zona rica en mineral de plata (o bonanza). Flood regresó millonario a San Francisco y compró una parcela en la cima de Nob Hill, en frente de la parcela propiedad de James Fair. La mansión Flood, convertida en Pacific-Union Club, aún se conserva. El monumento situado en el Fairmont Hotel, propiedad de Fair, fue erigido por su hija, Tessie, tras la muerte de éste *(ver más arriba)*.

Los Cuatro Grandes

Otros residentes distinguidos de Nob Hill fueron los Cuatro Grandes: Leland Stanford, Mark Hopkins, Charles Crocker y Collis P. Huntington. Este astuto cuarteto reunía a los principales inversores de

Bonanza Jim

la primera línea férrea transcontinental. Su empresa más importante, Central Pacific Railroad (más tarde rebautizada Southern Pacific) fue una influyente empresa en el floreciente oeste. Adquirió gran riqueza e influencia gracias a las generosas subvenciones de terreno que concedió el Congreso estadounidense para incentivar la construcción de líneas férreas. Los sobornos y la corrupción situaron a los Cuatro Grandes entre los hombres más odiados del país en el siglo XIX, lo que les mereció otro apelativo: los barones ladrones. Los cuatro construyeron grandes mansiones en Nob Hill, que quedaron asoladas en el devastador terremoto e incendio de 1906.

Cable Car Museum ⑮

1201 Mason St. **Plano** 5 B3. **Tel** 474-1887. 1, 12, 30, 45, 83. Powell-Mason, Powell-Hyde. 1 abr-30 sep: 10.00-18.00 diario; 1 oct-31 mar: 10.00-17.00 diario. 1 ene, Domingo de Resurrección, Acción de Gracias, 25 dic. entreplanta. **Proyección de vídeo.** www.cablecarmuseum.com

Acoge un museo y la central eléctrica del sistema de tran-

vías (ver pp. 104-105). La planta baja alberga los motores y engranajes que enrollan los cables por el sistema de poleas subterráneas. Se pueden contemplar desde la entreplanta y a continuación bajar las escaleras para ver por debajo de las calles. El museo exhibe un tranvía antiguo y modelos de los mecanismos que controlan los vagones. Se trata del único sistema de esta clase que se conserva en el mundo.

Entrada al interesante Cable Car Museum

Grace Cathedral ⑯

1100 California St. **Plano** 5 B4. **Tel** 749-6300. 1. California St. vísperas cantadas 17.15 ju, 15.00 do; misa cantada 7.30, 8.15, 11.00, 18.00 do. 12.30-14.00 do, 13.00-15.00 lu-vi, 11.30-13.30 sá. www.gracecathedral.org

La catedral de la Gracia es la principal iglesia episcopal de San Francisco. Diseñada por Lewis P. Hobart, se levanta sobre el antiguo emplazamiento de la mansión de Charles Crocker (ver p. 102). Los preparativos de las obras se iniciaron en febrero de 1927 y la construc-

ción comenzó en septiembre de 1928, pero la catedral no se completó hasta 1964. A pesar de tratarse de una construcción moderna, el proyecto se inspiró en Nôtre-Dame de París, e incorpora elementos tradicionales.

El interior está repleto de mármol y vidrieras. Las ventanas de cristal emplomado fueron diseñadas por Charles Connick, que tomó como referencia el cristal azul de Chartres

Detalle de vidriera

(Francia). El rosetón se realizó empleando cristal con facetas de 2,5 cm de grosor. Otras ventanas, obra de Henry Willet y Gabriel Loire, incluyen escenas y personajes contemporáneos. Entre los objetos que atesora la catedral se incluyen un crucifijo catalán del siglo XIII y un tapiz de seda y oro del siglo XVI de Bruselas. Las puertas de la entrada principal se fundieron con los moldes de Las puertas del paraíso, de Lorenzo Ghiberti, realizadas para el baptisterio de Florencia.

La ventana del Nuevo Testamento, realizada por Charles Gonnick en 1931, se sitúa en el lado sur del templo.

El rosetón fue creado por Gabriel Loire en Chartres en 1964.

La torre del carillón contiene 44 campanas fabricadas en Inglaterra en 1938.

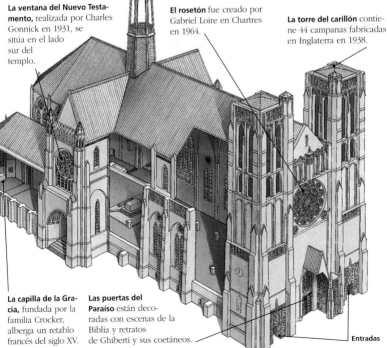

La capilla de la Gracia, fundada por la familia Crocker, alberga un retablo francés del siglo XV.

Las puertas del Paraíso están decoradas con escenas de la Biblia y retratos de Ghiberti y sus coetáneos.

Entradas

Tranvías de San Francisco

La red de tranvías se inauguró en 1873, con su inventor, Andrew Hallidie, montado en el primer vagón que circuló en San Francisco.

Concibió esta nueva forma de transportar personas cuesta arriba por las pronunciadas laderas después de presenciar un terrible accidente: un tranvía arrastrado por caballos se precipitó colina abajo y atropelló a los animales. Su sistema fue un éxito, y hacia 1889 existían ocho líneas. Hasta el terremoto de 1906 *(ver pp. 28-29)* se utilizaron más de 600 tranvías. Con el nacimiento del motor de combustión, quedaron obsoletos, y en 1947 se trató de sustituirlos por autobuses. A raíz de las protestas públicas, se conservaron las actuales tres líneas, con 25 km de vías.

Semáforo de tranvía

El Cable Car Barn *es la cochera donde se guardan los vagones por la noche; también acoge el museo, taller y central eléctrica (ver p. 103).*

Timbre

El conductor *ha de ser fuerte y tener buenos reflejos. Sólo un tercio de los candidatos superan el curso de formación.*

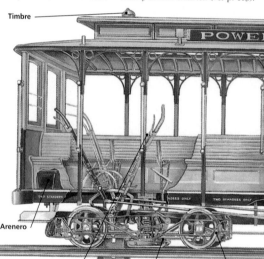

POWEL

Arenero

FUNCIONAMIENTO

Los motores de la central eléctrica mueven los cables enrollados bajo las calles de la ciudad mediante un sistema de poleas. Cuando el conductor del tranvía tira de la palanca, ésta entra en una ranura de la calle y engancha el cable gracias al cual el vagón avanza a una velocidad constante de 15,5 km/h. Para detenerlo, el conductor suelta la palanca y presiona el freno. Se necesita una gran habilidad en las esquinas, donde el cable pasa por una polea; el conductor debe soltar la palanca para permitir que el coche se deslice.

Mecanismo de palanca

Palanca

La chapa central y las horquillas sujetan el cable

Freno de emergencia

Freno de ruedas

Cable

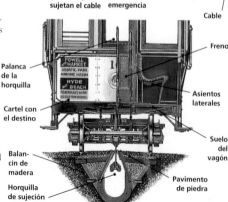

Palanca de la horquilla

Cartel con el destino

Balancín de madera

Horquilla de sujeción

Freno

Asientos laterales

Suelo del vagón

Pavimento de piedra

Punto de unión

Hatch House *es el nombre de esta casa de cuatro plantas que tuvo que ser trasladada en 1913. Herbert Hatch empleó un sistema de gatos y cabrias para desplazar la casa por las vías del tranvía sin necesidad de interrumpir el servicio.*

En 1984 se celebró *la finalización de dos años de obras de mejoras en la red de tranvías. Se restauraron todos los vagones y las vías se reforzaron. El sistema debe funcionar a la perfección durante 100 años más.*

En julio se celebra *un concurso de timbres de tranvías en Union Square, en el que los conductores tocan sus mejores sones. En la calle, el timbre sirve de advertencia al resto del tráfico.*

Bloqueo del freno   **Calza del freno**

El tranvía original *de San Francisco, probado por Hallidie en Clay St. el 2 de agosto de 1873, se expone en el Cable Car Barn (ver p. 103). La red de tranvías ha permanecido prácticamente inalterable desde su invención.*

La restauración de los tranvías *se lleva a cabo respetando los detalles históricos, ya que son monumentos históricos.*

ANDREW SMITH HALLIDIE

Andrew Smith nació en Londres en 1836 y más tarde adoptó el apellido de su tío. Estudió mecánica y se trasladó a San Francisco en 1852, donde fundó una fábrica de cable. En 1973 puso a prueba el primer tranvía, que no tardó en obtener beneficios y que contribuyó al desarrollo de las colinas de la ciudad.

FINANCIAL DISTRICT Y UNION SQUARE

Montgomery St., hoy en el corazón de Financial District, fue antaño una calle de pequeñas tiendas donde los mineros acudían a pesar su oro. Sigue más o menos el antiguo límite de la ensenada de Yerba Buena, que se rellenó durante los años de la fiebre del oro *(ver pp. 24-25)* para crear más terreno edificable. Hoy, las entidades bancarias de principios del siglo XX se levantan a la sombra de rascacielos, y cientos de empleados transitan por sus calles. Union Square se encuentra en el centro de la principal zona comercial de la ciudad.

Motivo del Union Bank

LUGARES DE INTERÉS

Calles y edificios históricos
California Historical Society 11
Ferry Building 10
Jackson Square Historical District 2
Merchant's Exchange 7
Old United States Mint 25
Pacific Coast Stock Exchange 8
Plataforma giratoria del tranvía de Powell Street 23
Union Bank of California 6

Museos
Contemporary Jewish Museum 14
Museum of African Diaspora 12
Museum of Modern Art pp. 118-121 16
Wells Fargo History Museum 3

Arquitectura moderna
Bank of America 4
Embarcadero Center 1
Rincon Center 13
Transamerica Pyramid 5
Yerba Buena Gardens pp. 114-115 15

Hoteles
Sheraton Palace Hotel 17

Información turística
San Francisco Visitor Information Center 26

Tiendas
Crocker Galleria 18
Gump's 19
Union Square Shops 22
Westfield Shopping Centre 24

Teatros
Theater District 21

Parques y jardines
Justin Herman Plaza 9
Union Square 20

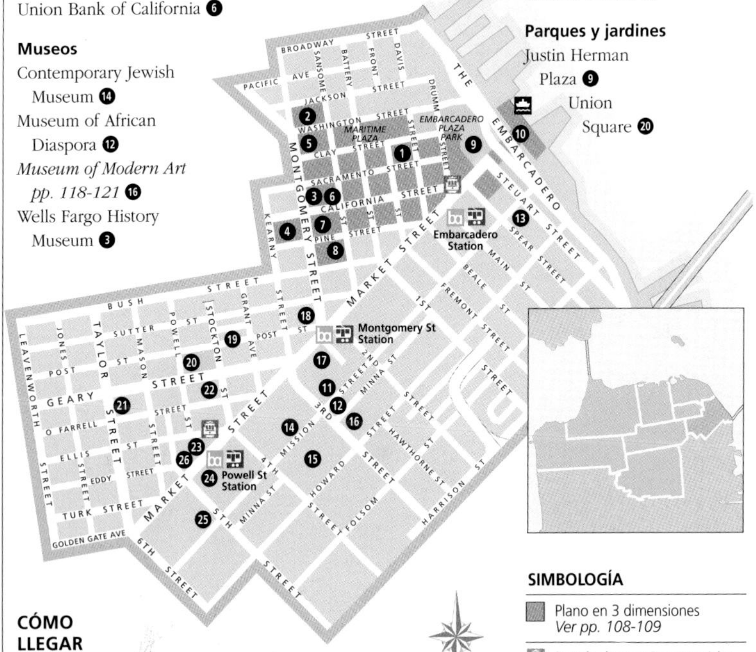

Broadway Street
Pacific Ave
Jackson Street
Washington Street
Clay Street
Sacramento Street
California Street
Pine Street
Bush Street
Sutter St
Post St
Geary Street
O'Farrell Street
Ellis St
Eddy Street
Turk Street
Golden Gate Ave
Market Street
Mission St
Howard Street
Folsom Street
Harrison St
Minna St
Hawthorne St
The Embarcadero
Steuart Street
Spear Street
Main St
Beale St
Fremont Street
1st Street
2nd Street
3rd Street
4th Street
5th Street
6th Street
Montgomery Street
Kearny Street
Sansome Street
Battery Street
Front Street
Davis Street
Drumm Street
Grant Ave
Stockton Street
Powell Street
Mason Street
Taylor Street
Jones Street
Leavenworth Street
Maritime Plaza
Embarcadero Plaza Park
Embarcadero Station
Montgomery St Station
Powell St Station
0 metros 400
0 yardas 400

SIMBOLOGÍA

- Plano en 3 dimensiones *Ver pp. 108-109*
- Parada de tranvía automático
- Estación BART
- Estación de tranvía
- Puerto de transbordador

CÓMO LLEGAR

Todas las líneas de tranvías antiguos, automáticos y BART, así como la mayoría de las líneas de transbordadores y autobuses, convergen en algún punto de Market St., el centro de esta zona.

◁ ***Eclipse*, de Charles Perry, en el Hyatt Regency Hotel**

Financial District en 3 dimensiones

El centro de la economía de San Francisco se encuentra en Financial District, uno de los principales núcleos comerciales de EE UU. Comprende desde los imponentes rascacielos modernos y plazas del Embarcadero Center hasta la formal Montgomery St., conocida también como la Wall Street del Oeste. En esta área compacta están situados los principales bancos, bolsas y bufetes de abogados. El Historic District de Jackson Square, al norte de Washington St., fue antaño el corazón de la comunidad empresarial.

La Chiffonière (1978)
de Jean Dubuffet,
Justin Herman Plaza

★ Embarcadero Center
Este complejo alberga tiendas y oficinas. Una galería comercial ocupa las tres primeras plantas de las torres ❶

En Hotaling Place, un callejón que conduce al Historic District de Jackson Square, hay varios anticuarios de calidad.

Jackson Square Historical District
Este distrito evoca más que ningún otro el periodo de la fiebre del oro ❷

El Golden Era Building fue construido durante la fiebre del oro. Acogía las oficinas centrales del periódico *Golden Era,* para el que escribía Mark Twain.

**Parada de autobús
(nº 41)**

WASHINGTON STREET

BATTERY STREET

SANSOME STREET

MONTGOMERY STREET

**★ Transamerica
Pyramid**
Este rascacielos de 256 m es el más alto de la ciudad desde 1972 ❺

Union Bank of California
Esta lujosa entidad bancaria está vigilada por leonas de piedra talladas por el escultor Arthur Putnam ❻

**Merchant's
Exchange**
Pinturas de escenas marítimas locales adornan las paredes de la Bolsa Mercantil ❼

**Wells Fargo
History Museum**
Una diligencia original es una de las piezas expuestas en este museo dedicado al transporte y la banca ❸

Bank of America
Desde la planta 52 de esta importante institución bancaria se disfruta de espléndidas vistas ❹

0 metros   100
0 yardas   100

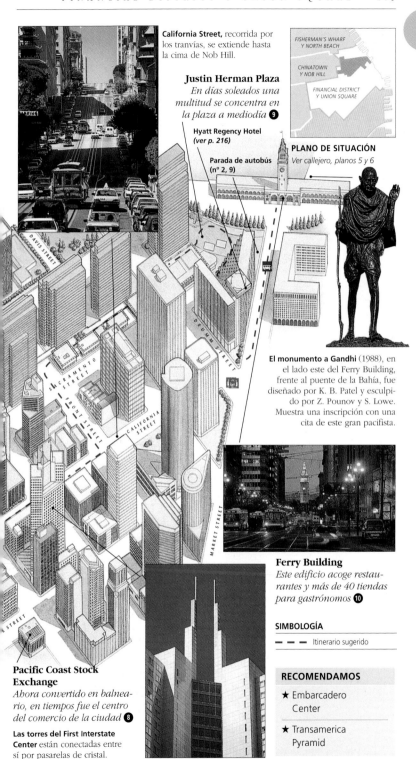

California Street, recorrida por los tranvías, se extiende hasta la cima de Nob Hill.

Justin Herman Plaza
En días soleados una multitud se concentra en la plaza a mediodía **9**

FISHERMAN'S WHARF Y NORTH BEACH

CHINATOWN Y NOB HILL

FINANCIAL DISTRICT Y UNION SQUARE

Hyatt Regency Hotel (ver p. 216)

PLANO DE SITUACIÓN
Ver callejero, planos 5 y 6

Parada de autobús (nº 2, 9)

DAVIS STREET

DRUMM STREET

SACRAMENTO STREET

FRONT STREET

CALIFORNIA STREET

MARKET STREET

El monumento a Gandhi (1988), en el lado este del Ferry Building, frente al puente de la Bahía, fue diseñado por K. B. Patel y esculpido por Z. Pounov y S. Lowe. Muestra una inscripción con una cita de este gran pacifista.

Ferry Building
Este edificio acoge restaurantes y más de 40 tiendas para gastrónomos **10**

SIMBOLOGÍA

– – – Itinerario sugerido

Pacific Coast Stock Exchange
Ahora convertido en balneario, en tiempos fue el centro del comercio de la ciudad **8**

Las torres del First Interstate Center están conectadas entre sí por pasarelas de cristal.

RECOMENDAMOS

★ Embarcadero Center

★ Transamerica Pyramid

Embarcadero Center ❶

Plano 6 D3. 🚋 *1, 32.* 🚆 *J, K, L, M, N.* 🚇 *California St. Ver* **Compras** p. 245 y **Alojamiento** p. 215.

Construido en 1981 tras una década de obras, el proyecto de reforma urbana más ambicioso de San Francisco se extiende desde Justin Herman Plaza hasta Battery St. Las cuatro torres se levantan 35 o 40 pisos por encima de las plazas ajardinadas y pasarelas elevadas.

La zona interior más espectacular del Embarcadero Center es el vestíbulo del Hyatt Regency Hotel. Este atrio, de 17 plantas, contiene un inmenso globo; se trata de la obra *Eclipse*, esculpida por Charles Perry. Los ascensores de cristal transportan a los visitantes a Equinox, el restaurante que da una vuelta cada 40 minutos. También en el centro hay un cine en el que se proyecta una impresionante variedad de películas independientes y extranjeras.

Vestíbulo del Hyatt Regency Hotel, Embarcadero Center

Hotaling Place, en Jackson Square

Jackson Square Historical District ❷

Plano 5 C3. 🚋 *12, 41, 83.*

Remodelado en la década de 1950, este barrio residencial contiene numerosas fachadas históricas que datan del periodo de la fiebre del oro. De 1850 a 1910 fue conocido por su miseria y la hosquedad de sus habitantes, por lo que recibió el nombre de Barbary Coast (*ver pp. 26-27*). El hipódromo del nº 555 de Pacific St. era antaño un teatro; las esculturas en relieve de la fachada recuerdan los espectáculos subidos de tono que se representaban aquí. Hoy los edificios albergan salas de exposiciones, bufetes y anticuarios (los mejores se encuentran en Jackson St., Gold St., Hotaling Place y Montgomery St).

Wells Fargo History Museum ❸

420 Montgomery St. **Plano** 5 C4. **Tel** 396-2619. 🚋 *1, 12, 41.* 🚇 *California St.* 🚆 *Montgomery.* 🕐 *9.00-17.00 lu-vi.* ⬤ *festivos.* ♿ 📷 **www**.wellsfargohistory.com

Wells Fargo & Co., fundada en 1852, se convirtió en la empresa financiera y de transportes más importante del oeste. Esta compañía transportaba pasajeros y mercancías de la costa este a la oeste, y entre las explotaciones mineras y poblaciones californianas. También trasladaba el oro de la costa oeste a la este y repartía correspondencia. Wells Fargo colocó buzones en diferentes puntos y los mensajeros se encargaban del reparto. Pony Express fue otra empresa de correspondencia en la que Wells Fargo desempeñó un importante papel.

Las magníficas diligencias (*ver p.108*), como la que se expone en el museo, son famosas por las anécdotas protagonizadas por los heroicos conductores y los bandidos que las asaltaban. El asaltante más conocido era Black Bart, que dejaba poemas en la escena de sus delitos; asaltaba las diligencias entre el condado de Calaveras y la frontera de Oregón entre 1875 y 1883. En uno de estos robos, olvidó un pañuelo con una característica marca de lavandería que lo delató: resultó ser un ingeniero de minas llamado Charles Boles. En el museo, los visitantes pueden experimentar la sensación de los viajeros que permanecían sentados y apretados en las diligencias, así como escuchar la grabación de la vida de Francis Brocklehurst, un inmigrante. Entre otros objetos expuestos se incluye la correspondencia de Pony Express, fotografías, cheques antiguos, armas, pepitas de oro y monedas del emperador Norton (*ver p. 26*).

Black Bart, el bandido poeta

Bank of America ❹

555 California St. **Plano** 5 C4.
Tel 433-7500 (Carnelian Room).
📇 1, 41. 🚋 California St. Ver **Bares de San Francisco** pp. 270-271.

El edificio que alberga la sede del Banco de América se inauguró en 1972. Con sus 52 plantas, es el más alto de San Francisco y desde el Carnelian Room Restaurant del último piso se disfruta de una increíble panorámica. El Bank of America fue originalmente el Bank of Italy, fundado por A. P. Giannini en San José, California. Se hizo con una gran clientela a principios del siglo XX, centrándose en los inmigrantes e invirtiendo en tierras de labranza y pequeñas poblaciones. Durante el incendio de 1906 (ver pp. 28-29), Giannini rescató los fondos del banco, colocándolos en cajas de fruta y trasladándolos en carretas, por lo que la entidad dispuso de fondos suficientes para invertir en la reconstrucción de la ciudad.

Trascendencia, de Masayuki Nagari, en Bank of America

Transamerica Pyramid ❺

600 Montgomery St. **Plano** 5 C3.
Tel 983-4100. 📇 1, 41. 🌐 al público. ♿ www.tapyramid.com

Rematada con una aguja situada sobre sus 48 pisos, la pirámide se eleva a 256 m de altura sobre el nivel del mar. Se trata del edificio más alto y característico de San Francisco, aunque ha tenido que vencer el rechazo inicial de los ciudadanos cuando se inauguró en 1972. La pirámide permanece cerrada al público desde el 11 de septiembre de 2001.

Diseñada por William Pereira & Associates, acoge a 1.500 oficinistas en un emplazamiento que históricamente es uno de los más exclusivos de la ciudad. Aquí se construyó en 1853 el el edificio más grande del oeste del Misisipí, Montgomery Block, que contenía numerosas oficinas importantes. El sótano lo ocupaba el Exchange Saloon, que frecuentaba Mark Twain. En la década de 1860 residieron en Montgomery Block artistas y escritores. La terminal de Pony Express, recordada con una placa, se situaba en Merchant St., frente a la pirámide.

La aguja está hueca y tiene una altura de 64 m. Iluminada desde el interior, de noche emite un destello amarillo. Su finalidad es exclusivamente decorativa.

Alas verticales

Las alas se elevan verticalmente desde el centro de la planta baja y sobresalen de la estructura principal, que se va estrechando. El ala este contiene 18 huecos de ascensor; el ala oeste acoge la salida de humos y las escaleras.

Protección contra terremotos

El exterior está cubierto por cuarzo blanco y elementos de refuerzo. Los huecos dispuestos entre los paneles permiten el movimiento lateral en caso de terremotos.

Se tarda un mes en limpiar las 3.678 ventanas.

Vistas de la ciudad

Los trabajadores de las oficinas de la última planta disfrutan de una estupenda panorámica de la ciudad y la bahía.

La forma

El edificio se estrecha de manera que sólo proyecta una pequeña sombra.

Los cimientos se sustentan sobre un bloque de acero y hormigón a 15,5 m bajo tierra; están diseñados para permitir las oscilaciones en caso de terremotos.

Fachada clásica del Union Bank of California

Union Bank of California **❻**

400 California St. **Plano** 5 C4.
Tel 765-0400. 🚌 1, 41.
🚃 California St. 🛗 📷

William Ralston y Darius Mills
fundaron este banco en 1864.
Ralston, conocido como el
hombre que construyó San
Francisco, invirtió sabiamente
en las minas de Comstock *(ver
p. 27)*. Utilizó el banco y su fortuna personal para financiar
numerosos proyectos civiles en
San Francisco, como la compañía de aguas de la ciudad, un
teatro y el Palace Hotel *(ver p.
113)*. Sin embargo, con la llegada de la depresión económica de la década de 1870, el imperio de Ralston se vino abajo.
    El actual edificio de colum-
nas se completó en 1908; en el
sótano se encuentra un centro
comercial con tiendas, restaurantes y pequeñas exposiciones.

Merchant's Exchange **❼**

465 California St. **Plano** 5 C4.
Tel 421-7730. 🚌 1, 3, 4, 10, 15.
🚃 Montgomery. ⏰ 8.30-18.00 lu-
vi, 9.00-18.00 sá y do previa cita.
🌑 festivos. 🛗 📷
www.merchantsexchange.com

La Bolsa, diseñada por William
Polk en 1903, apenas sufrió
daños durante el incendio de
1906. Las paredes del interior
están adornadas con notables
escenas marinas del pintor
irlandés William Coulter que
recogen diferentes episodios
marítimos. A principios del
siglo XX, el edificio era el centro de las transacciones comerciales de San Francisco, cuando
los centinelas de la torre avisa-
ban de la llegada de buques.

Pacific Coast Stock Exchange **❽**

301 Pine St. **Plano** 5 C4. **Tel** 393-
4000. 🚌 3, 4, 41. 🌑 al público.
www.pacificex.com

Ésta fue la Bolsa comercial más
importante de Estados Unidos
después de la de Nueva York.
Fundada en 1882, ocupaba tres
edificios, que fueron remode-
lados por Miller y Pflueger en
1930 a imitación de la Reserva
Federal. Las monumentales
estatuas de granito que flanquean la entrada de Pine St.
fueron esculpidas por Ralph
Stackpole en 1930. Debido a
los cambios en los métodos
de negociación, el edificio ya
no acoge a la Bolsa y ha sido
convertido en gimnasio.

Justin Herman Plaza **❾**

Plano 6 D3. 🚌 numerosos
autobuses. 🚈 J, K, L, M, N.
🚃 California St.

En esta plaza suele reunirse a
almorzar un gran número de
personas procedente del cercano Embarcadero Center y
de otros edificios de oficinas.
El lugar es especialmente
conocido por su vanguardista
fuente de Vaillancourt, realizada por el artista canadiense
Armand Vaillancourt en el año
1971. Está esculpida con enormes bloques de hormigón y
mucha gente no la encuentra
bonita, además, cuando el
agua escasea permanece seca.
Con todo, se permite subir y
adentrarse en ella.

Fuente de Vaillancourt, en Justin Herman Plaza

Torre del reloj, Ferry Building

Ferry Building **❿**

Esquina de Embarcadero y Market St.
Plano 6 E3. 🚌 numerosos autobuses.
🚈 J, K, L, M, N. 🚃 California St.

Construido entre 1896 y 1903,
el Ferry Building sobrevivió al
gran incendio de 1906 gracias
a los barcos contra incendios
que bombearon agua desde la
bahía. El diseño de la torre
del reloj (71 m de alto) se
inspira en el campanario de la
catedral de Sevilla. A principios de la década de 1930 pasaban por el edificio más de
50 millones de pasajeros al
año. Tras su modernización
en 2003, alberga restaurantes
y cafeterías, y muchas tiendas
para gastrónomos con gran
variedad de productos frescos.
Los martes y los sábados se
celebra un mercado de granjeros alrededor del edificio.
    Con la inauguración del
puente de la Bahía en 1936,
el Ferry Building dejó de ser
el principal punto de entrada
a la ciudad. Hoy sólo unos
pocos transbordadores cruzan
la bahía hasta Larkspur y Sausalito, en el condado de
Marin *(ver p. 161)*, y hasta
Alameda y Oakland, al este
de la bahía *(ver pp. 164-167)*.

California Historical Society ⑪

678 Mission St. **Plano** 6 D5. **Tel** 357-1848. 🚌 5, 9, 38. 🚋 J, K, L, M, N, T. 🚇 Montgomery. 🕐 12.00-16.30 mi-sá (biblioteca cerrada sá). www.californiahistoricalsociety.org

La Sociedad alberga bibliotecas de investigación, museos y una librería. Atesora una impresionante colección fotográfica, más de 900 pinturas y acuarelas de artistas estadounidenses, una exposición de artes decorativas y una colección de trajes única.

Mural de Rincon Annex que recoge el descubrimiento de San Francisco

Pescador en el puerto

Museum of African Diaspora ⑫

685 Mission St. **Plano** 5 C5. 📠 358 7200. 🚌 7, 9, 21, 38, 71. 🚋 J, K, L, M, N, T. 🕐 11.00-18.00 mi-sá, 12.00-17.00 do. www.moadsf.org

La idea principal del Museo de la Diáspora Africana es que todos compartimos un pasado común africano. Las exposiciones permanentes tratan la música de África, las tradiciones culinarias y la trata. También hay muestras interactivas, conferencias y talleres.

Rincon Center ⑬

Plano 6 B4. 🚌 14. Ver **Compras** p. 245.

Este centro comercial, con su gran atrio, fue añadido al antiguo edificio de correos Rincon Annex en 1989. Rinco Annex es conocido por sus murales de Anton Refregier, que muestran episodios de la historia de San Francisco.

Contemporary Jewish Museum ⑭

736 Mission St. **Plano** 5 C5. **Tel** 655-7800. 🚌 7, 9, 21, 38, 71. 🚋 J, K, L, M, N, T. 🕐 11.00-17.30 lu, ma, vi-do, 13.00-20.30 ju. 🚼 ♿ 📷 🖥 www.thecjm.org

Este museo se centra en la exposición de arte y fotografía, y cuenta con instalaciones sobre el judaísmo.

Yerba Buena Gardens ⑮

Ver pp. 114-115.

Museum of Modern Art ⑯

Ver pp. 118-121.

Sheraton Palace Hotel ⑰

2 New Montgomery St. **Plano** 5 C4. **Tel** 512-1111. 🚌 7, 9, 21, 31, 66, 71. 🚋 J, K, L, M, N. Ver **Alojamiento** p. 215.

El Palace Hotel original fue inaugurado por William Ralston, uno de los financieros más famosos de San Francisco, en 1875. Fue el establecimiento más lujoso entre los primeros hoteles de la ciudad y lo frecuentaban ricos y otras celebridades. Entre sus clientes figuraron Sarah Bernhardt, Oscar Wilde y Rudyard Kipling. El tenor Enrico Caruso estuvo hospedado aquí durante el terremoto de 1906 (ver pp. 28-29), cuando se incendió el hotel. Poco después fue restaurado por el arquitecto George Kelham y volvió a abrir sus puertas en 1909.

Garden Court, Sheraton Palace Hotel

Yerba Buena Gardens ⓯

La construcción del Moscone Center, el mayor centro de congresos de San Francisco, marcó el inicio de ambiciosos planes para los jardines de Yerba Buena. Se han creado nuevas viviendas, hoteles, museos, tiendas, galerías de arte, restaurantes y jardines; lo que ha revitalizado una zona antaño deprimida. La zona se encuentra prácticamente urbanizada a excepción de las instalaciones del Moscone Convention.

★ **Yerba Buena Center for the Arts**
Destacan las galerías, el foro y una sala audiovisual donde se proyectan películas y vídeos actuales.

Esplanade Gardens
Los visitantes pueden pasear por los caminos o descansar en los bancos de estos jardines.

En el monumento a Martin Luther King Jr. se pueden leer poemas sobre la paz en varios idiomas.

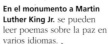

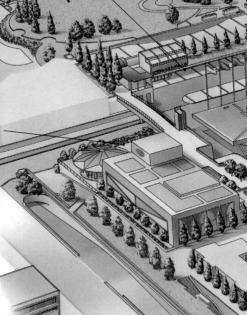

Zeum
Zeum, en Yerba Buena Rooftop, organiza un programa de eventos y brinda la oportunidad a jóvenes y artistas de colaborar en el diseño y creación de aviones, robots, edificios futuristas, mosaicos, esculturas, etc.

RECOMENDAMOS

★ Yerba Buena Center for the Arts

★ SF Museum of Modern Art

MOSCONE CENTER
El ingeniero TY Lin ideó una ingeniosa manera para sostener el centro infantil sobre este inmenso espacio subterráneo sin utilizar columnas interiores. Las bases de los ocho arcos de acero están conectadas por cables subterráneos. Al tensar los cables, los arcos se mantienen erguidos.

Yerba Buena Center for the Arts Theater

En este teatro de 755 butacas se representan diferentes espectáculos que reflejan la diversidad cultural de San Francisco. También hay un teatro al aire libre.

INFORMACIÓN ESENCIAL

Mission, 3rd St. y 4th St. **Plano** 5 C5. 978-2787. 9, 14, 15, 30, 45, 76. J, K, L, M, N, T. **Zeum** 820-3320. 11.00-17.00 ma-do (verano), 13.00-17.00 mi-vi y 11.00-17.00 sá-do (durante el año escolar). 25 dic. **Yerba Buena Center for the Arts** 12.00-17.00 ma, mi, do; 12.00-20.00 ju-sá. lu, festivos. gratis 1er ma de mes. **SF Museum of Modern Art** (ver pp. 118-121). www.yerbabuena.org

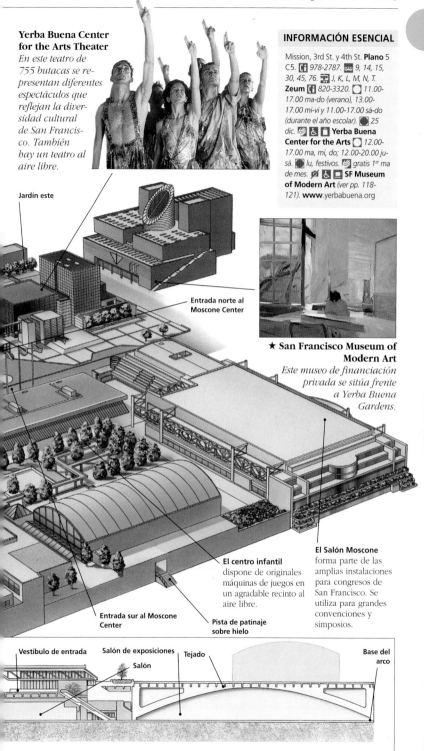

Jardín este

Entrada norte al Moscone Center

★ **San Francisco Museum of Modern Art**
Este museo de financiación privada se sitúa frente a Yerba Buena Gardens.

El centro infantil dispone de originales máquinas de juegos en un agradable recinto al aire libre.

El Salón Moscone forma parte de las amplias instalaciones para congresos de San Francisco. Se utiliza para grandes convenciones y simposios.

Entrada sur al Moscone Center

Pista de patinaje sobre hielo

Vestíbulo de entrada

Salón de exposiciones

Salón

Tejado

Base del arco

Plaza central, Crocker Galleria

Crocker Galleria ⓲

Entre las calles Post, Kearny, Sutter y Montgomery. **Plano** 5 C4.
🚌 *2, 3, 4.* 🚃 *J, K, L, M, N. T. Ver* **Compras** *p. 245.*

La Galería Crocker fue construida por los arquitectos Skidmore, Owings y Merrill en 1982. El edificio, inspirado en la Galleria Vittorio Emmanuelle de Milán, presenta una plaza central bajo un tragaluz abovedado. En las tres plantas se distribuyen más de 50 tiendas y restaurantes, además de muestras dedicadas a los mejores diseñadores.

Gump's ⓳

135 Post St. **Plano** 5 C4. **Tel** 982-1616. 🚌 *2, 3, 4, 30, 38, 45.* 🚃 *J, K, L, M, N. T.* 🚋 *Powell-Mason, Powell-Hyde.* ⏰ *10.00-18.00 lu-sá, 12.00-17.00 do.* ♿ *Ver* **Compras** *p. 249.*

Fundados en 1891 por inmigrantes alemanes que se dedicaban al comercio de espejos y marcos, estos grandes almacenes son una institución. Muchas parejas de novios encargan su lista de boda aquí. Gump's dispone de la

Monumento a la Victoria, Union Square

colección de cristal y porcelana de primera calidad mayor de EE UU, con famosas firmas como Baccarat, Steuben y Lalique.

Los almacenes también son célebres por sus tesoros orientales, sus muebles y las singulares obras de la planta de arte. El arte asiático es digno de mención, especialmente la insuperable colección de jades, de prestigio internacional. En 1949 Gump's importó el gran Buda de bronce y lo presentó en el Japanese Tea Garden *(ver p. 147)*. Estos grandes almacenes poseen un ambiente exclusivo y refinado, con clientes ricos y famosos. Sus escaparates son originales y coloridos.

Union Square ⓴

Plano 5 C5. 🚌 *2, 3, 4, 30, 38, 45.* 🚃 *J, K, L, M, N, T.* 🚋 *Powell-Mason, Powell-Hyde.*

Union Square debe su nombre a las grandes manifestaciones que se celebraron aquí a favor de la Unión durante la guerra de secesión, de 1861 a 1865. Estas reuniones fomentaban el apoyo popular para la causa norteña, que fue decisivo para la entrada en la guerra de California del lado de la Unión. La plaza se sitúa en el corazón del Theater District. Está flanqueada al oeste por el famoso Westin St. Francis Hotel *(ver p. 216)* y en el centro se alza sobre una columna de 27 m una estatua de la *Victoria*. Este monumento conmemora la victoria del almirante Dewey en la bahía de Manila durante la guerra hispano-estadounidense de 1898.

Theater District ㉑

Plano 5 B5. 🚌 *2, 3, 4, 38.* 🚋 *Powell-Mason, Powell-Hyde.* 🚃 *J, K, L, M, N, T. Ver* **Tiempo de ocio** *p. 263.*

En las inmediaciones de Union Square, en un área de seis manzanas, se sitúan varios teatros. Los dos más importantes se encuentran en Geary Boulevard, dos manzanas al oeste de la plaza. Se trata del Curran Theater, de 1922, y el Geary Theater, de 1909, actual sede del American Conservatory Theater (ACT). La escena teatral de San Francisco floreció en los días de la fiebre del oro *(ver pp. 24-25)*, y recibió a grandes actores y estrellas de la ópera. Isadora Duncan, la famosa e innovadora bailarina de la década de 1920, nació en el Theater District, en el nº 501 de Taylor St.

Comercios frente a Union Square

Union Square Shops ㉒

Plano 5 C5. 🚌 *2, 3, 4, 30, 38, 45.* 🚋 *Powell-Mason, Powell-Hyde.* 🚃 *J, K, L, M, N, T. Ver* **Compras** *p. 245.*

Aquí abren sus puertas muchos de los principales grandes almacenes de San Francisco, como Macy's, Sak's Fifth Avenue, Neiman Marcus y Gump's *(ver pp. 244-245)*, además de grandes hoteles, librerías de antigüedades y *boutiques*. El Union Square Frank Lloyd Wright Building, en el nº 140 de Maiden Lane, es precursor del edificio del Museo Guggenheim de Nueva York.

Plataforma giratoria del tranvía de Powell Street ㉓

Hallidie Plaza, esquina de Powell y Market. **Plano** 5 C5. 🚌 *numerosos autobuses.* 🚊 *J, K, M, N, T.* 🚋 *Powell-Mason, Powell-Hyde.*

Las líneas del tranvía de Powell-Hyde y Powell-Mason constituyen las rutas más interesantes de San Francisco. Comienzan y terminan sus trayectos por Nob Hill, Chinatown y Fisherman's Wharf en la esquina de Powell St. y Market St. A diferencia de los tranvías de doble dirección de la línea de California St., los de Powell St. se concibieron para circular en un solo sentido, de ahí la necesidad de una plataforma giratoria en cada terminal.

Una vez que los pasajeros bajan del tranvía, éste es empujado hasta la plataforma, donde el conductor lo gira manualmente. Los pasajeros aguardan entre músicos callejeros, gente que va de compras, turistas y empleados de oficinas.

Tranvía en la plataforma de Powell Street

Westfield Shopping Centre ㉔

Market St. y Powell St. **Plano** 5 C5. **Tel** 512-6776. 🚌 *5, 7, 9, 14, 21, 71.* 🚊 *J, K, L, M, N.* 🚋 *Powell-Mason, Powell-Hyde.* ⏰ *9.30-21.00 lu-sá, 11.00-19.00 do.* **www**.westfield.com Ver **Compras** p. 245.

Los clientes suben por las escaleras mecánicas semicirculares a través de este centro comercial vertical, que consta de un altísimo atrio central con nueve plantas de tiendas elegantes. Está rematado por una cúpula situada a 45 m de altura. Las plantas subterráneas comunican con la estación de Powell St. Los grandes almacenes Nordstrom´s ocupa las cinco plantas superiores y es el principal inquilino del centro comercial. Las entradas a Bloomingdale's, famoso por su rotonda clásica, se encuentran en las plantas inferiores.

Old United States Mint ㉕

Fifth St.y Mission St. **Plano** 5 C5. 🚌 *14, 14L, 26, 27.* 🚊 *J, K, L, M, N, T.* 🚋 *cerrado indefinidamente.*

La Antigua Casa de la Moneda de San Francisco, una de las tres que tuvo la ciudad, se usó como museo entre 1973 y 1994. Las últimas monedas se acuñaron en 1937. Diseñado al estilo clásico, recibe el sobrenombre de la Dama de Granito debido al material con el que se elaboró. Fue construido por AB Mollet entre 1869 y 1874, con ventanas reforzadas con contraventanas y bóvedas en el sótano. Este edificio fue uno de los pocos

que sobrevivió al terremoto y el incendio de 1906 *(ver pp. 28-29)*. Está cerrado al público.

San Francisco Visitor Information Center ㉖

Esquina de las calles Powell y Market, bajo Hallidie Plaza. **Plano** 5 B5. **Tel** 391-2000. 🗃 *391-2001.* 🚌 *numerosos autobuses.* 🚊 *J, K, L, M, N, T.* 🚋 *Powell-Mason, Powell-Hyde.* ⏰ *9.00-17.00 lu-vi, 9.00-15.00 sá y do* 🌙 *do (nov-abr).* ♿ *parcial.* **www**.sfvisitor.org

El centro de información turística facilita información sobre visitas por la ciudad y los alrededores, festivales, eventos, restaurantes, alojamiento, vida nocturna, lugares de interés y tiendas. Dispone de planos y de un amplio surtido de folletos en inglés y en otros idiomas. El personal, políglota, se muestra solícito a responder a cualquier pregunta. Se pueden realizar consultas por teléfono o utilizar el servicio automático 24 horas.

La inexpugnable Old Mint, la Dama de Granito

San Francisco Museum of Modern Art ⑯

El espectacular Museo de Arte Moderno es la piedra angular sobre la que San Francisco ha fundamentado su fama como importante centro artístico. Creado en 1935 con el objetivo de exponer obras de artistas del siglo XX, se trasladó a su actual sede en 1995. El núcleo de este edificio de estilo modernista, creado por el arquitecto suizo Mario Botta, es el tragaluz cilíndrico de 38 m de largo que filtra la luz hasta el patio central de la primera planta. En las cuatro plantas, que ocupan 4.600 m², se exhiben más de 23.000 obras de arte.

Zip light (1990),
de Signar Willnauer

Los valores personales
El surrealista belga René Magrit-te creó esta obra maestra tardía en 1952. Se caracteriza por el empleo de objetos cotidianos en marcos inusuales.

GUÍA DEL MUSEO

La tienda del museo, el Phyllis Wat-tis Theater, el café y el espacio para eventos se encuentran en la primera planta. El Loret Visitor Education Center y las exposiciones permanen-tes de pintura, escultura, arquitec-tura y diseño se ubican en la segun-da planta. La tercera planta alber-ga fotografías y exposiciones tem-porales; en la cuarta se puede con-templar arte multimedia, exposi-ciones temporales y una terraza es-cultórica. En las salas de la quinta planta se exhiben trabajos contem-poráneos de pintura y escultura.

★ Nº 14, 1960
Mark Rothko, un destacado expresionista abstracto, pintó este óleo. Es una de las obras más bellas e hipnóticas del artista.

El nido
Louise Bourgeois realizó esta escultura de araña en 1994 con 83 años. Las formas alar-gadas son típicas de sus obras.

DISTRIBUCIÓN POR SALAS

- ☐ Pintura y escultura
- ☐ Arquitectura y diseño
- ☐ Fotografía y obras en papel
- ☐ Arte multimedia
- ☐ Koret Visitor Education Center
- ☐ Exposiciones temporales
- ☐ Espacio sin exposiciones

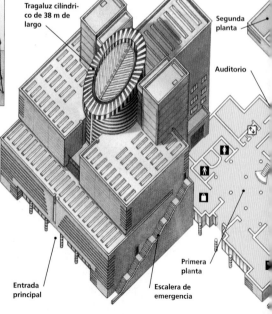

Tragaluz cilíndri-co de 38 m de largo

Segunda planta

Auditorio

Primera planta

Entrada principal

Escalera de emergencia

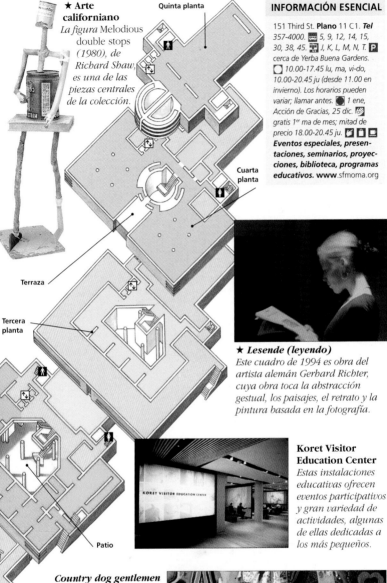

★ Arte californiano
La figura Melodious double stops *(1980), de Richard Shaw, es una de las piezas centrales de la colección.*

Quinta planta

Cuarta planta

Terraza

Tercera planta

Patio

INFORMACIÓN ESENCIAL

151 Third St. **Plano** 11 C1. **Tel** 357-4000. 5, 9, 12, 14, 15, 30, 38, 45. J, K, L, M, N, T. cerca de Yerba Buena Gardens. 10.00-17.45 lu, ma, vi-do, 10.00-20.45 ju (desde 11.00 en invierno). Los horarios pueden variar; llamar antes. 1 ene, Acción de Gracias, 25 dic. gratis 1er ma de mes; mitad de precio 18.00-20.45 ju. **Eventos especiales, presentaciones, seminarios, proyecciones, biblioteca, programas educativos.** www.sfmoma.org

★ Lesende (leyendo)
Este cuadro de 1994 es obra del artista alemán Gerhard Richter, cuya obra toca la abstracción gestual, los paisajes, el retrato y la pintura basada en la fotografía.

Koret Visitor Education Center
Estas instalaciones educativas ofrecen eventos participativos y gran variedad de actividades, algunas de ellas dedicadas a los más pequeños.

Country dog gentlemen
El artista de la bahía Roy de Forest pintó este universo de fantasía vigilado por animales en 1972.

RECOMENDAMOS

★ *N° 14, 1960*

★ *Arte californiano*

★ *Lesende (leyendo)*

Visitando el San Francisco Museum of Modern Art

El Museo de Arte Moderno es un ilustre depositario de arte moderno y contemporáneo, al tiempo que sirve de apoyo para la escena artística local. Entre sus fondos compuestos por miles de obras de artistas estadounidenses, destacan la escuela expresionista abstracta norteamericana, el arte californiano y los artistas de la bahía de San Francisco. En la colección internacional, sobresalen los espacios dedicados a la pintura mexicana, al fauvismo y al expresionismo alemán.

Marsden Hartley, Frida Kahlo, Wilfredo Lam, Georgia O´Keeffe, Rufino Tamayo y Joaquín Torres García. Una de las piezas más singulares del museo es *Cargador de flores,* un óleo de 1935 realizado por el artista mexicano Diego Rivera, célebre por sus murales *(ver p. 140).* En otra sección cuelgan obras de Jasper Johns, Robert Rauschenberg y Andy Warhol, entre otros, pertenecientes a la Colección Anderson de Arte Pop Estadounidense.

También se puede contemplar una interesante muestra de autores europeos, con algunas obras notables de Jean Arp, Max Beckmann, Constantin Brancusi, Georges Braque, André Derain, Franz Marc y Pablo Picasso.

Los cuadros de Paul Klee, de origen suizo, y de Henri Matisse, el famoso pintor fauvista francés, ocupan unas salas dedicadas a ellos en exclusiva. *Femme au chapeau (Mujer con sombrero),* de Henri Matisse, tal vez sea una de las pintura más conocidas del museo.

También hay un espacio para el surrealismo, con trabajos de Salvador Dalí, Max Ernst e Yves Tanguy.

Mujeres de Argel (1955), de Pablo Picasso

PINTURA Y ESCULTURA

Los fondos permanentes del museo están compuestos por unas 6.000 pinturas, esculturas y obras en papel que reúnen a los principales artistas y escuelas de arte europeas, norteamericanas y suramericanas del siglo XX. La pintura y escultura de 1900 a 1960 se expone en las salas de la segunda planta, mientras que la pintura y escultura posteriores a estas fechas se sitúan en la quinta planta.

El expresionismo abstracto norteamericano está bien representado con Philip Guston, Willem de Kooning, Franz Kline, Joan Mitchell y Jackson Pollock y su *Guardianes del secreto,* una obra maestra de este estilo.

Otras galerías están dedicadas a las pinturas de Clyfford Still, que a mediados del siglo XX trabajó en la facultad de la Escuela de

Bellas Artes de California, hoy convertida en el San Francisco Arts Institute *(ver p. 88).* Clyfford Still donó 28 pinturas al museo en 1975.

Entre otros artistas ilustres norteamericanos y latinoamericanos presentes en el museo figuran Stuart Davis,

ARQUITECTURA Y DISEÑO

El Departamento de Arquitectura y Diseño se creó en 1983 con el objetivo de conservar y mostrar una colección de dibujos y maquetas arquitectónicas y objetos de diseño histórico y contemporáneo, así como

Silla 92 (1992), de Holt Hinshaw Pfau Jones

estudiar e ilustrar su influencia en el arte moderno. Los fondos actuales, formados por unos 4.000 trabajos, se centran en arquitectura, mobiliario, diseño de producción y diseño gráfico.

Entre las obras expuestas en las salas de la segunda planta se pueden contemplar maquetas, dibujos, grabados y prototipos de diseñadores noveles y consagrados. Uno de ellos es el famoso arquitecto Bernard Maybeck, artífice de algunos de los edificios más bellos de la bahía, como el Palace of Fine Arts *(ver pp. 60-61)*. Otros arquitectos insignes de la bahía de San Francisco y presentes en la exposición son Timothy Pflueger, William Wurster, William Turnbull y Willis Polk, conocido por su proyecto de acero y cristal del Hallidie Building *(ver p. 45)*, así como el tándem de diseñadores californianos Charles y Ray Eames.

Tampoco faltan los trabajos de Fumihiko Maki, Frank Lloyd Wright y Frank Gehry. En los ciclos de conferencias de diseño y de arquitectura se celebran diversos eventos patrocinados por el museo.

Michael Jackson y Bubbles (1988), de Jeff Koons

FOTOGRAFÍA

El museo presenta un recorrido histórico de las artes fotográficas a través de sus fondos, formados por unas 12.000 fotografías. Las salas de la tercera planta albergan exposiciones que se van renovando. En la colección de modernistas estadounidenses están presentes Berenice Abbott, Walter Evans, Edward Steichen y Alfred Stieglitz; también se presta especial atención a los californianos Edward Weston, John Gutmann, Imogen Cunningham y Ansel Adams. Además, ofrece obras de Japón, Latinoamérica y Europa, entre las que destacan los vanguardistas alemanes de la década de 1920 y los surrealistas europeos de la década de 1930.

Graphite to taste (1989), de Gail Fredell

ARTE MULTIMEDIA

El Departamento de Arte Multimedia de la cuarta planta se creó en 1987. Colecciona, conserva, documenta y expone arte audiovisual, incluidos trabajos de vídeo, cine, proyecciones de imágenes, diseño electrónico y otros soportes multimedia. Las salas cuentan con un equipamiento ultramoderno para presentar trabajos fotográficos y multimedia, películas, vídeos y programas de obras de arte interactivas.

La creciente colección permanente del museo incluye obras de artistas consolidados como Nam June Paik, Don Graham, Peter Campus, Joan Jonas, Bill Viola, Doug Hall y Mary Lucier.

ARTE CALIFORNIANO

En las plantas segunda y quinta se exponen obras de artistas californianos. Estos pintores y escultores, que han trabajado con materiales del lugar y se han inspirado en escenas y motivos locales, conforman un grupo artístico propio de la costa oeste. Entre los pintores figurativos más importantes de la bahía destacan Elmer Bishoff, Joan Brown y David Park, además de un notable conjunto de obras de Richard Diebenkon.

Los artistas que trabajan con *collages* y materiales desechados están representados con Bruce Connor, William T. Wiley y Jess. El empleo de materiales cotidianos como una pluma estilográfica, chatarra de un vertedero o viejas pinturas ha dado origen a un estilo característico de la costa oeste.

ARTE CONTEMPORÁNEO Y EXPOSICIONES TEMPORALES

El espacio de la tercera y cuarta planta se reserva para exposiciones temporales. Algunas exhiben obras de reciente adquisición. A lo largo del año también albergan unas 10 exposiciones itinerantes. El dinámico programa de exposiciones temporales de arte contemporáneo complementa la colección histórica del museo y contribuye considerablemente a fomentar la escena artística actual.

Cueva, Tsankawee, México (1988), fotografía de Linda Connor

CIVIC CENTER

El centro administrativo de San Francisco se encuentra en Civic Center Plaza, que constituye uno de los espacios arquitectónicos mejores de la ciudad. Sus grandes edificios gubernamentales y el majestuoso complejo de artes escénicas son el orgullo de San Francisco. El antiguo ayuntamiento quedó destruido en el terremoto de 1906 *(ver pp. 28-29)*, lo que permitió poner en marcha un proyecto urbanístico más acorde con la importancia que estaba adquiriendo el puerto de la ciudad. *Sunny Jim* Rolph *(ver p. 29)* asumió el reto cuando fue elegido alcalde en 1911. Convirtió en su primera prioridad la construcción de un nuevo centro cívico y 1912 obtenía la financiación para el proyecto. El conjunto constituye un notable ejemplo de estilo *beaux arts (ver p. 47)*, de hecho fue declarado monumento histórico en 1987. Posiblemente conforme el centro urbano más ambicioso y elaborado de EE UU. Fulton St. asciende suavemente hasta las inmediaciones de Álamo Square, donde se sitúan varias casas victorianas tardías de interés.

***Desnudos*, de Henry Moore, en el Louise M. Davies Symphony Hall**

LUGARES DE INTERÉS

Calles y edificios históricos
- Alamo Square 13
- Ayuntamiento 7
- Bill Graham Civic Auditorium 2
- Cottage Row 11
- Universidad de San Francisco 14
- Veterans Building 6

Zona comercial
- Hayes Valley 12

Arquitectura moderna
- Japan Center 10

Teatros y salas de conciertos
- Great American Music Hall 8
- Louise M. Davies Symphony Hall 4
- War Memorial Opera House 5

Museos y galerías de arte
- Asian Art Museum 1
- San Francisco Arts Commission Gallery 3

Iglesias
- St. Mary's Cathedral 9

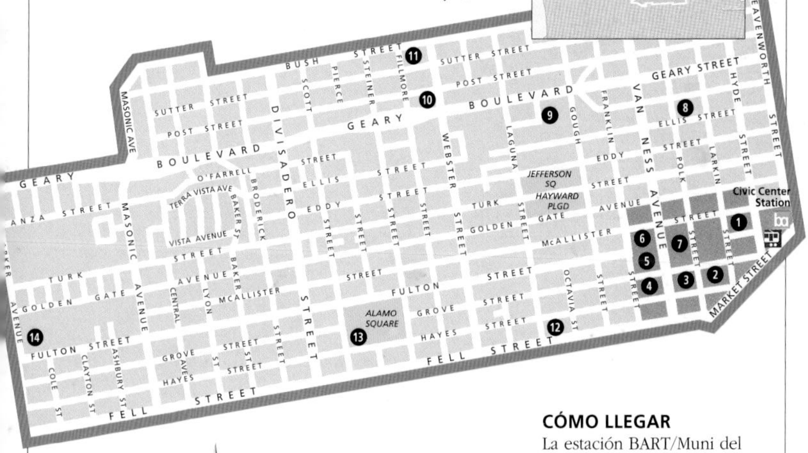

0 metros 500

0 yardas 500

SIMBOLOGÍA

- Plano en 3 dimensiones *Ver pp. 124-125*
- Estación BART
- Estación de tranvía

CÓMO LLEGAR

La estación BART/Muni del Civic Center, en Market St., se halla dos manzanas al este del ayuntamiento. Los autobuses 5, 19, 47 y 49 circulan por la zona. Se recomienda recorrer a pie el Civic Center y en coche los lugares de los alrededores.

◁ **Vista del Civic Center desde Álamo Square**

El Civic Center en 3 dimensiones

El espacio público más importante de San Francisco es un logro de planificación y diseño. Su arquitectura *beaux arts (ver p. 47)* es testimonio de la capacidad de recuperación de San Francisco en los años posteriores al terremoto de 1906. Las obras comenzaron con la construcción del Civic Auditorium, completado en 1915 para la Exposición Panamá-Pacífico *(ver p. 72).* A continuación se levantó el ayuntamiento, la biblioteca y el complejo War Memorial Arts.

Escultura de Simón Bolívar, UN Plaza

El State Building, concluido en 1986, fue diseñado por Skidmore, Owings y Merrill. El edificio armoniza con las curvas del Davies Symphony Hall, a una manzana de distancia.

Veterans Building
Sede del Herbst Theater y de varias asociaciones de veteranos ❻

San Francisco Art Commission Gallery también se encuentra en este edificio ❸

★ **War Memorial Opera House**
Las compañías de ópera y ballet de San Francisco actúan en este elegante escenario ❺

Louise M. Davies Symphony Hall
La Orquesta Sinfónica de San Francisco, fundada en 1911, tiene su sede aquí. La sala, finalizada en 1981 según un proyecto de Skidmore, Owings y Merrill, posee un opulento interior ❹

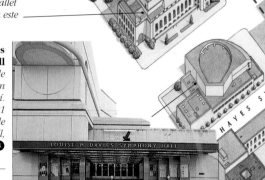

LOUISE M. DAVIES SYMPHONY HALL

▬ ▬ ▬ Itinerario sugerido

M C A L L I S T E R   S T R E E T

V A N   N E S S   A V E N U E

H A Y E S   S T R

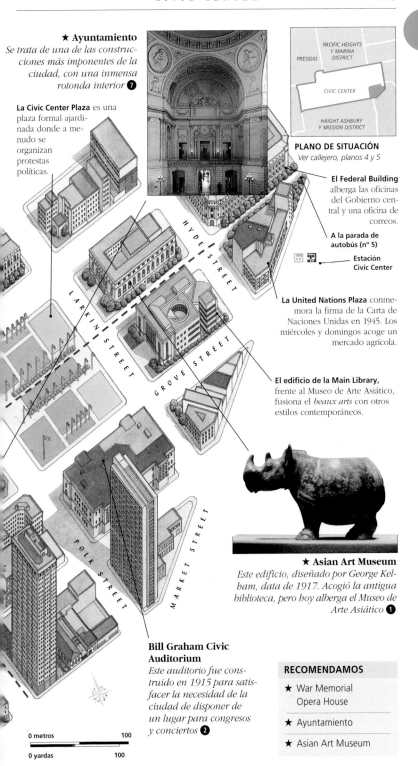

★ **Ayuntamiento**
*Se trata de una de las construc-
ciones más imponentes de la
ciudad, con una inmensa
rotonda interior* **7**

La Civic Center Plaza es una
plaza formal ajardi-
nada donde a me-
nudo se
organizan
protestas
políticas.

PLANO DE SITUACIÓN
Ver callejero, planos 4 y 5

PACIFIC HEIGHTS
Y MARINA
PRESIDIO DISTRICT

CIVIC CENTER

HAIGHT ASHBURY
Y MISSION DISTRICT

El Federal Building
alberga las oficinas
del Gobierno cen-
tral y una oficina de
correos.

**A la parada de
autobús (nº 5)**

Estación
Civic Center

La United Nations Plaza conmemora la firma de la Carta de
Naciones Unidas en 1945. Los
miércoles y domingos acoge un
mercado agrícola.

El edificio de la Main Library,
frente al Museo de Arte Asiático,
fusiona el *beaux arts* con otros
estilos contemporáneos.

HYDE STREET

LARKIN STREET

GROVE STREET

POLK STREET

MARKET STREET

★ **Asian Art Museum**
*Este edificio, diseñado por George Kel-
ham, data de 1917. Acogió la antigua
biblioteca, pero hoy alberga el Museo de
Arte Asiático* **1**

**Bill Graham Civic
Auditorium**
*Este auditorio fue cons-
truido en 1915 para satisfacer la necesidad de la
ciudad de disponer de
un lugar para congresos
y conciertos* **2**

0 metros 100

0 yardas 100

RECOMENDAMOS

★ War Memorial
Opera House

★ Ayuntamiento

★ Asian Art Museum

Asian Art Museum ❶

200 Larkin St. **Plano** 4 F5. **Tel** 581-3500. 🚌 5, 19, 21, 26, 47, 49. 🚊 F, J, K, L, M, N, T. 🕐 10.00-17.00 ma, mi, vi-do, 10.00-21.00 ju. ◑ lu, festivos. 🎫 excepto 1ᵉʳ ma de mes. ♿ 🎦 📷 🖥 www.asianart.org

El Museo de Arte Asiático está situado en la Civic Center Plaza, en un edificio que fue el máximo exponente del movimiento *beaux arts* en San Francisco. La antigua biblioteca, construida en 1917, sufrió una importante renovación, para crear uno de los principales museos dedicados al arte oriental fuera del continente asiático.

Los fondos del nuevo Museo de Arte Asiático constan de más de 17.000 piezas que abarcan 6.000 años de historia y representan culturas y países de toda Asia. Entre ellas destaca un Buda de bronce dorado, uno de los Budas chinos más antiguos del mundo. Hay también salas para representaciones y festivales, una biblioteca, un centro interactivo donde las familias pueden iniciarse en el mundo del arte y cultura asiáticos y aulas para programas educativos.

La terraza al aire libre del café mira al Civic Center y al centro comercial de Fulton St.

Interior de San Francisco Art Comission Gallery

Bill Graham Civic Auditorium ❷

99 Grove St. **Plano** 4 F5. **Tel** 974-4060. 🚌 5, 7, 19, 21, 26, 47, 49, 71. 🚊 J, K, L, M, N, T. 🕐 para representaciones.

El Auditorio Cívico de San Francisco, diseñado en estilo *beaux arts (ver pp. 46-47)* por el arquitecto Galen Howard como una de las construcciones primordiales de la Exposición Panamá-Pacífico *(ver pp. 30-31)*, fue inaugurado en 1915 y desde entonces ha constituido uno de los espacios de artes escénicas más importantes de la ciudad. En su estreno actuó Camille Saint-Saëns, el famoso pianista y compositor francés. El auditorio se completó junto con el ayuntamiento durante el colosal renacimiento arquitectónico que se produjo tras la catástrofe de 1906 *(ver pp. 28-29)*. En la actualidad, el Auditorio Cívico constituye el principal centro de congresos de la ciudad, con un aforo para 7.000 personas. En 1992 fue rebautizado con el nombre de Bill Graham *(ver p. 129)*, el empresario californiano de música rock que fue figura clave en el desarrollo y la promoción del sonido psicodélico de la ciudad.

San Francisco Art Commission Gallery ❸

401 Van Ness Ave. **Plano** 4 F5. 📠 554-6080. 🚌 5, 19, 21, 26, 47, 49. 🚊 J, K, L, M, N, T. 🕐 12.00-17.00 mi-sá (llamar para horarios hasta más tarde). ♿ www.sfacgallery.org

Situada en el edificio Veterans *(ver p. 127)*, esta dinámica galería de arte cuenta con pintura, escultura e instalaciones de artistas locales. La galería se encontraba antes en lo que ahora es View 155, una galería anexa al lado sureste de la principal, en 155 Grove Street, entre Polk y Van Ness.

Louise M. Davies Symphony Hall

Louise M. Davies Symphony Hall ❹

201 Van Ness Ave. **Plano** 4 F5. **Tel** 552-8000. 🚌 21, 26, 47, 49. 🚊 J, K, L, M, N, T. ♿ 🎦 552-8338. www.sfsymphony.org Ver **Tiempo de ocio** p. 264.

Querida y odiada en la misma medida por los habitantes de San Francisco, esta sala de conciertos con fachada de cristal curvilínea fue construida en 1980 por los arquitectos Skidmore, Owings y Merrill. Recibe el nombre de la famosa filántropa que donó 5 millones de dólares para su construcción, que ascendió a 35 millones. Es sede de la Orquesta Sinfónica de San Francisco y también recibe a numerosos artistas extranjeros.

Cuando se inauguró, la acústica de la sala era inadecuada, pero, tras 10 años de negociaciones, se ha instalado un nuevo sistema de sonido. También se rediseñó el interior y se reformaron los muros; ambas medidas mejoraron la calidad acústica.

Gran escalera del Asian Art Museum

Entrada principal de la War Memorial Opera House (1932)

War Memorial Opera House ❺

301 Van Ness Ave. **Plano** 4 F5. **Tel** 621-6600. 🚌 5, 21, 47, 49. 🚃 J, K, L, M, N, T. 📷 excepto durante representaciones. ♿ 📷 llamar al 552-8338. **www**.sfwmpac.org

Esta sala, diseñada por Arthur Brown e inaugurada en 1932, homenajea a los soldados de la I Guerra Mundial. En 1951 acogió la firma del tratado de paz entre EE UU y Japón, que puso fin formalmente a la II Guerra Mundial. El edificio es la sede actual de la San Francisco Opera (ver p. 264).

Veterans Building ❻

401 Van Ness Ave. **Plano** 4 F5. **Tel** 621-6600; **Herbst Theater** 392-4400. 🚌 5, 19, 21, 47, 49. 🚃 J, K, L, M, N, T. 🕐 8.00-17.00 lu-vi. 📷 excepto durante representaciones. ♿ parcial. 📷 llamar al 552-8338. **www**.sfwmpac.org

El polivalente Veteran's Building, al igual que la War Memorial Opera House, fue diseñado por Arthur Brown y construido en 1932 en recuerdo de los soldados de la I Guerra Mundial. Organiza exposiciones de armas históricas y parafernalia militar. El edificio acoge también el Herbst Theater, una sala de conciertos y teatro con 928 butacas. Con una magnífica acústica, es escenario de numerosos recitales de música. En esta sala se firmó la Carta de Naciones Unidas en 1945.

Ayuntamiento ❼

400 Van Ness Ave. **Plano** 4 F5. **Tel** 554-4000. 🚌 5, 8, 19, 21, 26, 47, 49. 🚃 J, K, L, M, N. 🕐 8.00-20.00 lu-vi. 📷 ♿ llamar al 554-6023. **www**.sfgov.org **Museum of the City of San Francisco** 🕐 11.00-16.00 lu-sá. **www**.sfgov.org

El ayuntamiento, completado en 1915 justo a tiempo para la Exposición Panamá-Pacífico (ver pp. 30-31), fue diseñado por Arthur Brown en pleno apogeo de su carrera. El edificio original fue completamente destruido por el terremoto de 1906. La gran cúpula barroca imita a la de la iglesia de San Pedro en Roma y es más alta que el Capitolio de Washington, DC. La parte superior de la cúpula está abierta al público.

El edificio, que ha sido restaurado, se sitúa en el centro del Civic Center y constituye un magnífico ejemplo de

estilo beaux arts (ver p. 47). En el frontón de la entrada principal, en Polk St., unas figuras alegóricas evocan la época de la fiebre del oro vivida por la ciudad. Esta entrada conduce a la rotonda, con suelos de mármol.

Great American Music Hall ❽

859 O'Farrell St. **Plano** 4 F4. **Tel** 885-0750. 🚌 19, 38, 47, 49. **www**.musichallsf.com

Cartel del Great American Music Hall

Construido en 1907 como escenario de espectáculos picantes, no tardó en utilizarse como burdel. Hoy se ha convertido en un excelente marco para actuaciones, con un interior elaborado, altas columnas de mármol y palcos adornados con profusión de escayola dorada. La vista es buena desde casi todas las mesas. El escenario resulta acogedor, elegante y célebre en todo el país; aquí han tocado todo tipo de música, desde blues y jazz hasta folk o rock'n'roll, artistas de la talla de Carmen McCrae, BB King, Duke Ellington, Grateful Dead, Van Morrison o Tom Paxton.

Imponente fachada del ayuntamiento, de estilo beaux arts, en el corazón del Civic Center

Altar de St. Mary's Cathedral

St. Mary's Cathedral ❾

1111 Gough St. **Plano** 4 E4.
Tel *567-2020.* 🚌 *38.* ⏲ *8.30-16.30 lu-vi, 9.00-18.30 sá, do.*
✝ *5.30 (sólo sá), 6.45, 8.00, 12.10 lu-sá, 7.30, 9.00, 11.00, 13.00 do.*
📷 *durante servicios.* 🅿 ♿
www.stmarycathedralsf.org

Situada en la cima de Cathedral Hill, la ultramoderna catedral de Santa María constituye uno de los emblemas arquitectónicos de la ciudad. Diseñada por el arquitecto Pietro Belluschi y el ingeniero Pier Luigi Nervi, fue completada en 1971.

El techo paraboloide y arqueado de cuatro lados destaca sobre el horizonte como un barco de velas blancas, aunque algunos críticos han censurado este diseño. Da la impresión de que la estructura de hormigón de 60 m de altura, que sustenta un techo de vidrieras en forma de cruz donde se representan los cuatro elementos, queda suspendida sobre la nave, con capacidad para 2.500 asientos.

Japan Center ❿

Post St. y Buchanan St. **Plano** 4 E4.
Tel *922-6776.* 🚌 *2, 3, 4, 38.*
⏲ *10.00-18.00 todos los días.*

El Japan Center se construyó como parte de un ambicioso proyecto para revitalizar Fillmore District en la década de 1960, en el que se demolieron manzanas de antiguas casas victorianas y se sustituyeron por el Geary Expressway y la gran superficie comercial Japan Center. Ésta está formada por una pagoda de hormigón de 22 m con cinco plantas; en su

centro se ubica el Peace Pagoda Garden, que ha sido remodelado. Aquí se tocan los tambores *taiko*, además de otros instrumentos, durante el festival de la cereza *(ver p. 48)*, en abril. El jardín está rodeado por tiendas, restaurantes japoneses y el cine AMC Kabuki *(ver p. 262)*. Este barrio constituye el núcleo de la comunidad japonesa desde más de 75 años. Las tiendas niponas más auténticas se sitúan en Post St., donde se pueden contemplar dos esculturas de acero de Ruth Asawa.

Cottage Row ⓫

Plano 4 D4. 🚌 *2, 3, 4, 22, 38.*

Este breve tramo de casitas, uno de los escasos restos de viviendas de la clase trabajadora victoriana de San Francisco, fue construido en 1882, a finales del apogeo inmobiliario de Pacific Heights. Las casas están adosadas, lo que es inusual en San Francisco. La ausencia total de ornamentación y su ubicación, en lo que antaño fue un callejón oscuro y transitado, recuerda su origen obrero. Las casas de

Japan Center de noche

Cottage Row lograron salvarse de la demolición durante el proceso de limpieza de barrios marginales que se llevó a cabo en la década de 1960. Justin Herman emprendió un programa de subvenciones para ayudar a los propietarios a restaurar sus viviendas; salvo una, todas las casas han sido reformadas y miran a un bonito parque urbano.

Cottage Row

Hayes Valley ⓬

Plano 4 E5. 🚌 *21, 22.*

A raíz de los daños que sufrió la autopista 101 en el terremoto de 1989 *(ver p. 18)* y la posterior reconstrucción de la zona, estas manzanas de Hayes St., al oeste del ayuntamiento, se convirtieron en uno de los barrios comerciales más de moda. Finalmente, la carretera fue demolida, lo que alejó de la zona a los agentes de Bolsa y al público de los teatros del Civic Center. Algunos cafés y restaurantes, como Hayes Street Grill y Mad Magda's Russian Tea Room, se concentran en Hayes St. junto a tiendas de muebles de segunda mano. La apertura de galerías de arte y *boutiques* de ropa ha aportado un carácter selecto al barrio.

Alamo Square ⓰

Plano 4 D5. ▦ 21, 22.

La hilera de casas victorianas más fotografiada de San Francisco ocupa el lado este de esta plaza ajardinada, situada unos 68 m por encima del Civic Center. Ofrece una fantástica panorámica del ayuntamiento, con los rascacielos del Financial District al fondo. La plaza se diseñó al mismo tiempo que las dos de Pacific Heights *(ver pp. 72-73)*, pero se urbanizó posteriormente gracias a los especuladores, que construyeron numerosas viviendas prácticamente idénticas.

Las seis casas reina Ana *(ver p. 77)*, construidas en el tramo 710-720 de Steiner St. en 1895, constituyen un buen ejemplo de este estilo. En las calles aledañas a Alamo Square se levantan tantas mansiones victorianas antiguas que han sido declaradas zona de interés histórico.

Iglesia de San Ignacio, campus de la Universidad de San Francisco

University of San Francisco ⓱

2130 Fulton St. **Plano** 3 B5.
Tel 422-5555. ▦ 5, 31, 33, 38, 43.
www.usfca.edu

La Universidad de San Francisco (USF), fundada en 1855 como Colegio de San Ignacio, todavía está dirigida por jesuitas, aunque las clases son mixtas y laicas. El emblema del campus es la iglesia de San Ignacio, completada en 1914. Las torres gemelas se divisan desde cualquier punto de la mitad oeste de San Francisco, especialmente cuando se iluminan por la noche. El campus y el barrio residencial que lo rodea ocupan terrenos que en el pasado integraban el barrio del principal cementerio de San Francisco, en Lone Mountain y las inmediaciones.

LA MÚSICA DE LA DÉCADA DE 1960

Durante los años *flower power* de finales de la década de 1960 y especialmente durante el llamado Verano del Amor de 1967 *(ver p. 32)*, jóvenes de todo el país se desplazaron a San Francisco. Viajaron hasta aquí no sólo para "conectarse, sintonizar y dejarlo todo", sino también para escuchar música. En la escena musical local emergieron grupos como Big Brother, de Janis Joplin, Holding Company, Jefferson Airplane o Greatful Dead, que actuaban en clubes como Avalon Ballroom y el Fillmore Auditorium.

Hippies en un autobús psicodélico

La cantante Janis Joplin
(1943-1970)

Principales escenarios
El Avalon Ballroom, hoy convertido en el teatro Regency II de Van Ness Avenue, fue la primera y más importante sala de rock de la ciudad. Dirigida por Chet Helms y el colectivo Family Dog, fue pionera en la utilización de posters psicodélicos de diseñadores como Stanley Mouse y Alton Nelly. El Fillmore Auditorium, junto al Japan Center *(ver p. 128)*, formó parte de una iglesia. El empresario de rock Bill Graham, de quien recibe su nombre el Civic Auditorium *(ver p. 126)*, lo adquirió en 1965. Graham reunió a parejas tan dispares como Miles Davis y Grateful Dead en el mismo escenario y trajo a artistas de la talla de Jimi Hendrix y The Who. El Fillmore sufrió daños durante el terremoto de 1989, pero volvió a abrir sus puertas en 1994.

Bill Graham también inauguró el Winterland y el Fillmore East. A su muerte en 1992, se había convertido en el promotor de rock con más éxito de EE UU.

HAIGHT ASHBURY Y MISSION DISTRICT

Haight Ashbury se extiende al norte de Twin Peaks, dos colinas azotadas por el viento que se elevan 274 m por encima de la ciudad. Con hileras de casas victorianas tardías *(ver pp. 76-77)*, aquí reside la clase media-alta, a pesar de que lo habitaron miles de *hippies* durante la década de 1960 *(ver p. 129)*. La zona

Imagen de Misión Dolores

de Castro, al este, es el núcleo de la comunidad gay de San Francisco. Conocido por el hedonismo salvaje de la década de 1970, hoy es un lugar más tranquilo, con mucho ambiente en los cafés y comercios. Mission District, más al este, fue fundado por misioneros españoles *(ver p. 22)* y está ocupado por hispanos.

LUGARES DE INTERÉS

Calles y edificios históricos
Castro Street **8**
Clarke's Folly **15**
Dolores Street **10**
Haight Ashbury **2**
Lower Haight
  Neighborhood **5**
Noe Valley **14**
(Richard) Spreckels
  Mansion **3**

Iglesias
Misión
  Dolores **9**

Torres
Sutro Tower **18**

Parques y jardines
Buena Vista Park **4**
Corona Heights Park **6**
Dolores Park **11**
Golden Gate Park
  Panhandle **1**
Twin Peaks **16**
Vulcan Street Steps **17**

Museos y galerías de arte
Carnaval Mural **13**
Mission Cultural Center for
  the Latino Arts **12**

Teatros
Castro Theatre **7**

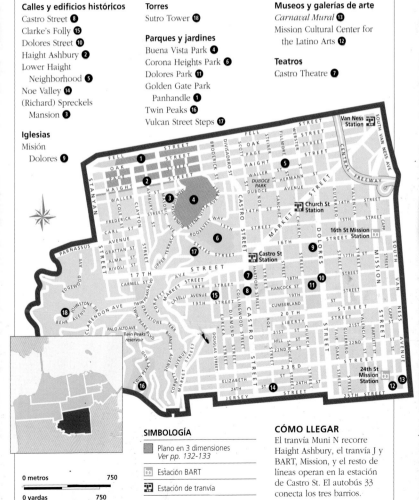

SIMBOLOGÍA

Plano en 3 dimensiones
Ver pp. 132-133

Estación BART

Estación de tranvía

0 metros   750

0 yardas   750

CÓMO LLEGAR
El tranvía Muni N recorre Haight Ashbury, el tranvía J y BART, Mission, y el resto de líneas operan en la estación de Castro St. El autobús 33 conecta los tres barrios.

◁ **Imagen de una calle de Haight Ashbury**

Haight Ashbury en 3 dimensiones

Haight Ashbury, que se extiende desde Buena Vista Park hasta las explanadas de Golden Gate Park, era el lugar al que se acudía para escapar del ajetreo del centro en la década de 1880. Posteriormente se levantó un barrio residencial, y entre las décadas de 1930 y 1960 dejó de ser un barrio de clase media para convertirse en el centro *flower power* del mundo. En la actualidad, es una de las zonas más animadas y liberales de San Francisco, con una mezcla ecléctica de gente, excelentes librerías y tiendas de discos y buenos cafés.

Placa de la fachada de la Free Clinic

Haight Ashbury
En la década de 1960, los hippies se concentraban en este importante cruce, que da nombre al barrio ❷

Wasteland, en el nº 1660 de Haight St., es una original tienda de ropa, curiosidades y muebles de segunda mano situada en un edificio *art nouveau*. Las personas que buscan gangas encuentran muchas cosas interesantes en este comercio poco convencional.

Golden Gate Panhandle
Esta estrecha franja verde se extiende hasta el corazón de Golden Gate Park, al oeste ❶

A la parada de autobús
(nº 7 y 73)

0 metros	100
0 yardas	100

Cha Cha Cha es uno de los locales con más ambiente para comer en San Francisco; sirve comida suramericana *(ver p. 236).*

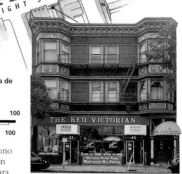

El Red Victorian Bed & Breakfast, reliquia *hippie* de la década de 1960, enfoca su cocina sana y habitaciones a una clientela de la Nueva Ola *(ver p. 218).*

El nº 1220 de Masonic Avenue es una de las numerosas mansiones victorianas construidas sobre la cuesta de una colina situada al sur de Haight St.

PLANO DE SITUACIÓN
Ver callejero, plano 9

CIVIC CENTER

HAIGHT ASHBURY
Y MISSION DISTRICT

OAK STREET

LYON STREET

CENTRAL STREET

MASONIC STREET

BUENA VISTA WEST

★ **(Richard) Spreckels Mansion**
Esta casa señorial, en el nº 737 de Buena Vista Avenue, fue construida en 1897 ❸

RECOMENDAMOS

★ (Richard) Spreckels Mansion

★ Buena Vista Park

★ **Buena Vista Park**
A través de la espesura de árboles, este impresionante parque ofrece vistas magníficas de la ciudad ❹

- - - Itinerario sugerido

A la parada de autobús (nº 37)

Golden Gate Park Panhandle ❶

Plano 9 C1. 🚌 6, 7, 21, 43, 66, 71. 🚇 N.

Este tramo de parque, de una manzana de ancho y ocho de largo, forma la estrecha franja de tierra (*panhandle*) que se adentra en la inmensa explanada rectangular del Golden Gate Park (*ver pp. 142-155*). Fue la primera sección del parque que se ganó a las dunas que rodeaban el oeste de San Francisco, y sus eucaliptos se encuentran entre los más antiguos y grandes de la ciudad. El trazado de los caminos de ruedas y de herradura se remonta a la década de 1870; la clase alta acudía aquí a pasear y montar a caballo. Se construyeron grandes mansiones en las inmediaciones del parque, muchas de las cuales se pueden contemplar en la actualidad. En 1906 se empleó como refugio para las familias que habían perdido su hogar a consecuencia del terremoto (*ver pp. 28-29*). Hoy los antiguos caminos y senderos son recorridos por multitud de gente.

El Panhandle aún se asocia al *flower power* de la década de 1960 (*ver p. 129*), cuando las bandas psicodélicas daban aquí conciertos improvisados.

Concierto del guitarrista Jimi Hendrix

Haight Ashbury ❷

Plano 9 C1. 🚌 6, 7, 33, 37, 43, 66, 71. 🚇 N.

Este distrito, que recibe su nombre del cruce de las dos calles principales, Haight y Ashbury, posee librerías independientes, mansiones victorianas, cafés y modernas *boutiques* de ropa. Tras el reclamo de Golden Gate Park (*ver p. 146*) y la apertura de un gran parque de atracciones llamado The Chutes, se edificó rápidamente un barrio residencial de clase media en la década de 1890, del que se conservan docenas de casas de estilo reina Ana (*ver p. 77*). Haight sobrevivió al terremoto e incendio de 1906 (*ver pp. 28-29*) y experimentó un breve auge seguido de un prolongado periodo de declive.

En 1928, cuando se completó el túnel del tranvía bajo Buena Vista Park, la clase media comenzó un éxodo a los barrios residenciales de Sunset. La zona vivió su momento más bajo en los años posteriores a la II Guerra Mundial. Las grandes mansiones victorianas fueron divididas en apartamentos y los alquileres asequibles atrajeron a una heterogénea población. Hacia la década de 1960, Haight se había convertido en el núcleo de una comunidad bohemia, aunque la zona permaneció relativamente tranquila hasta 1967. Este año, el Verano del Amor (*ver p. 129*), promovido por los medios de comunicación, atrajo a unos 75.000 jóvenes en busca de amor libre, música y droga.

Actualmente, Haight conserva su ambiente inconformista, aunque hay problemas de delincuencia y consumo de drogas. A pesar de ello, aún perdura cierto espíritu del pasado en los agradables cafés o en las tiendas de ropa de segunda mano.

Restaurante Cha Cha Cha, Haight Street

Mansión construida para Richard Spreckels

(Richard) Spreckels Mansion ❸

737 Buena Vista West. **Plano** 9 C2. 🚌 6, 7, 37, 43, 66, 71. ⚫ al público.

Esta casa no debe confundirse con la mansión Spreckels de Washington St. (*ver p. 72*), de un tamaño mayor, aunque también fue construida por el millonario *rey del azúcar* Claus Spreckels. Esta residencia de estilo reina Ana (*ver p. 77*) data de 1897 y constituye un típico ejemplo de vivienda tardovictoriana. En el pasado fue un estudio de grabación, posteriormente una casa de huéspedes, y hoy es de propiedad particular. Entre sus habitantes destacados se encuentran el periodista Ambrose Bierce, y el novelista Jack London, que escribió aquí *Colmillo blanco* en 1906.

La mansión está situada en una colina cercana a Buena Vista Park, y en las inmediaciones hay hileras de casas victorianas, muchas de ellas bien preservadas. Una de éstas está situada a una manzana, en el nº 1450 de Masonic St.; se trata de una casa con cúpula bulbosa, una de las más singulares de las numerosas estructuras construidas en Haight desde la década de 1890.

Buena Vista Park ❹

Plano 9 C1. 🚌 *6, 7, 37, 43, 66, 71.*

Buena Vista Park se eleva abruptamente 18 m sobre el centro de San Francisco. Su trazado original se remonta a 1894. Un conjunto de senderos serpentea desde Haight St. hasta la cima, donde un espeso bosque enmarca las vistas de la bahía. Muchos de los paseos están cubiertos de vegetación o erosionados, pero existe un camino pavimentado desde Buena Vista Avenue hasta la cima. Se recomienda evitar el parque de noche.

Lower Haight Neighborhood ❺

Plano 10 D1. 🚌 *6, 7, 22, 66, 71.* 🚃 *K, L, M, N, T.*

Lower Haight es un área de transición, a medio camino entre el ayuntamiento y Haight Ashbury, que marca el límite sur del Fillmore District. A mediados de la década de 1980 comenzaron a abrir aquí galerías de arte y *boutiques*, incluida la tienda Used Rubber USA, que vende ropa y complementos confeccionados con goma reciclada. Estos comercios se añadieron a los cafés, bares y restaurantes asequibles que ya existían y que eran frecuentados por una clientela burguesa. De esta combinación ha surgido uno de los barrios más animados de San Francisco.

Lower Haight, como la cercana Alamo Square *(ver p. 129)*, posee docenas de casas

LEVI STRAUSS Y SUS VAQUEROS

Levi Strauss

Fabricados por primera vez en San Francisco durante la fiebre del oro *(ver pp. 24-25)*, los vaqueros de algodón han arraigado profundamente en la cultura popular. Uno de los principales fabricantes es Levi Strauss & Co., que se fundó en la ciudad en la década de 1860. La historia de esta empresa se remonta a 1853, cuando Levi Strauss se marchó de Nueva York para abrir una sucursal del negocio de confección familiar de San Francisco. En la década de 1860, fue el primero en emplear la fuerte tela azul para fabricar pantalones de trabajo que vendía a los mineros. En la década de 1870 su empresa comenzó a utilizar remaches metálicos para reforzar las costuras de las prendas, lo que provocó un aumento de la demanda. La compañía creció y a principios del siglo XX se trasladó al nº 250 de Valencia St., donde permaneció hasta 2002. Los vaqueros de Levi se fabrican en todo el mundo, y la empresa continúa siendo propiedad de sus descendientes.

Dos mineros con vaqueros Levis en la mina Last Chance, 1882

victorianas *(ver pp. 76-77)* que se construyeron entre la década de 1850 y principios de 1900. Entre ellas se cuentan algunas viviendas pintorescas como Nithingale House, en el nº 201 de Buchanan St., que data de la década de 1880.

Los proyectos urbanísticos de la década de 1950 rebajaron la categoría de la zona, segura durante el día pero que, como Alamo Square, puede resultar peligrosa de noche.

Corona Heights y Randall Museum ❻

Plano 9 D2. **Tel** 554-9600. 🚌 *24, 37.* **Randall Museum Animal Room** 199 Museum Way. ⏰ *10.00-17.00 ma.-sá.* 🔴 *festivos.* ♿ *parcial.* **www**.randallmuseum.org

Corona Heights Park es un cerro rocoso sin urbanizar. En una de su caras cuelga un original museo infantil, el Museo de Animales Randall, en el que habitan mapaches, lechuzas, serpientes y otros ejemplares. Presta especial atención a la participación, y ofrece numerosas actividades y talleres.

Los niños también pueden disfrutar escalando por los promontorios escarpados del parque. Corona Heights fue agujereado para hacer ladrillos en el siglo XIX. Su cima de roca rojiza desnuda ofrece un panorama despejado de la ciudad y el este de la bahía, incluidas las sinuosas calles de Twin Peaks.

Vista de Misión, desde Corona Heights

Castro Theatre ❼

429 Castro St. **Plano** 10 D2. *Tel 621-6120.* 24, 33, 35, 37. F, K, L, M, T. Ver *Tiempo de ocio* p. 240. **www**.thecastrotheatre.com

Finalizada en 1922, esta marquesina iluminada con un neón es una institución en Castro St. Se trata de las salas de cine más esplendorosas y mejor conservadas de San Francisco. Fue uno de los primeros proyectos del arquitecto Timothy Pflueger. Merece la pena pagar la entrada para apreciar el lujoso interior palaciego, que incluso cuenta con un órgano Wurlitzer que se puede ver entre sesión y sesión. El techo del patio de butacas es digno de mención: está esculpido con escayola y está cubierto con telas, cuerdas y borlas. Posee un aforo para 1.500 personas y ofrece reestrenos de películas clásicas. También acoge el festival de cine de gays y lesbianas, que se celebra en junio *(ver p. 43)*.

El histórico Castro Theater

Castro Street ❽

Plano 10 D2. 24, 33, 35, 37. F, K, L, M, T.

El barrio de colinas que se extiende en las inmediaciones de Castro St., entre Twin Peaks y Mission District, constituye el centro de la comunidad homosexual de San Francisco. En el cruce de Castro St. y 18th St. se sitúan las denominadas "cuatro esquinas más gays del mundo", un punto de encuentro homosexual en la década de 1970. Los gays de la generación *flower power* se trasladaron a este barrio, predominantemente obrero, comenzaron a restaurar las casas victorianas y abrieron negocios como la librería A Different Light, en el nº 489 de Castro St. También inauguraron bares para homosexuales, como Twin Peaks, en la esquina de Castro St. y 17th St. A diferencia de los locales de antaño, donde gays y lesbianas se ocultaban en rincones oscuros, el Twin Peaks instaló grandes ventanales. Aunque los numerosos comercios y restaurantes atraen a todo tipo de clientela, la identidad claramente homosexual de Castro lo ha convertido en un lugar de peregrinación para gays y lesbianas. Para ellos simboliza la libertad que, lamentablemente, no se encuentra en algunas otras ciudades. Harvey Milk, la primera figura política reconocidamente homosexual, recibía el apodo de *alcalde de Castro St.* hasta que fue asesinado el 28 de noviembre de 1978. La indulgente condena al ex policía asesino de éste y del alcalde George Moscone provocó disturbios en la ciudad. A Milk se le recuerda con una placa conmemorativa en la puerta de la estación Muni de Market St. y con un desfile anual con velas desde Castro St. hasta el ayuntamiento.

Vista de Castro Street

EL PROYECTO NAMES

Colcha conmemorativa del sida, expuesta en Washington en 1992

La colcha conmemorativa del sida del proyecto NAMES fue concebida por el defensor de los derechos de los homosexuales de San Francisco Cleve Jones, que organizó el primer paseo con velas en memoria de Harvey Milk en Castro St. en 1985. Jones y sus compañeros escribieron en carteles los nombres de todos los amigos que habían fallecido víctimas del sida, y los pegaron en el Federal Building de San Francisco. La imagen del *collage* de pancartas le sirvió de inspiración a Jones para crear en 1987 el primer trozo de la colcha conmemorativa del sida. La respuesta de la ciudadanía fue inmediata. En la actualidad, consta de 60.000 piezas, algunas cosidas individualmente y otras por las llamadas abejas costureras (amigos y familiares que se reúnen en homenaje a una persona fallecida por el sida). Las piezas sólo tienen en común el tamaño (90 por 180 cm); el diseño, los colores y el material en el que están confeccionadas reflejan la vida y la personalidad de la persona conmemorada. En 2002 la colcha fue trasladada de San Francisco a una sede permanente en Atlanta, Georgia.

Misión Dolores ❾

16th St. y Dolores St. **Plano** 10 E2.
📞 621-8203. 🚌 22. 🚃 J.
🕐 8.00-12.00 todos los días, 13.00-16.00 lu-vi. 🎫 Día de Acción de Gracias, 25 dic. 🏛 📷
♿ 🏠 www.
missiondolores.org

La misión Dolores, que se conserva intacta desde su construcción en 1791, es el edificio más antiguo de la ciudad y el máximo ejemplo de las raíces religiosas de las colonias españolas en San Francisco (ver pp. 22-23). Fundada por fray Junípero Serra, un monje franciscano, recibe el nombre oficial de la misión de San Francisco de Asís; la de-nominación de Dolores obedece a su proximidad a la laguna de los Dolores. El aspecto es modesto en relación con otras misiones pero los muros, de 1,4 m de grosor, se han conservado a lo largo de los años casi intactos. El techo está decorado con pinturas realizadas por indios americanos.

Contiene un notable altar barroco y un retablo, así como un pequeño museo (ver p. 39) con documentos históricos. La mayoría de los servicios se celebra en la basílica, que fue erigida junto a la misión origi-

Imagen de un santo, misión Dolores

nal en 1918. El cementerio alberga tumbas de las personalidades de San Francisco desde el periodo de los pioneros. La estatua que señalaba una fosa común de 5.000 indios, la mayoría fallecidos en las grandes epidemias de sarampión en 1804 y 1826, fue robada en 1826 y lo único que se conserva es un pedestal que reza: En solemne memoria de nuestros fieles indios.

El retablo pintado y dorado fue importado de México en 1780.

La estatua de fray Junípero Serra, fundador de la misión, es una reproducción de la obra del escultor local Arthur Putnam.

El mural de cerámica es una creación de Guillermo Granizo, un artista oriundo de San Francisco.

Museo y exposición

Las pinturas del techo se basan en diseños originales de Ohlone con empleo de tintes vegetales.

Acceso para discapacitados

El cementerio de la misión ocupaba en su origen muchas calles. Algunos de los hitos de madera de las tumbas más antiguas han desaparecido, pero la gruta de Lourdes conmemora a los difuntos olvidados.

Estatua de nuestra señora del monte Carmelo

Entrada y tienda de recuerdos

La fachada de la misión posee cuatro columnas que sustentan las hornacinas de las tres campanas, que están grabadas con sus nombres y fechas.

Escultura conmemorativa de la guerra hispano-estadounidense

Dolores Street ⑩

Plano 10 E2. 🚌 22, 33, 48. 🚃 J.

Dolores St., jalonada por casas tardovictorianas cuidadosamente conservadas *(ver pp. 76-77)*, constituye uno de los espacios públicos más atractivos de San Francisco. Este bulevar se extiende en sentido paralelo a Mission St. a lo largo de 24 manzanas, marcando el límite oeste de Mission District. Comienza en Market St., donde se alza la imponente Casa de la Moneda de EE UU junto a una estatua en recuerdo de los soldados de la guerra hispano-estadounidense.

Mission High School, con los muros blancos y cubierta de tejas rojas de la arquitectura misionera, así como misión Dolores *(ver p. 137)*, se hallan en Dolores St. La calle acaba cerca del próspero Noe Valley.

Dolores Park ⑪

Plano 10 E3. 🚌 22, 33. 🚃 J.

Este parque, en su origen emplazamiento del principal cementerio judío de la ciudad, fue transformado en 1905 en uno de los escasos grandes espacios públicos de Mission District. Flanqueado por las calles Dolores, Church, 18th y 20th, se alza sobre una colina con bonitas vistas del centro.

De día, es un popular lugar donde jugar y pasear, pero de noche se trafica con drogas. Las calles situadas por encima del parque, al sur y oeste, son tan empinadas que muchas se convierten en escalinatas. Aquí se ubican algunas de las casas victorianas más espléndidas de la ciudad, especialmente en Liberty St.

Mission Cultural Center for the Latino Arts ⑫

2868 Mission St. **Plano** 10 F4. *Tel 821-1155 (eventos: 643-5001).* 🚌 14, 26, 48, 49. 🚃 J. **Galería** ◷ 10.00-16.00 ma-sá. ♿ **www**.missionculturalcenter.org

Este dinámico centro de artes está orientado a la población latina de Mission District. Organiza clases y talleres para todas las edades y acoge representaciones y exposiciones. El acontecimiento más importante es el desfile con el que se celebra en noviembre el Día de los Muertos *(ver p. 50)*.

'Carnaval Mural' ⑬

24th St. y South Van Ness Ave. **Plano** 10 F4. 🚌 12, 14, 48, 49, 67. 🚃 J.

Esta obra, uno de los numerosos murales pintados con vivos colores que se pueden ver en Mission District, está dedicada a la gente que se reúne para celebrar el carnaval *(ver p. 48)*. Este evento, que se celebra a finales de primavera, constituye una de las citas imprescindibles del año.

Algunas asociaciones *(ver p. 257)* organizan visitas guiadas para contemplar otros murales. También existe una galería con murales al aire libre en Balmy Alley *(ver pp. 140-141)*.

Noe Valley Ministry

Noe Valley ⑭

🚌 24, 35, 48. 🚃 J.

Los residentes de Noe Valley, al que denominan como el valle de Ninguna Parte, desean permanecer ajenos al turismo. Se trata de un agradable barrio residencial donde viven profesionales jóvenes. Debe su nombre al propietario original del terreno, José Noe, el último alcalde de la Yerba Buena mexicana. La zona se urbanizó en la década de 1880 tras la construcción de la línea del tranvía en Castro Street Hill. Como muchas otras partes de San Francisco, este antaño barrio obrero sufrió un aburguesamiento en la década de 1970, cuyo resultado es la interesante mezcla de *boutiques*, bares y restaurantes. Noe Valley Ministry, en el nº 1021 de Sanchez St., es una iglesia presbiteriana de estilo neorrománico *(ver p. 77)* de finales de la década de 1880. Fue convertida en un centro social en la década de 1970.

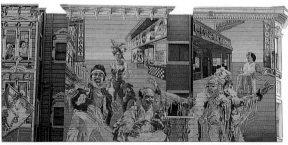

Detalle del *Carnaval Mural*

Clarke's Folly

250 Douglass St. **Plano** 10 D3.
33, 35, 37, 48. *al público.*

En su origen, esta resplande-
ciente casa solariega blanca
estaba rodeada por una amplia
finca. Fue construida en 1892
por Alfred Clarke, conocido
como Nobby, que trabajó en
el departamento de policía de
San Francisco. Se dice que la
mansión costó 100.000 $, una
suma colosal en la década de
1890. En la actualidad está
dividida en apartamentos particulares. Las torretas y otros
elementos la convierten en un
evocador ejemplo de la arquitectura de la época victoriana.

Vista de la ciudad y de Twin Peaks Boulevard desde la cima de Twin Peaks

Twin Peaks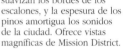

Plano 9 C4. 33, 36, 37.

Estas dos colinas se conocían
antiguamente como el Pecho
de la Chola (india mestiza).
En la cima se extiende un
paraje natural con laderas de
hierba pronunciadas, desde
donde se puede disfrutar de
una magnífica vista de todo
San Francisco.

Twin Peaks Boulevard cir-
cunda las cimas de ambas
colinas; también hay un aparcamiento y un mirador para
contemplar la ciudad. Aquellos que estén dispuestos a
subir el empinado camino
que conduce hasta la cima
podrán dejar atrás a la gente
y contemplar un panorama
de 360°. Los
barrios residen-
ciales de
los alrededo-
res tienen

calles sinuosas que serpentean por los bordes de las
laderas en lugar de seguir el
trazado cuadricular, más
común en San Francisco.

Vulcan Street Steps

Vulcan St. **Plano** 9 C2. 37.

Aparte de una diminuta figura
de Spock sobre un buzón de
correos, no existe relación
alguna entre la popular serie
Star Trek y esta manzana de
casas casi rurales que cuelga
entre Ord St. y Levant St. Da
la impresión de que las escaleras de Vulcan St., similares a
Filbert Steps, en Telegraph
Hill *(ver p. 93)*, se
encuentran a años

luz de las concurridas calles de
Castro District, más abajo. Las
pequeñas huertas y jardines
de las casas se derraman y
suavizan los bordes de los
escalones, y la espesura de los
pinos amortigua los sonidos
de la ciudad. Ofrece vistas
magníficas de Mission District.

Sutro Tower

Plano 9 B3. 36, 37. *al público.*

La Sutro Tower mide 290 m
de altura. Recibe el nombre
del filántropo y terrateniente
local Adolph Sutro, y en ella
están instaladas las antenas de
la mayoría de las tele-
visiones y emisoras de
radio de San Francisco.
Construida en
1973, se sigue utili-
zando bastante a pesar
del aumento de las
redes por cable. La
torre se divisa desde
cualquier punto de la
bahía y en ocasiones
parece flotar sobre las
brumas estivales que
avanzan desde el mar.
Hacia el norte,
crecen densas
masas de euca-
liptos, que plan-
tó Adolph Sutro
en la década de
1880; se extien-

Sutro Tower

den hacia el sur hasta el campus del centro médico de la
Universidad de California,
uno de los hospitales-
escuela más prestigiosos
de Estados Unidos.

Clarke's Folly

Murales de San Francisco

San Francisco se enorgullece de su reputación como urbe cosmopolita y de gran riqueza cultural, cualidades evidentes en las elaboradas pinturas que decoran diferentes puntos de la ciudad. Muchos se crearon en la década de 1930, y otros muchos, en la década de 1970, algunos por iniciativa individual y otros por encargo. Uno de los mejores es el *Carnaval Mural* de 24th St., en Mission District *(ver p. 138).* A continuación se reseñan otros ejemplos.

Mural de Balmy Alley

503 Law Office, entre Dolores St. y 18th St.

PASADO Y PRESENTE

Algunos de los mejores ejemplos del arte mural de San Francisco se pueden apreciar en la Coit Tower, que alberga una serie de paneles, realizados en el marco del programa New Deal del presidente Roosevelt durante la Gran Depresión de la década de 1930. En la obra participaron numerosos artistas locales, y los temas versan sobre las luchas de la clase obrera y la riqueza de recursos de California. Desde entonces la ciudad se ha decorado con murales modernos, de los cuales los más notables son los del Precita Eyes Mural Arts Studio.

Detalle de mural de la Coit Tower que ilustra la riqueza de recursos de California

Mural de la Coit Tower, que recoge la vida durante los años de la depresión

Precita Eyes Mural Arts Association *es una organización comunitaria que busca promover el arte mural a través de proyectos de colaboración. También promocionan los nuevos murales de artistas consagrados y organizan rutas muralistas por San Francisco.*

Mosaico mural (2007) de Precita Eyes, escuela Hillcrest

Balloon Journey, Precita Eyes

Este mural *fue diseñado y ejecutado por los estudiantes de AYPAL (Asian Pacific Islander Youth Promoting Advocacy and Leadership) en 2007, en asociación con Precita Eyes. La organización dirige numerosas tiendas-taller juveniles, que producen entre 15 y 30 murales nuevos cada año. Los visitantes pueden contemplar algunos de sus ejemplos a lo largo de la bahía.*

Stop the Violence, en 1212 Broadway #400, Oakland

LA ACTUALIDAD

La vida en la metrópoli es uno de los temas principales del arte mural en San Francisco tanto ahora como en la década de 1930. En Mission District, todos los aspectos del día a día decoran las paredes de bancos, escuelas y restaurantes, con escenas familiares, de la comunidad y de activismo político. Mission District posee unos 200 murales, muchos de los cuales se pintaron en la década de 1970 gracias a un plan municipal que pagaba a los jóvenes para que creasen obras de arte públicas. La Comisión de Arte de San Francisco continúa promoviendo los murales.

Golden Gate Bridge

Palacio de Bellas Artes

Tranvía

BART

Turistas

Este mural de Balmy Alley *ofrece una visión de la ciudad desde la perspectiva de los turistas. Este callejón, situado en Mission District, está decorado con numerosos y vívidos murales, que comenzaron a pintar niños, artistas y obreros del barrio en la década de 1970. Hoy, estas obras concitan el interés turístico.*

Learning Wall, en Franklin St.

Positively Fourth Street, un mural deslustrado de Fort Mason

LA CIUDAD MULTICULTURAL

El legado de diversidad y tolerancia de San Francisco cobra vida en los murales que alegran sus barrios étnicos. En Chinatown, los artistas chinoamericanos evocan recuerdos de su antiguo país. Mission District está repleto de arte, a veces de índole política, dedicado a las luchas y logros de la población mexicana y suramericana.

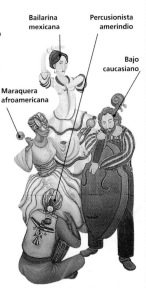

Bailarina mexicana

Percusionista amerindio

Bajo caucasiano

Maraquera afroamericana

La diversidad cultural de San Francisco *se celebra en Park Branch Library, Haight Ashbury.*

Mural de Washington St. con una escena de la vida en China

DÓNDE ENCONTRAR LOS MURALES

Balmy Alley. **Plano** 11 A5
Clarion Alley. **Plano** 10 F2
Coit Tower *p. 93*
Dolores and 18th St. **Plano** 10 E3
Fort Mason *pp. 74-75*
Franklin Street. **Plano** 4 E1
Oakland *p. 164*
Park Branch Library
    1833 Page St. **Plano** 9 B1
Precita Eyes Mural Arts Studio
    348 Precita Ave. **Plano** 10 F5
Washington Street. **Plano** 11 A2

GOLDEN GATE PARK
Y LAND'S END

Las tres sombras, de Auguste Rodin, Legion of Honor

Al sur de Richmond District se extiende el Golden Gate Park, una obra maestra del paisajismo creada en la década de 1890 sobre un páramo arenoso. Aquí pocas son las plantas que crecen por casualidad: los árboles se han plantado para atenuar los continuos vientos. Todos los arbustos y matorrales se han escogido para garantizar el color durante todo el ciclo de estaciones. El parque, atravesado por caminos, acoge instalaciones deportivas y tres importantes museos. Al norte y oeste del barrio de Richmond, hay más zonas verdes, que conectan con la Coastal Trail (Ruta Costera), el lugar donde el escarpado Land's End, escenario de tantos naufragios, se baña en el mar. El Lincoln Park, con un campo de golf, ofrece un fuerte contraste.

LUGARES DE INTERÉS

Museos
California Academy of Sciences pp. 150-151 **2**
de Young Museum **4**
The Legion of Honor **16**

Parques y jardines
Buffalo Paddock **12**
Invernadero de flores **8**
Japanese Tea Garden **3**
Land's End **18**
Lincoln Park **17**
Ocean Beach **14**
Parque infantil **6**
Polo Fields **11**
Queen Wilhelmina Tulip Garden **13**
Seal Rocks **15**
Shakespeare Garden **1**
Stow Lake **10**
Strybing Arboretum **9**

Edificios históricos
Cliff House **19**
Columbarium **7**
McLaren Lodge **5**

SIMBOLOGÍA

Plano en 3 dimensiones
Ver pp. 144-145

CÓMO LLEGAR
Los tranvías y autobuses Muni circulan por el barrio. El autobús 44 recorre la zona de Golden Gate Park cerca del Music Concourse. Para dirigirse al lado este del parque hay que tomar los autobuses 5, 7, 21 o 71, o el tranvía N; el autobús 73 se dirige al lado sur. El nº 18 llega hasta Lincoln Park, Land's End y Cliff House. El autobús 38 circula hasta Point Lobos.

0 metros   1000

0 yardas   1000

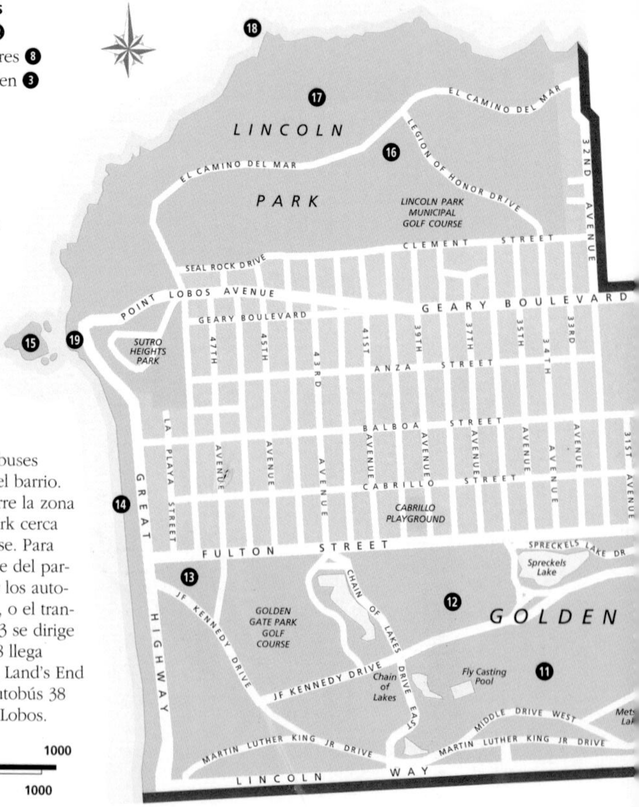

LINCOLN PARK

EL CAMINO DEL MAR
LEGION OF HONOR DRIVE
32ND AVENUE

LINCOLN PARK MUNICIPAL GOLF COURSE

CLEMENT STREET

SEAL ROCK DRIVE

POINT LOBOS AVENUE
GEARY BOULEVARD

SUTRO HEIGHTS PARK

GEARY BOULEVARD
47TH
45TH
43RD
41ST
39TH
37TH
35TH
33RD
34TH
31ST AVENUE

ANZA STREET

BALBOA STREET

LA PLAYA AVENUE

AVENUE
CABRILLO STREET
CABRILLO PLAYGROUND

GREAT HIGHWAY
FULTON STREET

JF KENNEDY DRIVE

GOLDEN GATE PARK GOLF COURSE

CHAIN OF LAKES DRIVE
Chain of Lakes

SPRECKELS LAKE DR
Spreckels Lake

GOLDEN

Fly Casting Pool

JF KENNEDY DRIVE

MARTIN LUTHER KING JR DRIVE
MIDDLE DRIVE WEST
MARTIN LUTHER KING JR DRIVE

LINCOLN WAY

Arquitectura distintiva del de Young Museum en Golden Gate Park

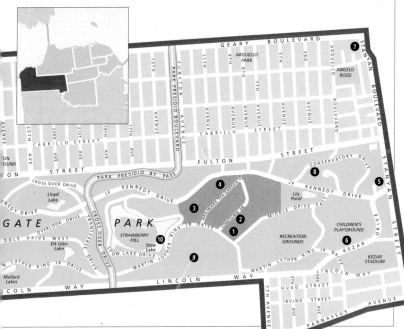

Golden Gate Park en 3 dimensiones

Farol del Japanese Tea Garden

Golden Gate Park constituye uno de los parques urbanos mayores del mundo. Se extiende desde el océano Pacífico hasta el centro de San Francisco, en un oasis de vegetación y tranquilidad. En el parque se pueden realizar innumerables actividades, tanto deportivas como culturales. El área ajardinada de las inmediaciones del recinto de música, con fuentes, plátanos y bancos, es la zona más popular. Se celebran conciertos gratuitos los domingos en el Spreckels Temple of Music. A los lados del recinto se levantan dos museos. El jardín Japonés y el de Shakespeare se encuentran a un breve paseo.

★ **de Young Museum**
Este importante museo moderno exhibe objetos de todo el mundo, entre los que destaca esta cómoda, realizada en Filadelfia en 1780.

El gran Buda, de casi 3 m de alto, es posiblemente la estatua mayor de este tipo situada fuera de Asia.

HAGIAWARA TE

Japanese Tea Garden
Este jardín, con un cuidado trazado, conforma una de las secciones más bonitas del parque ❸

MARTIN LUTHER KING DRIVE

El busto de Verdi refleja la pasión de la ciudad por la ópera.

El puente del Japanese Tea Garden se conoce como puente de la Luna. Se arquea pronunciadamente y el reflejo sobre el agua forma un círculo perfecto.

El Spreckels Temple of Music es una estructura ornamental para bandas de música que acoge conciertos todos los domingos desde 1899.

RECOMENDAMOS

★ de Young Museum

★ California Academy of Sciences

0 metros	80
0 yardas	80

El busto de Miguel de Cervantes fue esculpido por Jo Mora. Aparece acompañado por don Quijote y Sancho Panza.

PLANO DE SITUACIÓN
Ver callejero, plano 8

Océano Pacífico

PRESIDIO

GOLDEN GATE PARK Y LAND'S END

La estatua *Prensa de sidra,* del escultor Thomas Shields-Clarke, es uno de los escasos monumentos que se conservan de la feria de invierno de California de 1894.

El valle de Rododendros de John McLaren se plantó en memoria del encargado de Golden Gate Park *(ver p. 146).*

EN DRIVE

★ **California Academy of Sciences**
Este complejo aúna un acuario, un planetario, un museo e instalaciones de investigación (ver pp. 150-151) ❷

El recinto de música, una sección de jardines formales con fuentes, bancos y árboles, es el marco de representaciones de ópera en verano *(ver p. 264).*

Shakespeare Garden
Este diminuto jardín alberga más de 150 plantas, todas ellas mencionadas en los poemas u obras de Shakespeare ❶

SIMBOLOGÍA

− − − Itinerario sugerido

Fundación de Golden Gate Park

A medida que San Francisco crecía y prosperaba en la década de 1860, los ciudadanos demandaron espacios de ocio, entre los cuales destaca este gran parque urbano, que solicitaron en 1865. En Nueva York se había construido recientemente Central Park, que marcó un estilo creado, en gran parte, por el paisajista Frederick Law Olmsted. El alcalde de San Francisco, H. P. Coon, solicitó los servicios de Olmsted para trabajar en un páramo abandonado, situado al oeste de la ciudad y a orillas del océano Pacífico, que se conocía como las tierras de las afueras.

William H. Hall

John McLaren

Obtención del terreno

Los arquitectos municipales solicitaron los servicios de un topógrafo e ingeniero llamado William Hammond Hall, que ya contaba con cierta experiencia en ganar terreno a las dunas en las tierras de las afueras. En 1870 aplicó sus métodos a Golden Gate Park y fue nombrado primer encargado del parque en 1871. Comenzó el proyecto en el extremo este, trazando caminos e intentando crear un paisaje natural en la medida de lo posible. El futuro parque no tardó en adquirir popularidad; las familias venían a pasar el día y los jóvenes dandis frecuentaban las carreras de carruajes.

Ciclistas en Golden Gate Park

no llegar a buen puerto debido a la corrupción pública. Durante la década de 1870, los funcionarios municipales desviaron fondos públicos y el presupuesto disminuyó en repetidas ocasiones. En 1876, Hall fue acusado injustamente de corrupción y dimitió en protesta. El parque entró en un periodo de declive, pero, tras una década de abandono, se le solicitó a Hall que asumiera la tarea de gestionarlo. La persona que eligió como encargado fue un escocés llamado John McLaren, que estaba

Incertidumbre en el proyecto

A pesar del éxito del parque, el proyecto estuvo a punto de

de acuerdo con Hall en que un parque debía ser lo más natural posible. Plantó miles de árboles, bulbos, flores y arbustos, seleccionados con la intención de que hubiese floraciones todos los meses. Además, importó plantas exóticas que crecieron bajo su supervisión, a pesar de la mala calidad del suelo y el clima brumoso. McLaren dedicó toda su vida al parque, enfrentándose personalmente a la amenaza de los constructores. Falleció a los 93 años, tras 53 de profesión.

El parque actual

El parque aún conserva el estilo originario de McLaren y Hall, pero hoy está salpicado de edificios. A pesar de sus protestas, en 1984, la feria de invierno de California se inauguró en lo que hoy es el recinto de música. Aunque la presión urbana se mantuvo durante el siglo XX, el parque es fiel a su propósito inicial: un lugar donde escapar del ajetreo urbano.

Feria de invierno de California de 1894

Shakespeare Garden

Shakespeare Garden ❶

Music Concourse, Golden Gate Park. **Plano** 8 F2. 🚌 *44.* 📷

Los jardineros han intentado cultivar aquí todas las plantas mencionadas en las obras de William Shakespeare. Algunas citas del autor están grabadas en placas situadas al final del jardín. También se puede contemplar una vitrina con un busto de Shakespeare del siglo XIX; si no se puede acceder, hay que preguntar en el Lodge.

California Academy of Sciences ❷

Ver pp. 150-151.

Japanese Tea Garden ❸

Music Concourse, Golden Gate Park. **Plano** 8 F2. **Tel** 752-4227. 🚌 *44.* ⬜ *mar-oct: 9.00-18.00 todos los días; nov-feb: 9.00-16.45 todos los días.* 🎟 📷 💻 🚻

Creado por el marchante de arte George Turner Marsh para la feria de invierno de California en 1894 *(ver p. 146)*, este jardín fue un espacio muy popular. La mejor época para visitarlo es abril cuando florecen los cerezos. El puente de la Luna, muy arqueado, forma un impresionante reflejo circular en el estanque. En lo alto de las escaleras del jardín se encuen-

tra un buda de bronce senta-do, la mayor estatua de este tipo situada fuera de Asia; fue fabricada en Japón en 1790.

de Young Museum ❹

50 Tea Garden Drive, Golden Gate Park. **Plano** 8 F2. **Tel** 863-3330. 🚌 *5, 21, 44.* 🚇 *N.* ⬜ *9.30-17.15 todos los días (hasta las 20.45 vi).* 🎟 *gratis 1er ma de mes.* ♿ **www**.thinker.org

Fundado en 1895, el Museo de Young es uno de los mejores de la ciudad. En 1989 el edificio sufrió daños a consecuencia de un terremoto y fue clausurado. El museo volvió a abrir sus puertas en 2005. Contiene gran cantidad de arte americano, africano y de Oceanía.

McLaren Lodge ❺

Cerca del cruce de Stanyan St. y Fell St., en el lado este del parque. **Plano** 9 B1. **Tel** 831-2700. ⬜ *8.00-17.00 lu-vi.* 🚌 *7, 21.*

Esta villa, diseñada por Edward Swain, fue construida en 1896. El encargado del parque, John McLaren, vivió aquí con su familia hasta su muerte en 1943. Su retrato cuelga en una de las paredes, y cada diciembre se ilumina el ciprés de la puerta con luces de colores en su memoria. Hoy el refugio acoge una oficina del parque, donde se facilitan planos.

Puerta del Japanese Tea Garden

Parque infantil ❻

Kezar Drive, junto a 1st Ave. **Plano** 9 A1. 🚌 *5, 7, 71.* 🚇 *N.* *No se admiten adultos salvo si van acompañados de niños.*

Se trata del parque infantil más antiguo de Estados Unidos, y sirvió como modelo para muchos otros parques posteriores. En 1978 se reformó con cajones de arena, columpios, grandes toboganes y una fortaleza para escalar. El tiovivo de Herschell-Spillman se encuentra instalado en una estructura de inspiración griega que data de 1892.

Interior del Columbario

Columbarium ❼

1 Loraine Court. **Plano** 3 B5. **Tel** 752-7891. 🚌 *33, 38.* ⬜ *9.00-17.00 lu-vi, 10.00-15.00 sá-do.* ⬛ *1 ene, Día de Acción de Gracias y 25 dic.* 📷 ♿ *sólo planta baja.*

El Columbario de San Francisco es el único superviviente del antiguo cementerio de Lone Mountain, que antaño cubría grandes secciones de Richmond District. La mayor parte de los restos fueron trasladados a Colma en 1914. Esta rotonda neoclásica alberga los restos de 6.000 personas dispuestos en urnas. En desuso durante varias décadas, fue rescatado y restaurado por la Neptune Society en 1979. El ornamentado interior está cubierto por una cúpula y presenta preciosas vidrieras. Los pasadizos que circundan la cúpula son notables por su acústica.

Tiovivo, parque infantil de Golden Gate Park ▷

California Academy of Sciences ❷

La Academia de Ciencias de California volvió a su ubicación permanente en Golden Gate Park a finales de 2008. El edificio, que alberga el acuario Steinhart, el planetario Morrison y el Kimball Natural History Museum, combina una innovadora arquitectura verde con unos espacios flexibles para exposiciones. En el corazón del edificio hay una encantadora plaza con vistas excelentes sobre Golden Gate Park.

Pingüino en la sala Africana

Un niño y un guía observan un caimán

GUÍA DEL MUSEO

Las exposiciones del acuario Steinhart están dispersas por todo el museo, pero la mayoría de los tanques se encuentra en el sótano, bajo la Piazza. Un auditorio sobre el café acoge exposiciones temporales, así como representaciones especiales. En la parte trasera del edificio se encuentra la colección del museo, con más de 20 millones de especies, junto con las oficinas y los laboratorios.

Pantano

Tanque de arrecifes de coral

Tiburones

Planetario Morrison
Exposiciones modernas y tecnología digital para transformar el techo en un cielo nocturno.

DISTRIBUCIÓN POR SALAS

- Sala Africana
- Kimball Natural History Museum
- Planetario Morrison
- Selvas del mundo
- Acuario Steinhart
- Tanques del acuario
- Espacio sin exposiciones

Sala Africana
Aquí se muestran figuras realistas de animales de las junglas y sabanas africanas en un diorama que imita su entorno natural.

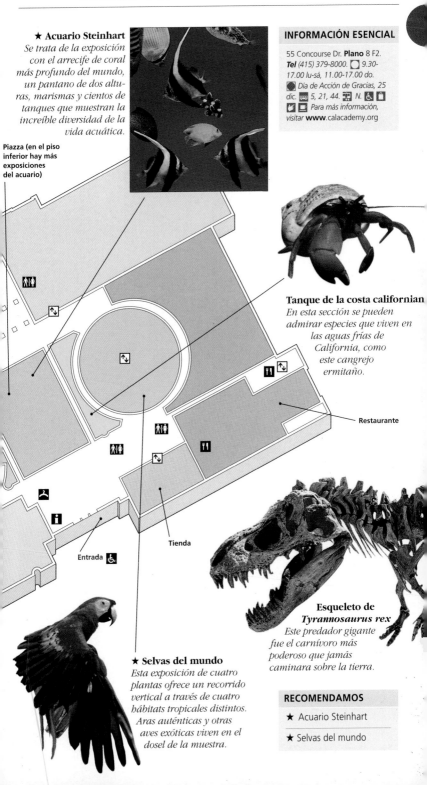

★ **Acuario Steinhart**
Se trata de la exposición con el arrecife de coral más profundo del mundo, un pantano de dos alturas, marismas y cientos de tanques que muestran la increíble diversidad de la vida acuática.

Piazza (en el piso inferior hay más exposiciones del acuario)

INFORMACIÓN ESENCIAL

55 Concourse Dr. **Plano** 8 F2.
Tel (415) 379-8000. 9.30-17.00 lu-sá, 11.00-17.00 do.
 Día de Acción de Gracias, 25 dic. 5, 21, 44. N.
   Para más información, visitar **www**.calacademy.org

Tanque de la costa californiana
En esta sección se pueden admirar especies que viven en las aguas frías de California, como este cangrejo ermitaño.

Restaurante

Tienda

Entrada

Esqueleto de
Tyrannosaurus rex
Este predador gigante fue el carnívoro más poderoso que jamás caminara sobre la tierra.

★ **Selvas del mundo**
Esta exposición de cuatro plantas ofrece un recorrido vertical a través de cuatro hábitats tropicales distintos. Aras auténticas y otras aves exóticas viven en el dosel de la muestra.

RECOMENDAMOS

★ Acuario Steinhart
___
★ Selvas del mundo

Invernadero de flores antes del huracán

Invernadero de flores ❽

John F. Kennedy Drive, Golden Gate Park. **Plano** 9 A1. **Tel** 666-7001. 🚌 33, 44. ⭘ 9.00-16.30 ma-do. 🎫 gratis 1er ma de mes. ♿ www.conservatoryofflowers.org

Este invernadero de cristal es la estructura más antigua de Golden Gate Park. En ella crecía una selva de helechos, palmas y orquídeas hasta 1995, año en el que un huracán azotó la ciudad y el invernadero quedó parcialmente destruido. Se rehabilitó y reabrió en 2003.

Strybing Arboretum ❾

Esquina de 9th Ave. y Lincoln Way, Golden Gate Park. **Plano** 8 F2. **Tel** 661-1316. 🚌 44, 71. 🚋 N. ⭘ 8.00-16.00 lu-vi, 10.00-17.00 fines de semana y festivos. 📷 ♿ 🕐 13.30 todos los días. 🚻 www.strybing.org

En este jardín botánico crecen 7.500 especies de plantas, árboles y arbustos de numerosos países. Contiene jardines mexicanos, africanos, suramericanos, australianos y uno dedicado exclusivamente a flora autóctona californiana.

El precioso jardín Moon-Viewing es de obligada visita; alberga plantas del este de Asia en un entorno más natural que formal, en contraste con el Japanese Tea Garden (ver p. 147). En el jardín de la Fragancia, diseñado para invidentes, crecen plantas medicinales y hierbas empleadas en cocina. Aquí se presta especial atención a los sentidos del gusto, tacto y olfato. Los carteles están escritos en braille. En otra zona crecen secuoyas autóctonas de California junto a un arroyuelo. Este espacio reproduce el hábitat de los bosques costeros del norte del Estado. También hay un bosque alpino, con flora de las montañas de Centroamérica. Curio-samente, todos estos hábitats se desarrollan en el clima de niebla californiana. Hay una tienda donde se venden semillas y libros, además de la Biblioteca de Horticultura Helen Crocker, abierta al público. En verano se celebra una feria floral (ver p. 49).

Stow Lake ❿

Stow Lake Drive, Golden Gate Park. **Plano** 8 E2. 🚌 28, 29, 44. 📷 **Alquiler de barcas** 752-0347.

Este lago artificial se creó en 1895 alrededor de Strawberry Hill, de forma que la cima de la colina forma una isla en el lago, a la que se accede a través de dos puentes revestidos de piedra. La corriente circular del lago Stow proporciona un curso ideal para remar en las barcas que se alquilan en el cobertizo, aunque también se puede dejar llevar por la corriente. En la orilla de la isla hay un pabellón chino que alberga la luna donada por Taipei, la ciudad hermana de San Francisco en Taiwan. El pabellón fue transportado a San Francisco en 6.000 piezas que posteriormente se ensamblaron en la isla.

El millonario Collis P. Huntington (ver p. 102) donó los fondos necesarios para construir el embalse y la cascada que fluye en el lago Stow. Bautizada en su honor, se trata de uno de los elementos más pintorescos del parque.

Pabellón de la Luna, lago Stow

Queen Wilhemina Tulip Gardens y molino de viento holandés

Polo Fields ⓫

John F. Kennedy Drive, Golden Gate Park. **Plano** 7 C2. 🚌 *5, 29.*

Cada vez son menos habituales los caballos de polo, por lo que resulta más fácil ver a gente corriendo en las instalaciones del estadio Polo Fields, en la mitad oeste de Golden Gate Park, la zona más despejada. En los establos adyacentes se alquilan caballos por horas para explorar las pistas ecuestres del parque y del campo de equitación Bercut. Los aficionados a la pesca pueden aprovechar el estanque de pesca con mosca de las inmediaciones.

Al este del estadio, en la explanada verde de Old Speedway Meadows, se organizaron numerosos acontecimientos a finales de la década de 1960, incluidos algunos conciertos de rock importantes. En primavera de 1967, miles de personas acudieron a una concentración durante el llamado Verano del Amor (*ver pp. 32-33*).

Buffalo Paddock ⓬

John F. Kennedy Drive, Golden Gate Park. **Plano** 7 C2. 🚌 *5, 29.*

Los búfalos peludos que pastan en este potrero son los mamíferos terrestres mayores de Norteamérica. El búfalo, con cuernos cortos y espalda jorobada, es el símbolo de las llanuras estadounidenses y su denominación correcta es bisonte americano. Este potre-

ro fue inaugurado en 1892, fecha en la que el bisonte se encontraba en vías de extinción. En 1902 William Cody, alias Buffalo Bill, cambió uno de sus toros por otro de la manada de Golden Gate Park. El toro que acababa de adquirir Cody saltó una valla de la parcela y escapó. Según un periódico de la época, se necesitaron 80 hombres para capturarlo.

Queen Wilhelmina Tulip Garden ⓭

Plano 7 A2. 🚌 *5, 18.* **Molino de viento.** ♿

Este molino de viento holandés se levantó en 1903 cerca del rincón noroeste de Golden Gate Park. Su función era bombear agua de un pozo subterráneo para regar el parque, pero ya no se utiliza. Su compañero, el molino

Murphy, fue erigido al suroeste del parque en 1905. El recinto recibe el nombre de la reina holandesa Guillermina, y cada año la Asociación de Cultivos de Bulbos holandesa dona los bulbos que crecen aquí.

Ocean Beach ⓮

Plano 7 A1-5. 🚌 *5, 18, 31, 38, 71.* 🚎 *L, N.*

Esta amplia franja arenosa recorre prácticamente todo el límite oeste de San Francisco. La playa, maravillosa si se contempla desde Cliff House o Sutro Heights, es peligrosa para nadar debido a las aguas gélidas y a la fuerte resaca. A pesar de que con frecuencia hay ventiscas o niebla, abundan los surfistas con trajes de neopreno. Los escasos días de calor se convierte en un lugar muy frecuentado.

Seal Rocks ⓯

Plano 7 A1. *Inaccesible. Vistas desde Ocean Beach, Cliff House o Sutro Heights Park.* 🚌 *18, 38.*

Se recomienda ir provisto de prismáticos para observar los leones marinos y las aves en su entorno natural. Por la noche, se puede escuchar el rugido de estos grandes mamíferos desde la playa o el paseo de Cliff House. En días despejados se divisan las islas Farallón, a 51 km de la costa; también habitada por leones marinos, posee un jardín de rocas protegido por el Estado desde 1907.

Vista de Seal Rocks desde Ocean Beach

Golden Gate Bridge desde el campo de golf de Lincoln Park ▷

Legion of Honor ⑯

Alma de Bretteville Spreckels se inspiró en el Palacio de la Legión de Honor de París para fundar este museo en la década de 1920 con el objetivo de promover el arte francés en California y para conmemorar a los caídos durante la I Guerra Mundial. Diseñado por George Applegarth, contiene arte europeo de los últimos ocho siglos, con pinturas de Monet, Rubens, Rembrandt y de 70 esculturas de Rodin. La Achenbach Foundation, con su colección de artes gráficas, también forma parte del museo.

★ El pensador
La escultura (1904) de bronce original de Rodin se encuentra entre la columnata del patio de Honor.

Busto de Camille Claudel, de Rodin

★ Nenúfares
Esta famosa obra (c.1914-1917) de Claude Monet pertenece a una serie en la que pintó su estanque de nenúfares.

Florence Gould Theater

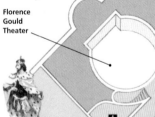

Entrada

San Wenceslao,
(c.1732) sigue un modelo de J. Gottlieb Kirchner.

Escaleras de la primera planta

GUÍA DEL MUSEO
La colección se distribuye en 19 salas en la primera planta. Comenzando a la izquierda de la entrada, las obras están ordenadas cronológicamente desde el medievo hasta el siglo XX. Las exposiciones contemporáneas están en la planta baja.

DISTRIBUCIÓN POR SALAS

▢	Exposiciones permanentes
▢	Biblioteca Achenbach Foundation
▢	Sala de porcelana
▢	Almacén del teatro
▢	Exposiciones temporales
▢	Espacio sin exposiciones

INFORMACIÓN ESENCIAL

Lincoln Park, 34th Ave. y
Clement St. **Plano** 1 B5.
Tel 750-3600. 863-3330.
18. 9.30-17.00 ma-do.
lu. *Previa cita para la
Colección Achenbach; llamar
para más informarción.*
gratis ma.
Conferencias, películas.
www.thinker.org

Golden Gate Bridge desde el campo de golf de Lincoln Park

Vieja
*Georges de la Tour
pintó este estudio
hacia 1618.*

El empresario
*En este retrato (c.1877), el
artista Edgar Degas enfatiza
las dimensiones del individuo agrandándolo en
proporción al cuadro.*

RECOMENDAMOS

★ *El pensador*

★ *Nenúfares*

Lincoln Park ⓱

Plano 1 B5. 18.

Este espléndido parque, situado sobre el Golden Gate Park,
rodea la Legión de Honor. El
terreno se destinó en su origen
al cementerio Golden Gate,
donde las tumbas eran separadas según la nacionalidad de
los difuntos. Después de que
se retiraran dichas tumbas,
durante la primera década del
siglo XX, John McLaren diseñó
y supervisó el mantenimiento
de este parque (*ver p. 146*).
　Hoy alberga un campo de
golf de 18 hoyos y caminos
panorámicos. Destacan las
vistas de la ciudad desde lo
alto del campo de golf.

Land's End ⓲

Plano 1 B5. 18, 38.

Land's End, un tramo escarpado de litoral, conforma la zona más virgen de San Francisco. Se accede a pie a través
de la Coastal Trail (Ruta Costera), a la que se llega por las
escaleras de la Legion of Honor, o desde el aparcamiento
de Point Lobos, cerca de Sutro
Heights Park. La Ruta Costera
es segura y desemboca en un
espectacular punto panorámico. Se aconseja no salirse de esta
carretera, pues de otro modo
se corre el riesgo de quedar
atrapado por la marea alta o ser
arrastrado por las olas. Para
obtener información sobre las
mareas, llamar al centro de vi-

sitantes del Servicio Nacional
de Parques (556 8642). Desde
aquí se divisa el faro de Mile
Rock.

Cliff House ⓳

1090 Point Lobos. **Plano** 7 A1.
Tel 386-3330 *(centro de visitantes).*
18, 38. todos los días.
*sólo Cámara Oscura (9.00-23.00
todos los días).*
www.cliffhouse.com

El edificio actual, construido
en 1909 y restaurado en 2004,
es el tercero que se alza sobre
este emplazamiento. Su prede-
cesor, una construcción gótica
de ocho plantas, que se incendió en 1907, fue construido
por Adolph Sutro. Su finca, en
la cima de la colina con vistas a
Cliff House, conforma hoy Sutro
Heights Park. Las plantas superiores acogen varios restaurantes, actuaciones en directo y tres
miradores. La Cámara Oscura
se sitúa en la planta baja.

**Vista del faro de Mile Rock desde
Land's End**

LAS AFUERAS

El condado de San Francisco es el de menores dimensiones de los nueve que rodean la bahía. Las urbanizaciones que antaño eran retiros estivales hoy forman grandes barrios residenciales o ciudades por derecho propio. El litoral del condado de Marin, al norte del Golden Gate Bridge, es agreste y ventoso, con bosques de secuoyas y el monte

Detalle de Sather Gate en la UC Berkeley

Tamalpais, que ofrece magníficas vistas de la bahía. Las poblaciones de Marin han conservado su ambiente rural, por lo que el condado resulta ideal para pasar una tarde lejos de la metrópoli. Los destinos más populares del este de la bahía son el museo y el puerto de Oakland, y la Universidad de Berkeley. Al sur, el Zoo de San Francisco tiene mucho que ofrecer.

LUGARES DE INTERÉS

Museos y galerías de arte
Judah L. Magnes Museum ⓰
Lawrence Hall of Science ⓭
Oakland Museum of
*   California pp. 166-167* ㉓

Parques y jardines
Angel Island ❽
Muir Woods and Beach ❹
San Francisco Zoo ❶
Tamalpais Mount ❺
Tilden Park ❾
University Botanical
    Gardens ⓮

Iglesias y templos
Mormon Temple ⓳

15 km = 10 millas

Tiendas, mercados y restaurantes
Fourth Street ❿
Gourmet Ghetto ⓫
Jack London Square ㉒
Oakland Chinatown ㉕
Rockridge ⓲
Telegraph Avenue ⓯

Calles y edificios históricos
Bay Bridge ⓴
Claremont Resort and Spa ⓱
Old Oakland ㉔
University of California at
    Berkeley ⓬

Ciudades históricas
Sausalito ❻
Tiburon ❼

Lagos
Lago Merritt ㉑

Playas
Point Reyes National
    Seashore ❷
Stinson Beach ❸

SIMBOLOGÍA

Principales áreas de interés

Núcleos urbanos

Aeropuerto

Estación Amtrak

Autopista sin peaje

Carretera principal

Carretera secundaria

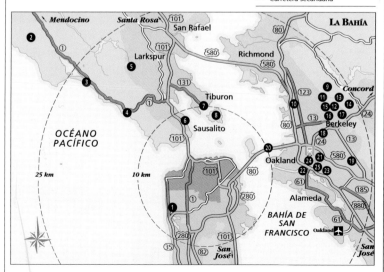

◁ Vista del puente de la Bahía desde la isla de Tesoro

Orangután, San Francisco
Zoological Gardens

San Francisco
Zoo ❶

Sloat Blvd. y 45th Ave. **Tel** 753-7080.
🚌 18, 23. 🚊 L. 🕙 10.00-17.00
todos los días. 🎫 gratis 1er mi de
mes. **www**.sfzoo.com

El zoo de San Francisco está
situado en el extremo suroeste
de la ciudad, entre el océano
Pacífico y el lago Merced. En
este recinto habitan más de
1.000 especies de aves y
mamíferos, incluidas 30 que
se encuentran en peligro de
extinción, como los leopardos
albinos, un tigre de Bengala y
un jaguar. En el Centro de
Descubrimientos de Primates
viven 15 especies de primates.
  Una de los puntos más interesantes es el paso Koala, que
recrea el paisaje de Australia. El
río de las Nutrias posee cascadas y un canal con nutrias de
río. Mundo Gorila es uno de
los recintos mayores del
mundo. A las 14.00, excepto
los lunes, se alimenta a los
grandes felinos. En las inmediaciones se halla el zoo infantil.

Point Reyes
National Seashore ❷

US Highway 1 a Olema; una vez
pasada la ciudad seguir las señales
hasta Point Reyes National Seashore.
🚌 Autobús Golden Gate Transit 50 u
80 hasta San Rafael Center y después
autobús 65 (sá, do y festivos).

La península de Punta Reyes,
agreste y ventosa, es un paraíso de flora y fauna donde
habita una manada de alces
tule. También hay granjas de
ganado, además de tres poblaciones: Olema, Point Reyes
Station e Inverness.
  La península está situada al
oeste de la falla de San Andrés,
que originó el terremoto de
1906 (ver pp. 18-19).
Una valla desplazada
en la Earthquake
Trail (Ruta del Terre-
moto), cerca del cen-
tro de visitantes Bear
Valley, evidencia có-
mo la falla provocó
que la península se
moviera 6 m al norte.
  Según se cuenta, el
marinero británico sir
Francis Drake desem-
barcó en la bahía de
Drake (ver pp. 21-22)
en 1579, después
bautizó a la ciudad
con el nombre de
Nova Albion y la
reclamó para
Inglaterra.
  El centro de
visitantes dispone de
gráficos de mareas y
mapas con rutas. Desde
diciembre hasta mediados de
marzo se pueden observar las
ballenas mar adentro.

Stinson Beach ❸

US 101 a Highway 1, siguiendo hasta
Stinson Beach. **Tel** Stinson Beach Park
868-9828. 🚌 Autobús Golden Gate
Transit 20 y después autobús 63 (sá, do
y festivos). 🕙 7.00-una hora después
del atardecer todos los días.

Desde principios del siglo XX
ha sido un popular destino
vacacional; los primeros visitantes viajaban en transbordador desde San Francisco. La
playa de Stinton sigue siendo
la preferida de los bañistas; se
trata de una franja de arena
donde los surfistas se mezclan
con gente que nada y toma el
sol. El pueblo cercano tiene
buenas librerías, restaurantes
y una tienda de alimentación.

Secuoyas gigantes, Muir Woods

Muir Woods and
Beach ❹

US 101 N, salida Highway 1; después
girar en Panoramic Highway y seguir
las señales hasta Muir Woods o
continuar por la Highway 1 hasta el
desvío de Muir Beach. No hay
transporte público. **Tel** Gray Line
Tours 558-9400.

Muir Woods, declarado monumento nacional, se sitúa al pie
del monte Tamalpais. Forma
uno de los escasos reductos de
las primeras secuoyas costeras.
Estos gigantescos árboles (el
más antiguo tiene como mínimo 1.000 años) cubrían antiguamente el área costera de
California. El bosque ha sido

Granja de vacas lecheras, Point Reyes

La calle principal de Tiburon

bautizado en honor a John Muir, uno de los primeros naturalistas del siglo XIX que persuadió sobre la necesidad del conservacionismo.

El arroyo Redwood nace en Muir Woods y sigue su curso hasta desembocar en la Muir Beach, una amplia extensión de arena. La carretera de la playa pasa por Pelican Inn, una posada inglesa al estilo del siglo XVI con un menú inglés.

La playa suele estar concurrida los fines de semana, pero quienes estén dispuestos a caminar unos dos kilómetros casi siempre encuentran un lugar tranquilo.

Mount Tamalpais ❺

US 101 N, salir a la Highway 1 y girar en Panoramic Highway. **Tel** Mount Tamalpais State Park 388-2070. Autobús Golden Gate Transit 20 hasta Marin City y después autobús 63 (sá, do y festivos). **Representaciones** may-jun: do excepto Día de Conmemoración a los Caídos. **Reservas Tel** 383-1100. **www**.mountainplay.org

El Tamalpais Mount State Park conforma una reserva natural virgen, que cuenta con largas pistas que serpentean a través de bosques de secuoyas y vadean arroyos. Dispone de merenderos, zonas de acampada y praderas. El monte Tamalpais, de 784 m, es el pico más alto de la bahía. Sus sendas son abruptas y tortuosas. El Mountain Theater, cerca de la cima, es un anfiteatro natural con asientos de piedra que acoge musicales y representaciones teatrales.

Sausalito ❻

US 101 N, primera salida a Bridgeway después del Golden Gate Bridge. autobuses Golden Gate Transit 10, 50. desde Ferry Building o Pier 43 1/2. **Bay Model Visitor Center Tel** 332-3871. abr-sep: 9.00-16.00 ma-vi, 10.00-17.00 sá, do y festivos; oct-mar: 9.00-16.00 ma-sá. 4 jul.

En esta pequeña localidad, los bungalós victorianos cuelgan sobre colinas que nacen en la bahía. Bridgeway Avenue sirve de paseo marítimo para la multitud que acude los fines de semana a disfrutar de los restaurantes y *boutiques* y a contemplar las vistas. Village Fair es una fusión ecléctica de tiendas. El Bay Model, en el nº 2100 de Bridgeway, simula el movimiento de las mareas y corrientes de la bahía.

San Francisco visto desde Sausalito

Tiburon ❼

US 101 N, salida de Tiburon Blvd. autobús Golden Gate Transit 10. desde Pier 43 1/2.

La calle principal de esta elegante localidad costera está jalonada de tiendas y restaurantes instalados en arcas (o embarcaciones) que han sido traídas a tierra, colocadas en fila y restauradas. Constituyen la denominada Ark Row (Hilera de Arcas).

La localidad de Tiburon, más tranquila que Sausalito, es un buen lugar para pasear, con agradables parques junto a la orilla.

Vista de la isla del Ángel desde la localidad costera de Tiburon

Angel Island ❽

desde Pier 43 1/2 y Tiburon. State Park 435-1915.

A la isla del Ángel se accede en transbordador desde Tiburon y San Francisco. Los barcos amarran en la cala Ayala, con una impresionante pradera con merendero. Las rutas de senderismo atraviesan esta isla situada a 237 m sobre el nivel del mar y cubierta por un denso bosque. Los caminos pasan por una guarnición militar abandonada. Durante la II Guerra Mundial se confinó aquí a los prisioneros de guerra. No se permite el tráfico de vehículos, excepto a unas cuantas furgonetas del servicio del parque.

Berkeley

Tiovivo, Tilden Park

Tilden Park ⑨

Tel (510) 843-2137. 🚇 Berkeley y
después autobús AC Transit 67.
Parque ⏱ 5.00-22.00 todos los días.
Locomotora de vapor ⏱ 11.00-
17.00 sá, do y todos los días en verano.
🎠 **Tiovivo** ⏱ 11.00-17.00 sá, do;
10.00-17.00 todos los días en verano.
🐴 **Paseos en poni** ⏱ 11.00-
17.00 sá, do, todos los días en verano y
festivos. 🌿 **Jardín botánico**
⏱ 8.30-17.00 todos los días. 📷
♿ parcial. **www**.ebparks.org

Tilden Park se conserva casi
como un entorno virgen,
aunque ofrece varios lugares
de interés. Es muy conocido
por su jardín botánico. Los
visitantes pueden recorrer
desde praderas alpinas hasta
jardines de cactus del desierto
a través de una preciosa
cañada de secuoyas, además
de participar en rutas
naturales guiadas. Los niños
no deben perderse el tiovivo,
la granja en miniatura y la
reproducción de una
locomotora de vapor.

Fourth Street ⑩

🚌 AC Transit Z. 🚇 Berkeley y
después autobús AC Transit 9, 51, 65.

Este elegante enclave, situado
al norte de University Ave., es
característico del gusto de Berkeley por la artesanía de calidad y el estilo refinado. Aquí
se puede comprar desde,
vidrieras y muebles a lechugas
cultivadas orgánicamente y
herramientas de jardín de diseño. También acoge restaurantes
conocidos (ver pp. 238-239).

Gourmet Ghetto ⑪

Upper Shattuck Ave. 🚇 Berkeley y
después autobús AC Transit 7, 9, 43.

Este barrio del norte de Berkeley adquirió fama como reducto
para gastrónomos cuando la
cocinera Alice Waters inauguró
aquí Chez Panisse (ver p. 239)
en 1971. El prestigio de este
restaurante radica en el
uso de ingredientes loca-
les frescos preparados
con cierto toque francés,
lo que dio origen a lo
que se conoce como coci-
na californiana. Desde su
ubicación original en
Shattuck Avenue, Chez
Panisse ha ejercido su
influencia sobre numero-
sos imitadores. Además,
en el barrio abundan los
mercados especializa-
dos y las cafeterías.

University of California at Berkeley ⑫

Tel (510) 642-6000. 🚇 Berkeley.
🚌 AC Transit 9, 15, 40, 43, 51,
52, 65. **Hearst Museum of
Anthropology Tel** (510) 643-7648.
⏱ 10.00-16.30 mi-sá, 12.00-16.00
do. ● festivos. **Berkeley Art
Museum Tel** (510) 642-0808.
⏱ 11.00-17.00 mi-do. ● festivos.
🌿 ♿ 📷 📹 📁
www.berkeley.edu

Hay quienes opinan que los
movimientos contraculturales
de la UC Berkeley eclipsan en
ocasiones su categoría acadé-
mica. La Universidad de Berkeley es una de las mayores y
más prestigiosas del mundo.
Fundada como una
utópica Atenas del
Pacífico en
1868,

**Sather Tower,
construida
en 1914**

Berkeley cuenta con más de
10 premios nobel entre sus
alumnos y profesores. El campus (ver pp. 176-177) fue diseñado por Frederick Law Olmsted, con varias calles paralelas
a Strawberry Creek; posteriormente se realizó una serie de
reformas bajo la dirección del
arquitecto de San Francisco
David Farquharson. Hoy acoge unos 30.000 estudiantes
y una amplia gama de
museos, acontecimientos
culturales y edificios de
interés. Entre ellos cabe
citar el Museo de Arte
de Berkeley (ver p. 38),
el Museo de Antropología
Hearst y Sather Tower.

Lawrence Hall of Science ⑬

Centennial Drive, Berkeley. **Tel**
(510) 642-5132. 🚇 Berkeley y
después autobús AC transit 8,
65. 🚌 desde Mining Circle, UC
Berkeley (excepto sá y do).
⏱ 10.00-17.00 todos los días.
🌿 ♿ 📷 📁 **www**.
lawrencehallofscience.org

Los talleres y las clases de este
museo logran que la ciencia
resulte entretenida. Las exposiciones interactivas animan a
los visitantes más jóvenes a
estudiar los efectos de los
espejos sobre el rayo láser o a
manipular un holograma. También pueden montar el esqueleto de un dinosaurio, alimen-
tar a una serpiente o localizar
estrellas en el planetario. Al
lado del dinosaurio mecánico,
se dispone una serie de exposiciones temáticas temporales,
muy populares entre las familias con niños. La espectacular
panorámica que se contempla
desde la plaza exterior abarca
gran parte del norte de la bahía
y las islas Farallón al oeste.

Estructura del ADN en el Lawrence Hall of Science

University Botanical Garden ⑭

Centennial Drive, Berkeley. ⓕ *(510) 643-2755.* 🚌 *desde Mining Circle, UC Berkeley Hills (excepto sá, do y festivos).* ◯ *9.00-17.00 todos los días.* ● *festivos y 1er ma de mes.* 📷 ♿ *parcial.* 🏪

En el cañón Strawberry de Berkeley crecen más de 12.000 especies de flora de todo el mundo. Estas plantas, destinadas primordialmente a la investigación, están dispuestas en jardines temáticos. Destacan los jardines asiático, africano, suramericano, europeo y californiano. El jardín de hierbas medicinales chinas, la muestra de orquídeas, el jardín de cactus y las plantas carnívoras también son de visita obligada.

Telegraph Avenue ⑮

🚇 *Berkeley.* 🚌 *AC Transit U.*

La calle más animada y fascinante de Berkeley es Telegraph Ave., que discurre entre Dwight Way y la universidad. Alberga una de las mayores concentraciones de librerías del país, además de numerosas cafeterías y restaurantes económicos. Este distrito fue el centro de las protestas estudiantiles durante la década de 1960. Hoy es un hervidero de estudiantes que pasean junto a vendedores, músicos callejeros y manifestantes.

Judah L. Magnes Museum ⑯

Centennial Drive, Berkeley. *Tel (510) 549-6950.* ⓕ *(415) 591-8800.* 🚇 *Rockridge y después autobús AC Transit 51.* 🚇 *Ashby y después autobús AC Transit 6.* ◯ *14.00-16.00 ma, ju y do previa cita.* ● *festivos judíos y federales.* 🚫 ♿ *previa cita.* 📷 *previa cita.* **www**.magnes.org

Instalado en una mansión antigua, este museo ofrece la mayor colección californiana de objetos históricos pertenecientes al pueblo judío. Aquí se exhiben espléndidas obras de arte judías procedentes de Tur-

Traje de ceremonia judío del siglo XIX, Judah L. Magnes Museum

quía, otros países europeos e India, así como pinturas de Marc Chagall y Max Liebermann. También, alberga recuerdos de la Alemania nazi, por ejemplo, un pergamino quemado de la Torá rescatado de una sinagoga. Las conferencias, películas y exposiciones animan las salas. La Biblioteca Blumenthal guarda sus fondos aquí.

Claremont Resort and Spa ⑰

41 Tunnel Road (Ashby y Domingo Aves.), Oakland. *Tel (510) 843-3000.* 🚇 *Rockridge y después autobús AC Transit 7.* ♿ 🏪 🍴 🍷 **www**.claremontresort.com

Berkeley Hills forma el telón de fondo de este castillo con tejado a dos aguas. La construcción se inició en 1906 y se concluyó en 1915. Durante los primeros años el hotel no prosperó, debido en parte a una ley que prohibía la venta de alcohol en un radio de 1,6 km del campus universitario de Berkeley. Un estudiante midió la distancia en 1937 y descubrió que el perímetro del radio no abarcaba todo el edificio. Esta revelación condujo a la inauguración del Terrace Bar, más allá de este punto, en el mismo rincón que ocupa en la actualidad.

Además de ser uno de los hoteles más lujosos de la bahía, se trata de un buen lugar donde tomar algo y disfrutar de las vistas.

Vista del Claremont Resort and Spa, Berkeley

Tiendas para gastrónomos en Rockridge Market Hall

Oakland

Rockridge ⓲

📷 *Rockridge.*

Rockridge, una frondosa área residencial con grandes casas y jardines con flores, es frecuentada por gente que va de compras a College Ave. Posee tiendas, restaurantes y un buen número de cafés con terraza.

Mormon Temple ⓳

4770 Lincoln Ave, Oakland.
Tel *(510) 531-1475 (centro de visitantes).* 📷 *Fruitvale y después autobús 46 AC Transit.* ⏲ *9.00-21.00 todos los días. Templo* ⏲ *llamar al centro de visitantes para horarios.* 🚫 *excepto centro de visitantes.* ♿ 📷 *centro de visitantes.*

Diseñado en 1963 y construido sobre una colina, se trata del único templo mormón del norte de California. Su nombre oficial es templo de la Iglesia de Jesucristo de los Santos del Último Día. Por la noche, se ilumina por completo y puede divisarse desde Oakland y San Francisco. El zigurat central está flanqueado por cuatro torres más bajas revestidas de granito blanco, y coronadas por pirámides doradas.

Desde el templo se disfruta de magníficas vistas de la bahía. El centro de visitantes organiza visitas guiadas por misioneros, que explican los dogmas de su fe a través de una serie de proyecciones.

Lago Merritt ⓴

📷 *12th St. o 13th St. y después autobús AC Transit 12,13, 57, 58.*

El lago Merritt y el parque circundante, formados cuando se dragó, allanó y construyó parcialmente un dique sobre el estuario de marea salina, constituyen un oasis natural azul y verde en pleno centro urbano de Oakland. Diseñado en 1870 como el primer refugio estatal de caza de Estados Unidos, el lago Merritt aún atrae bandadas de pájaros migratorios. En las orillas oeste y norte hay dos cobertizos de alquiler de barcas, y también se puede correr o pasear en bicicleta por el camino de 5 km que bordea el lago. Lakeside Park, en la orilla

Zigurat central del templo Mormón

Bay Bridge ㉑

Plano 6 E4.

El elevado puente de la Bahía de San Francisco-Oakland fue diseñado por Charles H. Purcell. Está compuesto por dos estructuras que se unen en la isla de Yerba Buena, en medio de la bahía, y que miden en total 7,2 km de largo. Su inauguración en 1936 marcó el final de los transbordadores de la bahía, ya que permitía el tráfico de vehículos y trenes desde localidad peninsular de Rincon Hill hasta

Oakland, en el continente. En la década de 1950 se retiraron las vías férreas, lo que permite que circulen por el puente

Tramo este

más de 250.000 vehículos al día. Consta de cinco carriles y dos alturas: los vehículos que circulan en dirección oeste hacia San Francisco utilizan la plataforma superior, y los que van en dirección este a Oakland, la inferior.

El voladizo de la sección este se sustenta sobre más de 20 pilares y se alza a 58 m de altura desde la carretera elevada de peaje de

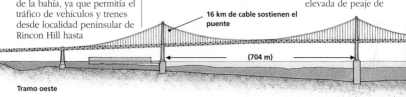
16 km de cable sostienen el puente

(704 m)

Tramo oeste

norte, posee jardines de flores, un aviario y un parque de atracciones infantil donde los más pequeños pueden pasear en poni y entretenerse con títeres.

Jack London Square ㉒

🚢 a Oakland. 🚇 12th St. y después autobús AC Transit 58, 72, 88.

Jack London, autor de *El hijo del lobo* y *Colmillo blanco*, pasó su infancia en Oakland en la década de 1880 y solía visitar la orilla del estuario de Oakland. Se puede llegar en coche o en transbordador hasta el alegre y animado paseo marítimo, con tiendas y restaurantes que sacan sus mesas al aire libre cuando hace buen tiempo. También hay embarcaciones de recreo que ofrecen travesías por el estuario.

Apenas queda nada de la orilla que conoció London. Sin embargo, se pueden seguir los pasos del autor hasta Heinold´s First and Last Chance Saloon. Junto al muelle también se ha erigido la cabaña del Yukón que al parecer ocupó London durante la fiebre del oro de 1898.

Oakland Museum ㉓

Ver pp. 166-167.

Vista del lago Merritt desde Oakland

Old Oakland ㉔

🚇 12th Street.
Mercado agrícola Tel (510) 745-7100. ⏰ 8.00-14.00 vi.

También conocidas como Victorian Row, estas dos manzanas cuadradas de edificios comerciales de madera y ladrillo fueron construidas entre las décadas de 1860 y 1880, aunque fueron remodeladas casi por completo en la década de 1980. Hoy contienen tiendas, restaurantes y galerías de arte. Los viernes se concentra una multitud en el mercado agrícola. Por la noche, la gente se reúne en Pacific Coast Brewing Company, en Washington St. No hay que perderse Rattos, en el nº 827 de Washington St., un *delicatessen* italiano de 103 años de antigüedad famoso por las *óperas de pasta* de los viernes y sábados por la noche, en las que el personal y los tenores invitados cantan.

Oakland Chinatown ㉕

🚇 12th Street o Lake Merritt.

La segunda Chinatown mayor de la bahía tal vez debería denominarse Asiatown. Su mayoría cantonesa crece junto a inmigrantes de Corea, Vietnam y otras regiones del Sureste Asiático. Este barrio es frecuentado por los turistas de la Chinatown de San Francisco. Sus restaurantes son famosos por su cocina de estilo casero, sabrosa, de confianza y a precios razonables.

Oakland, por encima de la bahía de la isla de Yerba Buena. En 1989 el puente se cerró durante un mes a raíz del terremoto de Loma Prieta *(ver p. 19)*: un segmento de 15 m se descolgó sobre el punto en que se une el voladizo con la rampa de aproximación de Oakland. Está previsto reconstruir por completo el tramo desde la isla de Yerba Buena hasta Oakland.

La calzada atraviesa la isla por un túnel de 23 m de alto y 17 m de ancho. Los dos tramos colgantes conectan con el anclaje de hormigón central situado a una profundidad mayor que en cualquier otro puente.

Para conmemorar la finalización del puente *(ver p. 31)*, parte de la Exposición Universal (1939-1940) se celebró en la isla de Tesoro y parte en la de Yerba Buena.

Plano de la Exposición Universal de 1939-1940 de la isla de Tesoro

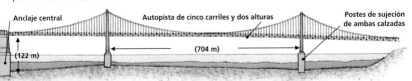

Anclaje central   Autopista de cinco carriles y dos alturas   Postes de sujeción de ambas calzadas

(122 m)   (704 m)

Oakland Museum of California ㉓

Este museo, el único de California dedicado exclusivamente a documentar el arte, la historia y el medio ambiente del Estado, fue inaugurado en 1969. El edificio, un importante icono arquitectónico por su simbiosis con el contenido y con el entorno, ofrece un trazado de varias alturas con patios y jardines concebido por el arquitecto Kevin Roche. La Galería de Ciencias Naturales presenta un paseo por California, con dioramas donde se ilustra la diversidad ecológica del Estado. La sala Cowell de Historia de California alberga una extensa colección de objetos californianos, mientras que la Galería de Arte de California exhibe óleos de Yosemite y San Francisco. Se recomienda visitar su web para obtener detalles de las últimas exposiciones.

Banyo de minero californiano

Bienvenidos a California
Esta muestra celebra la vida cotidiana en California.

Azotea y jardines

El Gran Hall acoge exposiciones temporales.

Galería de Arte de California
El arte moderno de esta colección incluye la pintura Ocean Park nº 107 *(1978), de Richard Diebenkorn.*

Planta tercera

Planta segunda

Entrada de 10th St.

★ Sueño sobre ruedas
Este diorama, con el cartel, la máquina de discos de un restaurante para coches de 1951, capta el ambiente de posguerra en California.

DISTRIBUCIÓN POR SALAS

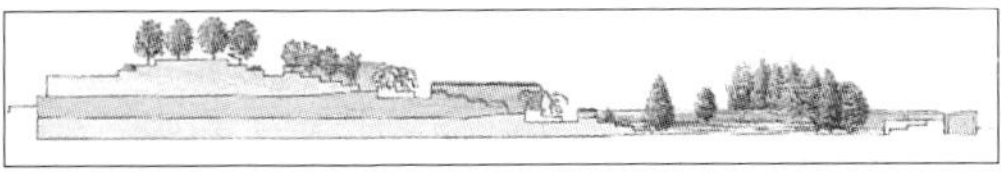

☐ Galería de arte   ☐ Historia   ☐ Ciencias naturales

INFORMACIÓN ESENCIAL

1000 Oak St, Oakland. 🏢 (510) 238-2200. 🚊 Merritt Lake. ⏰ 10.00-17.00 mi-sá, 12.00-17.00 do (hasta 21.00 1er vi mes). 🚫 1 ene, 4 jul, Día de Acción de Gracias, 25 dic. 🅿 ♿ gratis 2° do de mes. 📷 🎒 🍴 🛍 ♿ www.museumca.org

Carreta californiana
Adaptada para la vida rural de mediados del siglo XIX, esta carreta polivalente podía transformarse fácilmente en vagoneta de campo o carruaje elegante.

★ Dioramas de historia natural
Este diorama explica la lucha por la supervivencia entre la fauna.

Primera planta

GUÍA DEL MUSEO
La primera planta alberga la tienda y la Galería de Ciencias Naturales, donde el Paseo por California describe la ecología del Estado de oeste a este. La sala Cowell de Historia de California y el restaurante se encuentran en la segunda planta. La tercera planta alberga la Galería de Arte.

Great Court alberga festivales.

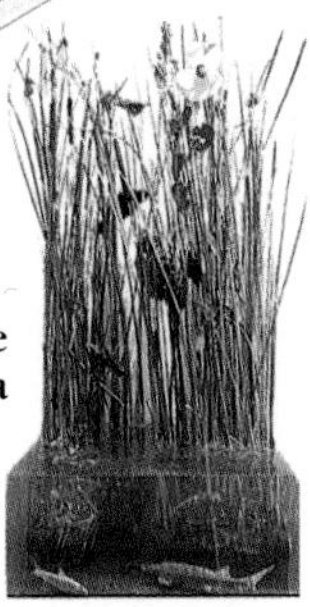

RECOMENDAMOS

★ Sueño sobre ruedas

★ Dioramas de historia natural

Diorama de las aguas del delta
Este diorama de una marisma en un delta de Sacramento, muestra la vida de los peces, aves e insectos; es un ejemplo del gran nivel de la Galería Acuática.

Excursiones al sur de la ciudad

El condado de Santa Clara, al sur de la bahía de San Francisco, adquirió popularidad a finales de la década de 1960 gracias a Silicon Valley. Sin duda, merece la pena explorarlo en excursiones de un día. San José cuenta con diversos museos fascinantes. La Universidad de Stanford y Pescadero son interesantes por su notable arquitectura e historia.

The Winchester Mystery House

LUGARES DE INTERÉS

Museos

Children's Discovery Museum ❹
History Museum of San Jose ❺
Rosicrucian Egyptian Museum and Planetarium ❷
Stanford University ❽
Tech Museum of Innovation ❸
The Winchester Mystery House ❶

Lugares históricos

Filoli ❻ Pescadero ❼

SIMBOLOGÍA

▧ Centro de San Francisco
▨ Área metropolitana
✈ Aeropuerto
▭ Autopista sin peaje
▬ Carretera principal
= Carretera secundaria
— Línea férrea

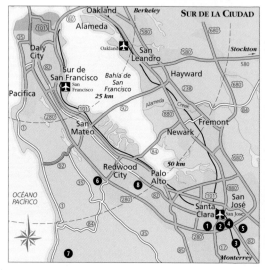

SUR DE LA CIUDAD

The Winchester Mystery House ❶

525 S Winchester Blvd., entre Stevens Creek Blvd. y la I-280, San José. 🚻 *(408) 247-2101.* 🚉 *Santa Clara y después autobús Santa Clara Transportation Agency 32 o 34 a Franklin St. y Monroe St; por último, autobús 60.* ◻ *9.00-17.00 todos los días.* ● *25 dic.* 📷📹📶🚻
www.winchestermysteryhouse.com

Cuando Sarah Winchester, heredera de la fortuna de Winchester Rifle, comenzó a construir su casa en 1884, un futurólogo le predijo que moriría si interrumpía las obras. De modo que mantuvo a los carpinteros trabajando durante 38 años, hasta que murió a los 82. El resultado es un extraño conjunto de 160 habitaciones. Entre los elementos destacan escaleras que no conducen a ninguna parte. La casa contiene un museo.

Fachada del Rosicrucian Egyptian Museum

Rosicrucian Egyptian Museum and Planetarium ❷

Naglee Ave. y Park Ave., San José. 🚻 *(408) 947-3600.* 🚉 *Santa Clara y después autobús Santa Clara Transportation Agency 32 o 34 a Franklin St; por último, autobús 81.* ◻ *9.00-17.00 lu-vi, 11.00-18.00 sá y do (museo).* ● *1 ene, Domingo de Pascua, Día de Acción de Gracias, 24, 25 y 31 dic.* 📶 **www**.egyptianmuseum.org

Inspirado en el templo de Amón de Karnak (Egipto), alberga objetos ancestrales de Egipto, Babilonia, Asiria y Sumeria. Se exponen barcas y maquetas funerarias, momias de humanos y animales, tejidos coptos, cerámicas, joyas y tumbas.

The Tech Museum of Innovation ❸

201 South Market St.(junto a Park Ave.), San José. 🚻 *(408) 294-TECH.* 🚉 *San José y después tren ligero al Convention Center.* ◻ *10.00-17.00 ma-do.* 📶🚻
www.thetech.org

En este museo de tecnología se ha llevado a cabo una ampliación millonaria. Se divide en cuatro galerías temáticas. Muchas de las muestras cuentan con componentes interactivos; los visitantes pueden, por ejemplo, rodar su propia película. Además, alberga una sala Imax abovedada, que abre los viernes y sábados por la noche.

Children's Discovery Museum ❹

180 Woz Way, San José.
Tel *(408)* *298-5437.* 🚇 *Arena o Tamien y después tren ligero a Technology.* ⏱ *10.00-17.00 ma-sá, 12.00-17.00 do.* 🎫 📷 ♿ **www**.cdm.org

Un breve paseo lleva desde el Centro de Convenciones de San José hasta este museo, donde los niños pueden jugar en un coche de bomberos auténtico o en una ambulancia con sirenas intermitentes. Los más aventureros pueden adentrarse a través de un laberinto de varias alturas para experimentar el espacio en tres dimensiones o caminar por ecosistemas especiales para apreciar el fenómeno del ritmo. En Doodad Dump los visitantes creativos pueden fabricar sus propias joyas utilizando materiales reciclados procedentes de compañías de Silicon Valley.

History Museum Of San Jose ❺

1650 Senter Rd., San José. *Tel* *(408)* *287-2290.* 🚇 *Cahill y después autobús 64 hasta 1st St. y Santa Clara; por último, autobús 73 desde 2nd St.* ⏱ *12.00-17.00 ma-do.* ● *1 ene, 4 jul, Día de Acción de Gracias, 25 dic.* 🎫 **www**.historysanjose.org

Este museo de Kelley Park recrea San José tal y como era a principios del siglo XX.

Children's Discovery Museum

Alrededor de una plaza se levantan más de 21 casas y comercios originales: un parque de bomberos, una heladería, una gasolinera y un tranvía histórico que circula por el recinto.

Filoli ❻

Canada Rd., cerca de Edgewood Rd., Woodside. *Tel* *(650)* *364-8300.* 📷 *feb-nov: previa cita.* ⏱ *10.00-15.30 ma-sá, 11.00-15.30 do (última admisión 14.30).* ● *festivos federales.* **www**.filoli.org

Filoli, una lujosa mansión de 43 habitaciones, fue construida en 1915 por encargo de William Bourne II, propietario de la mina de oro Empire. En la decoración se utilizó oro procedente de la mina. La elegante casa está rodeada por un amplio jardín y una finca donde se pueden concertar recorridos naturales con guía. Filoli es un acrónimo inglés de "lucha, amor y vida".

Pescadero ❼

🚌 *Daily City y después líneas SamTrans IC o IL a Half Moon Bay; por último, 96C (sólo laborables).*

Este pueblo, con numerosas construcciones de madera de dos plantas, posee comercios, tiendas de recuerdos antiguos y uno de los mejores restaurantes del sur de la península, Duarte's Tavern. Las familias disfrutan en Phipps Ranch, un rancho con granero y huerta. El faro de Pigeon Point se encuentra 5 km al sur.

Stanford University ❽

Palo Alto. *Tel* *(650)* *723-2053.* 🚇 *Palo Alto y después autobús Santa Clara Transit 35.* 📷 *llamar al (650) 723-2560 para información.* **www**.stanford.edu

La Universidad de Stanford es una de las universidades privadas más prestigiosas del país. Fue fundada por el magnate Leland Stanford *(ver p. 102)* en memoria de su hijo, y se inauguró en 1891. En el centro del campus se sitúa Main Quad, construido al estilo románico con algunos elementos propios de las misiones. Los principales monumentos son la Memorial Church, Hoover Tower y el Museo de Arte de la Universidad de Stanford, donde se puede ver el barrote dorado con el que se completó la vía férrea transcontinental en 1869. El museo alberga obras de Rodin.

Memorial Church de la Universidad de Stanford, Palo Alto

CINCO PASEOS

Estos cinco paseos comprenden gran parte de la singular diversidad cultural y geográfica de la bahía, a la vez que ofrecen vistas espectaculares. El recorrido por Aquatic Park, en la orilla norte, comienza en Hyde Street Pier *(ver p. 83)*, con barcos de vela históricos y ecos del pasado, para acabar en Mason Center *(ver pp. 74-75)*, una antigua zona militar transformada en una animada comunidad con teatros, museos y actividades culturales. El paseo por Marin Headlands, a media hora de camino en coche del centro de San Francisco, se adentra en un mundo diferente, con colinas onduladas y acantilados espectaculares que se hunden en el mar. El tercer paseo se realiza en Berkeley *(ver p. 162)*, al este de la bahía, y explora el mundo académico. El paseo por Russian Hill, en la ciudad, se realiza a través de innumerables parques y jardines. Otra opción consiste en pasear para empaparse del ambiente de SoMa District, con galerías de arte, tiendas y cafés de moda y suntuosos hoteles.

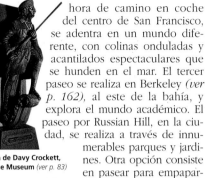

Figura de Davy Crockett, Maritime Museum *(ver p. 83)*

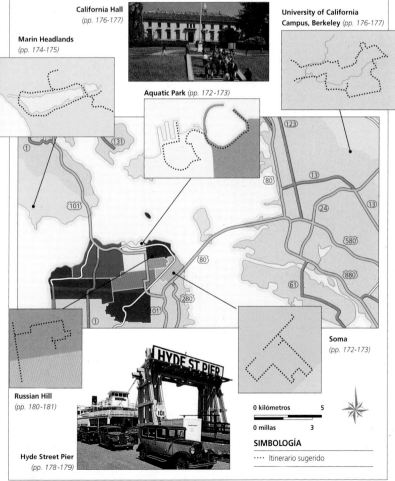

California Hall *(pp. 176-177)*

University of California Campus, Berkeley *(pp. 176-177)*

Marin Headlands *(pp. 174-175)*

Aquatic Park *(pp. 172-173)*

Soma *(pp. 172-173)*

Russian Hill *(pp. 180-181)*

Hyde Street Pier *(pp. 178-179)*

0 kilómetros   5

0 millas   3

SIMBOLOGÍA

···· Itinerario sugerido

◁ **Vista del faro de Point Bonita, en el extremo suroeste de Marin Headlands**

Paseo de 90 minutos por Aquatic Park

Aquatic Park y el fuerte Mason, en la orilla norte de San Francisco, ofrecen retazos fascinantes del pasado de la ciudad, especialmente de su riqueza histórica como puerto marítimo. Aquí no hay tráfico, sólo gente caminando, en bicicleta o patinando por caminos flanqueados por exuberante vegetación. El itinerario pasa por buques históricos amarrados en el muelle, clubes de natación de la época de la Depresión, cabañas de la fiebre del oro e instalaciones militares que datan desde el periodo colonial español hasta la II Guerra Mundial. Los más valientes pueden atreverse a darse un baño en las aguas gélidas de la bahía. Para más información, ver páginas 74-75 y 80-83.

Estatua de Bufano, Fort Mason Center

Marina Green y Fort Mason

Hyde Street Pier

Se comienza en el extremo de Hyde Street Pier ① más cercano al mar. Este muelle fue el centro de actividad del puerto norte hasta 1938, cuando quedó obsoleto a raíz de la inauguración del Golden Gate Bridge. Hoy forma parte del Museo Marítimo Nacional, utilizado como fondeadero de la colección de barcos históricos del mismo *(ver p. 83)*. Entre ellos se halla un transbordador con motor de vapor, el *Eureka* ②. El buque está repleto de vehículos antiguos y parafernalia de 1941, el último año que estuvo de servicio. Desde el extremo interior del muelle, donde hay una librería ③ dirigida por el Servicio Nacional de Parques, se camina al oeste por la orilla, pasando por la plataforma giratoria del tranvía de Hyde Street, a la izquierda. En Victorian Park ④, suelen actuar músicos callejeros. En la playa de arena de la derecha se alzan dos construcciones ⑤, que albergan los clubes de natación y remo South End y Dolphin.

Barcos en Aquatic Park

Aquatic Park

Se continúa en sentido oeste hacia el Golden Gate Promenade, un paseo marítimo que se extiende a lo largo de la antigua vía férrea Belt Line, que discurría siguiendo el embarcadero desde los muelles y naves industriales de China Basin y Potrero Hill hasta el fuerte Mason y Presidio. A la izquierda se levanta un gran edificio conocido como el Casino ⑥, construido en 1939 como club de baño público. Desde 1951 es la sede del Maritime National Historical Park Visitors' Center *(ver p. 83)*, cerrado parcialmente por restauración hasta 2012. Los visitantes no pueden entrar, pero todavía se puede admirar el singular edificio.

Al oeste del casino hay un cartel confeccionado con plantas en el que se puede leer Aquatic Park. Tras éste hay varias pistas *bocce*.

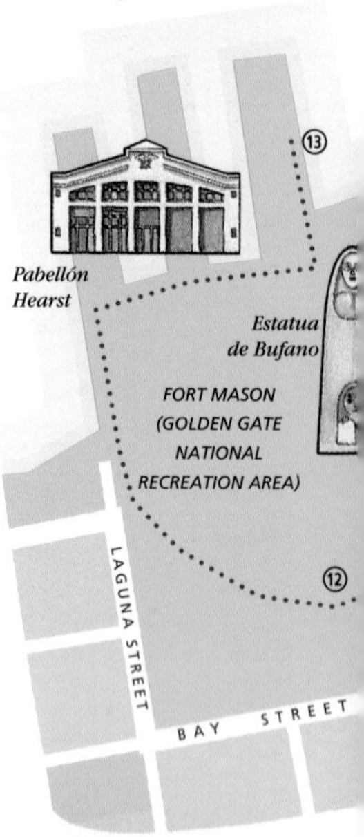
13
Pabellón Hearst
Estatua de Bufano
FORT MASON (GOLDEN GATE NATIONAL RECREATION AREA)
12
LAGUNA STREET
BAY STREET

Obras de construcción de un barco en Hyde St. Pier ①

Al antiguo malecón y la casa flotante ⑦ de la derecha acuden los *scouts* marinos los fines de semana. Se avanza a lo largo del puerto hasta el muelle curvilíneo de cemento ⑧ que señala el extremo oeste de Aquatic Park, donde la gente pesca. La construcción situada a los pies del muelle, al estilo de las misiones, es un parque de bomberos.

Siguiendo por Golden Gate Promenade hasta la cima del promontorio, se gira a la izquierda hasta llegar a la fachada del Youth Hostel ⑩. Se trata de una de las pocas casas de madera ornamentadas que abren al público. La mayoría de los edificios data de la década de 1850 y en la actualidad reside en

Casa flotante de *scouts* marineros ⑦

del GGNRA. Desde Great Meadow, bajando los escalones de la colina, se llega a Fort Mason Center (*ver pp. 74-75*). Al norte se halla el Pier 3, donde generalmente amarra el SS *Jeremiah O'Brien*, el último de los aproximadamente 2.700 barcos que fueron fabricados durante la II Guerra Mundial para transportar tropas. Este buque participó en la invasión de Normandía el Día D en 1944 y en las celebraciones del 50º aniversario; se ha expuesto temporalmente en otros muelles de la ciudad.

Fort Mason

El Golden Gate Promenade, al oeste de Aquatic Park, sube por una cuesta que da la vuelta a Black Point, desde donde se disfruta de vistas insuperables de Alcatraz y la isla del Ángel. Por encima del camino, los cipreses cubren este cabo y una serie de terraplenes ⑨ alberga los restos de puestos de artillería de finales del siglo XIX.

Philip Burton, Great Meadow ⑫

ellos el personal del parque. Se continúa por Funston St. hasta el final del albergue y se tuerce a la derecha en Franklin St., donde hay varios edificios de interés, como el Club de Oficiales del Fuerte Mason, a la izquierda. Al llegar a la capilla se gira a la derecha hasta las oficinas centrales de la Golden Gate National Recreation Area (GGNRA) ⑪, desde donde se extiende hacia el oeste Great Meadow ⑫, una loma de hierba. Aquí acamparon los refugiados del terremoto de 1906 hasta que fueron realojados. En el centro del prado hay una estatua del congresista Phillip Burton, que inspiró la formación

| 0 metros | 250 |
| 0 yardas | 250 |

SIMBOLOGÍA

••• Itinerario sugerido

Plataforma giratoria del tranvía

Información turística

ALGUNOS CONSEJOS

Salida: lado del puerto de Hyde Street Pier.
Recorrido: 2,5 km.
Cómo llegar: la terminal norte y la plataforma giratoria del tranvía de Powell-Hyde, en Beach St., se hallan a pocos pasos de Hyde Street Pier. El autobús Mini nº 32 llega hasta Jefferson St. y Hyde St.
Altos en el camino: el Buena Vista Café, frente a la plataforma giratoria del tranvía, está siempre lleno de clientes por la calidad de los desayunos y el café fuerte: El restaurante Greens (ver p. 229), en el Building A del Fort Mason Center, está considerado como el mejor restaurante vegetariano de San Francisco y lo regentan seguidores del budismo zen. Se puede pedir una comida completa o comprar unas pastas y algo para beber en la barra.

Paseo de 90 minutos por Marin Headlands

El extremo norte del Golden Gate Bridge está anclado en las colinas verdes de Marin Headlands. Se trata de una zona virgen con lomas barridas por el viento, valles guarnecidos y playas desiertas que se utilizaba como puesto de defensa militar y que hoy forma parte de la Golden Gate National Recreation Area. Posee varios miradores con vistas espectaculares de la bahía y la ciudad de San Francisco y, en otoño, se pueden ver las águilas y pigargos migratorios planeando sobre Hawk Hill.

Escolares de excursión en Marin Headlands

Rodeo Beach ③

Del centro de visitantes a Rodeo Beach

Antes de emprender el recorrido, se recomienda detenerse un momento en el centro de visitantes ①. Antaño fue la capilla interdenominacional del fuerte Cronkhite, pero más tarde fue remodelada para albergar un museo y una oficina de turismo, además de una librería de historia natural especializada en libros sobre aves. Aquí se puede descubrir la historia de Marin Headlands y ver una tienda de los indios miwok de la costa. El itinerario, que bordea la laguna Rodeo ②, comienza en la puerta, al oeste, junto al océano y al aparcamiento. Hay que empezar por el camino de la izquierda, que conduce al mar. En este tramo de la ruta abundan los arbustos y árboles, entre ellos el roble venenoso, por lo que conviene tener cuidado. El gorjeo de los pájaros inunda el aire y en las orillas de la laguna se pueden avistar pelícanos, garcetas y lavancos. Tras caminar 15 minutos se llega a Rodeo Beach ③, una playa ventosa de arena, desde

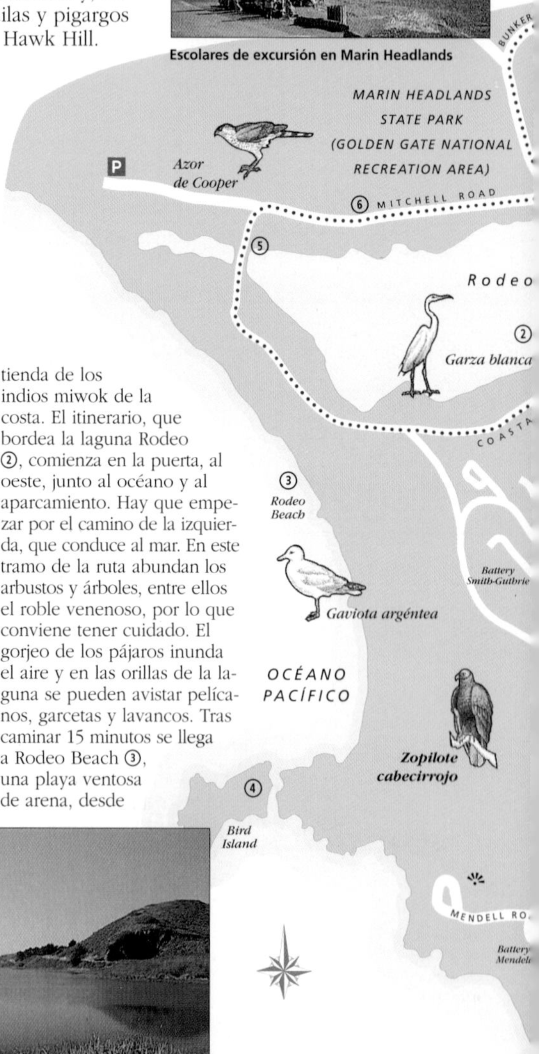
BUNKER
MARIN HEADLANDS STATE PARK (GOLDEN GATE NATIONAL RECREATION AREA)
[P]
Azor de Cooper
⑥ MITCHELL ROAD
⑤
Rodeo
②
Garza blanca
COASTAL
③
Rodeo Beach
Battery Smith-Guthrie
Gaviota argéntea
OCÉANO PACÍFICO
Zopilote cabecirrojo
④
Bird Island
MENDELL RO
Battery Mendell

Rodeo Lagoon ②

SIMBOLOGÍA

... Itinerario sugerido

✲ Punto panorámico

[P] Aparcamiento

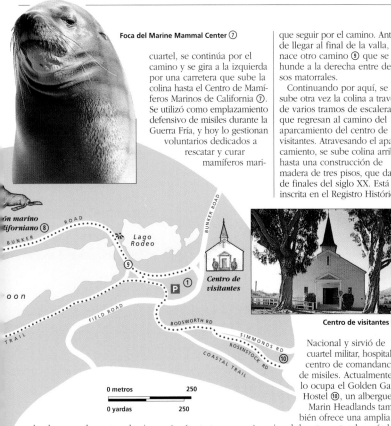

Foca del Marine Mammal Center ⑦

donde se puede contemplar Bird Island ④, una isla situada al sur, y a los barcos faenando en el mar. La playa permanece casi desierta, aunque a veces la frecuentan grupos de alumnos para estudiar la ecología del litoral. Headlands Institute, situado en el antiguo cuartel militar de las inmediaciones, organiza programas educativos.

Del cuartel al California Marine Mammal Center ⑦

Desde la playa se regresa hacia el interior por el extremo de la laguna a través de un puente peatonal ⑤. Aquí hay aseos públicos y un cuartel ⑥ que alberga diversas oficinas, entre ellas la oficina de Headlands District, el observatorio de aves de presa y un centro de energía y recursos. Dejando atrás el cuartel, se continúa por el camino y se gira a la izquierda por una carretera que sube la colina hasta el Centro de Mamíferos Marinos de California ⑦. Se utilizó como emplazamiento defensivo de misiles durante la Guerra Fría, y hoy lo gestionan voluntarios dedicados a rescatar y curar mamíferos marinos. Aquí se tratan y examinan leones marinos, focas y nutrias, que posteriormente se devuelven al mar cuando se han recuperado. Se puede observar cómo trabajan los veterinarios y apreciar de cerca estos mamíferos, muchos de ellos crías huérfanas. Además, alberga exposiciones sobre el ecosistema marino.

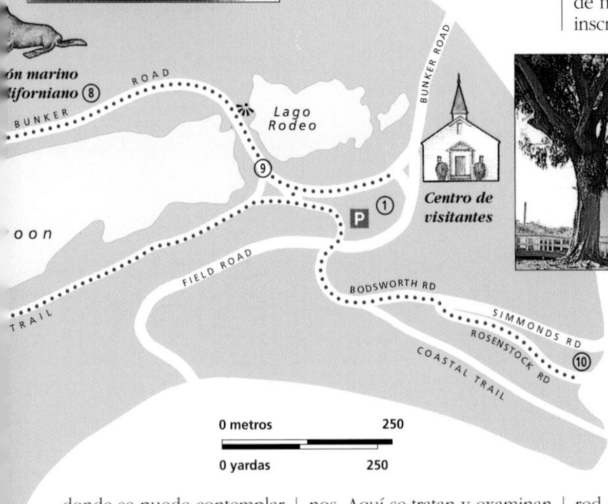

BUNKER ROAD
Lago Rodeo
⑨
BUNKER ROAD
Centro de visitantes
P ①
FIELD ROAD
TRAIL
BODSWORTH RD
SIMMONDS RD
ROSENSTOCK RD
⑩
COASTAL TRAIL
0 metros 250
0 yardas 250

Horse Trail
Bike Trail

Señal de ruta

De la laguna al Golden Gate Hostel

De regreso colina abajo, hasta la carretera asfaltada que pasa por la laguna ⑧, se llega a un camino para senderistas, al que se accede superando una valla protectora. Justo antes de que la pista se cruce con un puente, hay un gran banco donde se pueden ver aves acuáticas, que abundan en esta laguna de aguas salobres cuajada de hierba crecida. Al cruzar el puente, hay que seguir por el camino. Antes de llegar al final de la valla, nace otro camino ⑨ que se hunde a la derecha entre densos matorrales.

Continuando por aquí, se sube otra vez la colina a través de varios tramos de escaleras que regresan al camino del aparcamiento del centro de visitantes. Atravesando el aparcamiento, se sube colina arriba hasta una construcción de madera de tres pisos, que data de finales del siglo XX. Está inscrita en el Registro Histórico Nacional y sirvió de cuartel militar, hospital y centro de comandancia de misiles. Actualmente lo ocupa el Golden Gate Hostel ⑩, un albergue.

Centro de visitantes ①

Marin Headlands también ofrece una amplia red de rutas naturales más largas y difíciles; se recomiendan las de Wolf Ridge y Bobcat Trail.

ALGUNOS CONSEJOS

Salida: *centro de visitantes de Fort Cronkhite.*
Recorrido: *3 km.*
Cómo llegar: *el autobús Muni 76 de San Francisco sale desde el cruce de Fourth St. y Townsend St. sólo los domingos. Tel (415) 673-6864 (Muni).*

Si se viaja en coche, hay que cruzar el Golden Gate Bridge y salir por Alexander Ave., girar bajo la autopista sin peaje y seguir las señales indicadoras a Headlands, Fort Cronkhite y Fort Barry.
Altos en el camino: *en Marin Headlands hay agua, pero no se pueden comprar otras bebidas. Se puede llevar una cesta con comida para la excursión, y sentarse en cualquiera de los merenderos situados a lo largo de los caminos y en las playas.*

Paseo de 90 minutos por el campus de la Universidad de California en Berkeley

Este itinerario se centra en un área característica de Berkeley, el campus de la Universidad de California, y proporciona una perspectiva de la vida, cultural y social de esta dinámica ciudad universitaria *(ver pp. 162-163)*.

Estudiantes en la puerta del Wheeler Hall

Entrada oeste a Sather Tower

Desde University Avenue ① se cruza Oxford St. y se sigue por University Drive, pasando por el Valley Life Sciences Building ②. Si se continúa por la carretera de la derecha, dejando el California Hall ③ a la derecha, se puede ver Wellmann Hall, en la intersección norte de Strawberry Creek. A continuación se gira a la izquierda en Cross Campus Road ④. Wheeler Hall se encuentra a la derecha y más adelante se alza el símbolo del campus, Sather Tower ⑤, construida por John Galen en 1914 imitando el campanil de la plaza de San Marcos en Venecia. Antes de entrar, se recomienda visitar la Doe Library ⑥ y la AF Morrison Memorial Library ⑦, dos bibliotecas del ala norte. La Bancroft Library alberga la placa que al parecer dejó sir Francis Drake como reclamo de California para la reina Isabel I de Inglaterra *(ver p. 22)*. Después se regresa a la Sather Tower, que abre de 10.00 a 15.30 de lunes a sábados. Al otro lado del camino se sitúa el South Hall ⑧, el edificio más antiguo del campus.

Explanada cerca de Sather Tower ⑤

De Hearst Mining Building a Greek Theater

Se continúa hacia el norte, pasando por LeConte Hall y cruzando University Drive hasta el Mining Circle. Aquí se halla el Hearst Mining Building ⑨, construido por Howard en 1907. En el interior se exponen minerales. De regreso a University Drive, se tuerce a la izquierda y se sale por East Gate hasta el Hearst Greek Theater ⑩.

De Faculty Club a Eucalyptus Grove

Entrando por Gayley Road, que atraviesa una importante falla sísmica,

Wellman Hall

Músicos en Sproul Plaza ⑰

hasta Kroeber Hall. Aquí se puede visitar el Hearst Museum of Anthropology. Se cruza Bancroft Way hasta el Caffè Strada ⑭, para seguir hasta el Berkeley Art Museum ⑮. Se continúa por Bancroft Way hasta Telegraph Avenue ⑯. La entrada a la universidad frente a Telegraph Ave. conduce a la Sproul Plaza ⑰. Aquí se puede entrar al patio inferior, que alberga el moderno Zellerbach Hall ⑱, y pasar por la Alumni House y torcer a la derecha. Hay que atravesar la intersección sur de Strawberry Creek por el Bay Tree

Sather Tower ⑤

Bridge y torcer a la izquierda hasta los eucaliptos ⑲. El paseo termina cerca del punto de salida.

0 metros	250

0 yardas	250

SIMBOLOGÍA

··· Itinerario Sugerido

🚇 Estación BART

P Aparcamiento

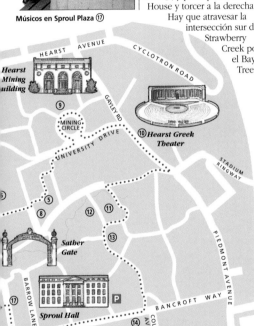

Hearst Mining Building

HEARST AVENUE

CYCLOTRON ROAD

GAYLEY RD

⑨

MINING CIRCLE

UNIVERSITY DRIVE

⑩ *Hearst Greek Theater*

STADIUM RINGWAY

⑤

⑧

⑫

⑪

⑬

PIEDMONT AVENUE

Sather Gate

BARROW LANE

⑰

P

Sproul Hall

BANCROFT WAY

⑭

COLLEGE AVENUE

BOWDITCH STREET

⑮

⑯

TELEGRAPH AVENUE

DURANT AVENUE

ALGUNOS CONSEJOS

Salida: West Gate, cruce de University Ave. y Oxford St.
Recorrido: 4 km.
Cómo llegar: puente de la Bahía de San Francisco-Oakland, autopista 80 norte, salida de University Ave. En BART, parada de Berkeley.
Altos en el camino: el Caffè Strada, en Bancroft Way, siempre está lleno de estudiantes tomando capuchino con bollos y pasteles. Pocos pasos al sur de la calle, en el University Art Museum, se halla el Café Grace, que mira al jardín escultórico. Se puede aprovechar para curiosear en las librerías de Telegraph Ave. o comprar un tentempié en cualquiera de los numerosos puestos concentrados en la entrada de Sproul Plaza. Aquí se pueden probar smoothies (batidos de helado y fruta) a comida mexicana y griega. En la parte sur de Sproul Plaza hay varios cafés.

se gira a la derecha por el primer camino, se pasan por Lewis Hall y Hildebrand Hall y se tuerce a la izquierda por un puente peatonal. El camino serpentea entre una casa de madera y el Faculty Club ⑪. Este edificio rústico, en cuyo diseño participó Bernard Maybeck, data de 1903. Frente al club se halla Faculty Glade ⑫.

A continuación el camino se curva hacia la derecha y después traza una curva cerrada a la izquierda. Se sugiere echar un vistazo al Hertz Hall ⑬ y bajar por el camino en diagonal que pasa por Wunster Hall

Dentro (1969), de A. Liebeman, UCB Art Museum ⑮

Paseo de 90 minutos por South of Market

Antaño un insalubre distrito de naves industriales, SoMa es hoy un modelo de revitalización urbana. El acrónimo SoMa (South of Market) procede del antiguo sobrenombre que recibía esta zona de Market St., cuando los inmigrantes trabajaban en fábricas durante la fiebre del oro. Hoy, esta área compuesta por cuatro manzanas que rodea el Centro de Convenciones Moscone está repleta de importantes museos de arte e historia, bloques de hoteles, galerías de arte vanguardistas y tiendas. Este itinerario alterna vestigios del pasado junto a arquitectura del siglo XXI, además de cafés y bares de moda.

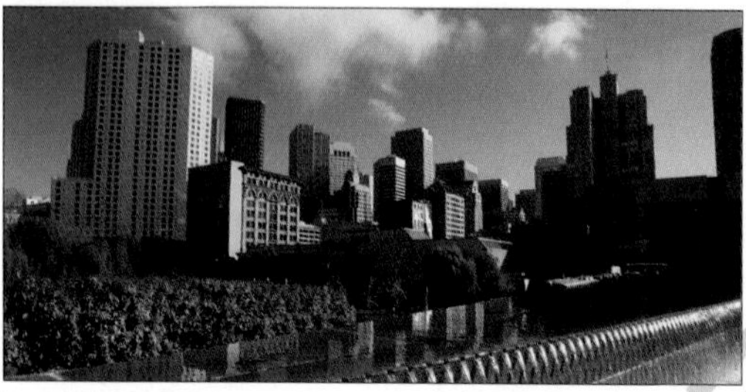

Panorámica de SoMa

Mission Street

Se comienza en la emblemática St. Patrick's Church ①, una imponente iglesia construida en 1851. Son dignos de mención los espacios verdes de Yerba Buena Gardens, al otro lado de la calle, y la diversidad de edificios antiguos y contemporáneos que caracterizan este singular barrio. Hay que caminar en dirección noreste recorriendo una manzana hasta la California Historical Society ② *(ver p. 113)*, donde se relata la historia del Golde State a través de arte y fotografía. Tal vez se desee regresar en otra ocasión para contemplar los manuscritos de la biblioteca o participar en recorridos con comentarios. Se recomienda entrar al Cartoon Art Museum ③ para ver exposiciones de superhéroes de cómic, grandes dibujantes femeninas o la obra de Charles Schultz, el creador de Snoopy, dependiendo de lo que se exponga en ese momento. Foto-Graphix Books, en el mismo edificio, vende libros de fotografía y artes gráficas, incluida una impresionante colección del famoso fotógrafo californiano Ansel Adams. También dispone de láminas diversas de San Francisco. Siguiendo el paseo hasta 2nd St., se tuerce a la izquierda hasta llegar a Alexander Book Company ④, una librería, que tras una fachada sin pretensiones esconde tres plantas de tesoros.

SFMOMA

Volviendo atrás a Mission St. y caminando dos manzanas en dirección sur hasta 3rd St., se llega a Yerba Buena Gardens. Frente a éstos, destaca el cilindro del San Francisco Museum of Modern Art ⑤ *(ver pp. 118-121)*, una de las maravillas arquitectónicas de la ciudad. El arquitecto, Mario Botta,

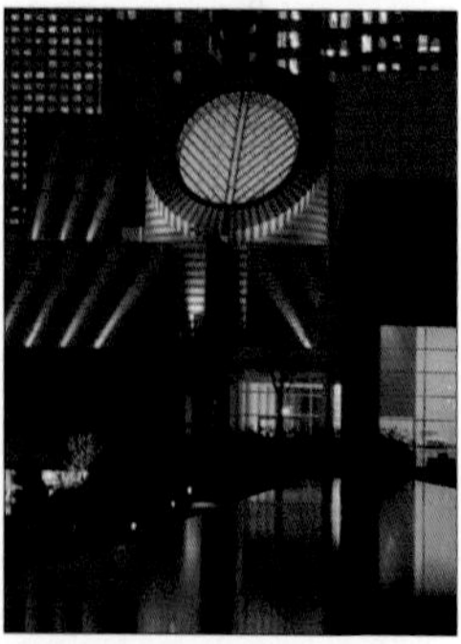

Espectacular obra arquitectónica, SF Museum of Modern Art ⑤

describió el tragaluz inclinado como el ojo de la ciudad. Tras curiosear entre los libros de arte, joyas y juegos infantiles de la tienda del museo, se puede planear una visita completa de las exposiciones de arte contemporáneo. A ambos lados del SFMOMA se alzan rascacielos con hoteles, la St. Regis Museum Tower y W San Francisco. St. Regis, un edificio de finales del siglo XIX, alberga el Museum of

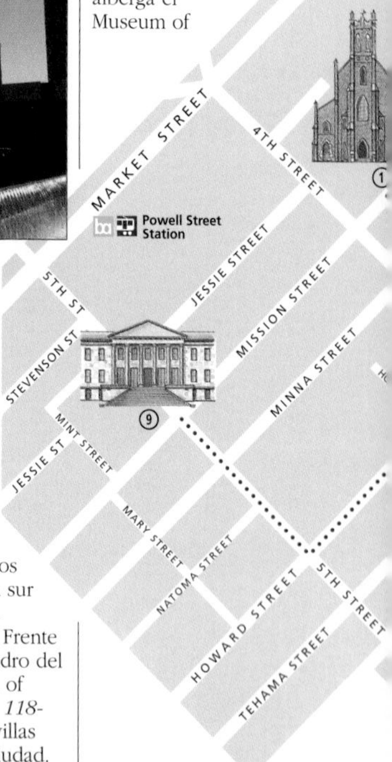

the African Diaspora (MOAD), con muestras multimedia que ilustran temas como festividades, esclavitud, arte y orígenes. En el hotel W, merece la pena echar un vistazo al vestíbulo octogonal de tres pisos revestido de cristal, donde se puede hacer un descanso y tomar un refresco o café.

De Yerba Buena Gardens a Old United States Mint

Hay que cruzar 3rd St. para entrar en Yerba Buena Gardens ⑥ *(ver pp. 114-115)*, donde se puede dar un paseo bajo los sicomoros a través de

Fachada de Old Mint, Mission Street ⑨

enseñárselo al visitante. Destaca el mural que se eleva a una altura de nueve pisos sobre un vergel de rosas, lechugas y margaritas. A continuación se avanza hacia el Society of California Pioneers Museum ⑧, en 4th St., fundada en 1850 y que ahora acoge un museo y una biblioteca. Aquí se exponen pinturas del siglo XIX del Yosemite National Park *(ver pp. 200-203)*, Sierra Nevada y otros paisajes junto a objetos de la fiebre del oro y cientos de daguerrotipos y fotografías. Después se gira a la izquierda en Howard St. y se toma Fifth St. a la derecha.

En la esquina de Mission St. se puede contemplar la magnífica fachada de la Dama de Granito, la Old United States Mint ⑨ *(ver p. 117)*, erigida entre 1869 y 1874 en estilo neogriego para acuñar monedas con oro de California y plata de Nevada.

ALGUNOS CONSEJOS

Salida: St. Patrick's Church, en Mission St.

Recorrido: 800 m.

Cómo llegar: en BART y líneas de metro MUNI F, J, K, L, M, N y T, salida de la estación de Powell St.

Altos en el camino: comer y beber aquí no suele ser tan caro como en los alrededores de Union Square y en el puerto, aunque en los hoteles de lujo (W, St. Regis y Marriott) hay que pagar 5 $ por una taza de café. Se puede tomar algo ligero en el Café Museo anexo al SFMOMA o comer al aire libre en Yerba Buena Gardens. Después se recomienda un helado en Mitchell's Ice Cream (825 Mission St.), donde se prepara un amplio surtido a diario.

jardines de flores y bordear la cascada del monumento a Martin Luther King para leer pasajes del discurso de King "Tengo un sueño". Al salir de los jardines, hay que bajar por 3rd St. y torcer a la derecha por Harrison St. y de nuevo a la derecha hacia el cruce con Bonifacio St., donde se ubica otro fascinante espacio urbano, Alice Street Community Gardens ⑦. Los ancianos y discapacitados del barrio que se enorgullecen de cuidar este recinto están encantados de

Yerba Buena Gardens, un espacio elegante y tranquilo ⑥

SIMBOLOGÍA

···· Itinerario sugerido

🅱 Estación BART

🚋 Ruta de tranvía

Paseo de 90 minutos por Russian Hill

El entramado de parques y la singular arquitectura anterior al terremoto son los alicientes de subir por las empinadas escaleras y frondosos callejones que conducen a la cima de Russian Hill. Se ven pocos coches y personas, mientras se pasea junto a edificios cuidadosamente conservados y se disfruta de fantásticas vistas, del gorjeo de los pájaros y de los exuberantes jardines de las laderas, el orgullo del barrio. Al final del paseo se puede bajar hasta la base de la colina para relajarse en los elegantes cafés y *boutiques*.

cliente adinerado (anfitrión de Robert Louis Stevenson y Laura Ingalls Wilder, entre otros) y, en la puerta contigua, su propia vivienda (nº 1.013), una construcción de seis plantas con tablillas con influencias del estilo inglés *arts and crafts*. Tras el terremoto, Polk fue nombrado arquitecto jefe de la Exposición Universal Panamá-Pacífico de 1915, una feria mundial para celebrar la construcción del canal de Panamá y la reconstrucción de San Francisco *(ver p. 72)*.

Russian Hill, con sus vistas fabulosas y casas anteriores al terremoto

Russian Hill Place

El recorrido se inicia en la esquina de Jones St. con Vallejo St., en la balaustrada *beaux arts* ① diseñada en 1915 por Willis Polk, uno de los arquitectos de la reconstrucción posterior al terremoto de 1906 *(ver pp. 28-29)*. Antes de subir por la escalera de piedra se recomienda fijarse en las casas de estilo misionero, con cubiertas de tejas, coquetos balcones y ventanas arqueadas. Una vez en las escaleras, hay que continuar por Russian Hill Place ②, un callejón corto, para ver la parte trasera y los jardines de las casas. El nº 6 es un clásico ejemplo de vivienda de la bahía de finales de siglo XIX. En Vallejo St. hay diversas casas y apartamentos construidos entre 1880 y 1940.

De Florence Street a Coolbrith Park

Se gira a la derecha en Florence St. ③, y al final de esta calle corta se divisan los tejados de Nob Hill. Antiguamente denominada Snob Hill, está salpicada de mansiones decimonónicas y hoteles de lujo; también destacan las torres de la Grace Cathedral *(ver p. 103)*. El nº 40, una de las casas más antiguas de la colina, construida en 1850, queda oculta bajo ele-

mentos añadidos en décadas posteriores. Se puede curiosear a través de la verja y apreciar un conejo de 2,50 m de altura y una escultura móvil contemporánea. En esta calle son dignas de mención las viviendas de estilo misionero. De regreso a Vallejo St., las joyas de Russian Hill son las dos casas con tejados a dos aguas en la línea tradicional de la bahía, se trata de los números 1.013-1.019 ④. Aquí, desmarcándose del diseño recargado de las residencias victorianas, Polk diseñó una casa (nº 1.019) en 1892 para un

Tramos de las escaleras de Vallejo St. ④

0 metros 100
0 yardas 100

SIMBOLOGÍA

..... Itinerario sugerido

Por debajo de esta casa diseñó las escaleras en zigzag de estilo *beaux arts* de Vallejo St., conocidas como las rampas. A lo largo de esta escalinata de tres tramos hay jardines cuajados de hortensias azules, azaleas, magnolias y pinos y cipreses; también hay un banco para reponer fuerzas. Al pie de la escalera, en la esquina de Taylor St. y Vallejo St., se puede atravesar la calle para visitar el Coolbrith Park ⑤. Desde aquí se aprecian

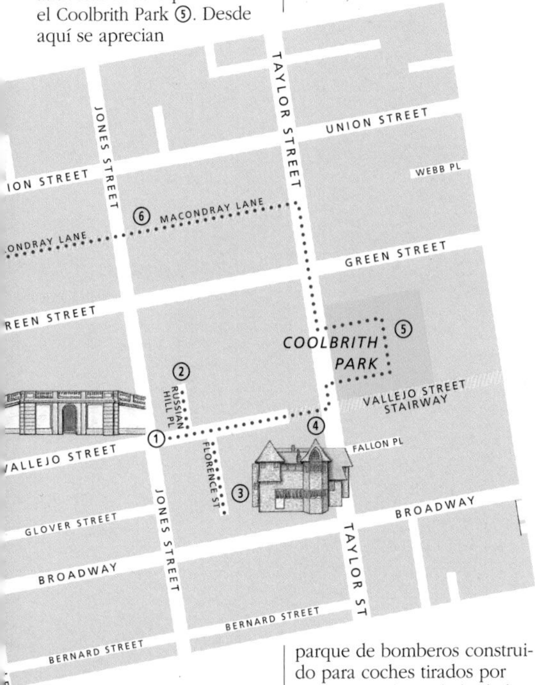

las islas de la bahía, North Beach, el puente de la Bahía y la franja sur del Financial District. El 4 de julio, la gente viene aquí para contemplar los fuegos artificiales.

De Macondray Lane a Green Street

Subiendo hacia el norte por Taylor St., a la izquierda se encuentra Macondray Lane ⑥, a la que se accede a través de una escalera de madera. En esta callejuela de dos manzanas hay mansiones eduardianas y casas de estilo rústico rodeadas de jardines floridos. Esta callecita era el decorado de Barbary Lane en la serie televisiva *Tales of the city*. Sobre los marcos de las puertas de estos supervivientes del terremoto, en los números 5-17, cuelgan guirnaldas de escayola. A continuación se tuerce a la izquierda por Leavenworth St. y a la derecha por Green St. La manzana situada entre las calles Hyde y Leavenworth recibe el sobrenombre de la Manzana Parisina ⑦, debido a la casa del nº 1050, que posee cierto aire parisino. En esta manzana hay varias edificaciones de interés, incluido el último parque de bomberos construido para coches tirados por caballos y, al otro lado de la calle, la Freusier Octagon House, de 1857.

Hyde Street

Si se continúa hacia el oeste por Green St. hasta Hyde St., se llega a los cafés y tiendas concentrados en torno a Jackson St. y Union St. ⑧; destacan Hyde Street Bistro (nº 1521), las *boutiques* y las tiendas de antigüedades. Después de dar una vuelta se puede coger un autobús en Hyde St. hacia diversos puntos de la ciudad.

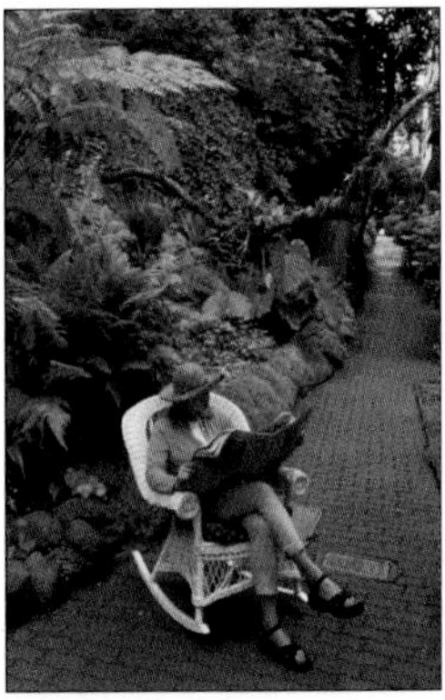

Residente relajándose en Macondray Lane, escenario de la serie de TV *Tales of the city* ⑥

ALGUNOS CONSEJOS

Salida: *escalera de piedra en la esquina de Jones St. y Vallejo St.*
Recorrido: *1,2 km.*
Cómo llegar: *hay que tomar el tranvía de Hyde-Powell o la línea Muni 45 a Vallejo St. y caminar dos manzanas al este.*
Altos en el camino: *Frascati (nº 1901), en Hyde St., lo frecuentan clientes habituales del barrio y ofrece un menú europeo con paella y coq au vin en un entorno acogedor. Los jóvenes y bohemios se relajan en los sillones de cuero de Bacchus Wine & Sake Bar (nº 1954).*

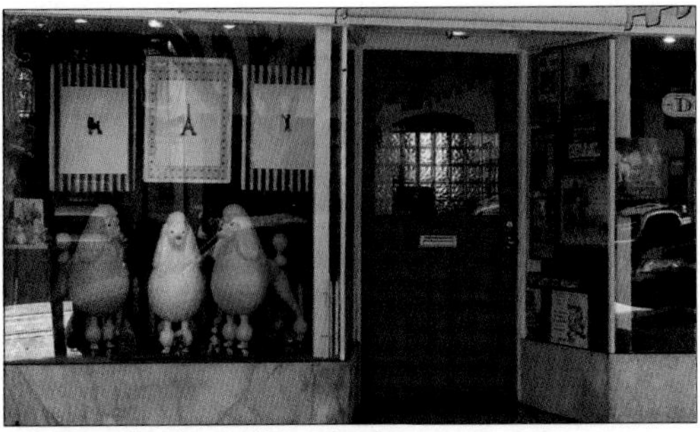

Hyde St., con *boutiques*, cafés y anticuarios

Tunnel View, en el valle de Yosemite ▷

NORTE DE CALIFORNIA

Viajando por el norte de California

La ciudad de San Francisco se encuentra rodeada por una región de gran belleza y diversidad. Los valles protegidos por la cadena costera, idóneos para el cultivo de viñedos, le han aportado al Estado una amplia gama de lugares para explorar, mientras que el extenso litoral permite relajarse en las playas y practicar la observación de aves. Existen docenas de localidades antiguas y fascinantes y los visitantes pueden esquiar o realizar senderismo en las impresionantes cumbres de Sierra Nevada, a pocas horas de la ciudad. Las excursiones que se describen en las páginas 186-203 han sido seleccionadas para descubrir esta zona.

Vista del norte del lago Tahoe en invierno

LUGARES DE INTERÉS

Carmel ❶
Lago Tahoe ❽
Lassen Volcanic National Park ❺
Mendocino ❷
Redwood National Park ❹

Región vitivinícola de Napa ❸
Sacramento ❼
Sonoma Valley ❻
Yosemite National Park ❾

Robles en el valle de Yosemite

0 kilómetros 50

0 millas 50

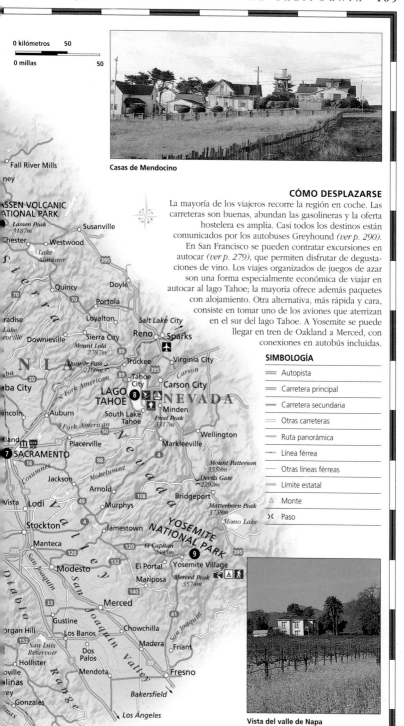

Casas de Mendocino

Fall River Mills

ney

LASSEN VOLCANIC
NATIONAL PARK
Lassen Peak
3187m
Chester   Westwood
Susanville

Lake
Almanor

Quincy   Doyle
395

Portola

radise   Loyalton
Lake
rville   Downieville   Sierra City
Salt Lake City
Reno   Sparks
Mount Lola
2787m
Donner Pass
2160m   Truckee   Virginia City
ba
ba City   N Fork American   89   Tahoe
City   Carson City
incoln   Auburn   South Lake
Tahoe
Freel Peak
3317m
S Fork American   50   Minden
land   Placerville   Markleeville   Wellington
SACRAMENTO   88
16
Jackson   Mokelumne   Mount Patterson
3558m
Arnold   Devils Gate
2292m
Vista   Lodi   Murphys   108   Bridgeport
Matterhorn Peak
3738m
Stockton   Jamestown   Mono Lake
YOSEMITE
Manteca   NATIONAL PARK
205   120   El Capitan
2483m
Modesto   132   El Portal   Yosemite Village
Mariposa   Merced Peak
3574m
Merced   140
41
Gustine
rgan Hill   Los Banos   Chowchilla
152   San Luis
Reservoir   Madera   Friant
Dos
oville   Hollister   Palos   99
linas   Mendota   Fresno
ey
Gonzales   Bakersfield
Los Ángeles

NIA
Sierra
Nevada
San Joaquin
San Joaquin Valley
Diablo
Range

NEVADA

LAGO
TAHOE

CÓMO DESPLAZARSE

La mayoría de los viajeros recorre la región en coche. Las
carreteras son buenas, abundan las gasolineras y la oferta
hostelera es amplia. Casi todos los destinos están
comunicados por los autobuses Greyhound *(ver p. 290)*.
En San Francisco se pueden contratar excursiones en
autocar *(ver p. 279)*, que permiten disfrutar de degustaciones de vino. Los viajes organizados de juegos de azar
son una forma especialmente económica de viajar en
autocar al lago Tahoe; la mayoría ofrece además paquetes
con alojamiento. Otra alternativa, más rápida y cara,
consiste en tomar uno de los aviones que aterrizan
en el sur del lago Tahoe. A Yosemite se puede
llegar en tren de Oakland a Merced, con
conexiones en autobús incluidas.

SIMBOLOGÍA

	Autopista
	Carretera principal
	Carretera secundaria
	Otras carreteras
	Ruta panorámica
	Línea férrea
	Otras líneas férreas
	Límite estatal
△	Monte
✕	Paso

Vista del valle de Napa

Excursión de 2 días a Carmel ❶

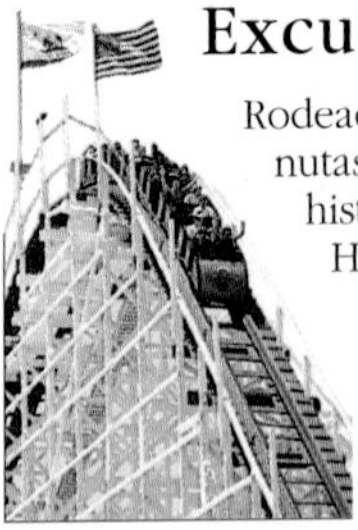

Montaña rusa de Santa Cruz

Rodeada de acantilados, calas, playas diminutas, faros, parques y poblaciones históricas, la autopista costera Hwy. 1 constituye una ruta panorámica que se extiende desde San Francisco a Carmel. La región atesora un rico pasado, especialmente Monterrey, la capital original de la California española. Carmel, una localidad costera, ha sido un paraíso de artistas y escritores desde principios del siglo XX. En ella se puede visitar la misión Carmel *(ver p. 137).*

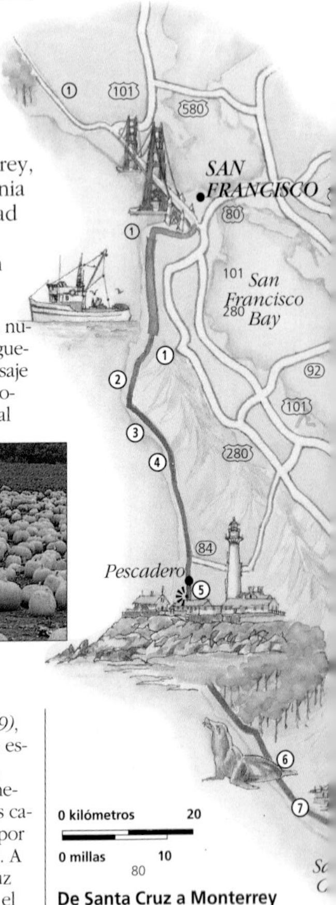

De San Francisco a Santa Cruz

Saliendo de la ciudad por Pacífica, Hwy. 1 se estrecha para convertirse en una carretera de dos carriles. En Sharp Park se puede subir hasta Sweeny Ridge ①, a 2 km de distancia. Los exploradores españoles dirigidos por Gaspar de Portolá fueron los primeros europeos en divisar, desde este lugar, la bahía de San Francisco *(ver pp. 24-25)* en 1769.

Las fuertes corrientes y aguas frías del Pacífico desaniman a bañarse en las playas públicas de Gray Whale Cove ② y Montara. Cuando la marea baja, se pueden contemplar las rocas que se extienden desde la Fitzgerald Marine Preserve hasta Pillar Point, al sur; se trata de las mayores del litoral del condado de San Mateo.

La flota pesquera aún fondea en Princeton ③, muy cerca de este lugar, mientras que en Half Moon Bay ④, el acontecimiento más importante del año es el festival de calabazas de octubre. La calle principal de Princeton conserva el encanto de las antiguas localidades costeras; aquí se han establecido numerosos inmigrantes portugueses e italianos. Al sur, el paisaje rural está bastante menos poblado. En Pigeon Point ⑤, al sur de Pescadero *(ver p. 169)*, se alza un faro de 1872 que está cerrado por restauración, aunque los jardines permanecen abiertos. Desde aquí las carreteras secundarias suben por las montañas de Santa Cruz. A 32 km al norte de Santa Cruz por la Hwy. 1 se encuentra el espectacular Año Nuevo State Park ⑥. Se puede concertar una cita con un guardabosques para realizar la ruta de senderismo de 5 km ida y vuelta que conduce a la playa donde vive una colonia de nutrias.

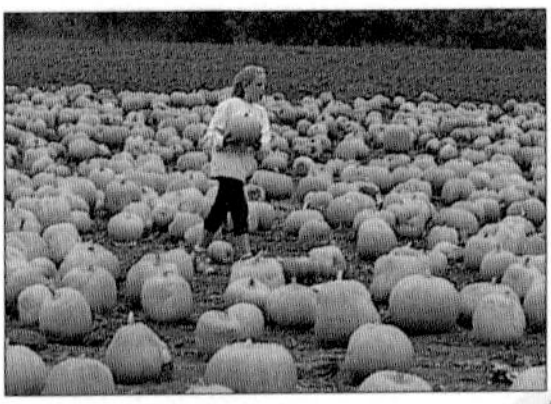

Festival de calabazas, Half Moon Bay ④

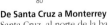

De Santa Cruz a Monterrey

Santa Cruz, al norte de la bahía de Monterrey, posee algunas playas estupendas para nadar. A pesar de que el puente de Natural Bridges State Beach ⑦ quedó inundado hace tiempo por el mar, esta playa está protegida y constituye un lugar seguro para el baño.

Santa Cruz es famosa por el Boardwalk ⑧, un parque de atracciones. La montaña rusa Big Dipper data de 1923.

Desde Santa Cruz la autopista traza una curva alrededor de la bahía hasta Monterrey, a 45 km. A medio camino se halla Moss Landing ⑨, la estación de ciencias marinas de la Universidad de California, donde los visitantes pueden observar las aves y aprender sobre la flora y la fauna de la zona.

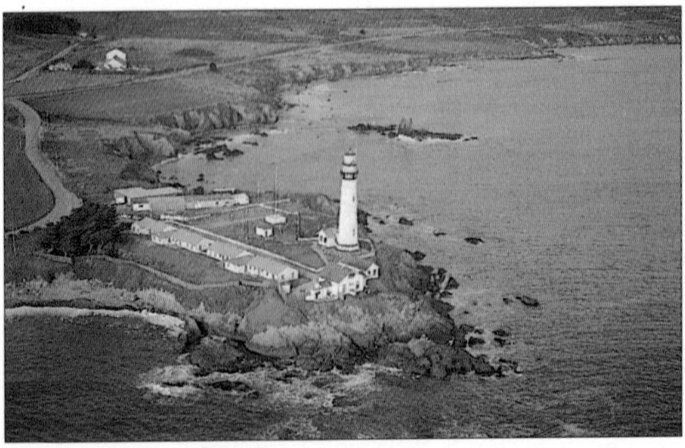

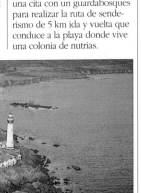

Faro de Pigeon Point ⑤

Fisherman's Wharf, Monterrey ⑩

ALGUNOS CONSEJOS

Distancia desde San Francisco:
220 km.
Recorrido: unas cuatro horas
sin incluir paradas.
Cómo regresar a San Francisco:
la península de Monterrey conecta
con la US 101. Se tarda dos horas
y media en llegar a San Francisco
pasando por San José.
Cuándo ir: la temporada alta es el
verano. El invierno suele ser
húmedo y a veces se producen
lluvias torrenciales.
Dónde alojarse y comer: Santa
Cruz, Monterrey, Carmel, Pacific
Grove y Pebble Beach cuentan con
una amplia oferta de hoteles,
moteles y bed & breakfast. En
Municipal Wharf, en Santa Cruz,
hay numerosos bares con tentempiés. En Monterrey abundan los
restaurantes y bares en Cannery
Row y Fisherman's Wharf. Carmel
posee diversos restaurantes, desde
bistrots hasta marisquerías.
Información turística:
Monterey Peninsula Chamber of
Commerce and Visitors Bureau,
380 Alvarado Street, Monterey.
Tel (831) 648-5360. Carmel
Tourist Information Center,
Mission Patio, Carmel.
Tel (831) 624-1711.
www.montereyinfo.org

De Monterrey a Pacific Grove

Monterrey ⑩, la primera capital de California, fue fundada por los españoles en 1770.
En el centro de la ciudad todavía se conservan numerosos edificios históricos. Un
plano gratuito, editado por la
Cámara de Comercio, recoge
un itinerario a pie que recorre los lugares de interés como la casa de Robert Louis
Stevenson o Colton Hall.

En la década de 1940, John
Steinbeck, describió Monterrey como "una colección de
fábricas de conservas de sar-
dinas y prostíbulos". El espectacular acuario de la bahía de
Monterrey se levanta sobre el
solar de 1,32 ha de la fábrica
de conservas mayor de la zona; las galerías y exposiciones
del acuario emplean los magníficos hábitats marinos de la
bahía. Ya casi en el extremo
de la península de Monterrey
se sitúa Pacific Grove ⑪,
donde miles de mariposas re-
volotean entre los árboles durante el otoño. Aquí
comienza la 17-Mile
Drive (27 km) ⑫,
una ruta pano-
rámica que

pasa junto a los campos de
golf de Pebble Beach y
Spyglass Hill.

La carretera termina en Carmel ⑬, con sus calles pintorescas y casas singulares. Esta
localidad fue fundada por una
comunidad de artistas a principios del siglo XX y cuenta
con varias galerías de arte. Las
coquetas calles, los silenciosos
patios y las tiendas invitan a
pasear. Fray Junípero Serra,
importante evangelizador de
esta región, está enterrado en
la misión Carmel, una de
las iglesias más
bonitas de Cali-
fornia.

⑬ *Carmel*

SIMBOLOGÍA

- Itinerario
- Carretera principal
- Río
- Punto panorámico

La misión de Carmel, fundada en 1793 ⑬

Excursión de 2 días a Mendocino ❷

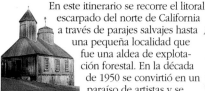

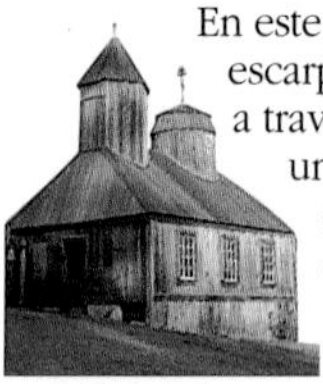
Capilla ortodoxa rusa del fuerte Ross

En este itinerario se recorre el litoral escarpado del norte de California a través de parajes salvajes hasta una pequeña localidad que fue una aldea de explotación forestal. En la década de 1950 se convirtió en un paraíso de artistas y se restauró con tal cuidado que fue declarada monumento histórico. En el interior se extienden bosques de secuoyas, que se recomienda contemplar a bordo del *Skunk Train* desde Fort Bragg, 16 km al norte de Mendocino.

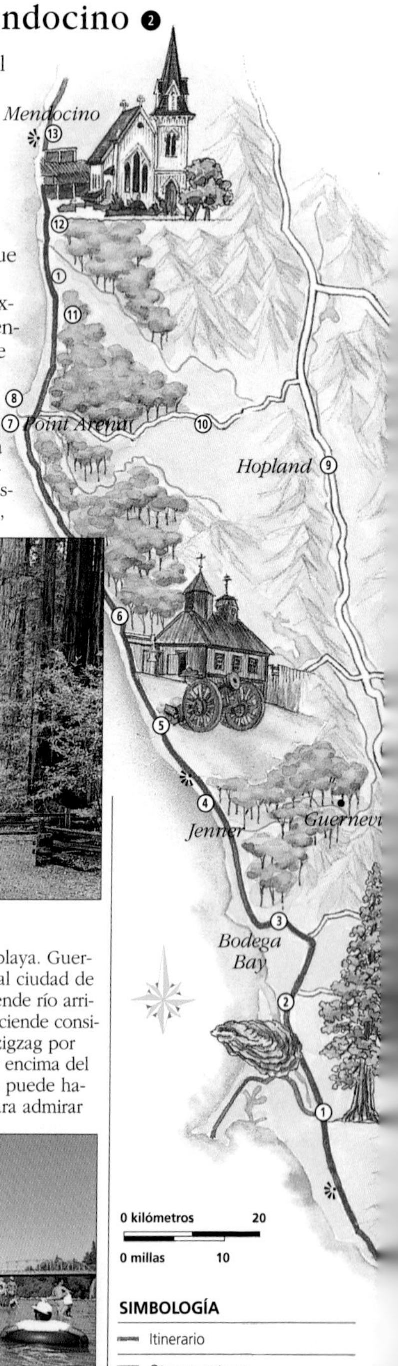
Mendocino
⑬
⑫
①
⑪
⑧
⑦ Point Arena
⑩
Hopland ⑨
⑥
⑤
④
Jenner
Guernevi
③
Bodega Bay
②
①

Del oeste de Marin a Bodega Bay

El viaje se inicia cruzando el Golden Gate Bridge y saliendo por la US 101 a través del sur del condado de Marin *(ver pp. 160-161)*. En Mill Valley hay que torcer al oeste por la Hwy. 1, que sube por los 450 m de colinas costeras y a continuación discurre paralela a la costa en Stinson Beach. En la localidad de Point Reyes Station ① se debe tomar un desvío a la izquierda y seguir la carretera en dirección a Point Reyes National Seashore *(ver p. 160)*; se tarda unas dos horas en llegar. La Hwy. 1 continúa por Tomales Bay ②, un estuario dedicado a la cría de ostras. Más allá de la bahía, la carretera serpentea 48 km hacia el interior pasando junto a granjas de vacas, al oeste del condado de Marin, para regresar a la costa en Bodega Bay ③, donde en 1962 Alfred Hitchcock rodó *Los pájaros*.

Río Russian y Fort Ross

Al norte de Bodega Bay, la Hwy. 1 avanza en paralelo a la costa del Pacífico hasta llegar a la gran desembocadura del río Russian en Jenner ④,

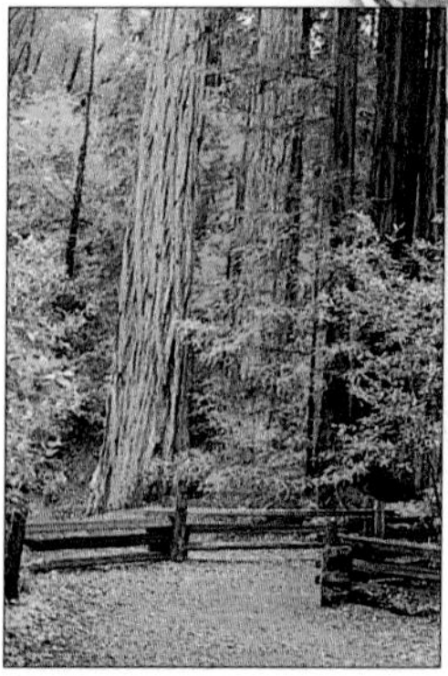
Secuoyas costeras

con una extensa playa. Guerneville, la principal ciudad de esta zona, se extiende río arriba. La carretera asciende considerablemente en zigzag por Jenner Grade, por encima del Pacífico, donde se puede hacer una parada para admirar

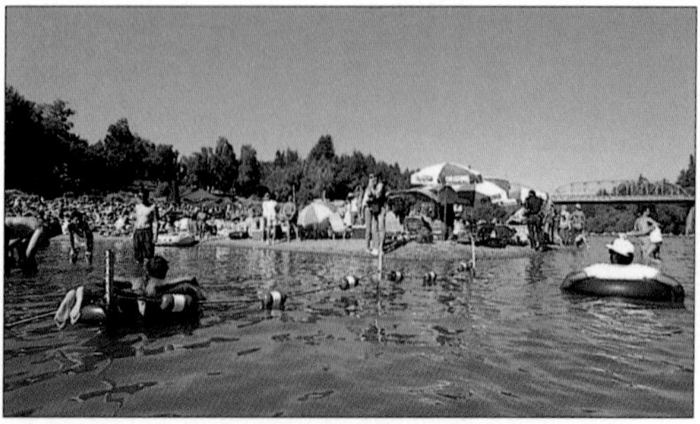
Johnson's Beach, en Guerneville, junto al río Russian

0 kilómetros 20

0 millas 10

SIMBOLOGÍA

- Itinerario
- Otras carreteras
- Río
- Punto panorámico

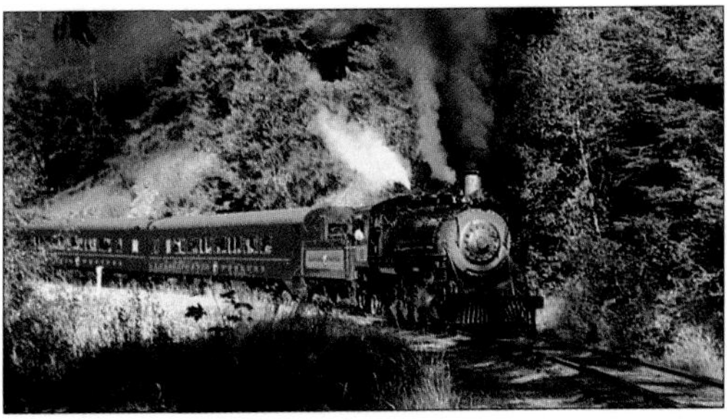

El Skunk Train atraviesa el bosque de secuoyas

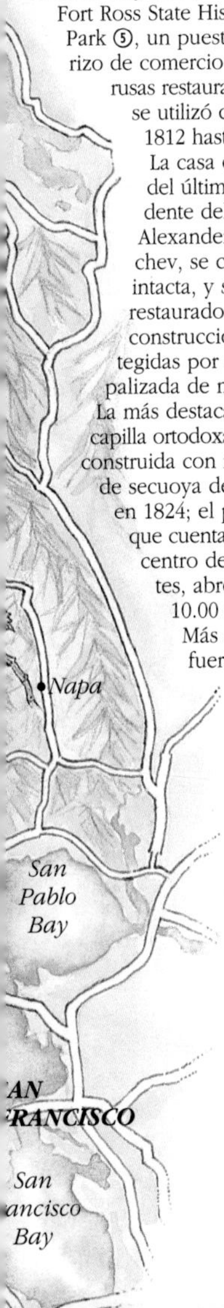

el paisaje. En un promontorio azotado por el viento, 19 km al norte de Jenner, se halla Fort Ross State Historic Park ⑤, un puesto fronterizo de comercio de pieles rusas restaurado que se utilizó desde 1812 hasta 1841. La casa original del último intendente del fuerte, Alexander Rotchev, se conserva intacta, y se han restaurado otras construcciones protegidas por una empalizada de madera. La más destacada es la capilla ortodoxa rusa, construida con madera de secuoya del lugar en 1824; el parque, que cuenta con un centro de visitantes, abre de 10.00 a 16.30.

Más allá del fuerte Ross, la Hwy. 1 serpentea a lo largo del litoral, pasando por varios parques estatales costeros, entre ellos la Kruse Rhododendron Reserve ⑥. La mejor época para visitarla es abril y mayo. Este tramo de costa es escarpado y bonito.

Point Arena y Manchester State Beach

El itinerario continúa a través de praderas llanas y cipreses hasta Point Arena ⑦, donde el antiguo faro ofrece una panorámica espectacular de la costa.

Manchester State Beach ⑧ es una playa pública de 8 km; desde aquí se puede dar un rodeo de unas tres horas para visitar las fábricas de cerveza del norte de California. Una de las mejores cervezas es Red Tail, de Mendocino Brewing, en Hopland ⑨, situado junto a la US 101, y Boont Amber, elaborada en Boonville ⑩, en el corazón del valle de Anderson. Ambas disponen de tabernas en las fábricas. A 5 km al sur de Mendocino por la Hwy. 1 se halla Van Damme State Park ⑪, un bosque de secuoyas con varias rutas de senderismo recomendables. Mendocino Headlands State Park ⑫, un poco más adelante por la misma carretera, es un cinturón verde protegido donde no se permite urbanizar.

Mendocino ⑬ queda al oeste de la carretera, en un promontorio rocoso sobre el Pacífico. Aquí se puede descubrir el ambiente de los tiempos de explotación forestal y, a pesar de que su principal fuente de ingresos es el turismo, se mantiene ajena a intereses comerciales.

ALGUNOS CONSEJOS

Distancia desde San Francisco: *Mendocino está situada a unos 200 km de San Francisco.*

Recorrido: *unas 10 o 12 horas ida y vuelta siguiendo el itinerario descrito, incluidos rodeos pero no paradas.*

Cómo regresar a San Francisco: *por la Hwy. 1 sur hacia el río Navarro y a continuación la Hwy. 128 a Cloverdale; desde aquí se toma la US 101 sur.*

Cuándo ir: *el verano es la temporada alta turística, pero en otoño hace mejor tiempo, con días soleados y preciosos atardeceres. El invierno es húmedo y templado y a menudo se divisan ballenas grises mar adentro. En primavera las colinas se cubren de flores.*

Dónde alojarse y comer: *a lo largo de la ruta se sitúan diversos alojamientos, incluidos cámpings. Fort Bragg, Little River, Manchester, Jenner, Hopland y Boonville son buenos lugares para hacer un alto en el camino, y Mendocino cuenta con agradables bed & breakfasts.*

Información turística: *Mendocino Coast Chamber of Commerce is at 332 North Main Street, Fort Bragg.* ***Tel*** *(707) 961-6300.* **www**.mendocinocoast.com

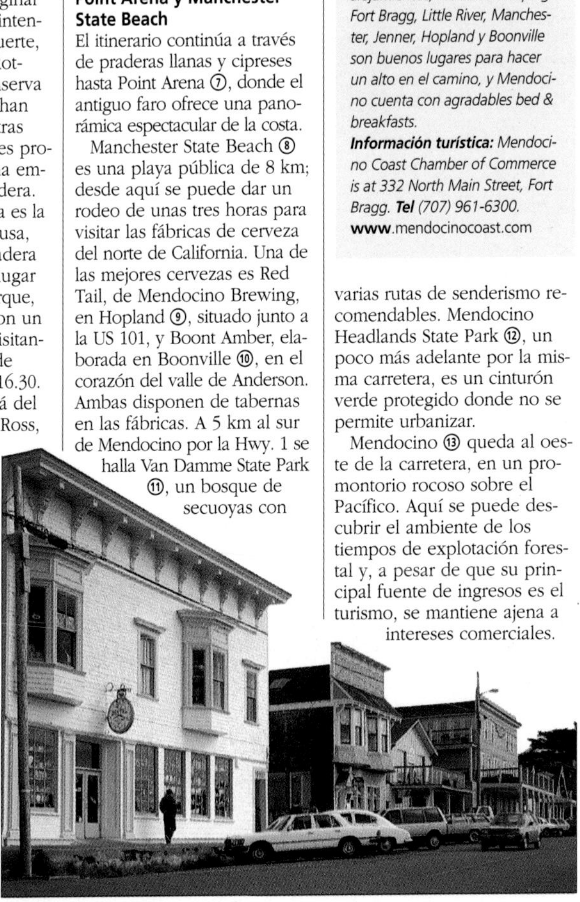

Edificios del siglo XIX, Mendocino ⑬

Región vitivinícola de Napa ❸

El valle de Napa, con colinas y campos de tierra fértil, conforma el núcleo de la industria vitivinícola de California. Aquí se ubican más de 250 bodegas *(winerys)*, algunas de las cuales se remontan al siglo XIX. Muchas reciben a visi-

Globo, de Napa

tantes que participan en recorridos guiados y degustaciones. Cada región del valle posee sus vinos típicos *(ver pp. 226-227)*. Sorprende la belleza del paisaje, que se puede contemplar volando en globo, o recorriéndolo en bicicleta o tren. Otros lugares de interés de la zona son los museos, galerías de arte y los manantiales de Calistoga.

WELCOME to this world famous wine growing region · NAPA VALLEY · *and the wine is bottled poetry...*

Señal del valle de Napa
Situado a la entrada del valle, este cartel da la bienvenida a los visitantes de los viñedos.

Old Faithful es un géiser, que expulsa agua caliente y vapor cada 40 minutos aproximadamente.

CALISTOGA

Viñedos Schramsberg

Bodega Clos Pegase
Esta bodega, que ofrece visitas guiadas gratuitas, alberga una colección privada de arte. Abre sus puertas en un edificio posmoderno galardonado.

Los viñedos Beringer han funcionado sin interrupción desde 1876.

ST HEL

RUTHERF

SIMBOLOGÍA

▭▭▭	Carretera
∿∿∿	Río
▦▦▦	Viñedo
▦▦▦	Línea férrea
• • •	Ruta Silverado

Nelbaum-Coppola data de 1879. Los recorridos guiados comienzan en la bodega original, que hoy acoge la sala de degustaciones.

La bodega Robert Mondavi utiliza la tecnología más avanzada en una construcción de estilo misionero.

Domain Chandon produce 500.000 cajas de vino espumoso al año.

La bodega y la colección Hess atesoran vinos singulares y obras de arte.

Napa Valley Wine Train
En este tren de lujo se sirven comidas para gastrónomos, acompañadas de excelentes vinos, durante un trayecto de tres horas a través del valle.

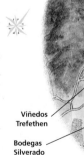

NAPA

Viñedos Trefethen

Bodegas Silverado Hills

Viñedo Sterling
Colgada sobre una loma rocosa con vistas a los viñedos, a esta singular bodega se accede mediante una embarcación. El itinerario está señalizado para recorrerlo libremente.

Bodega Frog's Leap

Viñedos Duckhorn

El viñedo Beaulieu rodea una construcción palaciega. Las visitas guiadas son gratuitas.

Viñedo V. Sattui
En algunos viñedos el vino madura en barriles franceses de roble.

Lake Hennesey

KVILLE

Viñedo Joseph Phelps
Éste es uno de los viñedos más prestigiosos de California. Ofrece visitas guiadas previa cita.

Mumm Napa Valley es conocido por sus tradicionales vinos espumosos.

YOUNTVILLE

Close du Val goza de gran reputación por la calidad de sus vinos.

La Ruta Silverado es una carretera tranquila que ofrece vistas estupendas de los viñedos.

ALGUNOS CONSEJOS

Distancia desde San Francisco: 120 km.
Recorrido: 1 h. hasta Napa.
Cómo llegar: por la US 101 norte, a continuación la Hwy. 37 a Vallejo y por último la Hwy. 29 hasta Napa. Esta carretera atraviesa el valle hasta Calistoga. Algunas compañías de autocares organizan excursiones que a menudo incluyen la comida.
Cuándo ir: a principios de primavera el color amarillo cubre los campos. Las uvas maduran con el calor del verano. En septiembre y octubre se recogen y prensan las uvas, y las vides adquieren tonalidades doradas y rojas. En invierno se podan las vides y se embotella la cosecha.
Dónde alojarse y comer: la oficina de turismo facilita información.
Información turística: Napa Valley Visitors Bureau, 1310 Napa Town Center. **Tel** (707) 226-7459.
www.napavalley.com

LA FILOXERA

El pulgón de la filoxera destruyó las cosechas del valle de Napa a finales del siglo XIX, arruinando casi por completo la industria vitivinícola. Los expertos llegaron a la conclusión de que las nuevas vides podrían sobrevivir si se las injertaba en rizomas resistentes, gracias a lo cual se evitó el desastre. En 1980 se produjo un nuevo brote y hubo que arrancar las vides infectadas.

Las vides infectadas se arrancan para plantar rizomas resistentes

Viajando por el valle de Napa

El gran valle de Napa destaca por sus vinos ricos, bodegas con interesante arquitectura, colecciones de arte moderno, balnearios y tiendas de artesanía. Disfrutar de unas cuantas catas, organizar una comida al aire libre o hacer unas compras puede ocupar fácilmente un día; se necesitará otra jornada para dar un paseo en globo, recibir un tratamiento de baños de barro o visitar las galerías de arte. Los vinateros de Napa sufrieron la amenaza del pulgón de la filoxera y padecieron las restricciones de la Prohibición. En 1976, el Château Montelena Chardonnay y el Cabernet Sauvignon de Stag´s Leap ganaron un concurso de degustación a ciegas en París. El valle se ha convertido en una comarca vitivinícola interesante.

Cata de vinos en una de las muchas bodegas del valle de Napa

DEGUSTACIÓN DE VINOS

www.napavalley.com/wineries

Muchas bodegas poseen salas de degustación donde probar las últimas cosechas, otras organizan las catas previa cita. Los empleados conocen los productos, los precios, las características del suelo y el clima que determina cada vino. Algunas bodegas ofrecen recorridos guiados que terminan con una degustación. Debido al aumento de visitantes, muchas bodegas cobran por las degustaciones y las visitas. El viñedo Robert Mondavi organiza degustaciones, presentaciones, visitas guiadas y demostraciones de cocina. Las bodegas Grgich, la bodega Château Montelena, las bodegas Heitz, los viñedos Duckhorn, Rutherford Hills, Franciscan Oakville Estates, la bodega V. Sattui, el viñedo Beaulieu y Stag's Leap celebran catas. Los aficionados al vino espumoso deben visitar Mumm Cuvée Napa, Domaine Chandon y Domaine Carneros.

MUSEOS Y GALERÍAS DE ARTE

Las bodegas constituyen marcos magníficos para exposiciones de arte.

El director de cine Francis Ford Coppola transformó la bodega Inglenook, de 1879, en el Niebaum-Coppola Estate Winery, donde se exhiben diferentes objetos relacionados con el séptimo arte.

Hess Collection alberga un muestra de pintura y escultura contemporánea europea y estadounidense propiedad de Donald Hess e incluye a artistas como Robert Motherwell o Frank Stella.

En el centro de visitantes de Artesa Winery se puede contemplar piezas de cristal, metal y lienzos del artista de la casa, Gordon Huether. Clos Pegase dispone de un famoso jardín escultórico; Liana Gallery acoge la colección de arte contemporáneo de la bodega Peju Province. Mumm Cuvée Napa's Fine Art celebra exposiciones temporales, mientras que la Private Collection Gallery exhibe trabajos de fotógrafos como Ansel Adams. Di Rosa Preserve, que ha evolucionado desde la simple bodega hasta convertirse en un centro de naturaleza y arte, posee un lago, una capilla de cristal, la galería Gatehouse y jardines donde se exponen obras recientes de artistas de la bahía californiana.

ARQUITECTURA

En el valle se pueden visitar varias construcciones de interés arquitectónico. El centro de visitantes de los viñedos de St. Helena's Beringer, la bodega en funcionamiento más antigua de la comarca, se encuentra en la Rhine House; este edificio, que data de 1883, cuenta con revestimientos de madera, una larga barra y vidrieras.

Las construcciones blancas de los viñedos Sterling cuelgan de una colina de Calistoga. La bodega Robert Mondavi adoptó el estilo de las misiones californianas, con una estatua de san Francisco y otras que representan animales, del escultor Beniamino Bufano.

El arquitecto Michael Graves proyectó la bodega de Clos Pegase, con líneas sencillas y posmodernas. Algunas bodegas, como Domaine Carneros, construida por Taittinger, homenajean las raíces vitivinícolas francesas con edificios en forma de castillos. Darioush Khaledi, en recuerdo de su origen iraní, levantó en 2004 unas columnatas que flanquean el acceso al edificio dorado que acoge su bodega.

Rhine House, en Beringer Vineyards

Globo aerostático sobre la región vitivinícola de Napa

PASEOS EN GLOBO, BICICLETA Y TREN

Napa Valley Wine Train 1275 McKinstry Street, Napa, CQ 94559 **Reservas** *Tel (707) 253-2111.* **www**.winetrain.com

Antes del amanecer, los cielos del valle de Napa son surcados por un desfile de globos aerostáticos que sobrevuelan los viñedos. Los vientos dominantes que soplan del norte de la bahía de San Francisco determinan la salida. Debido a la niebla matinal, el trayecto es fresco, aunque se templa con la llama del quemador del globo. El recorrido sobre hileras de vides y campos de color amarillo mostaza en primavera termina en tierra con un tradicional brindis con vino espumoso, que con frecuencia se acompaña de un desayuno exquisito.

El largo valle constituye una delicia para los ciclistas, que pedalean por la Ruta Silverado, en concreto por el lado este, para visitar algunos de las más de 30 bodegas situadas entre Napa y Calistoga. El calor veraniego aprieta más por la tarde. Los ciclistas más experimentados salen temprano para evitar el tráfico, que es muy denso los fines de semana y en vacaciones.

El trayecto de ida y vuelta en el *Napa Valley Wine Train*, desde Napa hasta Santa Helena, dura tres horas. El viaje incluye un desayuno fuerte, almuerzo o cena, que se sirve en los vagones-comedor, que datan de 1915-1917. Los itinerarios efectúan diversas paradas para visitar Domaine Chandon, Raymond Vineyards o Grgich Hills Winery. En la estación McKinstry del *Napa Valley Wine Train* se imparten clases informales de cata de vinos antes de que los pasajeros suban a bordo.

Los eventos tienen lugar en el vagón-comedor, con techo de cristal. La cena a la luz de la luna, con cinco platos, se programa cada luna llena.

BALNEARIOS

Ver **www**.winetrain.com, con información sobre los mejores balnearios de la zona.

Baño de barro en Calistoga

Calistoga, al norte del valle de Napa, es un foco de actividad geotermal. Los manantiales de agua caliente y el barro volcánico de la zona, originados por una antigua erupción en el monte Santa Elena, permitieron la creación una industria local que se mantiene a lo largo de los años. La mayoría de los balnearios está situada en las calles principales de Calistoga, Lincoln Ave. y Washington St.

Los tratamientos con baños de barro constituyen una forma de relajación natural y, para algunos, también de desintoxicación y rejuvenecimiento. Los clientes se sumergen en una bañera llena de barro que contiene turba, arcilla y agua mineral procedentes de los manantiales. Las visitas a los balnearios incluyen un baño en una piscina de aguas termales. La mayoría también ofrece alojamiento.

TIENDAS

Las salas de degustación de vinos son el mejor lugar para catar y comprar vinos excelentes de producción limitada, de hecho, los expertos de la región vitivinícola aconsejan que se caten y compren en las mismas bodegas. Las tiendas de regalos de las bodegas ofrecen desde libros de cocina hasta sacacorchos con el nombre del establecimiento; también es posible comprar comestibles.

Oakville Grocery, en la Highway 29, es una institución donde se pueden adquirir vinos de la tierra, condimentos y aceite de oliva, o pedir un sándwich con abundante queso y carnes de la zona.

Artists of the Valley, una galería de la Asociación de Arte del Valle de Napa, es uno de los numerosos lugares donde curiosear y comprar en Santa Helena. Dean & Peluca, un centro de artesanos con sede en Nueva York, cuenta con una sucursal en Santa Helena, donde venden productos frescos del valle de Napa y 1.400 vinos californianos. Vintage 1870, instalado en un conjunto histórico de ladrillo rojo en Groezinger Winery, alberga tiendas de ropa, una enoteca con sala de degustación y varias galerías de arte.

El *Napa Valley Wine Train* recorre el valle de Napa

Redwood National Park ❹

Centro de Visitantes *1111 Second St., Crescent City.* **Tel** *(707) 464-6101.* De Arcata a Crescent City hay 125 km; la mejor carretera es la US 101. **www**.redwood.national-park.com

En este parque nacional se protegen algunos de los bosques originales de secuoyas mayores del mundo. El parque, de 23.500 ha, se extiende a lo largo de la costa y contiene muchos parques estatales menores que se pueden explorar en coche en un día. Sin embargo, una excursión de dos jornadas permite alejarse de las carreteras y apreciar la tranquilidad de los maravillosos bosques, o divisar una de las últimas manadas de alces Roosevelt del mundo.

Las oficinas centrales del parque están situadas en **Crescent City,** y unos kilómetros al norte de ésta se encuentra el Jedediah Smith Redwoods State Park, con 3.720 ha; se cuentan entre las más impresionantes del litoral. Recibe su nombre del trampero de pieles Jedediah Smith, el primer hombre blanco que atravesó EE UU. Cuenta con excelentes instalaciones de cámping. En el paraje **Trees of Mystery,** al sur de Crescent City, se levantan unas gigantescas estatuas.

Reddwood National Park alberga el árbol más alto del mundo, con 112 m; se alza en **Tall Trees Grove.** Más al sur se halla Big Lagoon, un lago de agua dulce y dos estuarios. Juntos conforman el **Humboldt Lagoons State Park.** En verano merece la pena acercarse a observar las ballenas grises

Lassen Volcanic National Park

migratorias a los promontorios de Patrick's Point State Park, en el extremo sur. También abundan las piscinas de roca.

Lassen Volcanic National Park ❺

🚌 Chester, Red Bluff. **Centro de Visitantes Tel** *(530) 595-4444.* ⬜ *todos los días.* **www**.nps.gov/lavo

Antes de la erupción del monte Santa Helena en Washington en 1980, el elevado pico Lassen, de 3.187 m, era el último volcán que había entrado en erupción en territorio continental de EE UU. En casi 300 erupciones entre 1914 y 1917, arrasó 40.400 ha.

Se cree que el pico Lassen aún se mantiene activo, pues se aprecian signos de procesos geológicos en numerosos puntos de sus laderas. La ruta de la pasarela de tablillas de Bumpass Hell (que recibe su nombre de un antiguo guía que perdió una pierna en una charca hirviendo en 1865), conduce a través de una serie de piscinas de vapor sulfuroso de agua hirviendo que se calientan con el magma subterráneo. En verano, los visitantes pueden recorrer la sinuosa carretera que atraviesa el parque, que asciende a más de 2.590 m hasta Summit Lake. La carretera continúa serpenteando a través de la Área Devastada, un paraje gris de ciénaga que termina en el lago Manzanita y el **Loomis Museum.**

🏛 **Loomis Museum**
Lassen Park Rd, entrada norte. **Tel** *(530) 595-4444.* ⬜ *fin may-med sep sólo. Llamar para horarios.*

Sonoma Valley ❻

🏘 8.600. ✈ 🚌 *90 Broadway y W Napa Sts., Sonoma Plaza.* ℹ *453 1st St., E, (707) 996-1090.* 🎭 *Festival de la vendimia Valley of the Moon (fin sep).*

En un bello paraje del valle de Sonoma, con forma de media luna, se extienden 2.400 ha de preciosos viñedos. A los pies del valle se halla la pequeña localidad de Sonoma. Atesora un gran legado histórico, pues fue aquí donde, el 14 de junio de 1846, unos 43 granjeros estadounidenses armados capturaron al general mexicano Mariano Vallejo y a sus hombres, en protesta por el hecho de que la propiedad de la tierra se reservase a los ciudadanos mexicanos. Tomaron el control de Sonoma y declararon California como una república independiente, incluso izaron una bandera con un dibujo de un oso pardo. La república quedó abolida 25 días después, cuando Estados Unidos se anexionó California; la bandera del oso se adoptó como emblema estatal en 1911.

Los principales lugares de interés de Sonoma son sus bodegas y los monumentos históricos magníficamente conservados que rodean la plaza de estilo español. Muchas de las construcciones de adobe albergan tiendas de vinos, *boutiques* y restaurantes excelentes. Al este de la plaza se halla la **misión San Francisco Solano de Sonoma,** la última de las 21 misiones franciscanas históricas de California (fundada por el padre José Altamira de España en 1823). Hoy lo único que se mantiene en pie del edificio original es el pasillo. La capilla

Secuoyas de la costa

de adobe fue construida por el general Vallejo en 1840. A escasa distancia en coche hacia el norte se encuentra **Jack London State Historic Park.** A principios de la década de 1900, London, abandonó su vida errabunda para habitar en este tranquilo paraje arbolado de 325 ha. En el parque se conservan las ruinas de la casa de London, Wolf House, que quedó carbonizada por las llamas justo antes de ser terminada. Tras la muerte de London, su viuda, Charmian Kittredge, construyó una magnífica mansión en el rancho, llamada House of Happy Walls (Casa de las Paredes Felices). Acoge un museo con recuerdos de London.

⊞ Misión San Francisco Solano de Sonoma
E Spain St. **Tel** *(707) 938-1519.*
⏰ *10.00-17.00 todos los días.* ⏱ *1 ene, Día de Acción de Gracias, 25 dic.* 📷

♣ Jack London State Historic Park
London Ranch Rd, Glen Ellen. **Tel** *(707) 938-5216.* **Parque y museo**
⏰ *10.00-17.00 todos los días.*
⏱ *1 ene, Día de Acción de Gracias, 25 dic.* 📷 ♿ *sólo museo.* 📷

Sacramento ❼

🚶 🏛 🚌 *30, 31, 32.* ℹ *(916) 442-7644.* **www**.*oldsacramento.com*

La capital de California, fundada por John Sutter en 1839, conserva numerosos edificios históricos en el casco histórico. La mayoría de las construcciones data de la década de 1860, cuando la ciudad se convirtió en el centro de suministros para los mineros. Tanto la línea del ferrocarril transcontinental como Pony Express tenían sus terminales del oeste aquí, y las gabarras del río

llegaban hasta San Francisco. El **California State Railroad Museum,** al norte del casco antiguo, alberga algunas locomotoras. El Capitolio del Estado está un poco apartado del centro histórico. Sutter's Fort, al este del Capitolio, es una

recreación del fuerte que protegía el asentamiento original.

🏛 California State Railroad Museum
111 I St. **Tel** *(916) 445-6645.*
⏰ *10.00-17.00 todos los días.* ⏱ *1 ene, Día de acción de Gracias, 25 dic.*

Lago Tahoe ❽

El lago Tahoe se sitúa en una cuenca alpina en la frontera de Nevada y California. Rodeado de picos boscosos, su perímetro mide 114 km. Mark Twain, que pasó un verano aquí en la década de 1860, definió este paraje como "seguramente la estampa más hermosa que la Tierra puede ofrecer". El lago Tahoe, que se enorgullece de ser un área de recreo durante todo el año, dispone de estaciones de esquí, casinos, rutas de senderismo, cabañas, arquitectura histórica y eventos especiales en verano, entre los que se incluye el torneo de golf de celebridades anual.

Remonte de esquí en la estación de invierno de Homewood

Mansión Ehrman y centro de visitantes
Esta residencia de verano de estilo reina Ana es de 1902. En verano ofrece visitas guiadas.

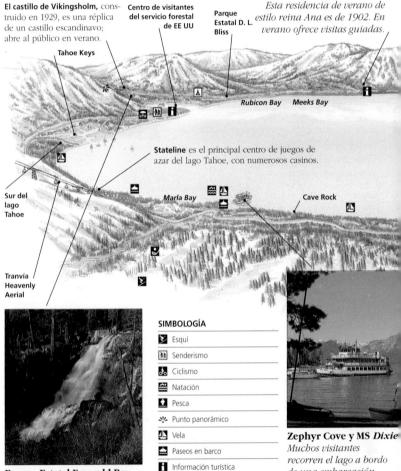

El castillo de Vikingsholm, construido en 1929, es una réplica de un castillo escandinavo; abre al público en verano.

Tahoe Keys

Centro de visitantes del servicio forestal de EE UU

Parque Estatal D. L. Bliss

Rubicon Bay *Meeks Bay*

Stateline es el principal centro de juegos de azar del lago Tahoe, con numerosos casinos.

Sur del lago Tahoe

Marla Bay

Cave Rock

Tranvía Heavenly Aerial

SIMBOLOGÍA

⛷	Esquí
🚶	Senderismo
🚲	Ciclismo
🏊	Natación
🎣	Pesca
📷	Punto panorámico
⛵	Vela
🚤	Paseos en barco
ℹ	Información turística
⛺	Cámping
🍴	Merendero
⛳	Campo de golf

Parque Estatal Emerald Bay
Este paraje natural boscoso y aislado, con riscos de granito y cascadas, constituye una de las maravillas naturales de California.

Zephyr Cove y MS *Dixie*
Muchos visitantes recorren el lago a bordo de una embarcación con ruedas de palas. El MS Dixie realiza travesías con regularidad a la cala Zephyr.

ESQUÍ JUNTO AL LAGO TAHOE

Las cumbres que rodean el lago Tahoe, en concreto las del lado californiano, son famosas por sus numerosas estaciones de esquí. Entre ellas se encuentran Alpine Meadows y Squaw Valley, donde se celebraron los Juegos Olímpicos de Invierno de 1960. El área es un paraíso soleado para la práctica tanto del esquí alpino como de fondo, con kilómetros de pistas a tra-

Vista de pistas de esquí cerca del lago Tahoe

vés de pinares, praderas y estribaciones con espléndidas vistas. Hay tramos de nieve en polvo, pendientes pronun-

ciadas para expertos y otras suaves para principiantes. Las pistas del lado de Nevada son más tranquilas.

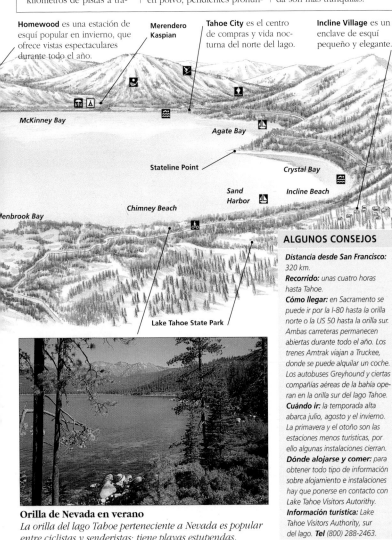

Homewood es una estación de esquí popular en invierno, que ofrece vistas espectaculares durante todo el año.

Merendero Kaspian

Tahoe City es el centro de compras y vida nocturna del norte del lago.

Incline Village es un enclave de esquí pequeño y elegante.

McKinney Bay

Agate Bay

Stateline Point

Crystal Bay

Sand Harbor

Incline Beach

Chimney Beach

enbrook Bay

Lake Tahoe State Park

ALGUNOS CONSEJOS

Distancia desde San Francisco: 320 km.

Recorrido: unas cuatro horas hasta Tahoe.

Cómo llegar: en Sacramento se puede ir por la I-80 hasta la orilla norte o la US 50 hasta la orilla sur. Ambas carreteras permanecen abiertas durante todo el año. Los trenes Amtrak viajan a Truckee, donde se puede alquilar un coche. Los autobuses Greyhound y ciertas compañías aéreas de la bahía operan en la orilla sur del lago Tahoe.

Cuándo ir: la temporada alta abarca julio, agosto y el invierno. La primavera y el otoño son las estaciones menos turísticas, por ello algunas instalaciones cierran.

Dónde alojarse y comer: para obtener todo tipo de información sobre alojamiento e instalaciones hay que ponerse en contacto con Lake Tahoe Visitors Autority.

Información turística: Lake Tahoe Visitors Authority, sur del lago. **Tel** (800) 288-2463.

Orilla de Nevada en verano

La orilla del lago Tahoe perteneciente a Nevada es popular entre ciclistas y senderistas; tiene playas estupendas.

Visitando el lago Tahoe

El lago Tahoe se distingue de otros lagos estadounidenses por su belleza, su tamaño y su incomparable entorno alpino. En ocasiones se lo compara con el lago Baikal de Rusia, a pesar de estar bastante más urbanizado. El lago Tahoe ofrece preciosas vistas a lo largo de una ruta sinuosa a la que se accede a pie o en bicicleta y que se tardó unos 20 años en construir. Hay bellas mansiones históricas que la gente adinerada construyó como retiros estivales. En el casino de Stateline se puede elegir pernoctar en una habitación con vistas a California o a Nevada.

Juegos Olímpicos de Invierno, Squaw Valley, 1960

Senderista en una de las muchas rutas del lago Tahoe

TAHOE RIM TRAIL

Tel (775) 298-0012.
www.tahoerimtrail.org

Senderistas, jinetes y ciclistas de montaña pueden recorrer la mayoría de los ocho tramos que componen la Tahoe Rim Trail (TRT), una ruta sinuosa de 266 km. La TRT abre cuando se funde la nieve, generalmente en junio, hasta que cae la primera gran nevada, en octubre. Desde esta ruta se obtienen algunas de las vistas más bonitas del algo Tahoe, que abarcan bosques de pinos y álamos, enormes bloques de granito gris, praderas alpinas de flores silvestres y arroyos. Las cumbres alpinas alcanzan entre 1.920 m y 3.150 m.

Las pistas moderadas, con una media de inclinación del 10%, se indican con señales triangulares celestes, aunque se puede acceder a casi cualquier tramo de la TRT a través de caminos de tierra en buen estado. Tahoe Meadows Interpretive Trail, una pista de 2 km exclusiva para senderistas, situada en el extremo norte, ofrece una breve introducción al paisaje y orografía de la TRT. El tramo más abrupto se halla en la zona oeste del lago.

DEPORTES EN EL LAGO

Las excursiones de pesca en el lago Tahoe son muy populares. Se puede optar por el reto de pescar una de las grandes truchas lacustres americanas, que se mueven a unos 122 m bajo la superficie, o bien por la pesca deportiva de una trucha o un salmón del Pacífico.

En el lago navegan a toda velocidad barcos a motor, algunos para practicar el esquí acuático o wake board; también se puede alquilar motos acuáticas. Los marineros y aquellos que practican el *kite* se enfrentan al reto de los vientos que soplan desde los picos de la sierra. Los aficionados al parapente y al ala delta disfrutan desde el cielo de las vistas, mientras que las canoas y kayaks exploran calas y ensenadas escondidas. Los buzos pueden acceder desde las playas o en kayak a este lago de agua dulce con visibilidad hasta 30 m.

SQUAW VALLEY

13 km al noroeste de Tahoe City.
Tel (530) 583-6985.
www.squaw.com

Squaw Valley se situó en el panorama internacional del esquí al convertirse en sede de los VIII Juegos Olímpicos de Invierno, en 1960. Fue escenario de los primeros juegos televisados y la nevada que cayó durante la ceremonia de inauguración llegó a tiempo para garantizar el transcurso de las competiciones alpinas. Aún se conserva la llama olímpica y la torre de las Naciones en la entrada del valle. Este enclave ofrece durante todo el año más de 30 remontes, tiendas, restaurantes y alojamiento. Los amantes del esquí y snow-board pueden encontrar una media anual de 11 m de nieve. High Camp, a 4.500 m sobre el nivel del mar, ofrece fantásticas vistas del lago. Además, alberga el Museo de los Juegos Olímpicos de Invierno de 1960, una pista de patinaje sobre hielo en verano, un rocódromo cubierto y una piscina. Se pueden realizar rutas de senderismo.

Kayak en el lago Tahoe

Emerald Bay, desde el camino de Eagle Falls

STATELINE

Stateline, situado en la frontera de California con el Estado de Nevada, conforma la principal ciudad de juegos de azar de la región. En la década de 1860, los buscadores de oro de Comstock Silver viajaban a Virginia City vía Lakeside y Edgewood, y los pasajeros de Pony Express finalizaban aquí su trayecto por Nevada. En 1873 se delimitó la frontera estatal a lo largo del extremo meridional del lago Tahoe.

Los hoteles-casino cuentan con habitaciones en las que se pueden pisar los dos estados. Las vistas son estupendas en ambas direcciones, pero en el lado californiano, se disfruta de una excelente panorámica.

EMERALD BAY

35 km al sur de Tahoe City.
***Tel** (530) 541-3030.*

La típica estampa del lago Tahoe recoge las aguas de color azul intenso de Emerald Bay, con la diminuta isla Fannette en el centro. Al parecer, la roca de granito de esta isla es muy resistente al hielo de los glaciares. Las ruinas de piedra que se conservan aquí fueron antaño un salón de té particular.

Emerald Bay, de 4,8 km de longitud, es el paraje más conocido del parque estatal del mismo nombre. Eagle Falls son unas cascadas de tres tramos, que discurren por el parque hasta Vikingsholm, a 152 m. Los visitantes pueden vadear su curso.

Esta bahía formada por glaciares fue declarada Patrimonio Natural Nacional en 1969. Los aficionados al kayak acuden aquí por sus aguas mansas. Además, Emerald Bay conforma un parque marino protegido donde los buceadores pueden descubrir un antiguo bosque submarino.

VIKINGSHOLM CASTLE

Esmerald Bay St Pk. ***Tel** (530) 541-3030.* ⬚ *med jun-Día del Trabajo.*

La casa de verano de Lora Josephine Knight, finalizada en 1929, constituye un espléndido ejemplo de arquitectura escandinava del siglo XI. La señora Knight viajó a Escandinavia con un arquitecto en 1928 con el objetivo de recopilar ideas para el diseño del castillo. Utilizando madera y granito de la zona, 200 artesanos modelaron a mano, tallaron, tiñeron y pintaron los muros de la fachada y del interior de Vikingsholm. Alberga reproducciones de muebles.

EHRMAN MANSION

Sugar Point Pine St Pk. ***Tel** (530) 525-7982.* ⬚ *jul-Día del Trabajo.* 📷 *Memorial Day-fin sep: 10.00-15.00 todos los días.* 💲 *5 $ (adultos).*

En 1903, el banquero Isaias W. Hellman se unió a otros terratenientes acaudalados para construir casas de verano alrededor del lago Tahoe. Hellman contrató al arquitecto William Danforth Bliss para diseñar una residencia de estilo reina Ana. La mansión Ehrman tiene tres pisos con paredes revestidas de secuoya y grandes ventanales para filtrar el máximo de luz; la galería palaciega con mecedoras rústicas mira al lago Tahoe. Un generador de vapor alimentado con leña suministraba luz eléctrica, lo último en la tecnología del momento, hasta la implantación de la electricidad en 1927. También disponía de un sistema moderno de fontanería.

DATOS DEL LAGO TAHOE

Hace más de dos millones de años, la lluvia y la nieve formaron un lago en el extremo meridional de este valle. Los glaciares que se originaron durante el periodo glacial le confirieron al lago su forma de cuenca redonda con una profundidad media de 300 m, aunque en un punto el lecho se hunde a 515 m, lo que le convierte en el tercer lago más profundo de Norteamérica. Sus medidas son 35 km de largo y 19 km de ancho, con una superficie de 99 km², a una altitud de 1.920 m sobre el nivel del mar. Se estima que su agua verde esmeralda y azul intenso tiene una pureza del 99,7 %, la calidad del agua destilada.

Vista de los picos circundantes

Yosemite National Park ❾

La mayor parte del Parque Nacional Yosemite, un paraje natural de bosques de hoja perenne, praderas alpinas y paredes de granito, sólo es accesible a pie o a caballo. En cambio, al espectacular valle de Yosemite se accede fácilmente en coche a lo largo de 320 km de carreteras asfaltadas. Los acantilados, caídas de cascadas, árboles gigantescos, cañones, montañas y valles le imprimen a Yosemite una belleza incomparable.

Osos negros

Upper Yosemite Falls
El río Yosemite fluye a lo largo de 739 m con dos caídas impresionantes que forman espectaculares cascadas.

En el centro de visitantes del valle destaca un campamento típico de los indios americanos miwok.

Lower Yosemite Fall

Yosemite Museum

Yosemite Village

Alquiler de bicicletas

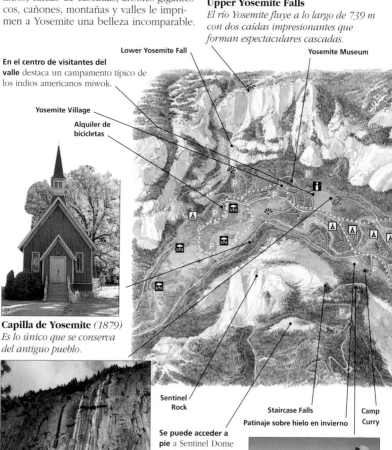

Capilla de Yosemite *(1879)*
Es lo único que se conserva del antiguo pueblo.

Sentinel Rock

Staircase Falls

Patinaje sobre hielo en invierno

Camp Curry

Se puede acceder a pie a Sentinel Dome desde el lecho del valle. El camino continúa hasta Glacier Point.

Ahwahnee Hotel
Este hotel es uno de los más famosos del país gracias a su arquitectura rústica, elegante decoración y preciosas vistas.

Vista desde Glacier Point
Desde el borde del glaciar, de 975 m de altura, se obtiene una magnífica panorámica.

MÁS ALLÁ DEL VALLE

De octubre a mayo opera un servicio de autobuses a Mariposa Grove, 56 km al sur del valle de Yosemite, donde se halla Grizzly Giant, la secuoya mayor y más antigua del parque. Tuolumne Meadows, al noreste, es la mayor pradera alpina de Sierra Nevada; constituye un buen lugar para ver fauna.

Secuoya gigante

Half Dome en otoño

Un imponente camino asciende hasta la cima de este acantilado pulido que sobresale en el boscoso valle.

North Dome

Mirror Lake

Columna de Washington

Quarter Domes

Liberty Cap

Nevada Fall

0 metros		1500
0 yardas		1500

ALGUNOS CONSEJOS

Distancia desde San Francisco: *312 km.*

Recorrido: *unas cinco horas hasta Yosemite.*

Cómo llegar: *la ruta más bonita desde Stockton es la de la Hwy. 120, pero en invierno resulta preferible la Hwy. 140. Se organizan excursiones en autocar al valle de Yosemite (ver p. 279), pero para otras zonas se aconseja alquilar un coche.*

Cuándo ir: *las cataratas del valle llevan más agua de marzo a junio. La temporada alta se extiende de junio a agosto. De noviembre a abril se cortan numerosas carreteras a causa de la nieve.*

Dónde alojarse y comer: *existe una amplia oferta de alojamiento. Todos los hoteles disponen de restaurante de calidad.*

Información turística: *Valley Visitor Center, Yosemite Village.* **Tel** *(209) 372-0299.*

www.nps.gov/yose

Merced River

Tenaya Creek

Tenaya Canyon

SIMBOLOGÍA

═══	Carretera
ooo	Pista de bicicleta
●●●	Itinerario sugerido
∿∿∿	Caminos y pistas
══	Ríos
P	Aparcamiento
A	Cámping
🎚	Punto panorámico
🎒	Merendero

Vernal Fall

El río Merced fluye por un desfiladero hacia la caída de 97 m de esta cascada.

Visitando el Yosemite National Park

Con 3.030 km², protege parte de uno de los parajes montañosos más bonitos del mundo. Cientos de miles de visitantes llegan para admirar sus bellos paisajes, configurados a lo largo de millones de años de actividad glaciar. Cada estación ofrece una estampa diferente, desde las crecidas de las cataratas en primavera hasta los colores cálidos del otoño. Los meses de verano son los más turísticos y durante el invierno muchas carreteras quedan cortadas. El otoño es la mejor época para visitarlo, cuando las temperaturas son suaves y hay menos aglomeración. Las excursiones en autocar y las pistas para bicicletas, rutas de senderismo y carreteras conducen de un paraje espectacular a otro.

Upper Yosemite Falls en primavera

✂ Half Dome
Este del valle de Yosemite.

◯ *todos los días.*

La silueta de Half Dome se alza a 1,6 km del valle. La cara posterior curva cae en vertical hasta el valle. En opinión de los geólogos, esta cumbre no forma la mitad de una montaña desaparecida, sino que recoge tres cuartas partes de sus dimensiones originales. Se cree que hace 15.000 años el hielo de los glaciares se desplazó desde la cima de la sierra a través del valle, arrastrando la roca y depositándola río abajo. La cumbre de Half Dome, con 2.695 m, ofrece vistas insuperables del valle. La ruta de 14 km desde la cabeza de la pista en Happy Isles al pico puede resultar extenuante y larga, pues se tarda de 10 a 12 horas en cubrir el camino.

✂ Yosemite Falls
Norte del valle de Yosemite.

◯ *todos los días.*

Las cataratas Yosemite son las más altas de Norteamérica: se precipitan desde una altura de 740 m en dos grandes caídas, Upper (Superior) Yosemite Falls y Lower (Inferior) Yosemite Falls. Estas cascadas, uno de los elementos más característicos del parque, se divisan desde cualquier punto.

Se puede acceder a lo alto de la catarata Upper Yosemite, la mayor y más majestuosa de ambas con diferencia, a través de un extenuante recorrido de 11 km ida y vuelta. Resulta más sencillo visitar las cataratas Lower por un camino corto que comienza junto al Yosemite Lodge y ofrece una estampa inolvidable de las dos cataratas.

Las cataratas Yosemite, como todas las demás del parque, transportan el máximo caudal en mayo y junio. Por el contrario, hacia septiembre todas las cataratas se secan y desaparecen.

✂ Vernal y Nevada Falls
Este del valle de Yosemite.

◯ *todos los días.*

Una de las visitas más populares del parque que se puede realizar en medio día es la Mist Trail (Ruta de la Niebla), que pasa junto a las cascadas Vernal y Nevada. La primera que se contempla desde este recorrido de 11 km ida y vuelta es la cascada Vernal, que cae desde 95 m y salpica de agua el camino (se recomienda llevar una prenda impermeable en primavera). El recorrido de 3 km hasta lo alto de la cascada Nevada, que se precipita desde 180 m, puede resultar arduo; aquí la Mist Trail conecta con la John Muir Trail, que bordea la cara posterior de Half Dome en dirección sur hasta del monte Whitney.

Pared vertical de El Capitán

⚲ Glacier Point
Glacier Point Rd.
⬭ *may-oct: todos los días.*
Se puede disfrutar de una magnífica panorámica de Yosemite desde Glacier Point, un extremo de un glaciar, que descansa sobre un saliente rocoso a 980 m sobre el lecho del valle. Desde aquí se puede contemplar la mayoría de las cascadas y otros accidentes geográficos del valle Yosemite. Las vistas comprenden un precioso paisaje de cumbres y praderas alpinas.

Glacier Point sólo se puede visitar en verano, ya que en invierno queda aislado por la nieve en Badger Pass, la primera estación de esquí de California, que se inauguró en 1935. Four-Mile Trail, que parte de la zona oeste del valle, ofrece otro itinerario estival. En verano, los senderistas pueden utilizar los servicios de autobuses para subir a Glacier Point y después bajar al valle caminando.

⚲ Mariposa Grove
Centro de Visitantes Hwy. 41, entrada sur. ⬭ *med may-oct: todos los días.*
Este bonito bosque al sur de Yosemite fue una de las razones principales por las cuales se fundó el parque. Aquí se pueden ver más de 500 secuoyas gigantes: algunas de ellas, con más de 3.000 años de vida, alcanzan 75 m de altura y 9 m de diámetro en la base. A través del bosque serpen-

Valle de Yosemite, desde Tunnel View

tean un conjunto de senderos, así como unos tranvías descubiertos que realizan un circuito de 8 km por carreteras.

⚲ Tunnel View
Hwy. 41 con vistas al valle de Yosemite. ⬭ *todos los días.*
Desde este mirador de la Hwy. 41, en el oeste del valle, se contempla una de las estampas más fotografiadas de Yosemite. A pesar de su nombre (Vista del Túnel), que procede del túnel de la carretera que conduce a Glacier Point Road, la panorámica resulta increíble, con El Capitán a la izquierda, la cascada Bridalveil a la derecha y Half Dome en medio.

⚲ El Capitán
Noroeste del valle de Yosemite.
⬭ *todos los días.*
La pared de granito de El Capitán, que custodia la entrada oeste del valle de Yosemite, se alza a más de 1.370 m sobre el valle. El Capitán, la roca saliente mayor del mundo, es un destino frecuentado por escaladores, que pasan varias jornadas en sus caras verticales hasta alcanzar la cumbre. Los menos aventureros se quedan en la pradera de abajo mientras observan con prismáticos el ascenso.

Soldados estadounidenses –los primeros blancos en visitar este valle en 1851– lo bautizaron con el nombre de El Capitán.

⚲ Tuolumne Meadows
Hwy. 120, Tioga Rd. ⬭ *jun-sep: todos los días.*
En verano, cuando la nieve se ha fundido y aparecen las flores silvestres, el mejor lugar para experimentar la singular belleza del paisaje de Yosemite son estas praderas subalpinas que rodean el río Tuolumne. Las praderas de Tuolumne, situadas a 88 km del valle Yosemite vía Tioga Pass Road, constituyen un punto de partida para los ciclistas que salen a explorar los numerosos picos de granito y pistas del parque.

Ciervo de cola negra en Yosemite

⌂ Ahwahnee Hotel
Valle de Yosemite. *Tel (209) 372-1407.* ⬭ *todos los días.*
Ahwahnee Hotel, construido en 1927 con un presupuesto de 1,5 millones de dólares, es un edificio que se inspira en la belleza natural de Yosemite. Fue diseñado por Gilbert Stanley Underwood, que utilizó enormes bloques de granito y recios troncos de madera para crear un elegante edificio de aire rústico en armonía con el entorno. El interior del Ahwahnee Hotel también emula el marco natural. Está decorado evocando el estilo indio americano, de hecho, en los vestíbulos se exponen obras de arte y artesanía popular indias. El hotel también es conocido por su restaurante de gran categoría, el Ahwahnee Dining Room.

Secuoyas gigantes en Mariposa Grove

VIVIR
SAN FRANCISCO

ALOJAMIENTO

Símbolo de un hotel

S an Francisco ofrece una amplia gama de alojamiento, desde albergues juveniles básicos hasta los hoteles más elegantes. La ciudad cuenta con 31.000 habitaciones que facilitan alojamiento para todos los gustos y presupuestos. Los hoteles de categoría mantienen unos precios interesantes en relación con el estándar internacional y, desde hace tiempo, se sitúan entre los mejores del mundo. También existen numerosos albergues y moteles para viajeros con presupuestos limitados. Otra opción consiste en hospedarse en un *bed & breakfast;* algunos de estos establecimientos están instalados en mansiones del siglo XIX restauradas magníficamente. Por lo general, los *bed & breakfasts* son más pequeños que los hoteles, aunque también pueden ser bastante lujosos. A continuación se muestra una selección de los mejores lugares para alojarse. En las páginas 110-221 se facilitan las reseñas de cada establecimiento.

SU ELECCIÓN

La mayoría de los hoteles de San Francisco está situada en la bulliciosa Union Square y en sus inmediaciones, a un paseo del Financial District y el Centro de Convenciones Moscone. Muy cerca de aquí, en la zona más tranquila de Nob Hill, se ubican muchos de los hoteles de mayor categoría. El área de Fisherman's Wharf cuenta con diversos hoteles y moteles orientados a familias.

Lejos del centro, en los límites del Financial District y a lo largo de Lombard St., en Marina District, se agrupa un gran número de hoteles de precios moderados. Las habitaciones de los *bed & breakfasts* se encuentran repartidas por toda la ciudad, a menudo en tranquilos barrios residenciales.

PRECIOS

Los precios de los hoteles de San Francisco son, en general, bastante razonables. La tarifa media de una habitación es de 160-175 $ la noche, aunque varía dependiendo del establecimiento y la fecha. Para información detallada sobre descuentos o paquetes, *ver Tarifas especiales (p. 208).*

Si se viaja solo, en ocasiones se puede conseguir un pequeño descuento. Casi todos los hoteles cobran entre 10 y 15 $ por cada cama supletoria. Para obtener información sobre viajes con niños, *ver p. 209.*

CADENAS HOTELERAS

Elegir un establecimiento de una cadena hotelera supone asegurarse un buen servicio, precios moderados y comodidad. Entre las cadenas más populares se hallan Westin, Hilton, Sheraton, Marriott, Ramada, Hyatt y Holiday Inn. Algunas de ellas poseen más de un hotel; en ese caso, uno de los establecimientos dispone de todas las instalaciones. To-

Westin St. Francis Hotel (*ver p. 216*)

dos ellos tienen página web; también se puede llamar al número de teléfono gratuito del hotel para consultar las tarifas y la disponibilidad.

'BED & BREAKFAST'

Existen numerosos establecimientos de calidad que ofrecen alojamiento del tipo *bed & breakfast* y que constituyen una interesante alternativa a los grandes hoteles del centro. A menudo ocupan mansiones del siglo XIX bien conservadas. En San Francisco se los suele denominar *bed & breakfast inns* (posadas). Este tipo de alojamiento es característico de la ciudad y puede incluir desde casas solariegas hasta mansiones rehabilitadas en las cimas de las colinas. No deben confundirse con los tradicionales *bed & breakfast,* en los que los propietarios de viviendas particulares alquilan las habitaciones y ofrecen un desayuno. Algunas posadas resultan muy lujosas y rivali-

Room of the Dons, Mark Hopkins Hotel (*ver p. 213*)

◁ Garden Court, Sheraton Palace Hotel

zan con los mejores hoteles de la ciudad. Sus dimensiones son variadas, desde unas pocas habitaciones a un máximo de 30. Por lo general, el ambiente y la decoración son más acogedores que los de un hotel normal. Todas las tarifas incluyen desayuno y, en ocasiones, una copa de vino por la noche.

EXTRAS

Las tarifas de las habitaciones no suelen incluir el impuesto del alojamiento, que incrementa la factura en un 14%. Es el único impuesto que se aplica. El uso del teléfono es un importante extra que se debe tener en cuenta. Las llamadas locales, incluidas las realizadas a servicios gratuitos, pueden costar hasta 1 $. Las llamadas internacionales pueden llegar a quintuplicar el precio de las realizadas desde un teléfono particular. La conexión Wi-Fi también puede costar un suplemento, de unos 15 $ al día. El envío o recepción de un fax supone unos 2 o 3 $ por página, además de la tarifa telefónica.

Aparcar en un hotel del centro puede suponer un incremento de 20 $ en la factura sin contar la propina para el vigilante, aunque los moteles suelen disponer de aparcamiento gratuito. Algunas habitaciones están equipadas con minibar, aunque los tentempiés y bebidas son bastante caros, por ejemplo, se puede cobrar unos 5 $ por una lata de cerveza; los precios están a la vista.

Se acostumbra a dar una propina de 1 $ por maleta a los botones por llevar el equipaje a o desde la habitación. Las camareras del servicio de habitaciones esperan una pro-

Lujoso vestíbulo del Fairmont Hotel *(ver p. 213)*

pina en efectivo del 15% de la cuenta redondeado hasta el siguiente dólar. Los clientes que se alojen más de uno o dos días pueden dejar al personal de limpieza una propina de 5 a 10 $ en la mesilla de noche.

INSTALACIONES Y SERVICIOS

Algunos de los establecimientos de lujo constituyen auténticos monumentos, como es el caso del Hyatt Regency, con un patio de 20 pisos, o el Fairmont *(ver p.*

213), con una suntuosa decoración. Casi todos los hoteles de alta categoría disponen de restaurantes excelentes. Algunos establecimientos cuentan con piano-bar o club nocturno, en los que los viajeros pueden pasar una gran noche. Para más información, ver *Tiempo de ocio (pp. 268-269)*.

Los congresos constituyen una parte importante de los ingresos de hostelería en San Francisco, por ello muchos hoteles poseen instalaciones para celebrar reuniones de trabajo. Algunos de los establecimientos más antiguos cuentan con grandes salones de baile. En la mayoría de los hoteles de la ciudad se facilita productos de aseo y, con frecuencia, periódicos. Las habitaciones están equipadas con televisión por cable gratuita, minibar, así como servicio de café y té.

JW Marriott Hotel *(ver p. 215)*

RESERVAS

Se recomienda reservar al menos con un mes de antelación en temporada alta (de julio a octubre). Se aceptan reservas telefónicas con tarjeta de crédito, aunque se suele elegir una señal por el importe de una noche. Conviene avisar si se tiene previsto llegar después de las 18.00. Aunque no existe una oficina de reservas oficial, se puede reservar a través de la web del centro de información de visitantes, www.sfvisitor.org *(ver p. 278)*, que facilita la guía *Visitor Planning Guide,* donde se proporcionan listados de hoteles. También existen algunas agencias de reservas que no cobran ningún suplemento por realizar la gestión y a menudo encuentran plazas con descuentos.

TARIFAS ESPECIALES

Huntington Hotel *(ver p. 213)*

Juguete de baño, Hotel Triton

A la hora de realizar la reserva, siempre merece la pena consultar por posibles descuentos, especialmente durante la temporada baja, de noviembre a marzo. Asimismo se puede preguntar por descuentos de fin de semana, ya que durante esos días muchos hoteles orientados a viajeros de negocios reducen los precios para las familias. Algunos disponen de ofertas especiales, por ejemplo una botella de champán gratis o comidas con descuento.

Los servicios de reservas no suelen cobrar tasas extras, pues reciben una comisión de los hoteles, de hecho, algunos consiguen estancias con descuento. Un buen agente de viajes puede ahorrarle al cliente entre el 10 y el 20% de la tarifa estándar por noche en muchos hoteles. Resulta aconsejable informarse sobre paquetes turísticos, por ejemplo, los que se anuncian en la prensa dominical, pues pueden suponer un ahorro significativo en la estancia. Muchas compañías aéreas aplican descuentos a los viajeros que reserven directamente a través de ellas. Los programas de fidelidad de las compañías aéreas y de otras empresas a veces ofrecen tarifas y paquetes especiales.

VIAJEROS DISCAPACITADOS

Todos los hoteles de Estados Unidos están obligados por ley a proporcionar alojamiento a discapacitados, según la Normativa Estadounidense de Minusvalías de 1992. Los establecimientos más antiguos están exentos, pero la mayoría de los hoteles de San Francisco cumple la legislación y dispone como mínimo

INFORMACIÓN GENERAL

AGENCIAS DE RESERVAS

Hotel Locators
919 Garnet Ave., Suite 216, San Diego, CA 92109.
Tel (858) 581-1315.
www.hotellocators.com

Hotels.Com
Suite 203, 8140 Walnut Hill Lane Dallas, TX 75231.
Tel (214) 361-7311 o 1-(800)-964-6835.
www.hotels.com

San Francisco Reservations
360 22nd St. Suite 300, Oakland, CA 94612.
Tel (510) 628-4450 o 1-(800)-677-1500.
www.hotelres.com

ALOJAMIENTO ECONÓMICO

Hosteling International:
City Center
685 Ellis St, SF, CA 94109.
Plano 5 A5. **Tel** 474-5721.

Downtown
312 Mason St., SF, CA 94102. **Plano** 5 B5.
Tel 788-5604.

Fisherman's Wharf
Bldg 240, Upper Fort Mason, SF, CA 94123.
Plano 4 E1. **Tel** 771-7277.

European Guest House
761 Minna St., SF, CA 94103. **Plano** 11 A1.
Tel 861-6634.

Hotel Herbert
161 Powell St., SF, CA 94102. **Plano** 5 B5.
Tel 362-1600.

HOMOSEXUALES

Inn on Castro
321 Castro St., SF, CA 94114. **Plano** 10 D2.
Tel 861-0321.
www.innoncastro.com

Chateau Tivoli
1057 Steiner St., SF, CA 94115. **Plano** 10 D1.
Tel 776-5462.
www.chateautivoli.com

The Willows Inn
710 14th St, SF, CA 94114.
Plano 10 E2. **Tel** 431-4770. **www.**willowssf.com

APARTAMENTOS

AMSI
2800 Van Ness, SF, CA 94109. *Tel (415) 447-2000 o 1-(800)-747-7784.* www.amsires.com

Executive Suites
1388 Sutter St., #800, SF, CA 94109.
Tel 776-5151. www.executivesuites-sf.com

Grosvenor Suites
899 Pine St, SF, CA 94108. *Tel 421-1899* or 1-(800)-999-9189. www.grosvenorsuites.sf.com

HABITACIONES EN CASAS PARTICULARES

Bed & Breakfast San Francisco
PO Box 420009, SF, CA 94142. *Tel (415) 899-0060 o 1-(800)-452-8249.* www.bbsf.com

California Association of Bed & Breakfast Inns
2715 Porter St., Soquel, CA 95073. *Tel (831) 462-9191.* www.cabbi.com

de una habitación adaptada para huéspedes con sillas de ruedas. El personal de casi todos los establecimientos se muestra solícito a ayudar ante cualquier discapacidad, pero si se tienen necesidades especiales, conviene comunicárselo al director del hotel al realizar la reserva. Todos los hoteles enumerados en *Elegir un hotel (ver pp. 210-221)* admiten perros guía que acompañen a invidentes. *En Información práctica (ver p. 280)* se facilita más información para viajeros discapacitados.

HOMOSEXUALES

Aunque en todos los hoteles de San Francisco son bienvenidos los gays y lesbianas, la ciudad cuenta además con diversos establecimientos orientados, a veces en exclusiva, a parejas del mismo sexo. Casi todos abren sus puertas en pequeños inmuebles situados en Castro District y sus inmediaciones, una zona de ambiente. En el recuadro de información general se enumeran algunas opciones. En las librerías de temática homosexual suelen facilitar más información.

ALOJARSE CON NIÑOS

Los niños son bienvenidos en todos los hoteles de San Francisco. Son pocos los establecimientos que cobran suplemento por uno o dos niños menores de 12 años que se alojen en la habitación de sus padres. A pesar de ello, conviene comunicar al personal del hotel que se viaja con niños, dado que no todas las habitaciones están equipadas para familias. Algunos hoteles facilitan un sofá-cama, una cuna o una cama plegable a cambio de un suplemento de 10 o 15 $ por noche. Las reseñas recogidas en esta guía *(ver pp. 210-221)* especifican los establecimientos que disponen de instalaciones para niños. Muchas familias prefieren alojarse en apartoteles o alquilar un apartamento amueblado para disponer de más espacio.

ALOJAMIENTO ECONÓMICO

En San Francisco abundan los albergues juveniles, que ofrecen dormitorios comunes con literas y algunas habitaciones independientes. Uno de los mejores de la ciudad es **Hoste-**ling International, Fisherman's Wharf,** que está instalado en los antiguos barracones del ejército estadounidense en Fort Mason. Existen otros albergues emplazados cerca de Union Sq. y en Ellis St. Estos establecimientos son propiedad de **Hosteling International,** una organización sin ánimo de lucro; ambos ofrecen plazas por unos 25 $ por noche. Además, existen varios hostales de gestión particular en la ciudad; entre los más económicos se encuentran **European Guest House** y el **Hotel Herbert.**

APARTAMENTOS AMUEBLADOS

El alquiler de apartamentos amueblados a veces constituye una alternativa interesante frente a las habitaciones de hoteles, especialmente para las familias que necesiten más espacio y un lugar para cocinar, o para los viajeros que vayan a permanecer en la ciudad durante un periodo prolongado. El inconveniente de los apartamentos de alquiler es que son escasos y suelen alquilarse sólo por semanas completas. El precio oscila entre 500 y 800 $ por semana. Para obtener información sobre alquiler de apartamentos, acudir a agencias como **AMSI, Executive Suites** y **Grosvenor Suites.**

HABITACIONES EN CASAS PARTICULARES

Cabe la posibilidad de alojarse en una vivienda particular. El propietario alquila las habitaciones de su casa y ofrece un desayuno. Conviene informarse al reservar por si se pide una señal o se cobra una comisión por cancelación. Es posible que se exija un tiempo mínimo de estancia. Si se opta por una casa privada, hay que tener en cuenta que los propietarios esperan que los clientes sean tranquilos y considerados. Para obtener más información, hay que ponerse en contacto con las agencias de alquileres especiales, como **Bed & Breakfast San Francisco** o **California Association of Bed & Breakfast Inns.**

Campton Place Hotel *(ver p. 214)*

Elegir un hotel

Los siguientes hoteles se han seleccionado teniendo en cuenta la calidad, el servicio y la ubicación. Están agrupados por zonas y dentro de éstas por precio, tanto en San Francisco como en las afueras y el norte de California. Las referencias de los planos remiten al *Callejero (ver pp. 302-312).*

PRECIOS
Una habitación doble con desayuno,
servicio e impuestos incluidos.

$ menos de 100 dólares
$$ 100-150 dólares
$$$ 150-200 dólares
$$$$ más de 200 dólares

PACIFIC HEIGHTS Y MARINA DISTRICT

Broadway Manor Inn $
2201 Van Ness Ave, 94109 **Tel** *(415) 776-7900* **Fax** *(415) 928-7460* **Habitaciones** *56*   *Plano 4 F3*

Situado a escasa distancia a pie de la Marina y Fisherman's Wharf, resulta adecuada para viajeros con presupuestos reducidos. Las habitaciones son básicas, algunas cuentan con conexión a internet sin cable (también disponible en el vestíbulo) y todas están equipadas con microondas y frigoríficos. **www.broadwaymanor.com**

Coventry Motor Inn $
1901 Lombard Street, 94123 **Tel** *(415) 567-1200* **Fax** *(415) 921-8745* **Habitaciones** *69*   *Plano 4 D2*

No es fácil encontrar alojamiento espacioso en San Francisco, así que el Coventry Motor Inn es una buena opción y además a un precio asequible. Las habitaciones están limpias y son cómodas, hay aparcamiento gratuito y su ubicación en el centro de Marina District es insuperable. **www.coventrymotorinn.com**

Heritage Marina Hotel $
2550 Van Ness Ave, 94109 **Tel** *(415) 776-7500* **Fax** *(415) 351-1336* **Habitaciones** *134*   *Plano 4 E2*

Disfruta de una buena ubicación, cerca de la Marina y todos los lugares de interés turístico. Es idóneo para los viajeros de presupuesto limitado. Todas las habitaciones tienen microondas. El precio incluye un desayuno europeo de lujo. Alberga un restaurante italiano. **www.heritagemarinahotel.com**

The Greenwich Inn $
3201 Steiner, 94123 **Tel** *(415) 921-5162* **Fax** *(415) 921-3602* **Habitaciones** *32*   *Plano 4 D2*

Greenwich Inn constituye una opción básica y asequible cerca de Marina District y Presidio Park. Las habitaciones resultan confortables, y el personal es agradable. Hay numerosos restaurantes y tiendas a pocos pasos. **www.greenwichinn.com**

Cow Hollow Motor Inn $$
2190 Lombard St, 94123 **Tel** *(415) 921-5800* **Fax** *(415) 922-8515* **Habitaciones** *129*   *Plano 4 D2*

Este hotel está situado entre los modernos distritos de Cow Hollow y Marina, famosos por sus restaurantes y tiendas. Las habitaciones son sencillas. Las familias con niños pueden optar por alojarse en una de las 12 *suites*. **www.cowhollowmotorinn.com**

Marina Inn $$
3110 Octavia St, 94123 **Tel** *(415) 928-1000* **Fax** *(415) 928-5909* **Habitaciones** *40*   *Plano 4 E2*

Este hotel económico de Marina District disfruta de una buena ubicación a dos manzanas de Fort Mason y su frondoso parque y ofrece vistas espectaculares de la bahía. El personal es simpático. El ruido de la Lombard St. puede ser un tanto molesto. Se encuentra cerca de las tiendas y restaurantes de Union St. **www.marinainn.com**

Motel Capri $$
2015 Greenwich St, 94123 **Tel** *y* **Fax** *(415) 346-4667* **Habitaciones** *46*   *Plano 4 D2*

Este motel familiar y confortable constituye una buena opción para viajeros con presupuesto reducido. Está situado en una tranquila calle residencial en el centro de Marina District. Dispone de dos pequeñas cocinas. Está bien comunicado mediante transporte público y posee un aparcamiento gratuito. **www.motelcaprica.com**

Pacific Heights Inn $$
1555 Union St, 94123 **Tel** *(415) 776-3310* **Fax** *(415) 776-8176* **Habitaciones** *40*   *Plano 4 E2*

Es un agradable motel de la década de 1960 ubicado en una tranquila manzana de Union St., al oeste de Van Ness Ave. Está bien comunicado mediante transporte público. Cuenta con aparcamiento gratuito para clientes. Los restaurantes, bares y tiendas de Cow Hollow se encuentran a un paseo. **www.pacificheightsinn.com**

Chateau Tivoli Bed and Breakfast $$$
1057 Steiner St, 94115 **Tel** *(415) 776-5462* **Fax** *(415) 776-0505* **Habitaciones** *9*   *Plano 4 D4*

Esta casa victoriana de 100 años de antigüedad, una de las más magníficas de San Francisco, fue el centro del movimiento de la New Age durante la década de 1970. Desde entonces ha sido restaurada para devolverle su esplendor original con frescos en los techos, vidrieras y diversas antigüedades. **www.chateautivoli.com**

Simbología *ver solapa trasera*

Edward II Inn and Suites [P] $$$

3155 Scott St, 94123 **Tel** *(415) 922-3000* **Fax** *(415) 931-5784* **Habitaciones** *32* **Plano** *3 C2*

Es un auténtico hallazgo para aquellos viajeros que buscan un lugar apacible en una ubicación céntrica. Se trata de un edificio de tres plantas construido en 1914 a escasas manzanas del puerto deportivo. Algunas *suites* disponen de bañera de hidromasaje. También cuenta con dos pequeñas salas de reuniones. **www.edwardii.com**

Hotel del Sol ⇅ [P] 🏊 🏋 $$$

3100 Webster St, 94123 **Tel** *(415) 921-552* **Fax** *(415) 931-4137* **Habitaciones** *57* **Plano** *4 D2*

Este hotel de diseño cuenta con palmeras, hamacas, mosaicos y piscina. Las habitaciones son alegres y espaciosas, con colchas con los colores del arco iris. Además, dispone de 10 *suites* temáticas. La familiar está equipada con literas, juegos de mesa y juguetes y ha sido decorada en estilo infantil. **www.hoteldelsol.com**

Laurel Inn ⇅ [P] 🏋 $$$

444 Presidio Ave, 94115 **Tel** *(415) 567-8467* **Fax** *(415) 928-1866* **Habitaciones** *59* **Plano** *3 C4*

Este hotel de diseño, de ambiente tranquilo, se caracteriza por un estilo bohemio de mediados del siglo XX. Las habitaciones, confortables, disponen de reproductores de CD, DVD y escritorios. El precio incluye desayuno continental y aparcamiento. El G Bar es estupendo para tomar algo antes de cenar. **www.laurelinn.com**

Queen Anne Hotel [P] 🍸 $$$

1590 Sutter St, 94109 **Tel** *(415) 441-2828* **Fax** *(415) 775-5212* **Habitaciones** *48* **Plano** *4 E4*

Queen Anne es un precioso hotel victoriano construido en 1890. Cada habitación está decorada individualmente con mobiliario antiguo y detalles originales. Las tarifas de las habitaciones incluyen desayuno europeo, vino por la noche y traslado en coche de lujo al aeropuerto los días laborables. **www.queenanne.com**

The Hotel Majestic ⇅ [P] 🍴 $$$

1500 Sutter St, 94109 **Tel** *(415) 441-1100* **Fax** *(415) 673-7331* **Habitaciones** *57* **Plano** *4 E4*

Uno de los escasos hoteles de primera clase que sobrevivieron al terremoto de 1906 abre sus puertas en un edificio señorial de principios del siglo XX situado en un barrio tranquilo entre Pacific Heights y el Civic Center. Las habitaciones están decoradas con muebles antiguos; la mayoría dispone de chimeneas. **www.thehotelmajestic.com**

Hotel Drisco 🍸 $$$$

2901 Pacific Ave, 94115 **Tel** *(415) 346-2880* **Fax** *(415) 567-5537* **Habitaciones** *48* **Plano** *3 C3*

Ubicado en lo alto de Pacific Heights, Drisco ofrece alojamiento de lujo, perfecto para viajeros de negocios o turistas. Muchas habitaciones gozan de vistas espectaculares de la bahía de San Francisco y del Golden Gate Bridge. Ofrece una degustación gratuita de vino por la noche y desayuno continental. **www.hoteldrisco.com**

Jackson Court $$$$

2198 Jackson St, 94115 **Tel** *(415) 929-7670* **Fax** *(415) 929-1405* **Habitaciones** *10* **Plano** *4 E3*

Este bonito edificio, con buenas instalaciones, se encuentra en uno de los barrios más coquetos de San Francisco. Las habitaciones son sencillas y elegantes; algunas disponen de chimenea y todas tienen televisor, vídeo, secador de pelo y teléfono. El desayuno continental está incluido en el precio. **www.jacksoncourt.com**

Union Street Inn $$$$

2229 Union St, 94123 **Tel** *(415) 346-0424* **Fax** *(415) 922-8046* **Habitaciones** *6* **Plano** *4 D3*

Todas las habitaciones, muy amplias, están decoradas con gusto. El idílico jardín trasero constituye el marco perfecto para degustar una copa de vino gratuita al final de una larga jornada. Los fines de semana se exige una estancia mínima de dos noches. **www.unionstreetinn.com**

FISHERMAN'S WHARF Y NORTH BEACH

Best Inn Fisherman's Wharf ⇅ [P] 🏋 $

2850 Van Ness Ave, 94109 **Tel** *(415) 776-3220* **Fax** *(415) 921-7451* **Habitaciones** *42* **Plano** *4 E2*

Este motel de tres plantas se halla próximo a los principales lugares de interés: Fisherman's Wharf, North Beach y Chinatown. Las habitaciones, equipadas con acceso de banda ancha a internet, microondas y frigorífico, convierten a este Best Inn en una buena elección para presupuestos ajustados.

San Remo Hotel $

2237 Mason St, 94133 **Tel** *(415) 776-8688* **Fax** *(415) 776-2811* **Habitaciones** *62* **Plano** *5 B2*

San Remo, el único hotel económico de esta zona, ocupa un edificio de estilo italiano bien conservado. Fue una de las primeras construcciones que se levantaron en la zona tras el terremoto de 1906. Todas las habitaciones para no fumadores comparten baño, excepto la *Suite* nupcial de la última planta. **www.sanremohotel.com**

Best Western Tuscan Inn ⇅ [P] 🍴 🏋 $$$

425 Northpoint St, 94133 **Tel** *(415) 561-1100* **Fax** *(415) 561-1199* **Habitaciones** *220* **Plano** *5 B1*

Tuscan Inn es un hotel espacioso y con estilo en pleno centro de Fisherman's Wharf. Lo suelen frecuentar viajeros de negocios además de equipos de rodaje de cine y televisión. Los menores de 18 años acompañados por adultos pueden alojarse gratuitamente. Todas las tardes sirven una degustación de vino. **www.tuscaninn.com**

Hotel Boheme
$$$

444 Columbus Ave, 94133 **Tel** *(415) 433-9111* **Fax** *(415) 362-6292* **Habitaciones** *15*   **Plano** *5 B3*

Este establecimiento bohemio y con estilo rinde homenaje a la generación *beat* en la zona que la vio nacer. Las habitaciones son acogedoras y están equipadas con Wi-Fi gratuito. Situado en el bullicio de North Beach, se halla cerca de numerosos restaurantes y bares estupendos. **www.hotelboheme.com**

The Wharf Inn
$$$

2601 Mason St, 94133 **Tel** *(415) 673-7411* **Fax** *(415) 776-2181* **Habitaciones** *51*   **Plano** *5 B1*

Este motel de tres plantas de la década de 1960 es luminoso y alegre. Todas las habitaciones están decoradas con colores vivos y muchas cuentan con sofás y pequeñas salas de estar. Está situado encima del bullicioso Fisherman's Wharf. Ofrece aparcamiento gratuito, un servicio poco frecuente en San Francisco. **www.wharfinn.com**

Argonaut Hotel
$$$$

495 Jefferson Street, 94109 **Tel** *(415) 563-0800* **Fax** *(415) 563-2800* **Habitaciones** *265*   **Plano** *5 A1*

Este histórico edificio de 1907 alberga un hotel boutique de ambientación marítima. Ofrece tratamientos de spa, televisores de pantalla plana, regalos de bienvenida para los niños y un gimnasio. Muchas de las habitaciones dan al Golden Gate Bridge y la bahía de San Francisco. **www.argonauthotel.com**

Courtyard by Marriott Fisherman's Wharf
$$$$

580 Beach St, 94133 **Tel** *(415) 775-3800* **Fax** *(415) 441-7307* **Habitaciones** *127*   **Plano** *4 F1*

Situado sólo a una manzana de Fisherman's Wharf, Courtyard ofrece un precio estupendo en relación a su ubicación y servicios. Las habitaciones, modernas, disponen de conexión de banda ancha a internet y resultan perfectas tanto para pasar unas vacaciones en familia como para viajes de negocios. Posee varias salas de reuniones. **www.marriott.com**

Hilton Fisherman's Wharf
$$$$

2620 Jones St, 94133 **Tel** *(415) 885-4700* **Fax** *(415) 771-8945* **Habitaciones** *234*   **Plano** *4 F1*

En este establecimiento, los clientes disfrutan de una ubicación inmejorable en la zona turística del puerto de San Francisco. El vestíbulo es diáfano y moderno, mientras que las habitaciones son más tradicionales. Se halla a escasa distancia a pie del Pier 39, de los transbordadores de Alcatraz y de Fisherman's Wharf. **www.hilton.com**

Hyatt at Fisherman's Wharf
$$$$

555 North Point, 94133 **Tel** *(415) 563-1234* **Fax** *(415) 749-6122* **Habitaciones** *313*   **Plano** *5 A1*

Este hotel está más orientado a familias que otras sucursales del grupo Hyatt de San Francisco, aunque ofrece un servicio de la misma calidad. Las familias pueden beneficiarse de descuentos al reservar una habitación adicional. Dispone de piscina climatizada. **www.fishermanswharf.hyatt.com**

Marriott Fisherman's Wharf
$$$$

1250 Columbus Ave, 94133 **Tel** *(415) 775-7555* **Fax** *(415) 474-2099* **Habitaciones** *285*   **Plano** *4 F1*

Situado entre Fisherman's Wharf y North Beach, el Marriott ofrece alojamiento de categoría superior en un emplazamiento céntrico. Algunas habitaciones están equipadas especialmente para viajeros de negocios. Ofrece traslado gratis en limusina a diario al Financial District. **www.marriott.com**

Suites at Fisherman's Wharf
$$$$

2655 Hyde St, 94109 **Tel** *(415) 771-0200* **Fax** *(415) 346-8058* **Habitaciones** *24*   **Plano** *5 A2*

En este hotel, formado por *suites*, suelen hospedarse familias y grupos, aunque también lo frecuentan viajeros de negocios. Cada *suite*, con espacio suficiente para albergar cuatro personas, dispone de cocina y comedor. El hotel se halla a pocos pasos del tranvía de Hyde St. **www.thesuitesatfishermanswharf.com**

Washington Square Inn
$$$$

1660 Stockton St, 94133 **Tel** *(415) 981-4220* **Fax** *(415) 397-7242* **Habitaciones** *15*   **Plano** *5 B2*

Se trata de uno de los pocos hoteles situados en la zona de North Beach y el único que mira a Washington Square Park, donde se puede observar a la gente que practica taichi o que pasea por el parque. Las tarifas de las habitaciones incluyen desayuno. Se recomienda visitar el famoso Mamma's Restaurant, al otro lado de la calle. **www.wsisf.com**

CHINATOWN Y NOB HILL

Hotel Astoria
$$

510 Bush St, 94108 **Tel** *(415) 434-8883* **Fax** *(415) 434-8919* **Habitaciones** *80*   **Plano** *5 C4*

Los viajeros solitarios pueden aprovecharse de los descuentos del modesto Astoria, que dispone de habitaciones individuales a precios asequibles. El hotel disfruta de una buena ubicación, entre Chinatown y Union Square, muy cerca de las imponentes puertas de Chinatown. **www.hotelastoria-sf.com**

Hotel Triton
$$$

342 Grant Ave, 94108 **Tel** *(415) 394-0500* **Fax** *(415) 394-0555* **Habitaciones** *140*   **Plano** *5 C4*

Los profesionales del diseño y los medios de comunicación suelen alojarse en el pequeño Triton, un establecimiento con estilo y un ambiente relajado y alegre. Se sitúa enfrente de Chinatown, en el corazón del barrio de galerías de arte de San Francisco. En el Café de la Presse de la planta baja normalmente hay prensa extranjera. **www.hoteltriton.com**

The Hilton Financial District [P] 👪 🍸 ♿ $$$

750 Kearny Street, 94108 **Tel** *(415) 483-1498* **Fax** *(415) 765-7891* **Habitaciones** *551* **Plano** *5 C3*

Emplazado en el corazón de Chinatown, este hotel de la cadena Hilton ha sido renovado. La torre de 27 plantas ofrece impresionantes vistas de la ciudad y las habitaciones, aunque son un poco pequeñas, están equipadas tanto para viajeros de negocios como para familias. **www.hilton.com**

Fairmont Hotel ⇅ [P] 🍴 👪 🍸 $$$$

950 Mason St, 94108 **Tel** *(415) 772-5000* **Fax** *(415) 781-3929* **Habitaciones** *596* **Plano** *5 B4*

El Fairmont, famoso por su espléndido vestíbulo y lujosas salas comunes, es el más exclusivo de todos los hoteles de la cima de Nob Hill. Desde su reapertura en 1907, un año después de quedar asolado por el terremoto e incendio, ha sido objeto de continuos elogios. Las vistas panorámicas son insuperables. **www.fairmont.com**

Huntington Hotel and Nob Hill Spa ⇅ [P] 🍴 🏊 👪 $$$$

1075 California St, 94108 **Tel** *(415) 474-5400* **Fax** *(415) 474-6227* **Habitaciones** *140* **Plano** *5 B4*

Construido en 1922 como bloque de apartamentos de lujo, el Huntington fue transformado en un hotel exclusivo en 1945. Todas las habitaciones, diáfanas, están decoradas individualmente. Muchas disponen de bar y algunas de cocina. El Nob Hill Spa, de prestigio internacional, abre sus puertas en las plantas superiores. **www.huntingtonhotel.com**

Mark Hopkins Inter-Continental Hotel ⇅ [P] 🍴 👪 🍸 $$$$

Number One Nob Hill, 94108 **Tel** *(415) 392-3434* **Fax** *(415) 421-3302* **Habitaciones** *380* **Plano** *5 B4*

Situado en la cima de Nob Hill, el Mark Hopkins es un emblema arquitectónico, que data de 1926. Reformado y redecorado por completo en 2000, es uno de los mejores hoteles de San Francisco, con un estilo lujoso. El comedor Top of the Mark de la planta 19 ofrece vistas panorámicas de la ciudad. **www.markhopkins.net**

The Ritz-Carlton San Francisco ⇅ [P] 🍴 🏊 👪 🍸 $$$$

600 Stockton, 94108 **Tel** *(415) 296-7465* **Fax** *(415) 291-0288* **Habitaciones** *336* **Plano** *5 C4*

Desde su apertura en 1991, el Ritz-Carlton se ha situado entre los mejores hoteles de San Francisco. Se trata de un edificio *beaux arts* que ocupa una manzana completa de California St., cerca de la cima de Nob Hill. El servicio es inmejorable y dispone de restaurante de cuatro tenedores, piscina cubierta y gimnasio. **www.ritzcarlton.com**

FINANCIAL DISTRICT Y UNION SQUARE

UNION SQUARE Chancellor Hotel [P] 👪 ♿ 🍸 [W] $$

433 Powell Street, 94102 **Tel** *(415) 362-2004* **Fax** *(415) 362-1403* **Habitaciones** *137* **Plano** *5 B4*

Este hotel boutique ofrece todo tipo de servicios a un precio asequible. Disfruta de una buena ubicación en el corazón de Union Square. Si no se desea salir a recorrer la ciudad, se puede aprovechar para usar la conexión Wi-Fi gratuita o el gimnasio del Club One. Personal muy amable. **www.chancellorhotel.com**

Hotel Bijou ⇅ [P] 👪 $$

111 Mason St, 94102 **Tel** *(415) 771-1200* **Fax** *(415) 346-3196* **Habitaciones** *62* **Plano** *5 B5*

Los cinéfilos disfrutan de este hotel, con una decoración dedicada a la historia cinematográfica de San Francisco. En una pequeña sala de proyecciones se ofrecen dos pases diarios. A su encanto se suma una ubicación próxima a Union Square y el desayuno incluido en el precio. **www.hotelbijou.com**

Hotel des Arts ⇅ 🍴 👪 $$

447 Bush St, 94108 **Tel** *(415) 956-3232* **Fax** *(415) 956-0399* **Habitaciones** *51* **Plano** *5 C4*

El Hotel des Arts funciona al tiempo como hotel y como galería de arte. Algunas de las habitaciones, pintadas y decoradas por artistas locales, lo convierten en uno de los establecimientos más singulares de la ciudad. Estas habitaciones sólo se pueden reservar por teléfono. **www.sfhoteldesarts.com**

Hotel Frank [P] 👪 ♿ [W] $$

386 Geary Street, 94102 **Tel** *(415) 986-2000* **Fax** *(415) 397-2447* **Habitaciones** *153* **Plano** *5 B5*

Moderno hotel boutique que dispone de muchas habitaciones a precios asequibles, cerca de las tiendas y restaurantes de Union Square. A los apasionados de la moda les encantará la decoración *retro* y el ambiente sofisticado. Si se desea disfrutar de los servicios adicionales, hay que preguntar por "The Bold Level". **www.hotelfranksf.com**

Hotel Vertigo [P] 👪 ♿ [W] $$

940 Sutter Street, 94109 **Tel** *(415) 885-6800* **Fax** *(415) 885-2115* **Habitaciones** *102* **Plano** *5 A4*

En homenaje a la película de Hitchcock que se rodó aquí en parte, este hotel ha sido objeto de una estupenda remodelación y ahora dispone de lujosas y cómodas habitaciones, elegantes y contemporáneas. Si se busca disfrutar de un pequeño pedazo de historia, éste es el lugar adecuado. **www.hotelvertigosf.com**

San Francisco Marriott Union Square [P] 👪 🍸 ♿ [W] $$

480 Sutter Street, 94108 **Tel** *(415) 398-8900* **Fax** *(415) 989-8823* **Habitaciones** *400* **Plano** *5 C4*

Este establecimiento de la cadena Marriot está emplazado a corta distancia andando de Union Square, Theater District y los museos y las tiendas del centro. Tras su renovación, el hotel cuenta con todos los servicios necesarios y sus tarifas son razonables. No se puede fumar y el uso de internet es de pago. **www.marriott.com**

Touchstone Hotel
🔃 🍴 $$

480 Geary St, 94102 **Tel** *(415) 771-1600* **Fax** *(415) 931-5442* **Habitaciones** *62* **Plano** *5 B5*

El Touchstone Hotel, a unos pasos de Union Square, combina el encanto del pasado y la funcionalidad moderna. Se trata de una casa de huéspedes pequeña y acogedora de propiedad y gestión familiar desde hace más de 50 años. Las tarifas incluyen desayuno y traslado gratuito desde el aeropuerto al hotel. **www.thetouchstone.com**

Harbor Court Hotel
🔃 🍸 $$$

165 Steuart St, 94105 **Tel** *(415) 882-1300* **Fax** *(415) 882-1313* **Habitaciones** *131* **Plano** *6 E4*

Instalado en lo que antaño fue un albergue juvenil, el Harbor Court es el único hotel de San Francisco situado en el puerto. Las habitaciones son más bien pequeñas, aunque algunas cuentan con bonitas vistas. Los huéspedes pueden utilizar gratis las instalaciones del gimnasio aledaño. **www.harborcourthotel.com**

Hotel Diva
🔃 [P] 🍴 🏋 $$$

440 Geary St, 94102 **Tel** *(415) 885-0200* **Fax** *(415) 346-6613* **Habitaciones** *114* **Plano** *5 B5*

Al cruzar el umbral del Diva da la impresión de que se entra en una especie de museo de arte moderno. Las habitaciones y el vestíbulo están decorados con originalidad. El ambiente es de lujo informal y las habitaciones no decepcionan, ni siquiera a los viajeros más exigentes con el diseño. **www.hoteldiva.com**

Hotel Union Square
[P] $$$

114 Powell St, 94102 **Tel** *(415) 397-3000* **Fax** *(415) 399-1874* **Habitaciones** *131* **Plano** *5 C5*

Situado a dos manzanas de Union Square, este hotel boutique es ideal para los viajeros que busquen precios económicos en el centro del área comercial de San Francisco. Las habitaciones son pequeñas y funcionales. Entre los servicios se incluye acceso a internet inalámbrico gratuito y oficina de cambio de divisas. **www.hotelunionsquare.com**

Kensington Park Hotel
🔃 [P] 🏋 $$$

450 Post St, 94109 **Tel** *(415) 788-6400* **Fax** *(415) 399-9484* **Habitaciones** *86* **Plano** *5 B5*

Ubicado en el edificio del Elks Lodge, construido en 1920 en estilo neohispano, el Kensington Park es un hotel confortable de tamaño mediano. El vestíbulo es precioso y las habitaciones, amuebladas con encanto, son luminosas. Los precios, razonables, incluyen desayuno continental y vino por la tarde. **www.kensingtonparkhotel.com**

Le Meridien
[P] 🏋 🍸 ♿ $$$

333 Battery Street, 94111 **Tel** *(415) 296-2900* **Fax** *(415) 296-2901* **Habitaciones** *360* **Plano** *6 D3*

Es el establecimiento ideal para disfrutar de una estancia lujosa. Destaca por su inmejorable ubicación, junto a las tiendas del Embarcadero Center. La decoración es moderna y elegante, las habitaciones disponen de cómodas camas y albornoces. El servicio de habitaciones está disponible 24 horas al día. **www.starwoodhotels.com/lemeridien**

Nob Hill Motor Inn
🔃 [P] $$$

1630 Pacific Ave, 94109 **Tel** *(415) 775-8160* **Fax** *(415) 673-8842* **Habitaciones** *29* **Plano** *4 F3*

Este motel moderno es muy limpio y se gestiona con eficacia. Disfruta de una situación muy céntrica, cerca de una docena de tiendas interesantes y de restaurantes y a una distancia razonable para ir a pie hasta Fisherman's Wharf and North Beach. **www.staysf.com**

Renaissance Parc Fifty Five Hotel
🔃 [P] 🍴 🏋 🍸 $$$

55 Cyril Magnin St, 94102 **Tel** *(415) 392-8000* **Fax** *(415) 403-6002* **Habitaciones** *1009* **Plano** *5 C5*

El enorme Park Fifty Five, situado junto a Market St. y Powell St., está orientado a congresos y grandes grupos. Las plantas superiores ofrecen buenas vistas. Las tarifas son elevadas, pero merece la pena considerar las ofertas especiales de habitación con desayuno y de fin de semana. **www.parc55hotel.com**

San Francisco Hilton
🔃 [P] 🍴 🏊 🏋 🍸 $$$

333 O'Farrell St, 94102 **Tel** *(415) 771-1400* **Fax** *(415) 771-6807* **Habitaciones** *2044* **Plano** *5 B5*

El mayor hotel de la ciudad ofrece excelentes vistas desde un rascacielos de 46 plantas. La calidad del servicio se corresponde con la gran categoría del establecimiento. Entre las numerosas instalaciones se incluye una piscina exterior, cinco restaurantes, dos bares, una peluquería y una sauna. **www.hilton.com**

Serrano Hotel
🔃 [P] 🍴 🏋 🍸 $$$

405 Taylor St, 94102 **Tel** *(415) 885-2500* **Fax** *(415) 474-4879* **Habitaciones** *236* **Plano** *5 B5*

Este hotel de 17 plantas de estilo neohispano se sitúa junto a Union Square y el Theater District. Todas las habitaciones tienen techos altos. El atractivo restaurante Ponzu abre sus puertas en la planta del vestíbulo. **www.serranohotel.com**

Campton Place Hotel
🔃 [P] 🍴 $$$$

340 Stockton St, 94108 **Tel** *(415) 781-5555* **Fax** *(415) 955-5536* **Habitaciones** *110* **Plano** *5 C4*

El pequeño y elegante Campton Place está situado junto a Union Square. Ofrece habitaciones lujosas y bien equipadas, un servicio de calidad y suntuosas zonas comunes. El acogedor bar del vestíbulo es especialmente bonito. Los clientes pueden elegir entre cenar en la terraza de la azotea o en el Campton Place Restaurant. **www.camptonplace.com**

Clift Hotel
🔃 [P] 🍴 🏋 🍸 $$$$

495 Geary St, 94108 **Tel** *(415) 775-4700* **Fax** *(415) 931-7417* **Habitaciones** *363* **Plano** *5 B5*

Clift constituye un singular ejemplo de diseño actual, con un vestíbulo ideado por P. Starck. Todas las habitaciones están amuebladas con elegancia y con todo el equipamiento que se puede esperar en un hotel de esta categoría. La Redwood Room de la planta baja y Asia de Cuba Restaurant son de ensueño. **www.clifthotel.com**

Precios *ver p. 210* **Simbología** *ver solapa trasera*

Four Seasons ❄ [P] 🍴 ≋ 🏋 🍸 $$$$

757 Market St, 94103 ***Tel*** *(415) 633-3000* ***Fax*** *(415) 633-3001* ***Habitaciones*** *277* ***Plano*** *5 C5*

El Four Seasons es uno de los hoteles más exclusivos de San Francisco. Las habitaciones, espaciosas y elegantes, cuentan con acogedoras salas de estar. El ultramoderno Sports Club/LA está a disposición de los clientes. **www.fourseasons.com**

Grand Hyatt San Francisco ❄ [P] 🍴 ≋ 🏋 🍸 $$$$

345 Stockton St, 94108 ***Tel*** *398-1234* ***Fax*** *391-178* ***Habitaciones*** *686* ***Plano*** *5 C4*

La torre de 36 plantas del Grand Hyatt sobresale en el lado norte de Union Square, ofreciendo vistas estupendas desde todas las habitaciones. El restaurante de la azotea, Grand View, se ameniza con música de piano los viernes y sábados por la noche. **www.grandsanfrancisco.hyatt.com**

Hotel Monaco ❄ [P] 🍴 🏋 🍸 $$$$

501 Geary St, 94102 ***Tel*** *(866) 622-5284* ***Fax*** *(415) 292-0111* ***Habitaciones*** *201* ***Plano*** *5 B5*

El agradable Monaco se halla unas pocas manzanas al oeste de Union Square. Las habitaciones se caracterizan por la abundancia de detalles de lujo, como albornoces Frette, almohadas de plumas y faxes. El Grand Café abre sus puertas en el espectacular salón de baile de finales del siglo XIX de la planta baja. **www.monaco-sf.com**

Hotel Nikko ❄ [P] 🍴 ≋ 🏋 🍸 $$$$

222 Mason St, 94102 ***Tel*** *(415) 394-1111* ***Fax*** *(415) 394-1106* ***Habitaciones*** *534* ***Plano*** *5 B5*

El ultramoderno Nikko está orientado primordialmente a viajeros de negocios, especialmente a japoneses. El excelente gimnasio del hotel, con una piscina cubierta y una gama completa de aparatos de musculación, figura entre los mejores de la ciudad. El restaurante Anzu es perfecto para tomar una copa y cenar. **www.hotelnikkosf.com**

Hotel Rex ❄ [P] 🍴 🏋 🍸 $$$$

562 Sutter St, 94102 ***Tel*** *(415) 433-4434* ***Fax*** *(415) 433-3695* ***Habitaciones*** *94* ***Plano*** *5 B4*

En las paredes de las habitaciones de este agradable hotel cuelgan obras de artistas locales. La auténtica joya –y orgullo del Rex– es la biblioteca del vestíbulo, en la planta baja. En el bar se celebran a menudo encuentros literarios y conferencias. **www.jdvhospitality.com**

Hotel Vitale ❄ [P] 🍴 ≋ 🏋 🍸 $$$$

8 Mission St, 94105 ***Tel*** *(415) 278-3700* ***Fax*** *(415) 278-3150* ***Habitaciones*** *199* ***Plano*** *6 E4*

Construido en 2005, el Vitale es el miembro más reciente –y posiblemente el más lujoso– del JVD Hospitality Group. Dispone de todas las ventajas de un complejo vacacional en el corazón de la ciudad. Las habitaciones están equipadas con todas las comodidades y el Spa Vitale ofrece vistas espectaculares. **www.jdvhospitality.com**

Hyatt Regency San Francisco ❄ [P] 🍴 🏋 $$$$

5 Embarcadero Center, 94111 ***Tel*** *(415) 788-1234* ***Fax*** *(415) 398-2567* ***Habitaciones*** *803* ***Plano*** *6 D3*

Las 15 plantas del Hyatt, construido en 1973, han sido remodeladas y las habitaciones han mejorado su categoría de forma considerable. Concebida principalmente para viajeros de negocios, la planta Regency Club cuenta con un servicio de atención disponible las 24 horas. **www.sanfranciscoregency.hyatt.com**

JW Marriott ❄ [P] 🍴 🏋 $$$$

500 Post St, 94102 ***Tel*** *(415) 771-8600* ***Fax*** *(415) 398-0267* ***Habitaciones*** *338* ***Plano*** *5 B5*

John Portman fue el arquitecto de este hotel moderno, con decoración magnífica y diseño atrevido, que posee un atrio de 17 plantas que se eleva hasta el tragaluz de la azotea. Las zonas comunes son glamurosas y las habitaciones refinadas y elegantes. El personal es muy eficaz. **www.jwmarriottunionsquare.com**

Mandarin Oriental ❄ [P] 🍴 🏋 $$$$

222 Sansome St, 94104 ***Tel*** *(415) 276-9888* ***Fax*** *(415) 433-0289* ***Habitaciones*** *158* ***Plano*** *6 D3*

El Mandarin Oriental, especialmente recomendado para viajeros de negocios, es un establecimiento de primera categoría. Las habitaciones Mandarin tienen ventanales del suelo al techo que ofrecen magníficas vistas. Otro aliciente es el excelente restaurante Silos, instalado en la segunda planta. **www.mandarinoriental.com**

Prescott Hotel ❄ 🍴 🏋 $$$$

545 Post St, 94102 ***Tel*** *(415) 563-0303* ***Fax*** *(415) 563-6831* ***Habitaciones*** *166* ***Plano*** *5 B5*

La mayoría de la clientela de este hotel está compuesta por viajeros de negocios. El estilo recuerda a los clubes masculinos anglosajones, con paredes de maderas oscuras y una gran chimenea en el vestíbulo. Por las tardes se sirven bebidas gratis. El Postrio Restaurant sirve buena comida en un ambiente elegante. **www.prescotthotel.com**

San Francisco Marriott ❄ [P] ≋ 🍴 🏋 🍸 $$$$

55 Fourth St, 94103 ***Tel*** *(415) 896-1600* ***Fax*** *(415) 486-8101* ***Habitaciones*** *1500* ***Plano*** *5 C5*

Este futurista rascacielos de 39 plantas despierta opiniones encontradas. No obstante, el hotel está avalado por su popularidad como centro de convenciones. Las familias aprecian la piscina cubierta y el hecho de que los menores de 18 años, si van acompañados por adultos, pueden alojarse gratuitamente. **www.sfmarriott.com**

Sheraton Palace Hotel ❄ [P] 🍴 ≋ 🏋 🍸 $$$$

2 New Montgomery St, 94105 ***Tel*** *(415) 512-1111* ***Fax*** *(415) 543-0671* ***Habitaciones*** *550* ***Plano*** *5 C4*

A principios de siglo XX el Palace era uno de los hoteles más famosos del mundo, donde se hospedaban miembros de diferentes monarquías y jefes de Estado. Reformado a finales de la década de 1980, hoy es conocido por su encantador Garden Court, donde se sirve el té de sobremesa. **www.sfpalace.com**

Sir Francis Drake Hotel
🏧 🛗 🏋 🏨 · $$$$

450 Powell St, 94102 **Tel** *(800) 392-7755* **Fax** *(415) 392-8559* **Habitaciones** *417* **Plano** *5 B4*

Sir Francis Drake rezuma esplendor *art déco*. Es conocido por los porteros, vestidos de alabarderos, y por Harry's Denton's Starlight Room, el magnífico bar de la última planta. Su ubicación, junto a la línea del tranvía de Powell St., resulta inmejorable para visitar Financial District y North Beach. **www.sirfrancisdrake.com**

The Westin San Francisco Market Street
🅿 🏋 🏨 ♿ · $$$$

50 Third Street, 94103 **Tel** *(415) 974-6400* **Fax** *(415) 348-8207* **Habitaciones** *702* **Plano** *5 C5*

Disfruta de una estupenda ubicación, ideal para disfrutar de todo lo que Union Square tiene que ofrecer. Las habitaciones están limpias y son espaciosas, y, por supuesto, disponen de las características camas de la cadena Westin, que destacan por su comodidad. Otro de sus puntos fuertes es su gimnasio, abierto las 24 horas. **www.westinsf.com**

Westin St. Francis
🏧 🅿 🛗 🏋 🏨 · $$$$

335 Powell St, 94102 **Tel** *(415) 397-7000* **Fax** *(415) 774-0124* **Habitaciones** *1200* **Plano** *5 B4*

Las tres torres del Westin St. Francis definen la silueta de Union Square desde 1904. Tras los daños sufridos en el terremoto e incendio de 1906, el hotel fue restaurado y ampliado. En la década de 1970 se incorporó en la parte trasera un bloque de 32 plantas. Las mejores habitaciones miran a Union Square. **www.westinstfrancis.com**

White Swan Inn
🏋 · $$$$

845 Bush St, 94108 **Tel** *(415) 775-1755* **Fax** *(415) 775-5717* **Habitaciones** *26* **Plano** *5 B4*

El White Swan, un establecimiento pequeño de estilo rústico, ofrece habitaciones con motivos florales y camas muy confortables. Todas las mañanas se sirve un desayuno inglés y por la noche, vino y aperitivos. El establecimiento también organiza visitas gratuitas a la ciudad. **www.whiteswaninnsf.com**

CIVIC CENTER

Embassy Hotel
🅿 🏋 ♿ · $

610 Polk Street, 94102 **Tel** *(415) 673-1404* **Fax** *(415) 474-4188* **Habitaciones** *84* **Plano** *4 F5*

Emplazado en un edificio de 1932 de estilo *art déco*, ofrece habitaciones confortables a buen precio. Se puede llegar andando a la Ópera, al Symphony Hall y a los edificios estatales y federales. Es una buena opción para quienes tienen un presupuesto limitado. Sirven desayuno continental. **www.theembassyhotelsf.com**

Albion House Inn
🅿 🛗 · $$

135 Gough St, 94102 **Tel** *(415) 621-0896* **Fax** *(415) 621-3811* **Habitaciones** *9* **Plano** *10 F1*

Muy céntrico, cerca de Financial District y Union Square, es un favorito de la gente de negocios. Todas las habitaciones esconden pequeños elementos adicionales, como batas, escritorios y seis almohadas en cada cama. El desayuno americano de tres platos está incluido. **www.albionhouse.com**

Best Western Americana
🏧 🅿 🚼 🏋 🏨 · $$

121 7th St, 94105 **Tel** *(415) 626-0200* **Fax** *(415) 863-2529* **Habitaciones** *143* **Plano** *11 A1*

Aunque está situado en el moderno South of Market de San Francisco, el Americania se halla a un breve paseo de Union Square. Las instalaciones, modernas, espaciosas y confortables, ofrecen un agradable contraste con el ajetreo de la ciudad. Tanto el acceso a internet como el aparcamiento son gratuitos. **www.theamericania.com**

Grove Inn
$$

890 Grove St, 94117 **Tel** *(415) 929-0780* **Fax** *(415) 929-1037* **Habitaciones** *18* **Plano** *4 E5*

Grove Inn, una casa de huéspedes victoriana de estilo italiano con una buena ubicación cerca del Civic Center, data de finales de la década de 1800. Las habitaciones, soleadas, tienen cama de matrimonio y teléfono directo. El desayuno continental está incluido en el precio. **www.grovinn.com**

Hotel Kabuki
🅿 🏋 🏨 ♿ · $$

1625 Post Street, 94115 **Tel** *(415) 922-3200* **Fax** *(415) 614-5498* **Habitaciones** *218* **Plano** *4 E4*

El servicio de té de bienvenida es uno de los deliciosos detalles de este hotel de estilo japonés. Ofrece una experiencia llena de serenidad, que se completa con bañeras tradicionales japonesas y un pase gratuito para el Kabuki Springs and Spa. Las habitaciones son acogedoras, tranquilas y limpias. **www.jdvhotels.com/kabuki**

Hotel Tomo
🅿 🏋 🏨 ♿ · $$

1800 Sutter Street, 94115 **Tel** *(415) 921-4000* **Fax** *(415) 563-1278* **Habitaciones** *125* **Plano** *4 E4*

Para disfrutar de una experiencia japonesa en Japantown, este hotel inspirado en la cultura pop es ideal. Las habitaciones están decoradas con dibujos *anime* y *pop art*, y cuenta con *suites* con Play-Station 3 y Wii. Acogedor y limpio, en el restaurante hay un bufé de *shabu shabu* (olla caliente con carne y verduras). **www.jdvhotels.com/tomo**

Monarch Hotel
🅿 · $$

1015 Geary St, 94109 **Tel** *(415) 673-5232* **Fax** *(415) 885-2802* **Habitaciones** *101* **Plano** *4 F4*

El Monarch es el favorito de los viajeros con escaso prepuesto que buscan instalaciones básicas y una ubicación céntrica. Todas las habitaciones disponen de televisión por cable y caja fuerte. En el vestíbulo sirven café a cualquier hora del día. También posee un aparcamiento de pago. **www.themonarchhotel.com**

Precios *ver p. 210* **Simbología** *ver solapa trasera*

Phoenix Hotel [P] 🍴 🏊 🏋 [$][$]
601 Eddy St, 94109 ***Tel*** *(415) 776-1380* ***Fax*** *(415) 885-3109* ***Habitaciones*** *44* ***Plano*** *4 F4*

Este motel de dos plantas, en el corazón de Tenderloin District, evoca imágenes de la antigua carretera 66. Se recomienda pedir algo para beber en el bar de la casa, Bambuddah, y dirigirse a la piscina del patio. Las habitaciones son básicas, pero tienen un precio estupendo si se tiene en cuenta su céntrica ubicación. **www.jdvhospitality.com**

Renoir Hotel ⇅ 🍴 🏋 🍸 [$][$]
45 McAllister St, 94102 ***Tel*** *(415) 626-5200* ***Fax*** *(415) 626-0916* ***Habitaciones*** *135* ***Plano*** *11 A1*

El Renoir, con una sorprendente ornamentación, constituye un emblema histórico. Con un interior reformado por completo, dispone de habitaciones con un equipamiento moderno, que incluye conexión a internet. El Café do Brazil, el restaurante brasileño de la planta baja, sirve a las habitaciones. **www.renoirhotel.com**

Best Western Carriage Inn ⇅ [P] 🍴 🏋 [$][$][$]
140 7th St, 94103 ***Tel*** *(415) 552-8600* ***Fax*** *(415) 626-3973* ***Habitaciones*** *48* ***Plano*** *11 A1*

El Carriage, ubicado en el South of Market, ofrece una estupenda relación calidad/precio gracias a sus tarifas moderadas y habitaciones mayores que la media. Se trata de una elección excelente para familias, pues los menores de 17 años se alojan gratis. Hay un restaurante y un bar anexo. **www.bestwestern.com**

Cathedral Hill Hotel ⇅ [P] 🍴 🏊 🏋 🍸 [$][$][$]
1101 Van Ness, 94109 ***Tel*** *(415) 776-8200* ***Fax*** *(415) 441-2841* ***Habitaciones*** *400* ***Plano*** *4 F4*

Situado en un extenso campus junto a Van Ness St., el Cathedral Hill parece una pequeña ciudad. Aunque le separa cierta distancia a pie de la mayoría de los lugares de interés de la ciudad, está bien ubicado en el centro, cerca de los transportes públicos. Dispone de piscina, gimnasio, restaurante y bar. **www.cathedralhillhotel.com**

Hotel Metropolis ⇅ [P] 🏋 🍸 [$][$][$]
25 Mason St, 94102 ***Tel*** *(415) 775-4600* ***Fax*** *(415) 775-7606* ***Habitaciones*** *110* ***Plano*** *5 B5*

Metropolis, un moderno hotel de diseño, está inspirado en la naturaleza, de hecho, cada planta refleja uno de los cuatro elementos. Todas las habitaciones ofrecen comodidades como minibar, dos líneas de teléfono, conexión a internet y videoconsola. **www.hotelmetropolis.com**

Archbishop's Mansion Inn ⇅ 🏋 [$][$][$][$]
1000 Fulton St, 94117 ***Tel*** *(415) 563-7872* ***Fax*** *(415) 885-3193* ***Habitaciones*** *15* ***Plano*** *4 D5*

Este imponente edificio al estilo del Segundo Imperio francés fue construido en 1904 y ha sido restaurado cuidadosamente. Alberga una escalinata de tres pisos y un tragaluz con vidrieras. La decoración de todas las habitaciones es lujosa y se inspira en temas extraídos de óperas. **www.jdvhospitality.com**

HAIGHT ASHBURY Y MISSION DISTRICT

Elements Hotel ⇅ 🍴 [$]
2524 Mission St, 94110 ***Tel*** *(415) 647-4100* ***Fax*** *(415) 550-9005* ***Habitaciones*** *26* ***Plano*** *9 F3*

Este albergue ofrece tanto habitaciones comunes como individuales en el corazón de Mission District. En la planta baja hay un restaurante y bar, aunque tal vez la mayor ventaja de Elements sea la terraza de la azotea, con tumbonas y un telescopio. **www.elementshotel.com**

24 Henry [W] [$][$]
24 Henry St, 94114 ***Tel*** *(415) 864-5686* ***Fax*** *(415) 864-0406* ***Habitaciones*** *5* ***Plano*** *9 D2*

Situado en el corazón de Castro District, 24 Henry es un coqueto *bed & breakfast* donde se aloja una clientela mayoritariamente gay. Ofrece un ambiente sereno en una tranquila calle. Los servicios incluyen acceso libre a línea ADSL, desayuno gratuito y teléfono privado en todas las habitaciones. Los precios son razonables. **www.24henry.com**

Beck's Motor Lodge [P] [$][$]
2222 Market St, 94114 ***Tel*** *(415) 621-8212* ***Fax*** *(415) 241-0435* ***Habitaciones*** *57* ***Plano*** *10 E1*

Beck's es un motel estándar de la década de 1960, muy práctico si se desea frecuentar los restaurantes y el ambiente nocturno de Castro, Lower Haight y Mission. Sus principales alicientes son el aparcamiento gratuito, la televisión por cable y la ubicación tranquila. Además, dispone de una terraza.

Inn on Castro [P] [$][$]
321 Castro St, 94114 ***Tel*** *(415) 861-0321* ***Habitaciones*** *12* ***Plano*** *10 D2*

Un establecimiento eduardiano restaurado íntegramente fusiona pasado y presente, con interiores tradicionales decorados con arte contemporáneo. Se sitúa en el centro de Castro District y ofrece silenciosas *suites* y apartamentos totalmente equipados. Todos los días se sirve un desayuno incluido en el precio. **www.innoncastro2.com**

Inn 1890 [$][$]
1890 Page St, 94117 ***Tel*** *(415) 386-0486* ***Fax*** *(415) 386-3626* ***Habitaciones*** *12* ***Plano*** *9 B1*

Este edificio de estilo reina Ana de 1897, una de las mansiones construidas en la franja de Golden Gate Park, un *bed & breakfast* confortable y con estilo. Las paredes de las habitaciones están cubiertas con papel diseñado por William Morris. Se sirve un desayuno continental incluido en el precio. **www.inn1890.com**

Red Victorian Bed and Breakfast
$$$
1665 Haight St, 94117 **Tel** *(415) 864-1978* **Fax** *(415) 863-3293* **Habitaciones** *18*   **Plano** *9 B1*

El Red Victorian es el alojamiento típico de Haight St., perfecto para viajeros que pretendan recordar el San Francisco del Verano del Amor. Cada habitación se inspira en un tema diferente, con nombres como Redwood Forest y Flower Chile. No dispone de radios ni televisores, pero sí de una sala para meditar. **www.redvic.com**

The Inn San Francisco
$$$
943 S. Van Ness Avenue, 94110 **Tel** *(415) 641-0188* **Fax** *(415) 641-1701* **Habitaciones** *21*   **Plano** *10 F3*

El propietario de esta mansión victoriana de 1872 es muy hospitalario. Las espaciosas habitaciones están decoradas de manera individual al estilo victoriano. No hay que perderse el jardín de estilo inglés o la sauna de madera. El bufé de desayuno es abundante; se puede negociar un precio conjunto por alojamiento y desayuno. **www.innsf.com**

Willows Bed and Breakfast
$$$
710 14th St, 94114 **Tel** *(415) 431-4770* **Fax** *(415) 431-5295* **Habitaciones** *12*   **Plano** *10 E2*

Construida en 1912, Willows es una casa de huéspedes situada en Castro District. Todas las habitaciones tienen lavabo, albornoces tipo kimono, jabones exquisitos, TV, vídeo y conexión inalámbrica a internet. Hay ocho cuartos de baño junto a las habitaciones. El personal es muy agradable. **www.willowssf.com**

Stanyan Park Hotel
$$$$
750 Stanyan St, 94117 **Tel** *(415) 751-1000* **Fax** *(415) 668-5454* **Habitaciones** *36*   **Plano** *9 B2*

Los médicos, pacientes y familias de pacientes suelen alojarse en este precioso hotel de estilo reina Ana, situado cerca el Centro Médico de San Francisco. El hotel mira a Golden Gate Park. Las habitaciones son acogedoras y muchas cuentan con chimenea. Las *suites* disponen de cocina. **www.stanyanpark.com**

SOUTH OF MARKET

Marriott Courtyard San Francisco Downtown
$$$$
299 Second Street, 94105 **Tel** *(415) 947-0700* **Fax** *(415) 947-0800* **Habitaciones** *436*   **Plano** *6 D5*

Este hotel de la cadena Marriot ofrece todos los servicios de un establecimiento de lujo sin sus precios desorbitados. Es un buen lugar para quienes deseen alojarse en el centro, especialmente para quienes viajen con niños, ya que está emplazado cerca de muchos de los museos de la ciudad. **www.courtyardsanfrancisco.com**

Hotel Intercontinental
$$$$
888 Howard Street, 94103 **Tel** *(888) 811-4273* **Fax** *(415) 616-6501* **Habitaciones** *564*   **Plano** *11 B1*

Esta maravilla arquitectónica despertó un gran interés cuando abrió sus puertas al público. En su interior, de diseño elegante y moderno, alberga lujosas habitaciones. Situado al sur de Market St., el hotel se encuentra cerca de varios museos y del Moscone Center. Dispone de spa y un elegante restaurante. **www.intercontinentalsanfrancisco.com**

St. Regis Hotel
$$$$
125 Third Street, 94103 **Tel** *(415) 284-4000* **Fax** *(415) 284-4100* **Habitaciones** *306*   **Plano** *11 B1*

Emplazado al lado del Museum of Modern Art, este hotel es el lujo personificado: el servicio de mayordomos se encarga de hacer realidad cualquier petición de los huéspedes. Se pueden probar las trufas con champán preparadas de forma casera o cenar en Ame, el excelente restaurante del hotel. **www.starwoodhotels.com/stregis**

BERKELEY

The French Hotel
$
1538 Shattuck, Berkeley, 94709 **Tel** *(510) 548-9930* **Fax** *(510) 548-9930* **Habitaciones** *18*

Este pintoresco y acogedor establecimiento se caracteriza por su ambiente informal y sociable. Las habitaciones son pequeñas y confortables; todas tienen televisor y algunas ofrecen bonitas vistas. El French Hotel Café de la planta baja es un animado local, perfecto para tomar un buen café o comer.

Bancroft Hotel
$$$
2680 Bancroft Way, Berkeley, 94704 **Tel** *(510) 549-1000* **Fax** *(510) 549-1000* **Habitaciones** *22*

El Bancroft está situado enfrente de la Universidad de California en Berkeley y a escasas manzanas de la moderna Telegraph Ave. Construido en 1928 al estilo *arts and crafts*, este hotel ofrece coquetas habitaciones y amplias zonas comunes. También alquila salones para banquetes y eventos. **www.bancrofthotel.com**

Rose Garden Inn
$$$$
2740 Telegraph Ave, Berkeley, 94705 **Tel** *(510) 549-2145* **Fax** *(510) 549-1085* **Habitaciones** *40*

Esta posada de finales del siglo XIX hace honor a su nombre (Jardín de Rosas), ya que constituye un oasis en el centro de Berkeley. Los cuatro edificios y los jardines de esta propiedad de ensueño ocupan casi una manzana. El patio al aire libre resulta perfecto para desayunar en cálidas mañanas veraniegas. **www.rosegardeninn.com**

Precios *ver p. 210* **Simbología** *ver solapa trasera*

Claremont Resort, Spa and Tennis Club   🛏 P 🍴 ⚏ 🏃 📺 $$$$$

41 Tunnel Road, Oakland, 94705 **Tel** *(510) 843-3000* **Fax** *(510) 848-6208* **Habitaciones** *279*

Este imponente hotel está enclavado a los pies de Berkeley Hills, con vistas de gran parte del este de la bahía y de San Francisco. En sus terrenos alberga pistas de tenis, jardines, una piscina y un balneario de categoría. Merece la pena realizar una parada aquí para tomar algo y disfrutar de las vistas. **www.claremontresort.com**

LAS AFUERAS

EAST PALO ALTO Four Seasons Palo Alto   P ⚏ 🏃 📺 & $$$

2050 University Avenue, 94303 **Tel** *(650) 566-1200* **Fax** *(650) 566-1221* **Habitaciones** *227*

A 10 minutos de la Universidad de Stanford, este lujoso hotel dispone de una estupenda piscina en la azotea, un relajante spa y habitaciones elegantes y bien equipadas. Los hombres de negocios se alojan aquí por su ubicación céntrica, cerca de Silicon Valley, pero los lugareños acuden por su sofisticado restaurante. **www.fourseasons.com/siliconvalley**

HALF MOON BAY The Ritz Carlton Half Moon Bay   P ⚏ 🏃 📺 & w $$$$

1 Miramontes Point Road, 94019 **Tel** *(650) 712-7000* **Fax** *(650) 712-7831* **Habitaciones** *261*

Romántico y lujoso hotel emplazado sobre los acantilados, junto al océano Pacífico. Ofrece unas impresionantes vistas y un servicio de primera clase. Se puede disfrutar de chocolate caliente y *s'mores* junto a las hogueras al aire libre o bien dar un paseo hasta la población de Half Moon Bay, con tiendas y restaurantes. **www.ritzcarlton.com**

MILL VALLEY Mountain Home Inn   P & $$$

810 Panoramic Highway, 94941 **Tel** *(415) 381-9000* **Fax** *(415) 381-3615* **Habitaciones** *10*

Situado en lo alto de Mount Tam, un popular destino de senderismo, este *bed & breakfast* ofrece unas vistas increíbles de toda la bahía de San Francisco desde su mirador. Las habitaciones son acogedoras y tranquilas. El restaurante sirve recetas locales. Se recomienda recorrer las rutas de senderismo y acercarse en coche hasta Muir Woods. **www.mtnhomeinn.com**

POINT REYES Point Reyes Station Inn   P w $$

11591 State Route 1 N, 94956 **Tel** *(415) 663-9372* **Fax** *(415) 663-8842* **Habitaciones** *5*

Este encantador *bed & breakfast*, situado en el corazón de la población costera de Point Reyes, combina el estilo antiguo y los servicios modernos. Los techos abovedados, las bañeras de hidromasaje y las chimeneas de las habitaciones lo hacen perfecto para una escapada romántica. **www.pointreyesstationinn.com**

SAUSALITO Gables Inn Sausalito   P 🏃 $$$

62 Princess Street, 94965 **Tel** *(415) 289-1100* **Fax** *(415) 339-0536* **Habitaciones** *15*

El mejor establecimiento histórico de Sausalito es perfecto para una escapada romántica. Las habitaciones son espaciosas y el personal, amable y servicial. Se celebra una velada gratuita dedicada al vino y al queso. La parada del transbordador hasta San Francisco se halla a tres minutos andando. **www.gablesinnsausalito.com**

NORTE DE CALIFORNIA

CARMEL San Carlos Days Inn   P 🏃 $$

850 Abrego St, Monterey, 93940 **Tel** *(831) 649-6332* **Fax** *(831) 649-6353* **Habitaciones** *55*

Este básico motel se encuentra a un paseo de las tiendas del centro de Monterrey y a poco más de un kilómetro de la famosa Cannery Row y Monterey Bay Aquarium. Gracias a su ubicación, San Carlos Inn es una buena base desde la que explorar toda la península. **www.montereydaysinn.com**

CARMEL Carmel Wayfarer Inn   P 🏃 $$$

4th y Mission St, Carmel-by-the-Sea, 93921 **Tel** *(831) 624-2711* **Fax** *(831) 625-1210* **Habitaciones** *15*

Carmel Wayfarer, en pleno centro de Carmel-by-the-Sea, es una buena alternativa gracias a sus precios bajos. Las habitaciones y salas comunes son sencillas pero están decoradas con gusto. Todos los días se sirve un desayuno continental de lujo incluido en el precio. **www.carmelwayfarerinn.com**

CARMEL Highlands Inn   🛏 P 🍴 ⚏ 🏃 📺 $$$$

120 Highlands Drive, Carmel, 93923 **Tel** *(831) 620-1234* **Fax** *(831) 626-1574* **Habitaciones** *142*

Enclavado en un promontorio sobre el océano Pacífico, Highlands Inn representa la quintaesencia de la península de Monterrey. Unos dos tercios de las habitaciones son *suites* o estudios y casi todas disponen de patio o balcón. Entre los alicientes se incluye una piscina exterior climatizada y vistas panorámicas de la costa. **www.highlandsinn.hyatt.com**

CARMEL La Playa Hotel   🛏 P 🍴 ⚏ 🏃 $$$$

Camino Real at Eigth, Carmel, 93921 **Tel** *(831) 624-6476* **Fax** *(831) 624-7966* **Habitaciones** *75*

La Playa se asemeja más a una finca particular que a un hotel estándar, gracias a sus amplias habitaciones y complejos de bungalós dispuestos en torno a un jardín, una zona de césped y una piscina. Es una opción recomendada a familias con niños y parejas, pues algunas cabañas tienen cabida hasta para ocho personas. **www.laplayahotel.com**

LAGO TAHOE La Porte Cabins

P Ⓢ

La Porte, CA, 95981 **Tel** *(530) 675-0850* **Habitaciones** *15*

Situado en el corazón de La Porte, este pequeño y pintoresco conjunto de cabañas rústicas recuerda los tiempos de la fiebre del oro en California. Estas cabañas originales de China Alley datan de aquella época, aunque posteriormente se han restaurado. **www.laportecabins.com**

LAGO TAHOE 3 Peaks Resort and Beach Club

P ♻ ⛹

ⓈⓈ

931 Park Ave, Tahoe, 96150 **Tel** *(866) 500-4886* **Habitaciones** *54*

El 3 Peaks es una de las mejores opciones del lado californiano del lago Tahoe. Ofrece habitaciones y *suites* similares a cabañas; muchas de las cuales están equipadas con cocinas, lo que las convierte en una buena opción para grupos. Se encuentra a dos manzanas de la zona de Heavenly Ski. **www.3peakshotel.com**

LAGO TAHOE Christy Inn

P ││

ⓈⓈⓈ

1650 Squaw Valley Rd, Olympic Valley, 96146 **Tel** *(530) 581-0454* **Fax** *(530) 581-5631* **Habitaciones** *6*

Christy Inn está situada en el amplio valle de Squaw, sede de los Juegos Olímpicos de Invierno de 1960. Todas las habitaciones, sencillas y rústicas, poseen baño propio y ofrecen vistas espectaculares de las montañas circundantes. También es un popular destino veraniego y acoge numerosas bodas y reuniones familiares a lo largo de todo el año.

LAGO TAHOE Harrah's Lake Tahoe

✇ P ││ ♻ ⛹ 🎨

ⓈⓈⓈⓈ

Highway 50 at Stateline, Nevada, 89449 **Tel** *(775) 588-6611* **Habitaciones** *525*

La excursión al lago Tahoe no se completa sin una parada para jugar una o dos partidas en los casinos del vecino Estado de Nevada. Con todas las instalaciones de un hotel de San Francisco, el Harrah's ofrece buenas razones para alojarse en él. **www.harrahs.com**

LAGO TAHOE Lake Tahoe Cottages

P ♻ ⛹

ⓈⓈⓈⓈ

7030 Highway 89, Tahoma, 96142 **Tel** *(530) 525-4411* **Fax** *(530) 525-0824*

Estas cabañas de la orilla norte del lago Tahoe constituyen un retiro rural perfecto para familias y parejas que busquen el encanto del oeste a tarifas razonables. Las casitas están equipadas con bañera hidromasaje, también hay una piscina para bañarse en verano. Tienen cabida para grupos de hasta 60 personas. **www.tahoelakecottages.com**

LASSEN VOLCANIC NATIONAL PARK La Quinta Redding

✇ P ⛹ 🎨

Ⓢ

2180 Hilltop Drive, Redding, 96002 **Tel** *(530) 221-8200* **Fax** *(530) 223-4727* **Habitaciones** *144*

La Quinta Redding constituye un buen punto de partida para explorar el Parque Nacional Volcánico del Monte Lassen y el lago y la presa de Shasta. El hotel, junto a la salida de la I-5, ofrece piscina, gimnasio, traslados al aeropuerto y desayuno continental incluido. Las habitaciones son de estilo funcional. **www.lq.com**

LASSEN VOLCANIC NATIONAL PARK Cornelius Daly Inn

P

ⓈⓈⓈ

1125 H Street, Eureka, 95501 **Tel** *(707) 445-3638* **Habitaciones** *5*

Esta imponente estructura victoriana está situada en la animada zona de Eureka. Todas las habitaciones se han reformado, aunque los propietarios han tratado de preservar el carácter original de la casa con muebles antiguos y decoración acorde con la época. La habitación Annie Murphy dispone de chimenea. **www.dalyinn.com**

MENDOCINO/ REDWOOD NATIONAL PARK Riverbar Farm

P

ⓈⓈ

355 Riverbar Rd, Fortuna, 95540 **Tel** *(707) 768-9272* **Fax** *(707) 768-9273* **Habitaciones** *4*

Se recomienda realizar las reservas con antelación en esta granja que dispone de cuatro habitaciones en régimen de *bed & breakfast*. Los cuartos son espartanos y agradables. La estancia proporciona una magnífica experiencia, ya que permite observar el ajetreo de la granja. **www.riverbarfarm.com**

MENDOCINO/ REDWOOD NATIONAL PARK Victorian Inn

P ││

ⓈⓈⓈ

400 Ocean Ave, Ferndale, 95536 **Tel** *(707) 786-4949* **Fax** *(707) 786-4558* **Habitaciones** *12*

La impresionante Victorian Inn ocupa una de las esquinas más prominentes del centro de Ferndale. Con una preciosa iluminación nocturna, todas las habitaciones fusionan el encanto victoriano con las comodidades modernas. Curley's, en la planta baja, ofrece comida y bebida en un ambiente agradable. **www.avoctorianinn.com**

MONTERREY San Carlos Inn

P ⛹ ♿ Ⓢⓜ

Ⓢ

850 Abrego Street, 93940 **Tel** *(831) 649-6332* **Fax** *(831) 649-6353* **Habitaciones** *55*

Una de las mejores opciones de la población, ofrece una estupenda ubicación cerca del casco histórico de Monterrey y Fisherman's Wharf. Las habitaciones están limpias y son grandes y confortables. El personal se afana en hacer que los huéspedes disfruten de su estancia. Hay aparcamiento y conexión a internet gratuitos. **www.montereydaysinn.com**

MONTERREY Monterey Plaza Hotel and Spa

P ││ ⛹ 🎨 ♿

ⓈⓈⓈ

400 Cannery Row, 93940 **Tel** *(831) 646-1700* **Fax** *(831) 646-0285* **Habitaciones** *300*

Lujoso hotel, magnífico para una escapada, que ofrece unas vistas espectaculares del Pacífico desde cualquier lugar. El servicio es excepcional. El restaurante prepara recetas innovadoras y sirve marisco local. En los alrededores se puede disfrutar de numerosas actividades. **www.montereyplazahotel.com**

MONTERREY The Clement Monterey Hotel

P ♻ ⛹ 🎨 ♿ ⓜ

ⓈⓈⓈ

750 Cannery Row, 93940 **Tel** *(831) 375-4500* **Fax** *(831) 375-4501* **Habitaciones** *226*

Un elegante paraíso en la bulliciosa zona turística de Cannery Row, destaca por su emplazamiento frente al Pacífico. El establecimiento combina buen servicio, estupendas vistas y habitaciones perfectamente equipadas. Cuenta con spa y piscina. Se puede llegar paseando al Monterey Aquarium. **www.ichotelsgroup.com**

Precios *ver p. 210* **Simbología** *ver solapa trasera*

REGIÓN VITIVINÍCOLA DE NAPA Hotel Sausalito   P W $$$

16 El Portal, Sausalito, 94965 **Tel** *(415) 332-0700* **Fax** *(415) 332-8788* **Habitaciones** *16*

Debido a su situación un poco retirada de la orilla, el Hotel Sausalito ofrece un precio excepcional para la calidad de las instalaciones y servicios. Cada una de las habitaciones, confortables, está decorada individualmente. Ofrece desayuno continental y otros extras como conexión inalámbrica a internet y fax en las habitaciones. **www.hotelsausalito.com**

REGIÓN VITIVINÍCOLA DE NAPA Hotel St. Helena   P $$$

1309 Main Street, St. Helena, 94574 **Tel** *(707) 963-4388* **Fax** *(707) 963-5402* **Habitaciones** *18*

Este hotel victoriano con encanto, construido en 1890, constituye una buena base para recorrer la región vitivinícola de Napa. Cada habitación, amueblada con una cama de dosel, tiene una decoración diferente. El elegante vestíbulo es el lugar perfecto para degustar una copa de vino. **www.hotelsthelena.net**

REGIÓN VITIVINÍCOLA DE NAPA River Terrace Inn   P ⅱ ≋ ⅟ 丫 W $$$

1600 Soscol Ave, Napa, 94559 **Tel** *(707) 320-9000* **Fax** *(707) 258-1236* **Habitaciones** *106*

La River Terrace Inn ofrece precios razonables a los visitantes de la región del vino. Aunque no posee las vistas espectaculares de otros hoteles de la zona, las tarifas merecen la pena. Entre los servicios se incluye conexión de banda ancha a internet, gimnasio y una piscina exterior. **www.riverterraceinn.com**

REGIÓN VITIVINÍCOLA DE NAPA Auberge du Soleil   P ⅱ ≋ ⅟ 丫 $$$$

180 Rutherford Hill Rd, Rutherford **Tel** *(707) 963-1211* **Fax** *(707) 963-8764* **Habitaciones** *50*

En la región del vino no existe un lugar mejor para alojarse que el Auberge du Soleil. Las habitaciones, distribuidas en pequeñas cabañas, miran al valle de Napa. Este complejo dispone de todas las instalaciones imaginables y de todo el sencillo encanto de una gran casa solariega francesa. **www.aubergedusoleil.com**

REGIÓN VITIVINÍCOLA DE NAPA Casa Madrona   P ⅱ 丫 $$$$

801 Bridgeway, Sausalito, 94965 **Tel** *(415) 332-0502* **Fax** *(415) 332-2537* **Habitaciones** *63*

La preciosa Casa Madrona, al otro lado de la bahía de San Francisco, es desde hace mucho tiempo un destino de fin de semana ideal para urbanitas en busca de un poco de descanso y sosiego. También resulta perfecto para un retiro discreto y romántico. Entre el restaurante y el balneario, nunca apetece marcharse. **www.casamadrona.com**

REGIÓN VITIVINÍCOLA DE NAPA Inn Above Tide   P $$$$

30 El Portal, Sausalito, 94965 **Tel** *(415) 332-9535* **Fax** *(415) 332-6714* **Habitaciones** *29*

Inn Above Tide se levanta a la orilla de la bahía de San Francisco y ofrece vistas del océano desde cualquier habitación. Todas disponen de patios privados y bañeras de hidromasaje, lo que la convierte en un establecimiento sin parangón. Situada en pleno centro de Sausalito, se halla muy cerca de restaurantes y comercios. **www.innabovetide.com**

SACRAMENTO Inn at Parkside   P ⅱ ≋ ⅟ 丫 $$$$

2116 6th St, Sacramento, 95818 **Tel** *(916) 658-1818* **Fax** *(916) 658-1809* **Habitaciones** *7*

Inn at Parkside, un elogiado hotel de diseño, combina la sensibilidad asiática con el el confort de las casas de campo californianas. Alberga el Spa Bloom, que brinda todos los servicios imaginables. Las habitaciones se llenan en seguida, por lo que conviene reservar con antelación. **www.innatparkside.com**

SONOMA Best Western Dry Creek Inn   P ⅱ ≋ ⅟ 丫 W $$

198 Dry Creek Rd, Healdsburg, 95448 **Tel** *(707) 433-0300* **Fax** *(707) 433-1129* **Habitaciones** *103*

Dry Creek, uno de los hoteles más económicos del valle de Sonoma, ofrece habitaciones básicas con unas cuantas comodidades. En la recepción se da la bienvenida a los huéspedes con una botella de vino y algunas habitaciones están equipadas con conexión de banda ancha a internet. **www.bestwestern.com**

SONOMA The Raford Inn Bed and Breakfast Inn   P $$$

10630 Wohler Rd, Healdsburg, 95448 **Tel** *(707) 887-9573* **Fax** *(707) 887-9597* **Habitaciones** *6*

Este acogedor *bed & breakfast* se alzaba antaño sobre una parcela de 526 ha. Hoy Raford House ocupa 1,61 ha de la finca original. Una de sus mejores cualidades es la belleza natural del entorno. Todas las habitaciones tienen cama de matrimonio y baño. Por las tardes se celebra una recepción. **www.rafordhouse.com**

YOSEMITE NATIONAL PARK Curry Village   P ⅱ ⅟ $

Yosemite National Park **Tel** *(559) 253-5635* **Habitaciones** *628*

Yosemite's Curry Village ofrece multitud de opciones para presupuestos limitados y constituye una alternativa fantástica para familias. Para los más aventureros hay una tienda con baño compartido, los que necesiten más comodidades pueden alojarse en una de las habitaciones tipo motel. **www.yosemitepark.com**

YOSEMITE NATIONAL PARK Yosemite Lodge at the Falls   P ⅱ ≋ ⅟ W $$$

Yosemite National Park **Tel** *(209) 372-1274* **Fax** *(209) 372-1444* **Habitaciones** *245*

Situado a los pies de las cascadas Yosemite, este refugio supone un excelente punto de partida para explorar el parque. Las habitaciones son básicas, pero el hotel dispone de numerosas instalaciones y servicios, como conexión inalámbrica a internet, piscina y alquiler de bicicletas. **www.yosemitepark.com**

YOSEMITE NATIONAL PARK Ahwahnee Hotel   ⅟ P ⅱ ≋ ⅟ $$$$

Yosemite National Park **Tel** *(209) 372-1407* **Fax** *(209) 372-1403* **Habitaciones** *123*

Ahwahnee es uno de los alojamientos más lujosos de todo el Estado de California. Construido en 1927, ha sido declarado monumento histórico nacional y es famoso por el entorno formado por el Yosemite National Park. Posee un restaurante de cinco tenedores y preciosas áreas comunes. **www.yosemitepark.com**

RESTAURANTES

Etiqueta de cerveza Anchor

En San Francisco hay más de 5.000 establecimientos donde comer. Debido a la feroz competencia entablada entre los restaurantes, los clientes pueden encontrar comida de calidad a precios razonables. Gracias a la disponibilidad inmediata de productos frescos (especialmente de marisco), la ciudad ha dado origen a una cocina californiana. Además existe una variada gastronomía étnica. La sección *Elegir un restaurante* de las páginas 228-241 proporciona una selección de los mejores restaurantes; las comidas ligeras y tentempiés figuran en la página 243, y los cafés se enumeran en la página 242.

RESTAURANTES

La ciudad destaca por el amplio surtido de platos procedentes de diferentes partes del mundo. Los establecimientos más de moda se sitúan en el centro. Son especialmente abundantes en el área de South of Market, aunque también merece la pena investigar en Chestnut St., en Marina District, y en el tramo de Fillmore St. comprendido entre Bush St. y Jackson St. La oferta culinaria italiana se concentra en la zona de North Beach, mientras que la gastronomía latinoamericana se puede degustar en Mission District. Chinatown alberga establecimientos camboyanos, vietnamitas y tailandeses, así como numerosos chinos. En Geary Boulevard y Clement St., en Richmond District, hay más restaurantes chinos.

Cartel de Alioto's Restaurant
(ver p. 231)

Muchos restaurantes siguen en la actualidad las recomendaciones de la American Heart Association para reducir el colesterol y las grasas. Un corazón rojo situado junto al nombre del plato significa que dicha asociación lo ha aprobado como comida saludable.

OTROS ESTABLECIMIENTOS

La oferta para comer en San Francisco incluye más establecimientos que el clásico restaurante. Muchos hoteles disponen de excelentes comedores que abren al público; algunos, como Campton Place o el Ritz-Carlton, se sitúan entre los mejores establecimientos gastronómicos de la ciudad. Otros hoteles ofrecen bufés a mediodía y por la noche. Además, la mayoría dispone de cafeterías para desayunar o cenar a última hora.

En San Francisco no son muy comunes los *delicatessens,* donde se pueden comprar ensaladas o sándwiches, aunque hay algunos en el Financial District. Las cadenas de comida rápida abundan, y muchos puestos callejeros venden comida mexicana. En estos tenderetes se suelen preparar tortillas de maíz frito con verduras o burritos.

CERVECERÍAS ARTESANALES

Estos establecimientos en los que elaboran productos artesanales tienen gran prestigio. Los camareros sirven una selección de cervezas nacionales e internacionales, así como sus propias especialidades, como la famosa Anchor Steam de San Francisco. Si una cerveza tiene éxito entre los lugareños, puede llegar a alcanzar el reconocimiento nacional e incluso internacional. Se sirven además algunos platos para acompañar la cerveza.

Camarero preparando café en Tosca
(ver p. 243)

Comedor de un restaurante selecto

HORARIOS Y PRECIOS

Los precios varían considerablemente. El desayuno se sirve entre las 7.00 y las 11.00 y suele ser económico, pues cuesta entre 8 y 15 $. El *brunch* (una mezcla de desayuno y almuerzo) se prepara entre las 10.00 y las 14.00 los sábados y domingos y cuesta entre 7 y 20 $. Entre las 11.00 y las 14.30 se puede comer ligero por unos 6 $. En los restaurantes de categoría los almuerzos son más económicos que las cenas, aunque esto no quiere decir que sean asequibles. Se acostumbra a cenar a partir de las 18.00, y las cocinas suelen cerrar alrededor de las 22.00. Las ensaladas y entrantes oscilan entre 5 y 8 $ y los platos fuertes entre 10 y 25 $. Sin embargo, en los mejores restaurantes una cena puede ascender a 75 $. Son pocos los establecimientos que permanecen abiertos por la noche.

COMIDAS ECONÓMICAS

Una manera de economizar consiste en desayunar fuerte y tarde. Puede ser interesante comer al aire libre. Si se almuerza en un restaurante, se pueden reducir los gastos pidiendo varios platos para compartir. Otra opción es aprovechar las degustaciones gratuitas que ofrecen numerosos bares del centro entre las 16.00 y las 18.00: las bebidas se acompañan a menudo de delicias como *won ton*. En *Bares de San Francisco (ver p. 270)* hay más recomendaciones. Muchos establecimientos ofrecen menús de precio fijo asequibles. Por ejemplo, Chez Panisse, en Berkeley, sirve los martes comidas de cuatro platos a mitad de precio.

IMPUESTOS Y PROPINAS

En San Francisco se añade un impuesto por venta del 8,5% en la cuenta de los restaurantes. El suplemento por el servicio rara vez se incluye, a menos que haya un mínimo de seis personas en la mesa. Se acostumbra a dejar una propina del 15% del importe total. La mayoría de la gente multiplica por dos el impuesto y después o redondea hacia arriba o abajo. La propina se puede dejar en efectivo o sumarla a la cuenta si se paga con tarjeta de crédito.

USOS Y COSTUMBRES

Como ocurre en casi toda California, la etiqueta en los restaurantes de San Francisco es bastante relajada, lo que se traduce en que en la mayoría de los establecimientos se puede ir con una camiseta y unos vaqueros. Sin embargo, en los restaurantes más de moda se sobreentiende que hay que ir vestido adecuadamente. Por lo demás, sólo se exige ir formal en los restaurantes más selectos del centro de la ciudad.

RESERVAS

Siempre es mejor reservar con antelación para evitar quedarse sin mesa. Para cenar un viernes o un sábado por la noche en un restaurante popular se suele reservar como mínimo con una semana de antelación. Para conseguir mesa los días laborables en principio basta con reservar la víspera. En ocasiones, incluso si se dispone de mesa, es posible que haya que esperar para sentarse.

Clientes en un restaurante

FUMADORES

En San Francisco está mal visto fumar en público. En todas las ciudades californianas está prohibido fumar en locales cerrados, a menos que dispongan de un sistema de ventilación independiente que reduzca al mínimo la posibilidad de que los no fumadores respiren el humo del tabaco.

Algunos restaurantes con zonas para comer al aire libre pueden tener una sección reservada para fumadores, y en ocasiones la barra del bar puede tener una zona donde esté permitido fumar.

NIÑOS

En todos los restaurantes de la ciudad se muestran encantados de servir a los niños, aunque en algunos de los establecimientos más de moda tal vez no sean bien recibidos.

Lo mejor es acudir a los establecimientos orientados a familias, como los restaurantes italianos de North Beach o los comedores de *dim sum* de Chinatown. Por lo general, también se puede comer en los restaurantes de los hoteles. La mayoría de los establecimientos facilita tronas o sillas portabebés y ofrecen raciones infantiles o menús alternativos.

Legalmente, la edad mínima para el consumo de cerveza y bebidas alcohólicas es de 21 años, y se cumple rígidamente. Está prohibida la entrada de menores a los bares. Sin embargo, si sirven comidas, se permite la entrada a niños acompañados por adultos.

VIAJEROS DISCAPACITADOS

Desde 1992 todos los restaurantes de San Francisco están obligados por ley a proporcionar instalaciones adecuadas para las personas en sillas de ruedas. Los mejores establecimientos aplican estrictamente la normativa, y los de reciente apertura también se rigen por ella. En ocasiones tal vez convenga llamar con antelación para informarse.

Entrada del restaurante Mel's Drive-In *(ver p. 228)*

Los sabores de San Francisco

San Francisco destaca por su gran diversidad gastronómica. La escena culinaria es tan caliente como las salsas picantes que se preparan en las taquerías mexicanas más selectas de la ciudad. En San Francisco el olfato basta para orientarse: el aroma intenso de los cafés exprés se mezcla con ráfagas penetrantes de salsas a la marinera en la zona italiana de North Beach, el sabor de México caldea Mission District, y en la algarabía de Chinatown triunfa la fragancia vaporosa de *dim sum* y el pato crujiente. Para un final dulce, se recomienda saborear el chocolate Ghirardelli, muy típico de San Francisco, que se produce en la bahía desde hace 150 años.

Aguacates

El chef Yoshi Kojima limpia una carpa para cocinarla

mantienen una relación estrecha con los agricultores de la región, de modo que lo que se sirve en la mesa es posible que se haya arrancado de la tierra sólo unas horas antes, como por ejemplo hojas de *arugula* (jaramago) recién cortadas y enjuagadas o jugosos tomates ecológicos. Ante tal riqueza agrícola, los prestigiosos cocineros de San Francisco se inspiran para

crear obras de arte minimalistas deliciosas, desde alcachofas tiernas adornadas con rodajas de limón a finísimas láminas de atún claro colocadas en forma de abanico sobre verduras a la parrilla.

COCINA ASIÁTICA

Al explorar el entramado de calles bulliciosas y olorosas de Chinatown en seguida se

COCINA CALIFORNIANA

En la bahía surgió la cocina californiana. La ingente variedad de productos del norte de California propicia un estilo culinario que se centra más en el culto a los ingredientes que en la recreación de platos típicos, lo que da rienda suelta a la creatividad. Muchos de los cocineros más expertos de San Francisco

Pez espada Salmón   Langosta Trucha Lenguado Atún

Almejas   Vieira

Surtido de pescado y marisco fresco de San Francisco

PLATOS TÍPICOS Y ESPECIALIDADES

En el auténtico crisol de San Francisco no sólo se elabora cocina genuina mexicana, italiana y oriental, sino una creativa combinación de todas ellas. Cada cocina inspira a otra, con lo cual se crean maravillosos platos de fusión gracias a los cuales la ciudad se ha forjado un merecido prestigio como paraíso gastronómico. Se puede dar un festín, por ejemplo, de judías picantes fritas en *wok* o marisco salteado con salsa de jengibre. Para acompañar la comida, nada mejor que el famoso pan de la ciudad. El sabor y la textura de este pan procede de un fermento de microorganismos naturales descubiertos por mineros de oro hace más de un siglo que se desarrollan sólo en el clima único de la bahía.

Dim sum

Crema de almejas y pescado
Las marisquerías de Fisherman's Wharf sirven esta mezcla dentro de un panecillo.

Interior de una taquería mexicana

descubre que los restaurantes de este barrio preparan platos asiáticos exquisitos. Los enormes acuarios albergan carpas gigantes que nadan lánguidamente en círculo y anguilas desplegándose entre el follaje de las algas. Los abultados sacos rebosan especias aromáticas, y las cajas de madera están repletas de *bok choy* y escalonias salpicadas de rocío. Se recomienda echar un vistazo a las cocinas abiertas para observar cómo diestros cocineros cortan el pato en láminas finas como el papel que se derriten en la boca. El secreto de la riqueza culinaria de Chinatown radica en que los chefs del barrio cocinan para los comensales más exigentes: sus propios paisanos. La Chinatown de San Francisco posee el segundo mayor índice de población oriental fuera de China.

COCINA MEXICANA

Una de las comidas más económicas de la ciudad es la ofrecida por la cocina mexicana: rápida, contundente y deliciosa. Sólo con un típico

Cangrejos y almejas en un puesto del puerto

burrito bien relleno de frijoles, arroz y carne de vaca se sacia el hambre para gran parte del día. Las innumerables taquerías de la ciudad ofrecen comida rápida, ya sea arroz condimentado con azafrán y frijoles o rollitos de tortillas calientes rellenas de espinacas y tomates secos.

CANGREJO DUNGENESS

El cangrejo Dungeness es muy célebre por su exquisita carne. Cuando llega la temporada, de mediados de noviembre a junio, la gente aprovecha para consumirlo de todas las maneras posibles o simplemente partido, con mantequilla y pan crujiente.

OTROS PLATOS

Cioppino Guiso de pescado y marisco con tomate.

Dim sum Almuerzo típico chino a base de pequeñas empanadillas al vapor o fritas rellenas de pescado, carne o verdura.

Hangtown fry Gran tortilla francesa rellena de ostras rebozadas y beicon.

Lenguado arenoso Este delicioso pescado local generalmente se prepara salteado.

Tortilla Este clásico mexicano, una masa fina y enrollada de harina de maíz o de trigo sin levadura, constituye la base de muchos otros platos, como los burritos, quesadillas o tacos.

Filete picante a la marinera
En North Beach suelen preparar filetes con ajo, anchoas, mantequilla y limón.

Atún con salsa asiática
Se elabora con setas shiitake *y pimienta en grano de Sichuan.*

Tiramisú Ghirardelli
Postre de North Beach con queso mascarpone, *chocolate Ghirardelli y licor de café.*

Las bebidas de San Francisco

California es una de las áreas productoras de vino mayores y más interesantes del mundo. Sus mejores cosechas proceden de la región vitivinícola del norte de San Francisco, especialmente de los valles de Napa y Sonoma. La mayoría de los caldos californianos se elabora con las variedades clásicas de uvas europeas pero, a diferencia de los vinos del viejo continente, se identifican por la uva en lugar de por denominación de origen. También es popular la cerveza y el agua mineral local.

Viñedos del norte de Sonoma, con un clima idóneo para cultivar la delicada uva *pinot noir*

VINO TINTO

Pinot Noir   **Cabernet Sauvignon**

El clima templado del norte de California resulta idóneo para el cultivo de las vides, y la frescura de la niebla contribuye a que las uvas alcancen su estado óptimo. Las principales variedades de vino tinto que se producen en la región son el Cabernet Sauvignon, Pinot Noir, Merlot y Zinfandel. La *cabernet sauvignon* continúa siendo la principal variedad entre las uvas de primera calidad. La *pinot noir* ha ido aumentando en popularidad gracias a que las bodegas han sabido tratar su naturaleza temperamental, y los valles de Anderson, en Sonoma, y Carneros, en Napa, han florecido como importantes centros de esta variedad. Tanto la *merlot*, utilizada en muchos claretes de Burdeos, como la *zinfandel*, una uva vigorosa y con cuerpo popular en California, se cultivan en todo el Estado.

Los tintos Zinfandel pueden ser ligeros y afrutados, pero los mejores son oscuros.

Los Cabernet Sauvignon saben a grosella con un toque ácido suavizado por el roble.

TIPO DE VINO	BUENAS COSECHAS	BUENOS PRODUCTORES
Vino tinto		
Cabernet Sauvignon	04, 03, 02, 97, 96, 94, 93, 91, 90	Caymus Vineyards, Chateau Montelana, Jordan, Kistler Vineyards, Ridge, Robert Mondavi, Stags Leap, Swanson
Pinot Noir	03, 02, 01, 99, 97, 96, 95, 93, 92, 91	Au Bon Climat, Byron, Calera, Cuvaison, De Loach, Etude, Sanford, Saintsbury
Merlot	04, 02, 01, 99, 96, 95, 91, 90	Chateau St Jean, Duckhorn Vineyards, Newton, Pine Ridge, Robert Sinskey, Whitehall Lane Reserve
Zinfandel	03, 01, 96, 95, 91, 90	Clos du Val, Farrell, Fetzer, Frog's Leap, Kunde, Rabbit Ridge, Ravenswood, Ridge, Turley
Vino blanco		
Chardonnay	04, 03, 02, 01, 97, 96, 95, 94, 91, 90	Au Bon Climat, Beringer, Forman, De Loach, Far Niente, Kent Rasmussen, Kitzler, Peter Michael, Robert Sinskey, Sterling Vineyards
Semillon	06, 05, 03, 02, 96, 95, 94, 91, 90	Alban, Calera, Cline Cellars, Joseph Phelps, Niebaum-Coppola, Wild Horse
Sauvignon Blanc	06, 05, 03, 02, 99, 97, 96, 95, 94, 91, 90	Cakebread, De Loach, Frogs Leap, Joseph Phelps, Robert Mondavi Winery, Spottswoode

El Merlot, un vino rico y suave, suele mezclar este tipo de uva con otras frutas.

El mejor Pinot Noir posee una elegancia floral y un delicado sabor a fresa.

VINO BLANCO

Chardonnay   Chardonnay orgánico

Los vinos blancos californianos se clasifican por la variedad de uva, siendo la *chardonnay* la más popular con diferencia en los últimos años. Cultivada en toda la costa este, esta apreciada uva produce vinos de carácter diverso, secos, desde caldos ligeros, con aroma de limón o vainilla, hasta otros más intensos y robustos. Además, se pueden catar otras 13 variedades de vino blanco y mezclas, así como vinos orgánicos.

LA CATA A CIEGAS DE 1976

El 24 de mayo de 1976, en una cata a ciegas organizada por el enólogo Steven Spurrier, los jueces franceses concedieron a los vinos de California tintos (Stag's Leap Cabernet Sauvignon 1973, del valle de Napa) y blancos (Château Montelana 1973 Chardonnay, del valle de Napa) los mejores premios en sus categorías respectivas. También eran californianos 6 de los 10 mejores vinos de cada categoría, un resultado que causó sensación en la industria vinícola mundial. Una década después, varios ilustres productores franceses, como el barón Rothschild, ya habían invertido en bodegas de California.

Los vinos **Sauvignon Blanc** varían desde limpios y espiritosos a suaves y mantecosos.

Los vinos blancos **Zinfandel** son ligeros, dulzones y fáciles de digerir.

El Chardonnay a menudo fermenta o reposa en barriles de roble franceses que le aportan ligeros matices de vainilla.

La uva *chenin blanc* produce característicos vinos secos y reposados.

VINO ESPUMOSO

Una evidencia de que California conforma una de las regiones productoras de vino espumoso más importantes, radica en el hecho de que los productores vinícolas franceses más prestigiosos realizan grandes inversiones en California. Moet & Chandon y Mumm, entre otros, han abierto bodegas en el valle de Napa y en muchos otros lugares. Estas empresas, junto a los productores locales Schramsberg y Korbel, han contribuido a que la costa oeste se haya forjado una reputación internacional.

Vino espumoso

CERVEZA

El surgimiento de pequeñas fábricas de cerveza se debe al éxito de la fábrica Anchor de San Francisco, cuyas cervezas Steam Beer, Liberty Ale y otras demuestran que la cerveza estadounidense no es suave e insípida. Entre otras sabrosas denominaciones locales se incluye la consistente Boont Amber del condado de Mendocino y Red Tail Ale.

Red Tail Ale

Liberty Ale

Anchor Steam Beer

OTRAS BEBIDAS

Se puede tomar cualquier tipo de café en los quioscos, cafés y restaurantes de toda la ciudad, así como un amplio surtido de té de hierbas.

Café exprés   Capuchino   Café con leche

AGUA

Los habitantes de San Francisco, preocupados por su salud, consumen agua mineral de la zona; la mejor es la que procede de Calistoga, en el valle de Napa. Muchas variedades de agua mineral se enriquecen con fruta fresca, y la mayoría lleva gas. El agua del grifo es normal.

Agua embotellada de Calistoga

Elegir un restaurante

Los restaurantes que se reseñan a continuación han sido seleccionados por su comida excepcional, buen precio y ubicación interesante. Están ordenados por zonas y dentro de éstas por precios, tanto en San Francisco como en las afueras y el norte de San Francisco. Las referencias de los planos remiten al *Callejero (ver pp. 302-312)*.

PRECIOS
Una comida de tres platos con una copa de vino de la casa, servicio e impuestos incluidos.

Ⓢ menos de 25 dólares
ⓈⓈ 25-35 dólares
ⓈⓈⓈ 35-50 dólares
ⓈⓈⓈⓈ 50-70 dólares
ⓈⓈⓈⓈⓈ más de 70 dólares

PRESIDIO

Good Luck Dim Sum　　　　　　Ⓢ
*736 Clement St, 94118 **Tel** (415) 386-3388*　　　　　**Plano** 3 5A

Este local, uno de los más populares de la ciudad, es conocido por servir *dim sum* realmente fresco a precios inmejorables. Por lo general, la cola está formada por clientes que van a por comida para llevar. El plato Good Luck se agota a primera hora de la tarde, por lo que conviene ir temprano para disfrutar de lo mejor.

King of Thai　　　　　　Ⓢ
*639 Clement St, 94118 **Tel** (415) 752-5198*　　　　　**Plano** 3 A5

El prolongado horario nocturno y los humeantes platos de tallarines a precios imbatibles han contribuido al rotundo éxito de King of Thai. Muchas de las sucursales de esta gran cadena cierran tarde y ninguna acepta tarjetas de crédito ni cheques. El picante se puede aderezar a gusto del cliente. Ofrecen entrantes vegetarianos.

The Warming Hut　　　　　　Ⓢ
*Marine Drive and Long Avenue, 94129 **Tel** (415) 561-3040*　　　　　**Plano** 2 F2

Un estupendo lugar para calentarse con una taza de café y un sándwich en uno de esos fríos días de San Francisco. El verdadero encanto de este acogedor establecimiento reside en sus vistas: una panorámica única en la ciudad. Es el lugar perfecto para hacer una parada después de un largo paseo a través del Golden Gate Bridge.

Presidio Social Club　　　　　　ⓈⓈⓈ
*563 Ruger Street, 94129 **Tel** (415) 885-1888*　　　　　**Plano** 3 C3

El ambiente *retro* de este moderno restaurante atrae a multitud de gente. Emplazado en un edificio remodelado, en el interior se respira una atmósfera informal y rústica. Durante el *brunch* hay menos gente. No dispone de una carta muy extensa, pero tienen muchos de los favoritos entre la clientela, como macarrones con queso y hamburguesas.

Sociale　　　　　　ⓈⓈⓈ
*3665 Sacramento Street, 94118 **Tel** (415) 921-3500*　　　　　**Plano** 3 B4

Uno de los favoritos entre los lugareños, en este establecimiento los clientes pueden sentarse en la terraza climatizada para disfrutar de una velada romántica. La carta cambia cada temporada, aunque siempre incluye productos locales, recetas orgánicas y pescados y pastas de elaboración casera. Es famoso por su variada carta de vinos. Cierra los domingos.

PACIFIC HEIGHTS Y MARINA DISTRICT

La Mediterranee　　　　　　Ⓢ
*2210 Fillmore St, 94115 **Tel** (415) 921-2956*　　　　　**Plano** 4 D4

La Mediterranée, que ocupa un pequeño local, sirve deliciosas especialidades mediterráneas, como hummus y falafel, con vino de la casa a precios razonables. Este antiguo bar de barrio aún conserva el nombre de los anteriores inquilinos en el cristal de la puerta. Hay otra sucursal en Berkeley.

Liverpool Lil's　　　　　　Ⓢ
*2942 Lyon St, 94123 **Tel** (415) 921-6664*　　　　　**Plano** 3 C3

La fama de Liverpool Lil's como un popular establecimiento para comer o cenar obedece a las bebidas fuertes que se sirven en la barra, al atento servicio y a una carta de bar de confianza compuesta por generosas ensaladas, filetes a la pimienta y ricas hamburguesas. Abre tarde y sirve hasta pasada la medianoche.

Mel's Drive-In　　　　　　Ⓢ
*2165 Lombard St, 94123 **Tel** (415) 921-2867*　　　　　**Plano** 3 C3

Este bar que remeda el estilo de la década de 1950 resulta muy convincente gracias a su decoración de la época, máquinas de discos y camareras con uniformes. Resulta perfecto para tomar una hamburguesa con patatas fritas y un batido espeso, un tentempié a última hora de la noche o un desayuno de huevos y patatas por la mañana temprano.

Simbología *ver solapa trasera*

Zao Noodle Bar
🚶 ♿ 🚇 ⓢ

2406 California St, 94115 **Tel** *(415) 345-8088* **Plano** *4 D4*

Los tallarines, ricos, económicos y servidos en grandes boles constituyen la alternativa perfecta a las grasientas comidas rápidas. A pesar de que el proceso de elaboración se asemeja más a la cocina casera que a la alta cocina, sigue siendo uno de los establecimientos más recomendables de la ciudad. Posee varias sucursales en el centro y en las afueras.

Balboa Café
♿ ⓢⓢ

319 Fillmore St, 94123 **Tel** *(415) 921-3944* **Plano** *4 D2*

Los almuerzos y brunches son el principal reclamo del Balboa Café, la principal institución de la zona conocida como Triangle (Triángulo) por sus bares de moda. Es imprescindible probar las hamburguesas de la casa. Después de las cenas, se convierte en un lugar de encuentro de treintañeros.

Brazen Head
♿ ⓢⓢ

3166 Buchanan St, 94123 **Tel** *(415) 921-7600* **Plano** *4 D2*

Este local oscuro al estilo de las tabernas es el destino favorito de los amantes de los filetes a la parrilla, el whisky con hielo y una tranquila charla hasta altas horas de la noche, cuando el resto de los restaurantes ya ha cerrado. Los clientes conocen el establecimiento por la dirección, ya que no tiene cartel. Sólo admite efectivo.

Fresca
🚶 ♿ ⓢⓢ

2114 Fillmore, 94115 **Tel** *(415) 447-2668* **Plano** *4 D4*

Este restaurante peruano posee una cocina abierta y un ambiente sencillo. Ofrece multitud de platos caseros deliciosos de carne y pescado. Entre las especialidades se incluyen los cebiches, elaborados con halibut, jengibre y ají amarillo (un tipo de guindillas) o parihuela, una sopa de marisco.

Pane e Vino
🚶 ♿ 🚇 ⓢⓢ

1715 Union St, 94123 **Tel** *(415) 346-2111* **Plano** *4 E2*

Pane e Vino es un buen lugar donde parar a almorzar o cenar en la zona de Union St. Cuando el tiempo es bueno, se puede salir a un patio con preciosa decoración y disfrutar de pastas y especialidades italianas a la parrilla acompañadas con el delicioso pan recién horneado del restaurante.

Rose's Café
🚶 ♿ 🚇 ⓢⓢ

2298 Union St, 94123 **Tel** *(415) 775-2200* **Plano** *4 D3*

Las mesas de la terraza de Rose's Café, de inspiración italiana, miran a un tranquilo tramo de Union St. Los principales reclamos del restaurante son los almuerzos de los días laborables (con ensaladas y pastas de calidad) y los brunches de los fines de semana. Las tostadas francesas y las pizzas para desayunar son dos de las especialidades.

A16
♿ ⓢⓢⓢ

2355 Chestnut Street, 94101 **Tel** *(415) 771-2216* **Plano** *3 C2*

Famoso por su horno de leña en el que se preparan deliciosas pizzas, este establecimiento situado en la Marina ofrece además albóndigas, salami curado de manera casera y pastas. Se recomienda llamar con antelación para reservar, ya que el restaurante es muy popular.

Betelnut
🚶 ♿ ⓢⓢⓢ

2030 Union St, 94123 **Tel** *(415) 929-8855* **Plano** *4 E2*

Betelnut, que sirve cocina asiática contemporánea, ha sido descrito de múltiples formas, pero siembre favorablemente. En la carta figura un amplio surtido de ensaladas, empanadillas, tallarines y platos más consistentes de pescado, cerdo, vaca y pollo.

Clementine
🚶 ♿ ⓢⓢⓢ

126 Clement St, 94118 **Tel** *(415) 387-0408* **Plano** *3 5A*

Se recomienda llegar temprano a Clementine, un rincón parisino con luz tenue situado en Richmond. El menú de precio fijo, una auténtica oferta, hace que se llene en seguida, especialmente los fines de semana. Los clásicos de bistrot francés, como cassoulet y pierna de cordero con judías, son dos de las estrellas de la casa.

Elite Café
🚶 ♿ ⓢⓢⓢ

2049 Fillmore St, 94115 **Tel** *(415) 346-8668* **Plano** *4 D4*

El Elite Café es una institución del área comercial de Fillmore con reservados íntimos y una bulliciosa barra en la que se sirven ostras frescas y bebidas fuertes. El *brunch* de los fines de semana incluye *gumbos* y *jambalayas* al estilo de Nueva Orleáns.

Greens
🚶 ♿ 🍴 ⓢⓢⓢ

Building A, Fort Mason Center, 94123 **Tel** *(415) 771-6222* **Plano** *4 E1*

En opinión de muchos, Green's es el restaurante vegetariano más famoso de la ciudad. Su elegante interior y las vistas del Golden Gate Bridge constituyen el marco perfecto para las imaginativas delicias vegetarianas. La cestita del pan siempre rebosa de excepcionales variedades de la panadería de la casa.

Izzy's Steak and Chop House
🚶 ♿ ⓢⓢⓢ

3345 Steiner St, 94123 **Tel** *(415) 563-0487* **Plano** *4 D2*

Izzy's está dedicado a la carne preparada según recetas tradicionales, con entrantes como patatas gratinadas con crema de espinacas. Ofrece unas cuantas especialidades de pescado, sobre todo salmón, y las ensaladas son excepcionales. El interior guarda reminiscencias de los clubes masculinos revestidos de madera oscura.

PlumpJack Cafe ⬆ ♿ $$$
3127 Fillmore St, 94123 **Tel** *(415) 563-4755*   **Plano** *4 D2*

El PlumpJack Café, un local diminuto y ultramoderno, se ha convertido en un destino imprescindible desde su apertura en 1993. La carta mediterránea se enriquece con productos y carnes frescas de la zona. La carta de vinos está bien seleccionada y ofrece precios razonables. Es necesario reservar.

FISHERMAN'S WHARF Y NORTH BEACH

Caffe Greco ⬆ ♿ ▦ $
423 Columbus Ave, 94133 **Tel** *(415) 397-6261*   **Plano** *5 B3*

Esta institución de North Beach resulta ideal para tomar un café solo y una porción de tiramisú casero o un refrescante helado. La terraza y el ambiente relajado lo convierten en un lugar estupendo desde el que observar el panorama.

Capp's Corner ⬆ ♿ $
1600 Powell St, 94133 **Tel** *(415) 989-2589*   **Plano** *5 B3*

Capp's Corner, una alternativa económica frecuentada por familias, sirve versiones americanizadas de cocina italiana. No hay que esperar platos selectos, sino generosas raciones de recetas tradicionales. Inaugurado en 1960, el restaurante posee una galería fotográfica de clientes famosos.

Brandy Hos ⬆ ♿ $$
217 Columbus Ave, 94133 **Tel** *(415) 788-7527*   **Plano** *5 C3*

Este restaurante se ganó una reputación indiscutible gracias a sus platos alemanes genuinos y deliciosos. Una advertencia: *medium spicy* significa picante, mientras que *hot* es muy, muy picante. Los comensales habituales saben que es mejor apagar el ardor con arroz y no con agua. Se recomienda pedir un plato *mild* (suave).

Buena Vista Café ♿ $$
2765 Hyde Street, 94109 **Tel** *(415) 474-5044*   **Plano** *5 A1*

Este establecimiento, con más de 100 años de antigüedad, es famoso por su café irlandés. Está muy bien emplazado en Fisherman's Wharf, con los tranvías pasando justo al lado de la ventana y una vista completa del Golden Gate Bridge. La comida es buena y abundante, pero el local puede llenarse enseguida y volverse bastante ruidoso.

Caffe Macaroni ▦ ⬆ ♿ $$
59 Columbus, 94111 **Tel** *(415) 956-9737*   **Plano** *5 C3*

Este establecimiento de dos pisos, lleno a rebosar, sirve buenas pastas (la cremosa Alfredo es una de las favoritas) y platos de carne tanto a turistas como a lugareños. El bullicioso café es famoso por la simpatía de los camareros y por las abundantes raciones, que satisfacen los apetitos más voraces.

Caffe Sport ▦ ⬆ ♿ $$
574 Green St, 94133 **Tel** *(415) 981-1251*   **Plano** *5 C3*

Grandes fuentes de verdura aderezada con ajo, espaguetis a la boloñesa y otros platos típicos italianos como la exquisita pasta *ziti* a la marinera es lo que sirven los camareros, conocidos por su actitud mandona, en este establecimiento ruidoso y concurrido. Les encanta recomendar platos a los clientes; basta con preguntar.

Fog City Diner ⬆ ♿ $$
1300 Battery St, 94111 **Tel** *(415) 982-2000*   **Plano** *5 C2*

En la carta de este establecimiento figuran ajos, puerros, hojas de albahaca, galletas de queso Cheddar y burritos *mu shu* de cerdo, junto a hamburguesas con patatas fritas. El *brunch* de fin de semana ofrece versiones modernas de platos tradicionales como picadillo de pollo ahumado y huevos.

Il Fornaio ⬆ ♿ $$
1265 Battery St, 94111 **Tel** *(415) 986-0100*   **Plano** *5 C2*

Il Fornaio, una cadena que se ha hecho merecedora de una buena reputación gracias a la calidad de sus platos al horno, continúa atrayendo a los clientes con pan recién hecho, pastas deliciosas y carnes y pescados a la parrilla. Los exquisitos raviolis con mantequilla de cacahuete se sirven como aperitivo o entrante.

The House $$
1230 Grant Avenue, 94133 **Tel** *(415) 986-8612*   **Plano** *5 C3*

A este restaurante, situado en el corazón de North Beach, los comensales acuden para degustar la lubina, que se deshace en la boca. Si se desea comer algo diferente a la comida italiana, éste es el lugar perfecto para disfrutar de los intensos sabores asiáticos y de platos únicos. Es pequeño, por lo que es muy recomendable reservar.

The Stinking Rose ⬆ ♿ $$
325 Columbus Ave, 94133 **Tel** *(415) 781-7673*   **Plano** *5 C3*

The Stinking Rose (La Rosa Pestilente) hace gala de su nombre utilizando ajo en todos sus platos, incluidos los postres. Este restaurante de pizzas y pastas al estilo del norte de Italia suele estar a rebosar de quienes sienten curiosidad por el nombre, aunque en ocasiones el servicio y la calidad tienen altibajos.

Tre Fratelli

2801 Leavenworth St, 94133 **Tel** *(415) 474-8240*

Plano 5 A2

Desde que se trasladó de su antigua ubicación en Hyde St., este restaurante, inaugurado en 1980, ha incorporado el pescado a sus excelentes platos de pastas y carnes. La pasta Alfredo (con salsa blanca) es especialmente cremosa y deliciosa. El servicio es agradable y eficiente.

Zarzuela

2000 Hyde St, 94109 **Tel** *(415) 346-0800*

Plano 5 A3

El surtido de sabrosas tapas, desde suculentas gambas a la plancha hasta generosas raciones de albóndigas, y sangría han convertido Zarzuela en uno de los favoritos para una comida ligera o algo más. Para muchos, aquí se sirve la mejor comida española de la ciudad. Por la noche, es posible que haya que esperar para conseguir mesa.

1550 Hyde Café

1550 Hyde St, 94109 **Tel** *(415) 775-1550*

Plano 5 A3

El aspecto industrial y austero de este café de barrio contrasta con los ricos ingredientes orgánicos precedentes de cultivos sostenibles que utilizan en platos de inspiración mediterránea. La bodega conforma una carta excepcional. El café está situado junto a la línea del tranvía de Hyde St.

Alioto's

8 Fisherman's Wharf, 94133 **Tel** *(415) 673-0183*

Plano 5 A1

Iluminado por espectaculares atardeceres que se filtran a través del Golden Gate, Alioto's lleva sirviendo marisco bien cocinado al estilo siciliano desde 1925. La comida es sabrosa, especialmente los grandes camarones o cangrejos Louies (jugoso marisco sobre una capa de lechuga romana fresca).

Ana Mandara

891 Beach Street, 94109 **Tel** *(415) 771-6800*

Plano 4 F1

No es fácil encontrar sabrosa comida asiática de fusión en Fisherman's Wharf, a no ser que se acuda a este estableci-miento. La elegante decoración lo convierte en un lugar ideal para pasar una velada tranquila. Por la noche, el res-taurante se anima con música en directo y una barra de bar.

Moose's

1652 Stockton St, 94133 **Tel** *(415) 989-7800*

Plano 5 B2

El bar de Moose's, un reputado establecimiento, se llena de gente moderna que escucha jazz en directo por la noche y disfruta de generosos platos de sabroso salmón a la parrilla, rollo de carne u otros platos típicos.

Scoma's

Pier 47, 1 Al Scoma Way, 94133 **Tel** *(415) 771-4383*

Plano 5 A1

Scoma's se inauguró como cafetería para pescadores del barrio en 1965 y tal es su trayectoria que ha logrado dar nombre a una calle. Además de ser un establecimiento típico, con raciones abundantes de pescado fresco bien cocinado, ofrece bonitas vistas de la bahía.

Sotto Mare

552 Green Street, 94133 **Tel** *(415) 398-3181*

Plano 5 B3

Pescado fresco, una fabulosa sopa de almejas y pasta con marisco han convertido este local en uno de los favoritos entre turistas y lugareños. Si se busca tranquilidad, éste no es el lugar adecuado, ya que el comedor a veces es dema-siado ruidoso. Aunque al estar en North Beach, se puede dar un paseo hasta uno de los numerosos cafés locales.

Gary Danko

800 North Point St, 94109 **Tel** *(415) 749-2060*

Plano 5 1A

A pesar de sus precios desorbitados, Gary Danko es uno de los restaurantes más frecuentados de la ciudad gracias a su cocina moderna. Las comidas de tres, cuatro o cinco platos proporcionan horas de recetas cuidadosamente preparadas, servicio eficiente y un entorno elegante. Se recomienda probar el surtido de quesos.

CHINATOWN Y NOB HILL

Golden Star Vietnamese Restaurant

11 Walter U. Lum Place, 94108 **Tel** *(415) 398-1215*

Plano 5 C3

Situado al otro lado de la Transamerica Pyramid, Golden Star es un local estrecho y concurrido, con una decoración sencilla. Sin embargo, esta pequeña joya sirve abundantes platos de arroz y raciones de carne a muy buen precio. Los platos del almuerzo son realmente económicos.

Henry's Hunan

674 Sacramento St, 94111 **Tel** *(415) 788-2234*

Plano 5 C4

En esta cadena local utiliza con prodigalidad los chiles en las preparaciones picantes. Aunque la decoración es mínima, los platos son auténticos y sabrosos. No hay que preocuparse por el picante, pues los cocineros lo adaptan al gusto del cliente. Cierra los fines de semana.

House of Nanking
🚸 ♿ $

919 Kearny, 94133 ***Tel*** *(415) 421-1429* ***Plano*** *5 C3*

La carta tradicional y de calidad del pequeño House of Nanking atrae a una clientela fiel, a pesar de que los camareros pueden resultar un poco hoscos. Se sirven generosos platos a precios razonables. La carta incluye favoritos como el pollo con salsa de sésamo y una buena selección de opciones vegetarianas. Suele haber que esperar, pero merece la pena.

Yuet Lee
🚸 ♿ $

1300 Stockton St, 94133 ***Tel*** *(415) 982-6020* ***Plano*** *5 B3*

El excelente marisco fresco de la carta y los precios económicos de Yute Lee son las razones por las que lo frecuenta una multitud de clientes. Dispone de un acuario con peces vivos y el cocinero prepara piezas enteras de pescado o cangrejo a gusto del cliente. Entre las especialidades figuran pescado y marisco al vapor. Cierra a las 3.00.

Great Eastern
🚸 ♿ $$

649 Jackson St, 94133 ***Tel*** *(415) 986-2500* ***Plano*** *5 C3*

Great Eastern, un establecimiento de Chinatown con historia, ofrece un menú donde figuran platos mandarinos de confianza. El auténtico reclamo del establecimiento es el marisco fresco del acuario. Se recomienda consultar al camarero las especialidades del día para degustar lo mejor que puede ofrecer el restaurante.

Nob Hill Café
🚸 ♿ 🌳 $$

1152 Taylor St, 94108 ***Tel*** *(415) 776-6500* ***Plano*** *5 B4*

Nob Hill Café es uno de los locales favoritos del barrio. Casi siempre está lleno, pues a los clientes les gustan los platos italianos de estilo casero. Aquí se puede ver a menudo a las gemelas, las encantadoras hermanas Brown; esta pareja vestida prácticamente igual es una institución de San Francisco, como el propio Nob Hill.

R&G Lounge
🚸 ♿ $$

631 Kearny St, 94108 ***Tel*** *(415) 982-7877* ***Plano*** *5 C4*

R&G Lounge ofrece especialidades genuinas cantonesas y de marisco. La decoración es bastante modesta, pero la comida siempre es de calidad y los precios, razonables. Se recomienda consultar las especialidades del día para probar los platos más originales de que disponen.

Street
🚸 ♿ $$

2141 Polk St, 94109 ***Tel*** *(415) 775-1055* ***Plano*** *5 A3*

La comida reconfortante de primera calidad convierte este restaurante de barrio en uno de los predilectos de la ciudad. Street es ruidoso y suele estar muy concurrido, pero esto se compensa con raciones generosas. Se aconseja probar uno de los mejores entrantes de marisco: sabrosos gambones de la zona servidos en un caldo de langosta.

Jai Yun
🚸 ♿ $$$

680 Clay St, 94111 ***Tel*** *(415) 981-7438* ***Plano*** *5 B3*

En un local pequeño y decorado con sencillez, se encuentra Jai Yun, un establecimiento lleno de sorpresas. El menú diario incluye un conjunto de pequeños platos que cambian constantemente y que se preparan con ingredientes frescos comprados por la mañana en el mercado. En la excelente carta de mariscos figuran calamares y camarones.

Swan Oyster Depot
$$$

1517 Polk Street, 94109 ***Tel*** *(415) 673-1101* ***Plano*** *5 A4*

Las colas pueden ser bastante largas en este popular local, en el que no se aceptan reservas. Muchos dicen que su sopa de almejas es la mejor de la ciudad, aunque todo el marisco que se prepara aquí es fresco. Es pequeño, pero merece la pena por sus platos de marisco, variados y exquisitos. Se recomienda probar las ostras. Sólo se admite el pago en efectivo.

Venticello
♿ $$$

1257 Taylor St, 94108 ***Tel*** *(415) 922-2545* ***Plano*** *5 B3*

En Venticello, una *trattoria* italiana que sirve estupenda cocina del norte de Italia, el encanto no gira en torno al menú. El ambiente tranquilo invita a recrearse con un descafeinado exprés y un oporto después de disfrutar de un plato de *scampi* aderezado con maestría.

Acquerello
🚸 ♿ [T] $$$$

1722 Sacramento St, 94109 ***Tel*** *(415) 567-5432* ***Plano*** *5 A4*

La carta de vinos selecta, el servicio profesional y dispuesto a recomendar el mejor maridaje entre comida y vino, los decantadores de cristal tallado y delicados manteles componen el escenario para una experiencia realmente memorable en esta antigua capilla. La extensa carta de temática veneciana garantiza una cena de lujo.

Big Four
🚸 ♿ [T] $$$$

1075 California St, 94108 ***Tel*** *(415) 771-1140* ***Plano*** *5 B4*

Big Four (Cuatro Grandes), que recibe su nombre de los magnates del ferrocarril, es el lugar favorito de la élite de Nob Hill. Los revestimientos de madera oscura y el servicio formal crean el marco adecuado para reuniones de negocios. La carta, de primera calidad, incluye costillas de cordero, sabroso pollo con alcachofas y filete de búfalo marinado en whisky.

Fleur de Lys
🚸 ♿ [T] $$$$$

777 Sutter St, 94109 ***Tel*** *(415) 673-7779* ***Plano*** *5 B4*

Los precios fijos del menú de *nouvelle cuisine* francesa de este establecimiento son lo último en cocina para gastrónomos. El personal atiende con maestría a los comensales en un precioso comedor cubierto con un toldo. Fleur de Lys también sirve espectaculares cenas vegetarianas a precios fijos.

Precios *ver p. 228* **Simbología** *ver solapa trasera*

Masa's
☏ ♿ 🍴 $$$$$

648 Bush St, 94108 **Tel** *(415) 989-7154*   **Plano** *5 B4*

En el marco urbanita y con estilo de Masa's se trata a los clientes como reyes mientras degustan exquisita *nouvelle cuisine*. Masa, un célebre cocinero de la ciudad desde hace varios años, seduce a la clientela cambiando a diario gran parte del menú, que se basa en productos frescos del mercado.

Ritz-Carlton Dining Room
☏ ♿ 🍴 $$$$$

600 Stockton St, 94108 **Tel** *(415) 773-6198*   **Plano** *5 C4*

Considerado el número uno en numerosas reseñas de revistas locales y de viajes, el elegante Dining Room constituye un ejemplo perfecto de servicio de primera en un ambiente de estilo selecto. La carta, muy elogiada, presenta influencias asiáticas e incorpora ingredientes de los mercados locales.

FINANCIAL DISTRICT Y UNION SQUARE

Café Bastille
☏ ♿ ⛶ $$

22 Belden Place, 94104 **Tel** *(415) 986-5673*   **Plano** *5 C4*

Oculto en un callejón peatonal, este trocito de París se suele llenar de gente que disfruta del buen tiempo durante el día en las mesas exteriores o del jazz por la noche. Sirve sopas típicas de *bistrot*, ensaladas, cerveza y vino junto a especialidades francesas como *moules marinière* con salsa de *harissa* (chiles) y tripa con cebolla acaramelada.

Delancey Street Restaurant
☏ ♿ ⛶ $$

600 Embarcadero, 94107 **Tel** *(415) 512-5179*   **Plano** *6 E5*

Delancey Street Restaurant constituye una maravillosa opción. Sirve deliciosa comida que incluye excelentes rollos de carne y costillas, así como filetes glaseados con bourbon y otros platos estadounidenses. El servicio es más que bueno.

Gaylord India
☏ ♿ $$

1 Embarcadero Center, 94111 **Tel** *(415) 397-7775*   **Plano** *6 D3*

Gaylord sirve recetas típicas indias –cordero al *curry*, *biriyanis* y platos vegetarianos– en un entorno agradable. Ésta es la mejor de las dos sucursales de la ciudad; se suele llenar de empresarios a mediodía. La otra sucursal se encuentra en 900 Northpoint.

Yank Sing
☏ ♿ $$

101 Spear St, 94105 **Tel** *(415) 957-9300*   **Plano** *6 E4*

Muy apreciado por el exquisito *dim sum*, Yank Sing ofrece a los clientes más de 100 platos diferentes que se exponen sobre las cintas transportadoras, en continuo movimiento. El marco selecto lo sitúa por encima de la mayoría de establecimientos de *dim sum*. Se puede reservar.

Canteen
☏ ♿ $$$

817 Sutter Street, 94109 **Tel** *(415) 928-8870*   **Plano** *5 B4*

En este acogedor restaurante, cerca de Union Square, el *brunch* no decepciona en absoluto. Los huevos a la benedicta son deliciosos, así como las tostadas, pero la estrella es The Big Pancake (un gran crepe). Las cenas también han recibido buenas críticas por su sencillez, abundantes raciones y la tranquilidad del ambiente. La carta de la cena se modifica cada semana.

Chez Papa Resto
♿ ⛶ $$$

4 Mint Plaza, 94103 **Tel** *(415) 546-4134*   **Plano** *11 A1*

Es un lugar estupendo para celebraciones especiales. De ambiente ultramoderno, el personal es atento y servicial. Comer puede resultar caro, pero merece la pena por la magnífica ternera *kobe*, la lubina fresca o los platos de vieiras. El menú de precio fijo ofrece una buena relación calidad/precio.

Globe
☏ ♿ $$$

200 Pacific Avenue, 94111 **Tel** *(415) 391-4132*   **Plano** *5 C3*

Elegante y moderno bistró, emplazado cerca de la Transamerica Pyramid, que ofrece deliciosas recetas a última hora de la noche y un animado ambiente en el bar de la entrada, decorado con flores frescas. Los clientes pueden observar cómo se prepara su comida en la cocina abierta.

Kokkari Estiatorio
☏ ♿ $$$

200 Jackson St, 94111 **Tel** *(415) 981-0983*   **Plano** *6 D3*

Kokkari sirve cocina griega de categoría en un comedor amplio y confortable con suelos de madera oscura y una gran chimenea grande. Las especialidades de la casa son moussaka y cordero a la parrilla. El restaurante dispone de una extensa carta de vinos griegos.

Kuleto's
☏ ♿ $$$

221 Powell St, 94102 **Tel** *(415) 397-7720*   **Plano** *5 B3*

Kuleto's, donde se va a mirar a la gente, es un local excepcionalmente bonito que posee un interior recuperado de un antiguo y elegante hotel de San Francisco. En la carta figuran platos del norte de Italia, como lomo de cerdo envuelto en jamón, que no resultan espectaculares. Para disfrutar de la mejor vista se recomienda tomar un aperitivo en la barra.

La Scene Café & Bar

490 Geary St, 94102 **Tel** (415) 292-6430

Plano 5 B5

Los platos sencillos al estilo de los *bistrots* franceses, por ejemplo, *cassoulet* y pierna de cordero, hacen que este restaurante sin pretensiones sea uno de los favoritos antes de ir al teatro. El menú de precio fijo es una ganga. El servicio es rápido y los camareros garantizan terminar a tiempo.

One Market

1 Market St, 94105 **Tel** (415) 777-5577

Plano 6 D3

A mediodía este sofisticado restaurante se llena de gente de negocios, y por la noche, de una nutrida clientela bien vestida. Preparan buenos platos como pescado fresco, carnes con originales guarniciones y ensaladas. Chef's Table es una mesa que se reserva para varios comensales (desde cuatro hasta siete) con un menú especial de degustación (85-95 $ persona).

Palio d'Asti

640 Sacramento St, 94111 **Tel** (415) 395-9800

Plano 5 C4

Palio d'Asti es otro favorito entre la gente que sale a almorzar buscando pasta y ternera genuinas del norte de Italia. Durante la hora feliz todos acuden por la pizza preparada en horno de leña que se sirve gratis con una consumición mínima de dos bebidas. Las paredes están decoradas con murales de la carrera medieval de caballos Palio.

Sam's Grill and Seafood Restaurant

374 Bush St, 94104 **Tel** (415) 421-0594

Plano 5 C4

Fundado en 1866, Sam's Grill es el restaurante especializado en pescado más antiguo de la ciudad. Ha servido platijas de calidad y otras variedades de pescado fresco a varias generaciones de clientes. Cierra los fines de semana.

Tadich Grill

240 California St, 94111 **Tel** (415) 391-1849

Plano 6 D4

Tadich Grill, inaugurado durante la fiebre del oro, es el restaurante en continuo funcionamiento más antiguo del Estado. Sirve excelente *cioppino* y el pescado fresco a la parrilla es legendario entre los amantes del pescado. Por la noche es posible que haya que esperar bastante para sentarse, pero a mediodía siempre es una apuesta segura.

Bix

56 Gold St, 94133 **Tel** (415) 433-6300

Plano 5 C3

Este ostentoso club, que sólo abre durante la cena, recibe su nombre de la estrella del jazz Bix Beiderbecke. Luce un exquisito interior *art déco*, que conforma un sofisticado marco para platos franco-estadounidenses servidos junto a acordes de jazz al piano. Los martinis son estupendos y se llena de gente a la salida del trabajo.

Boulevard

1 Mission St, 94105 **Tel** (415) 543-6084

Plano 6 E4

Las creaciones artísticas de la cocinera Nancy Oakes le han dado fama a Boulevard, una institución de la bahía. La carta fusiona la comida estadounidense y las especialidades francesas. Se recomienda pedir una mesa en la parte trasera para disfrutar de las fantásticas vistas del puente de la Bahía.

Campton Place

340 Stockton St, 94108 **Tel** (415) 955-5555

Plano 5 C4

Campton Place, un tranquilo comedor decorado al estilo clásico, rezuma elegancia. Ofrece una de las mejores cocinas de fusión provenzal-mediterránea de la zona acompañada por una carta de vinos de primera categoría. Gracias a esto y al esmerado servicio, resulta ideal para una noche especial.

Silks

222 Sansome St, 94104 **Tel** (415) 986-2020

Plano 5 C4

Silks, deslumbrante por las cortinas de seda y lámparas de araña, es un buen lugar para una conversación íntima, mientras se ve a alguna celebridad. El eficaz servicio lleva a la mesa una cocina asiática moderna e imaginativa, como rollitos de primavera y setas *enoki* o camarones picantes a la parrilla.

Tommy Toy's

655 Montgomery St, 94111 **Tel** (415) 397-4888

Plano 5 C3

El menú de degustación de Tommy Toy's permite disfrutar de cocina china selecta de cuatro tenedores. También se preparan con los ingredientes más frescos platos sofisticados, como marisco con coco, inspirados en la *nouvelle cuisine*. El comedor está decorado con tapices, cristal grabado, espejos antiguos y lámparas.

Aqua

252 California St, 94111 **Tel** (415) 956-9662

Plano 6 D4

En opinión de muchos, Aqua, un local chic, espacioso y decorado con preciosos arreglos florales, es el mejor restaurante especializado en pescado de la ciudad. La preparación de los platos con un toque francés, por ejemplo, salmón fresco con *foie-gras*, ha consolidado su reputación. El pez espada ahumado también es excepcional.

Michael Minna

335 Powell St, 94102 **Tel** (415) 397-9222

Plano 5 B4

Este restaurante sirve un menú moderno estadounidense de precio fijo elaborado con un único ingrediente cocinado en tres estilos diferentes. El cocinero Michael Minna también prepara platos clásicos estadounidenses. La carta de vinos se compone de 2.000 caldos. El entorno es muy lujoso.

Precios ver p. 228 **Simbología** ver solapa trasera

CIVIC CENTER

Mifune
👪 ♿ $

1737 Post St, 94115 ***Tel*** *(415) 922-0337* **Plano** *4 E4*

Los grandes cuencos de sopas de tallarines de estilo japonés, servidos en la mesa a los minutos de pedirlos, convierten este bar de Japantown en un favorito entre los que disponen de poco tiempo y los amantes de la comida asiática. Mifune también sirve cajas *bento* y otros platos además de sopas.

Caffè Delle Stelle
👪 ♿ $$

395 Hayes St, 94102 ***Tel*** *(415) 252-1110* **Plano** *4 F5*

Emplazado en un espacio moderno e industrial, este local sirve especialidades toscanas en raciones generosas. Se ha convertido en toda una institución de Hayes Valley, que atrae a multitud de lugareños. Y es fácil comprender la razón: inspirado en las tiendas de comestibles italianas, destaca por su ambiente animado y sus bajísimos precios.

Absinthe Brasserie and Bar
♿ ☂ $$$

398 Hayes Street, 94102 ***Tel*** *(415) 551-1590* **Plano** *3 B5*

Este establecimiento romántico, que recrea la década de 1940, se encuentra entre las mejores *brasseries* de la ciudad. Ofrece música de cabaré antigua y cócteles junto a un surtido de ostras, la mejor sopa de cebolla francesa y cocina contundente de taberna, como *cassoulet*, y cordero estofado a la canela. La carta de vinos es excelente.

Citizen Cake
♿ $$$

399 Grove St, 94102 ***Tel*** *(415) 861-2228* **Plano** *4 F5*

Grandes ventanales enmarcan este local de moderno diseño industrial, frecuentado por una elegante clientela de Hayes Valley. La carta se modifica cada tres o cuatro meses, y habitualmente incluye sándwiches preparados con diferentes tipos de pan casero y ensaladas elaboradas con ingredientes locales de temporada. Destacan los postres.

Indigo
👪 ♿ $$$

687 McAllister St, 94102 ***Tel*** *(415) 673-9353* **Plano** *4 F5*

Este restaurante es célebre por su fantástica carta de vinos y moderno menú estadounidense. La opción más económica es la cena con vino a partir de las 20.00; se sirve vino y champán escogidos especialmente para acompañar y realzar las especialidades del cocinero.

Jardiniere
♿ 🎵 $$$$$

300 Grove St, 94102 ***Tel*** *(415) 861-5555* **Plano** *4 5F*

El popular Jardinière es una alternativa de primera para ocasiones especiales gracias a su servicio eficiente, ambiente elegante y exquisita cocina francesa con cierto toque californiano. Un dúo jazzístico toca suavemente al fondo, mientras los comensales saborean tarta de cebolla y Dubonet en la barra de caoba y mármol.

HAIGHT ASHBURY Y MISSION DISTRICT

Ali Baba's Cave
👪 ♿ $

531 Haight St, 94117 ***Tel*** *(415) 255-7820* **Plano** *10 E9*

No hay que dejarse engañar por este restaurante autoservicio: un *kebab* de cordero asado, un crujiente *falafel*, cremoso *hummus* y otras delicias de Oriente Próximo son suficientes para quedar más que satisfecho. En el interior, decorado como si se tratara de una cueva, con alfombras y mesas bajas, se respira un ambiente íntimo y acogedor.

Axum Café
👪 ♿ $

698 Haight St, 94117 ***Tel*** *(415) 252-7912* **Plano** *10 D1*

El Axum Café, considerado el mejor establecimiento de cocina etíope de la ciudad, también es popular por sus buenos precios. Este antiguo local sirve raciones picantes y abundantes de estofados de carne y verduras acompañados de *injera*, el pan etíope.

Cha Cha Cha
👪 ♿ $

2727 Mission St, 94110 ***Tel*** *(415) 648-0504* **Plano** *10 F3*

Cha Cha Cha es un restaurante, pero también un local nocturno. Sirve pequeños platos, desde mejillones negros hasta calamares fritos, y excelente sangría en un comedor animado con música latina. Se aconseja reservar, pues se llena los viernes y sábados por la noche.

La Taqueria
👪 ♿ $

2889 Mission St, 94110 ***Tel*** *(415) 285-7117* **Plano** *10 F4*

Ofrece a precios estupendos unos burritos deliciosos elaborados con sabrosa carne de vaca, cerdo o pollo aliñada con guarnición de sabrosos frijoles (y arroz si se pide), lechuga y tomate. El guacamole es otra especialidad. La cola avanza rápido. Las mesas del comedor se suelen llenar a mediodía, pero el movimiento es incesante.

Memphis Minnie's BBQ Joint

576 Haight St, 94117 **Tel** *(415) 864-7675*　　　　　　　　　　　　　　**Plano** *10 E1*

En Memphis Minnie, un local de comida para llevar y restaurante, todo gira en torno a tiernas salchichas, pollo, vaca, costillas y cerdo ahumados lentamente al estilo sureño y aderezados con salsa de barbacoa. Se recomienda pedir el *combo*, sin olvidar las patatas fritas caseras y la falda a la barbacoa con chile. Se sirve sake al estilo de San Francisco.

Pork Store Café

3122 16th St, 94103 **Tel** *(415) 626-5523*　　　　　　　　　　　　　**Plano** *10 E2*

El café que se reparte gratis a los clientes que hacen cola los fines de semana alivia la espera en Pork Store Café. El consistente desayuno estadounidense se compone de tortitas, beicon y huevos. Este popular lugar de reunión posee otra sucursal en el nº 1451 de Haight St.

Rosamunde Sausage Grill

545 Haight St, 94117 **Tel** *(415) 437-6851*　　　　　　　　　　　　　**Plano** *10 E1*

El menú de Rosamunde se centra en un único plato y lo borda. Se recomienda pedir salchichas al estilo alemán, italiano o californiano. Se puede comer en la barra, con unos cuantos taburetes, pedir para que sirvan en el bar contiguo o comer aquí mismo.

Zazie

941 Cole St, 94117 **Tel** *(415) 564-5332*　　　　　　　　　　　　　　**Plano** *9 B2*

Zazie, el establecimiento de *brunch* más popular el fin de semana, también ofrece almuerzos y cenas al estilo de los *bistrots* de lunes a viernes. Los atentos camareros sirven los generosos platos. El patio al aire libre es un lugar precioso para disfrutar de una tranquila conversación.

Andalu

3198 16th St, 94103 **Tel** *(415) 621-2211*　　　　　　　　　　　　　**Plano** *10 E2*

En este restaurante se elabora una versión internacional de pequeñas raciones (al modo de las tapas españolas) utilizando ingredientes preparados con cierto aire asiático. Andalu también ofrece sangría y una extensa carta de vinos. El mejor medio para llegar aquí es el transporte público.

Beretta

1199 Valencia Street, 94110 **Tel** *(415) 695-1199*　　　　　　　　　　**Plano** *10 F4*

En este popular lugar de reunión de Mission District los originales cócteles que preparan hace que la espera para conseguir mesa sea menos pesada. Sirven estupendas pizzas y comida italiana contemporánea, como *risotto* de calamares en su tinta. El animado bar permanece abierto hasta bien entrada la noche.

Indian Oven

233 Fillmore, 94117 **Tel** *(415) 626-1628*　　　　　　　　　　　　　**Plano** *10 E1*

Indian Oven, una opción selecta en una zona llena de locales indios, destaca por sus excepcionales *curries* rojos y amarillos, *naan* recién hecho y platos vegetarianos condimentados. El servicio uniformado es muy atento.

Pomelo

1793 Church St, 94131 **Tel** *(415) 285-2257*　　　　　　　　　　　　**Plano** *10 E5*

En el menú en continuo cambio de Pomelo figuran platos de tallarines y arroz procedente de numerosas partes del mundo, como China, Japón, India, África o Europa. Existe otro establecimiento, sólo con mesas en el interior, en el nº 92 de Judah St.

Thep Phanom Thai Cuisine

400 Waller St, 94117 **Tel** *(415) 431-2526*　　　　　　　　　　　　**Plano** *10 E1*

En este popular restaurante tailandés es imprescindible reservar para cenar, aunque para los almuerzos son más flexibles. El personal, muy servicial, sirve especialidades tailandesas bien condimentadas, como *yum pla muk* (ensalada de calamares picantes, crujientes y fríos) en un agradable entorno familiar.

Chez Spencer

82 14th Street, 94103 **Tel** *(415) 864-2191*　　　　　　　　　　　　**Plano** *11 A3*

El sofisticado ambiente de esta joya francesa impresiona. Chez Spencer ofrece deliciosa comida acompañada de una magnífica carta de vinos y quesos de elaboración artesanal. El patio climatizado es perfecto para pasar una velada romántica. Está un poco alejado de los lugares de interés, pero merece la pena el desvío.

Delfina

3621 18th St, 94110 **Tel** *(415) 552-4055*　　　　　　　　　　　　**Plano** *10 E3*

Este restaurante, situado en una zona difícil para aparcar, dispone de aparcamiento. Se puede disfrutar de una cocina del norte de Italia sencilla y aderezada con maestría. Emplea los ingredientes más frescos del mercado matinal. Delfina es popular, y las mesas del comedor están muy solicitadas, por lo que conviene llegar pronto.

Zuni Café

1658 Market St, 94102 **Tel** *(415) 552-2522*　　　　　　　　　　　　**Plano** *10 F1*

Las hamburguesas en su punto y el jugoso pollo asado, cocinados en un horno abierto, forman parte de una carta que abarca un surtido de platos mediterráneos. Las paredes de cristal miran a Market St. y ofrecen una panorámica estupenda del bullicio de la ciudad. También sirve *brunch:* no hay que perderse su famoso Bloody Mary.

GOLDEN GATE PARK Y LAND'S END

Khan Toke
5937 Geary Blvd, 94118 **Tel** *(415) 668-6654*

Plano *8 E1*

El interior al estilo de un templo y los camareros vestidos con alegres colores transportan a los clientes a Tailandia. Este restaurante de larga trayectoria dispone de asientos en el suelo o de estilo occidental. Sirve especialidades tailandesas como ensalada de calamares picantes con limón y *satay* a la parrilla con salsa de cacahuete.

Marnee Thai
2225 Irving St, 94122 **Tel** *(415) 665-9500*

Plano *8 E3*

Las abundantes raciones de comida tailandesa rica y contundente convierten este local en una apuesta segura. Los *curries* verdes son bastante buenos. El exiguo espacio y las ocasionales esperas para ocupar mesa no desaniman a los clientes fieles. Existe otra sucursal en el nº 1243 de 9th Ave. con una carta más amplia.

Beach Chalet Brewery
1000 Great Highway, 94122 **Tel** *(415) 386-8439*

Plano *7 A2*

Las cervezas de elaboración propia, las grandes hamburguesas con patatas fritas y el paisaje espectacular del Pacífico convierten a Beach Chalet Brewery en un prometedor destino tras un día en Golden Gate Park. Los murales de WPA de la primera planta y las barandillas de piedra tallada de la escalera son de visita obligada.

Cajun Pacific Restaurant
4542 Irving St, 94122 **Tel** *(415) 504-6652*

Plano *7 B3*

Aquí se sirve comida picante. La decoración del interior está recargada con multitud de cachivaches, desde carteles de Nueva Orleans hasta modernos muñecos. Se recomienda probar los cangrejos de Santa Mónica o la pasta con virutas de cangrejo y salsa criolla picante. Abre de jueves a sábado sólo por la noche.

Cliff House
1090 Point Lobos Ave, 94121 **Tel** *(415) 386-3330*

Plano *7 A1*

En la casa Cliff original, construida en 1863, almorzaba la clase alta de San Francisco. El edificio fue asolado por dos incendios. Hoy, esta marisquería de calidad ofrece las mejores vistas de Seal Rocks. Se pueden degustar cócteles en el Zinc Bar. El restaurante formal abre a mediodía y por la noche, y la taberna, ininterrumpidamente todos los días.

Kabuto Sushi
5121 Geary Blvd, 94118 **Tel** *(415) 752-5652*

Plano *8 F1*

Las ocasionales colas para ocupar una mesa son el único inconveniente de este innovador establecimiento de *sushi*, donde se presentan combinaciones creativas y sabrosas de pescado fresco y arroz. Se recomienda probar la *tempura* de mero con su salsa de curry especial. Casi a diario se crean nuevas recetas.

La Vie
5830 Geary Blvd, 94121 **Tel** *(415) 668-8080*

Plano *8 E1*

La Vie, un maravilloso descubrimiento de Richmond –y una buena parada antes o después de visitar Golden Gate Park–, es objeto de críticas muy positivas gracias a su menú vietnamita, elaborado y servido con un toque francés. La carne de vaca flameada y las gambas son sus platos estrella.

Pacific Café
7000 Geary Blvd, 94121 **Tel** *(415) 387-7091*

Plano *7 C1*

Inaugurado en la década de 1970, Pacific Café recuerda aquella época incluso en las vidrieras. Prepara pescado de calidad a gusto del cliente. A los comensales que tienen que aguardar mesa se les suele ofrecer una copa de vino. Posee sucursales por toda la bahía, pero ésta es la ubicación original.

Ton Kiang
5821 Geary Blvd, 94121 **Tel** *(415) 387-8273*

Plano *8 E1*

Ton Kiang es uno de los mejores y más populares restaurantes de *dim sum* de la ciudad, aunque conviene advertir sobre las colas que se forman los fines de semana. La ingente variedad de platos, siempre frescos, se sirve sobre cintas transportadoras.

Aziza
5800 Geary Blvd, 94121 **Tel** *(415) 752-2222*

Plano *8 E1*

En Aziza se da la bienvenida a los clientes con una rociada de agua de rosas en las manos. Mientras los comensales se acomodan sobre lujosos cojines, se traen a la mesa especialidades marroquíes como cuscús o codorniz con arándanos. Para terminar la comida se ofrece té a la menta dulce. Los fines de semana las cenas se amenizan con danza del vientre.

Ebisu
1283 Ninth Ave, 94122 **Tel** *(415) 566-1770*

Plano *8 F3*

En este restaurante de *sushi*, a menudo lleno, los clientes hacen cola para probar lo que, en opinión de algunos, es el *sushi* más fresco y delicioso de la ciudad. Lo preparan en la barra chefs que manejan con destreza los cuchillos. Ebisu ofrece pescado y entretenimiento, por lo que no sorprende que haya colas para sentarse.

The Moss Room   🚶 ♿ 🅿 $$$
55 Music Concourse Drive, 94118 **Tel** *(415) 876-6121*   **Plano** *8 F2*

Elegante y moderno, este establecimiento destaca por su ubicación dentro de la Academia de Ciencias de California. En el restaurante, con sus muros de piedra decorados con helechos y musgo, se sirve cocina californiana y mediterránea, preparada con productos locales e ingredientes de temporada.

SOUTH OF MARKET

Manora's Thai   🚶 ♿ $
1600 Folsom St, 94103 **Tel** *(415) 861-6224*   **Plano** *11 A2*

Manora's Thai ofrece una excelente relación calidad/precio, pues sirve generosas sopas aderezadas con delicadeza (por ejemplo, la de camarones y setas *enoki* aliñada con limón), fuentes de pescado y platos con abundante arroz. En el menú de mediodía se incluyen varias especialidades a buen precio.

AsiaSF   ♿ $$$
201 Ninth St, 94103 **Tel** *(415) 255-2742*   **Plano** *11 A2*

Los platitos de influencia asiática que se sirven aquí están supeditados al espectáculo, que cada hora ocupa el escenario con canciones y relatos cortos humorísticos a cargo de artistas transformistas. Es preciso tener paciencia entre plato y plato, sobre todo si el camarero ha de subir al escenario para representar su número.

Bizou   🚶 ♿ $$$
598 Fourth St, 94107 **Tel** *(415) 543-2222*   **Plano** *11 C1*

Bizou sirve comida contundente al estilo de los *bistrots* franceses en un comedor espacioso. Entre las especialidades destaca la carne de vaca Sainte-Menehould con mostaza, berros y patatas nuevas. También se recomiendan las ensaladas. Los almuerzos y cenas de precios fijos ofrecen precios muy interesantes.

CoCo 500   ♿ $$$
500 Brannan Street, 94107 **Tel** *(415) 543-2222*   **Plano** *11 C1*

Acogedor y moderno local, ideal para cenar si uno está en South of Market. Se recomienda probar sus famosas judías verdes fritas. Disponen de una extensa carta de postres. Desde que se halla en una zona más comercial, ha ganado en popularidad a la hora de la comida. Las cenas pueden ser más tranquilas, pero también más caras.

Fringale   🚶 ♿ $$$
570 Fourth St, 94107 **Tel** *(415) 543-0573*   **Plano** *11 C1*

Pequeño, ruidoso y jovial, este animado *bistrot* constituye una popular opción gracias a su cocina vasco-francesa de calidad y a su agradable servicio. El menú tradicional se compone de carnes a la parrilla, suculentos platos elaborados con cordero, algo de pescado y pan recién hecho.

South Park Café   🚶 ♿ 🍽 $$$
108 South Park, 94107 **Tel** *(415) 495-7275*   **Plano** *11 C1*

A pesar de que South Park Café ha perdido algo de su esplendor original, la comida de estilo *bistrot* de este local decorado con sencillez sigue siendo deliciosa. La carta incluye sopas, sándwiches y algunos platos más elaborados, como pechuga de pato asada. En días soleados, desde las mesas de la terraza se ve South Park.

Bacar   ♿ 🍸 $$$$
448 Brannan St, 94107 **Tel** *(415) 904-4100*   **Plano** *11 C1*

El interior industrial y el jazz moderno de fondo proporcionan sobriedad urbana a este restaurante-bar de fusión estadounidense. La especialidad de la casa es el pescado, con platos como mero con colmenillas. Posee una bodega de tres plantas, no en vano, ofrece la carta de vinos internacionales más extensa de la ciudad.

BERKELEY

The Cheese Board Pizza   🚶 ♿ 🍽 $
1512 Shattuck Avenue, 94709 **Tel** *(510) 549-3183*

Se pueden formar largas colas en esta económica pizzería. Los ingredientes de sus pizzas varían a diario, y se puede elegir desde las más clásicas, hasta otras más originales, como la de patata, queso de cabra y espárragos. Se recomienda hacer una visita a la tienda de quesos y alimentos horneados situada al lado, donde se venden productos para llevar.

Vik's Chaat Corner   🚶 ♿ $
726 Allston Way, 94710 **Tel** *(510) 644-4412*

Un lugar estupendo, con una buena relación calidad/precio, para disfrutar de los auténticos sabores de la comida india. Se trata de un restaurante autoservicio, pero la comida realmente merece la pena. Los platos son pequeños, por lo que es posible que los comensales se vean obligados a tener que pedir algo más para quedar satisfechos.

Precios *ver p. 228* **Simbología** *ver solapa trasera*

Corso Trattoria

1788 Shattuck, 94709 **Tel** *(510) 704-8004*

Puede resultar difícil encontrar lugar para aparcar cerca de este popular establecimiento italiano de Berkeley, pero la comida realmente merece dar un par de vueltas a la manzana. Entre sus recetas se incluyen enormes pizzas y deliciosas pastas y *risottos*, así que conviene no dejarse tentar demasiado por la generosa ración de pan que se sirve.

Sea Salt

2512 San Pablo Avenue, 94702 **Tel** *(510) 883-1720*

Merece la pena atravesar el puente de la Bahía para acercarse a esta marisquería a disfrutar de su hora feliz, con una carta en la que figuran ostras a 1 $ (los siete días de la semana). El ambiente informal hace que los comensales se sientan como en casa, mientras degustan deliciosos platos de marisco. En el patio exterior se respira un ambiente más relajado.

LAS AFUERAS

Fenton's Creamery

4226 Piedmont Ave, 94611 **Tel** *(510) 658-7000*

Aquí se sirven cucuruchos de helados caseros de infinitos sabores, desde hierbabuena hasta *tin roof* (vainilla con crema de turrón y cacahuetes), enormes *banana splits* y otras refrescantes preparaciones. Fenton's Creamery también dispone de sándwiches sencillos, como ensalada de atún y huevo.

Jz Cool Eatery

827 Santa Cruz Ave, 94025 **Tel** *(650) 325-3665*

Este *delicatessen*, con asientos informales y decoración mínima, se distingue de otros locales porque todos los ingredientes con los que se elaboran las reconstituyentes sopas, sándwiches y postres ligeros son orgánicos. La carta incluye especialidades vegetarianas. También dispone de comida para llevar.

Amber India

377 Santana Row, Ste 1140, 95128 **Tel** *(408) 248-5400*

El exquisito Amber India es popular por su pollo preparado con mantequilla, así como por sus excepcionales (aunque también bulliciosos) almuerzos y bufés de fin de semana. Las vajillas son de delicada porcelana y el servicio atiende rápidamente.

Dipsea Café

200 Shoreline Hwy, 94941 **Tel** *(415) 381-0298*

Si se desea una suculenta ración de tortitas de arándanos, salchichas de pollo con manzana, o una gran hamburguesa jugosa, Dipsea Café es el lugar perfecto. El entorno no puede ser más bonito, con vistas a una reserva de marismas en Richardson Bay. Sólo abre para desayunos y almuerzos.

O Chame

1830 Fourth St, 94710 **Tel** *(510) 841-8783*

O Chame, uno de los restaurantes situados entre los comercios de la moderna 4th St., prepara platos tradicionales japoneses elaborados con delicadeza y presentados magníficamente, como, por ejemplo, salmón *teriyaki* o sopa *miso*. La decoración del interior es sencilla y crea un agradable refugio del ajetreo de la calle.

Olema Inn

10,000 Sir Francis Drake Blvd, 94950 **Tel** *(415) 663-9559*

Olema Inn, una posada y parada de diligencias de 1876 situada en la Hwy. 1, proporciona un imponente marco para comidas sencillas pero elegantes elaboradas con ingredientes frescos de la tierra. Resulta ideal para almorzar tras un recorrido turístico por el Point Reyes National Seashore.

The Pelican Inn

10 Pacific Way, 94965 **Tel** *(415) 383-6000*

Este restaurante-hostería de piedra y madera, situado en un emplazamiento que recuerda a la campiña inglesa, sirve lo mejor de la cocina británica, como deliciosa empanada acompañada de Guinness templada de barril. En verano sabre todos los días para el almuerzo y la cena; cierra en invierno.

Lark Creek Inn

234 Magnolia Ave, 94939 **Tel** *(415) 924-7766*

El restaurante insignia del cocinero de Uber, Bradley Ogden, se halla enclavado en un bosque de secuoyas en la pintoresca localidad de Larkspur. El menú rinde tributo a las carnes y productos frescos de la zona y eleva a altas cotas el concepto de cocina casera.

Chez Panisse

1517 Shattuck Ave, 94709 **Tel** *(510) 548-5525*

Alice Waters, la gran amante de la cocina natural de estilo californiano, ha enseñado a multitud de chefs en esta cocina. La comida refleja su insistencia en que lo que prima por encima de todo es la calidad de los productos. Aquí no se encontrarán salsas espesas, sino los sabores de los ingredientes. Hay que reservar.

NORTE DE CALIFORNIA

CARMEL Duarte Tavern
202 Stage Rd (Pescadero Rd), 94060 **Tel** *(650) 879-0464*

Toda ruta panorámica por el sur de la costa, a lo largo de la Hwy. 1, ha de completarse con una parada en Duarte Tavern, un antiguo parador famoso por su cocina típica estadounidense. La especialidad de la casa es una empanada elaborada con frutas del bosque de la zona.

CARMEL Flying Fish Grill
Carmel Plaza, Mission St **Tel** *(831) 625-1962*

A pesar de su ubicación, en el corazón de un bullicioso centro comercial, Flying Fish Grill es el favorito de aquellos que buscan pescado fresco en un ambiente informal. El establecimiento, pequeño, está regentado por unos simpáticos propietarios que sirven pescado a la parrilla preparado con cierta influencia japonesa.

CARMEL Anton & Michel
Mission St between Ocean & Sevent **Tel** *(831) 624-2406*

Este gran restaurante de Carmel sirve desde 1980 una carta europea clásica, que se acompaña de una excelente selección de vinos. Entre las especialidades se cuentan filetes y paella con marisco. Los comensales pueden sentarse junto al fuego o, en verano, alrededor de una fuente en el pintoresco patio.

CARMEL Marinus
415 Carmel Valley Rd **Tel** *(831) 658-3500*

El comedor de Bernardus Lodge, elegante y rústico al mismo tiempo, descansa en un valle. Hasta aquí se desplazan sus clientes habituales, así como quienes buscan un lugar tranquilo. La deliciosa *nouvelle cuisine* californiano-francesa se complementa con una carta de vinos que incluye cosechas de Bernardus Winery.

LAGO TAHOE Alexander's
High Camp, Squaw Valley, Olympic Valley, 96146 **Tel** *(530) 581-7278*

Desplazarse hasta Alexander's forma parte del atractivo de este establecimiento, pues hay que subir en el tranvía del valle de Squaw, a 610 m de altura, para acceder a este restaurante que domina el valle. La comida es corriente, pero ofrece un menú infantil especial. Se trata de un lugar divertido para relajarse tras una jornada de esquí.

LAGO TAHOE Fire Sign Cafe
1785 West Lake Blvd, 96145 **Tel** *(530) 583-0871*

Este animado café, que tiene fama de servir los mejores desayunos del lago (se recomiendan los huevos a la benedicta con salmón ahumado y espinacas), abre para desayunos y almuerzos los siete días de la semana. El menú diario se complementa con panecillos recién horneados. Las sopas sustanciosas y los sándwiches frescos disfrutan de gran popularidad.

LAGO TAHOE Dory's Oar Restaurant
1041 Fremont Ave, 96150 **Tel** *(530) 541-6603* **Fax** *530 541-5332*

Abierto en una coqueta casa de madera blanca, en el comedor formal de Dory's se sirve pescado fresco y filetes, como solomillo de cordero de Nueva Zelanda a la parrilla. El informal Tudor Pub, en la planta de arriba, se puede pedir una Guinness y otras cervezas de barril, además de fuentes y tentempiés a precios económicos.

LAGO TAHOE Hunter William Bacchi's Inn
2905 Lake Forest Rd, 96145 **Tel** *(530) 583-3324*

Inaugurado en 1835, Hunter William Bacchi's Inn es el restaurante más antiguo del lago Tahoe. El menú se compone de clásicos italianos, como ternera a la parmesana, sopas, ensaladas, entrantes y platos de raviolis, espaguetis o *tortellini*. El vino se paga aparte.

MENDOCINO Mendo Bistro
301 N Main St, 95437 **Tel** *(707) 964-4974*

Mendo Bistro, muy popular en la zona, confecciona una carta que cambia en función de la temporada para sacar el máximo partido a los productos locales. La carta de vinos, exclusivamente de Mendocino, acompaña los premiados pasteles de cangrejo y las carnes, cocinadas a gusto del cliente.

MENDOCINO Sharon's by the Sea
32096 N Harbor Dr, 95437 **Tel** *(707) 962-0680*

Sharon's, considerado uno de los mejores restaurantes de la costa norte, ofrece el pescado más fresco en una pequeña construcción de madera escondida en un muelle. Fuera, junto al puente, se puede contemplar cómo se pesca. También sirve desayunos completos.

MENDOCINO Albion River Inn
3790 North Hwy 1, 95410 **Tel** *(707) 937-1919*

La puesta de sol sobre el Pacífico proporciona un telón de fondo espectacular para la cocina fresca y sencilla de Albion River Inn. Este restaurante-hostería ofrece alojamiento para quienes se hayan excedido probando la amplia selección de whisky. Situado en un acantilado sobre el mar, ofrece vistas de las ballenas que pasan en invierno.

Precios *ver p. 228* **Simbología** *ver solapa trasera*

MENDOCINO The Moosse Café 🔲🔲 $$$

390 Kasten Street, 95460 **Tel** *(707) 937-4323*

Este restaurante ofrece una atmósfera llena de encanto y buena comida, en su mayor parte elaborada con productos orgánicos locales y marisco. El comedor, que ocupa la planta baja de un popular *bed & breakfast,* es acogedor y elegante. Las raciones son generosas.

MENDOCINO Victorian Gardens 🔲🔲 $$$$$

14409 North Hwy 1, 95459 **Tel** *(707) 882-3606*

Abre sus puertas en un *bed & breakfast* exclusivo situado en una granja de de 37-hectáreas. La casa parece sacada de un cuento de hadas: un castillo en miniatura con una espléndida decoración de época. En el elegante comedor con 16 plazas, todas las noches se sirven cenas de precios fijos en las que predominan los ingredientes frescos.

REGIÓN VITIVINÍCOLA DE NAPA Cook St Helena 🔲🔲 $$

1310 Main St, 94574 **Tel** *(707) 963-7088*

Este bar informal sirve ensaladas frescas, pastas y platos de carne. La comida de calidad, los precios asequibles (especialmente para la zona) y el atento servicio lo convierten en parada regular de los lugareños. La lasaña casera y las berenjenas a la parmesana son los platos más pedidos.

REGIÓN VITIVINÍCOLA DE NAPA Willow Wood Market Café 🔲🔲 $$

9020 Graton Rd, 95444 **Tel** *(707) 522-8372*

Este establecimiento de inspiración *hippy,* una combinación de cafetería y tienda en la localidad de Graton, es la antítesis de los encopetados restaurantes de la región del vino. Sirve contundentes desayunos, sopas caseras, sándwiches originales y productos de panadería que no hacen mella en el bolsillo.

REGIÓN VITIVINÍCOLA DE NAPA Tra Vigne 🔲🔲🔲 $$$

1050 Charter Oak Ave, 94574 **Tel** *(707) 823-0233*

Este establecimiento típico de la región del vino. Disfruta de gran reputación gracias a sus exquisitas interpretaciones de especialidades italianas, que se pueden regar con un caldo de la carta de vinos. Si se desea comprar comida para una excursión, hay que bajar en coche hacia el final de Charter Oak Ave. hasta la antigua fábrica de aceite de oliva.

REGIÓN VITIVINÍCOLA DE NAPA Ubuntu 🔲🔲 $$$

1140 Main Street, 94559 **Tel** *(707) 251-5656*

Incluso los comensales más exigentes quedan satisfechos al salir de este restaurante vegetariano del valle de Napa, conocido por emplear ingredientes locales frescos en su cocina y por su taller de yoga. Los platos son innovadores, sabrosos y originales. El personal es amable.

REGIÓN VITIVINÍCOLA DE NAPA French Laundry 🔲🔲🔲 $$$$$

6640 Washington St, 94599 **Tel** *(707) 944-2380*

Resulta difícil conseguir mesa en French Laundry, el restaurante más exclusivo de la región vitivinícola, a menos que se reserve con bastante antelación. Las impecables versiones de *nouvelle cuisine* francesa, el meticuloso servicio, los elegantes jardines y el austero interior hacen que cueste marcharse.

YOSEMITE NATIONAL PARK Yosemite Lodge Food Court 🔲🔲🔲 $

Rte 140, Yosemite Village, 95389 **Tel** *(559) 253-5635*

Food Court, una alternativa asequible frente a los restaurantes selectos del valle, prepara desayunos calientes, repostería, pastas, pizzas, hamburguesas a la parrilla, perritos calientes, patatas fritas y sándwiches. La carta también incluye platos más elaborados de verdura y carne. Permanece abierto durante todo el año para desayunos, almuerzos y cenas.

YOSEMITE NATIONAL PARK Columbia City Hotel 🔲🔲🔲 $$

Columbia State Historic Park, 95310 **Tel** *(800) 532-1479*

Galardonado con el premio Wine Spectator Restaurant desde 1986, en la cocina del Columbia City Hotel se preparan recetas tradicionales. Este histórico hotel acoge una escuela para futuros cocineros. Las cenas especiales de dos platos cuestan 14 $ por cubierto. Abre de mediados de septiembre a mediados de noviembre los miércoles y jueves.

YOSEMITE NATIONAL PARK Ahwahnee 🔲🔲🔲 $$$

One Ahwahnee Rd, Yosemite Village, 95389 **Tel** *(209) 372-1489*

Ahwahnee es el establecimiento más destacado del parque nacional, con un espectacular panorama del valle, altos techos con vigas y un menú sofisticado. Para cenar se recomienda el solomillo asado de cerdo orgánico con nuez de pacana. Para desayunar y almorzar se permite acudir ropa informal.

YOSEMITE NATIONAL PARK Wawona Lodge 🔲🔲🔲 $$$

Rte 41, South Park, 95389 **Tel** *(209) 375-1425*

Este refugio victoriano, con un coqueto toque rústico, sirve desayunos, almuerzos y cenas cuando el hotel está abierto. La carta incluye filetes a la plancha y sabrosa sopa de trucha ahumada. Los sábados de verano la cena se prepara a la barbacoa. Abre todos los días.

YOSEMITE NATIONAL PARK Erna's Elderberry House 🔲🔲 $$$$$

48688 Victoria Ln (Hwy 41), 93644 **Tel** *(559) 683-6800*

Erna's Elderberry House pertenece al hotel Château de Sureau. El original menú de cinco tenedores incluye seis platos de cocina europea de primera, desde *amusée bouche* (una especie de guiso de venado y mízcalo) hasta *delice du patissier*. El menú varía a diario.

Cafés

En San Francisco no es preciso buscar demasiado para encontrar un lugar donde saciar la sed. La ciudad es conocida por ser un paraíso para los amantes del café. Abundan las cafeterías excelentes. Los más exigentes deben visitar las que se concentran en torno a North Beach y Mission District para probar y saborear las delicias que ofrecen.

CAFÉS

Es tal la cantidad de cafeterías, que se podría ir de una en otra sin repetir durante días y días. **Peet's Coffee & Tea,** un proveedor local, lleva ofreciendo café negro y fuerte desde hace cuatro décadas. **Emporio Rulli Il Caffè** se encuentra en Union Square. **Caffè Trieste,** en North Beach, es un local antiguo y bohemio que sirve excelente café; también dispone de una máquina de discos donde suenan temas de ópera italiana y, ocasionalmente, los fines de semana por la tarde los miembros de la familia propietaria cantan y tocan instrumentos. Merece la pena visitar **Caffè Greco, Caffè Puccini** o **Caffè Roma,** todos

ellos en Columbus Ave. A esta zona, así como a SoMa, suelen acudir numerosos visitantes porque están llenas de asadores.

Los *beatniks* frecuentaban el diminuto **Mario's Bohemian Cigar Store Café,** con vistas a Washington Square; se recomienda el manchado con *focaccia.* **Vesubio** *(ver p. 270)* sirve delicioso café exprés. En **Stella Pasticceria e Caffè** hay que pedir capuchino con la especialidad de la casa, *sacripantina,* un bizcocho de ron, Marsala y jerez *zabaglione.*

En Mission District destaca **Café La Bohème,** frecuentado por la élite literaria de San Francisco. **Café Flore,** en Market St., es muy elegante, mientras que **Firenze,** cerca del Ci-

vic Center, ofrece estupendos cafés y pastas. Los francófilos disfrutan con **Café Claude,** un atractivo café de estilo galo con antiguos muebles rescatados de un bar parisino; se encuentra oculto en un callejón aledaño a Union Square. **Café de la Presse,** al otro lado de la puerta de Chinatown, es el lugar donde ponerse al día con la prensa internacional. La oferta cafetera y gastronómica de SoMa comprende desde SFMOMA **Caffè Museo y Natoma Café,** situados a espaldas del museo, hasta la combinación de café, local de entretenimiento y lavandería automática de **Brainwash. Blue Danube Coffee House** y **Toy Boat Dessert Café** abren sus puertas en Clement St. **Momi Toby's Revolution Café & Art Bar** destaca en Hayes Valley. **Frjtz** prepara crepes a la hora del café. Por último, en Inner Sunset District es posible empaparse de arte y ocio en **The Canvas** o de aromas embriagadores en **Beanery.**

INFORMACIÓN GENERAL

CAFÉS

Beanery
1307 9th Ave.
Plano 8 F3.
Tel 661-1255.

Blue Danube Coffee House
306 Clement St.
Plano 3 A5.
Tel 221-9041.

Brainwash
1122 Folsom St.
Plano 11 A1.
Tel 861-3663.

Café La Bohème
3318 24th St.
Plano 10 F4.
Tel 643-0481.

Café Claude
7 Claude La.
Plano 5 C4.
Tel 392-3505.

Café Flore
2298 Market St.
Plano 10 D2.
Tel 621-8579.

Caffè Greco
423 Columbus Ave.
Plano 5 B3.
Tel 397-6261.

Caffè Museo
151 3rd St.
Plano 6 D5.
Tel 357-4500.

Café de la Presse
352 Grant Ave.
Plano 5 C4.
Tel 398-2680.

Caffè Puccini
411 Columbus Ave.
Plano 5 B3.
Tel 989-7033.

Caffè Roma
526 Columbus Ave.
Plano 5 B3.
885 Bryant St.
Plano 11 B2.
Tel 296-7662.

Caffè Trieste
601 Vallejo St.
Plano 5 C3.
Tel 392-6739.

The Canvas
1200 9th Ave.
Plano 8 F3.
Tel 504-0060.

Emporio Rulli Il Caffè
Union Square.
Plano 5 C5.
Tel 433-1122.

Firenze
601 Van Ness Ave.
Plano 4 F5.
Tel 771-5454.

Frjtz
579 Hayes St.
Plano 4 E5.
Tel 864-7654.

Mario's Bohemian Cigar Store Café
566 Columbus Ave.
Plano 5 B2.
Tel 362-0536.

Momi Toby's Revolution Café & Art Bar
528 Laguna St.
Plano 10 E1.
Tel 626-1508.

Natoma Café
145 Natoma St.
Plano 6 D5.
Tel 495-3289.

Peet's Coffee & Tea
22 Battery St.
Plano 6 D4.
Tel 981-4550.

Stella Pasticceria e Caffè
446 Columbus Ave.
Plano 5 B3.
Tel 986-2914.

Toy Boat Dessert Café
401 Clement St.
Plano 3 A5.
Tel 751-7505.

Vesuvio
255 Columbus Ave.
Plano 5 C3.
Tel 362-3370.

Comidas ligeras y tentempiés

Si no se dispone de tiempo suficiente para almorzar tranquilamente, se puede comprar un tentempié para llevar en cualquier lugar. Muchos establecimientos sirven comida rápida de calidad a precios económicos pero, si se busca bien, se puede descubrir locales que ofrecen algo especial.

DESAYUNOS

En San Francisco resulta fácil encontrar un establecimiento donde tomar café, bollos, huevos y beicon o un desayuno estadounidense completo con el que empezar bien la jornada. **Sears Fine Foods,** en Union Square, es una institución popular por sus contundentes desayunos. **Le Petit Café** sirve *brunches* estupendos los fines de semana. Los comedores de los hoteles, así como unos algunos restaurantes *(ver pp. 228-241),* ofrecen buenos desayunos.

'DELICATESSEN'

Si se buscan deliciosos sándwiches de carne, hay que acudir a **David's,** el *delicatessen* mayor y más céntrico de San Francis-co. También merece la pena pasarse por **Tommy's Joint,** en el Civic Center, **Pat O'Shea's Mad Hatter,** en Richmond District, y **Molinari's,** en North Beach. **Real Food Deli/Grocery,** en Russian Hill, está especializado en comida ecológica.

HAMBURGUESERÍAS

Se recomienda visitar uno de los establecimientos típicos de San Francisco. **Grubstake,** instalado en un tranvía rehabilitado, abre hasta tarde; **Mel's Drive-In** es una cafetería al estilo de la década de 1950, y **Louis'** cuenta con vistas inmejorables de los baños de Sutro *(ver p. 157).* **Bill's Place,** en Richmond District, ofrece hamburguesas, y **Sparky's** las sirve 24 horas al día.

PIZZERÍAS

San Francisco posee numerosas pizzerías de calidad, la mayoría de ellas concentrada en North Beach. Se sugiere elegir entre la tradicional **Tommaso's,** la popular **North Beach Pizza** o **Golden Boy.** Si se desea probar una pizza realmente exótica, se debe acudir a **Pauline's,** en Mission District, o a la cadena de pizzerías **Extreme Pizza,** en Pacific Heights.

COMIDA MEXICANA

Existen establecimientos de comida mexicana, sabrosa y casi siempre muy económica, por toda la ciudad. Para tomar un tentempié delicioso se recomienda **El Balazo, Pancho Villa, Roosevelt's Tamale Parlor** o **Left Turn at Alburquerque.** Para un capricho antes o después de ir al cine se puede pasar por **El Super Burrito,** con raciones abundantes y precios estupendos.

INFORMACIÓN GENERAL

DESAYUNOS

Le Petit Café
2164 Larkin St.
Plano 5 A3.
Tel 951-8514.

Pork Store Café
1451 Haight St.
Plano 9 B1.
Tel 864-6981.

Sears Fine Foods
493 Powell St.
Plano 5 B4.
Tel 986-1160.

'DELICATESSEN'

David's
474 Geary St.
Plano 5 B5.
Tel 276-5950.

Molinari's
373 Columbus Ave.
Plano 5 C3. *Tel 421-2337.*

Pat O'Shea's Mad Hatter
3848 Geary Blvd. **Plano** 3 A5. **Tel** 752-3148.

Real Food Deli/Grocery
2140 Polk St.
Plano 5 A3.
Tel 673-7420.

Tommy's Joint
1101 Geary Blvd.
Plano 5 A5.
Tel 775-4216.

HAMBURGUESERÍAS

Bill's Place
2315 Clement St.
Plano 2 D5.
Tel 221-5262.

Grubstake
1525 Pine St.
Plano 4 F4.
Tel 673-8268.

Louis'
902 Point
Lobos Ave.
Plano 7 A1.
Tel 387-6330.

Mel's Drive-In
3355 Geary Blvd.
Plano 3 B5.
Tel 387-2244.

Sparky's
242 Church St.
Plano 10 E2.
Tel 626-8666.

PIZZERÍAS

Extreme Pizza
1908 Union St.
Plano 4 D3.
Tel 929-8234.

Golden Boy
542 Green St.
Plano 5 B3.
Tel 982-9738.

North Beach Pizza
1310 Grant Ave.
Plano 5 B1.
Tel 433-1818.
1499 Grant Ave.
Plano 5 C2.
Tel 433-2444.

Pauline's
260 Valencia St.
Plano 10 F2.
Tel 552-2050.

Tommaso's
1042 Kearny St
junto a Broadway.
Plano 5 C3.
Tel 398-9696.

COMIDA MEXICANA

El Balazo
1654 Haight St.
Plano 9 B1.
Tel 864-6981.

El Super Burrito
1200 Polk St.
Plano 5 A5.
Tel 771-9700.

Left Turn at Albuquerque
2140 Union St.
Plano 4 D3.
Tel 749-6700.

Pancho Villa
3071 16th St.
Plano 10 F2.
Tel 864-8840.

Roosevelt Tamale Parlor
2817 24th St.
Plano 10 F4.
Tel 550-9213.

COMPRAS

Ir de compras en San Francisco es una actividad que trasciende el puro consumo, pues permite descubrir desde otra perspectiva la riqueza étnica y cultural de la ciudad. La oferta de artículos es inmensa, ya sean prácticos u originales. En general se acostumbra a regatear, especialmente en las numerosas

Reloj, entrada de Tiffany's

tiendas pequeñas especializadas y en las *boutiques*. Si se buscan productos de primera necesidad, los centros y galerías comerciales y los grandes almacenes son excelentes. En caso de preferir algo menos impersonal, se puede acudir a la zona comercial de cada distrito, que ofrece su encanto particular.

Emporio Armani *(ver p. 251)*

HORARIOS

La mayoría de los comercios de San Francisco abre de 10.00 a 18.00 de lunes a sábado, aunque muchos centros comerciales y grandes almacenes permanecen abiertos hasta la noche y los domingos. De lunes a viernes, las tiendas están menos concurridas por las mañanas que por las tardes; durante el mediodía (12.00-14.00), los sábados, las rebajas y las vacaciones pueden estar abarrotadas.

CÓMO PAGAR

La mayoría de las tiendas acepta las principales tarjetas de crédito, aunque generalmente se exige una cantidad mínima. Los cheques de viaje han de presentarse junto a un documento de identidad. Algunos comercios pequeños sólo aceptan el pago en efectivo.

DERECHOS DEL CONSUMIDOR

Conviene guardar la factura como comprobante de la compras. Cada comercio establece y anuncia su propia política de devoluciones y cambios. Los comercios no pueden cobrar comisión por el uso de la tarjeta de crédito, aunque se suele aplicar un descuento si se paga en efectivo. En el caso de surgir algún problema que no se pueda solventar con el encargado del comercio, se puede recurrir a la Unidad de Protección del Consumidor o al Departamento de Asistencia al Consumidor de California. **Teléfonos** Unidad de Protección del Consumidor **Tel** 551-9575. Departamento de asistencia al consumidor de California **Tel** (916) 445-0660.

REBAJAS

En muchos establecimientos son comunes las rebajas de fin de mes, de vacaciones y de avance de temporada. Conviene hojear los periódicos locales, donde suelen anunciarse especialmente a mediados de semana y los domingos. Se recomienda ser cauteloso ante los carteles que anuncien liquidación por cierre, pues pueden mantenerse durante años.

IMPUESTOS

En San Francisco, los artículos se gravan con un impuesto de venta del 8,5%. Los visitantes extranjeros no se pueden beneficiar de su devolución, pero el consumidor queda exento si las compras se envían a cualquier destino fuera del Estado de California.

ITINERARIOS DE COMPRAS

Los consumidores que deseen disponer de un guía para conocer las tiendas adecuadas a sus gustos pueden apuntarse a un recorrido organizado. Estos itinerarios son gestionados por empresas como A Simple Elegance Shopping Tour o Shopper Stopper Shopping Tours. Los acompañantes sugieren varios comercios y saben dónde encontrar los artículos más interesantes. **Teléfonos** A Simple Elegance Shopping Tour **Tel** 661-0110. Shopper Stopper Shopping Tours **Tel** (707) 829-1597.

CENTROS Y GALERÍAS COMERCIALES

Los centros comerciales de San Francisco poseen su pro-

Banderas y pagoda de Japan Center

Puesto de flores, Union Square

pio carácter, e incluso un par de ellos son de interés arquitectónico. Embarcadero Center *(ver p. 110)* aglutina unas 125 tiendas. Ghirardelli Square *(ver p. 83)*, una fábrica de chocolate desde 1893 hasta principios de la década de 1960, es hoy un centro comercial con vistas a la bahía de San Francisco; popular entre turistas, alberga unos 70 restaurantes y tiendas.

Westfield Shopping Centre *(ver p. 117)* reúne más de 65 comercios. Pier 39 *(ver p. 82)* es un área comercial a la orilla del mar con restaurantes, un tiovivo, un puerto deportivo y *boutiques*. En The Cannery *(ver p. 83)*, situado en Fisherman's Wharf, se concentran distintas tiendas pequeñas y coquetas, mientras que Crocker Galleria *(ver p. 116)* es uno de los centros comerciales más espectaculares de la ciudad, con una cúpula de cristal.

Japan Center *(ver p. 128)*, ofrece productos de alimentación exóticos, objetos y arte de Oriente, además de un hotel de estilo japonés y baños tradicionales. Por último, Rincón Center *(ver p. 113)*, con una cortina de agua central, es un paraíso *art déco* de comercios y restaurantes.

GRANDES ALMACENES

La mayoría de los principales grandes almacenes de San Francisco está situada en Union Square o en sus inmediaciones. Se trata de colosales emporios que ofrecen al público una notable selección de artículos y servicios. Se ofrecen todo tipo de servicios adicionales para los consumidores, por ejemplo, personal de información, consignas, papel de regalo gratis o salones de belleza con tratamientos.

Los grandes almacenes **Macy's** disponen de una extensa gama de artículos vendidos por empleados entusiastas. Además, cuentan con todo tipo de instalaciones adicionales, como una oficina de cambio de divisas y un servicio de interpretación. La sección de caballero es especialmente grande.

Neiman Marcus es otro emporio con estilo que abre sus puertas en un edificio moderno. Merece la pena contemplar la enorme cúpula con vidrieras que remata el Rotunda Restaurant. **Nordstrom,** recomendado por su ropa y calzado, ocupa las cinco últimas plantas del innovador Westfield Shopping Centre.

Bloomingdalesn ofrece una gran variedad de marcas de diseñadores codiciados, bolsos de lujo, complementos, cosméticos y calzado.

Los viajeros con presupuesto limitado pueden ir a los grandes almacenes **Mervyn's,** que disponen de ropa de señora, caballero y niño y una amplia gama de complementos. También vende artículos para el hogar, con una sección de ropa de cama y baño; hay productos para todos los gustos.

LAS MEJORES COMPRAS

Los amantes de la gastronomía deberían comprar marisco, una de las especialidades de la ciudad. Otro producto típico es el vino californiano, sobre todo el del valle de Napa *(ver pp. 190-191)*. También se puede encontrar ropa *vintage* y obras de arte étnicas.

City Lights Bookstore *(ver p. 254)*, Columbus Avenue

DIRECCIONES

Bloomingdales
865 Market St. **Plano** 5 C5.
Tel 856-5300.

Macy's
Stockton y O'Farrell Sts.
Plano 5 C5.
Tel 397-3333.

Mervyn's
2675 Geary St.
Plano 5 C5.
Tel 921-0888.

Neiman Marcus
150 Stockton St. **Plano** 5 C5.
Tel 362-3900.

Nordstrom
Westfield Shopping Centre,
865 Market St. **Plano** 5 C5.
Tel 243-8500.

Grandes almacenes Gump's *(ver p. 249)*

Lo mejor de San Francisco: compras

A continuación se describen algunas de las mejores zonas comerciales de la ciudad, cada una de ellas recoge las peculiaridades del barrio al que pertenecen. Los aficionados a mirar escaparates pueden encontrar los mejores en Union Sq. Las personas que busquen oportunidades deben visitar las tiendas de saldos de South of Market.

Puestos callejeros
En los tenderetes de las ferias de barrio, como ésta de Union St., que se celebra en junio, se vende arte, artesanía y productos de alimentación.

Union Street
En esta calle hay numerosas boutiques *abiertas en casas victorianas restauradas; venden antigüedades, libros y ropa.* (Ver p. 254).

Presidio

Pacific Heights y Marina District

Golden Gate Park y Land's End

Civic Center

Haight Ashbury y Mission District

Haight Street
Se trata del mejor lugar de San Francisco para encontrar ropa de segunda mano, tiendas de discos y librerías.
(Ver p. 254).

MEMBER OF Antique Dealers Association of CALIFORNIA

Japan Center
Aquí se puede adquirir productos de alimentación y artículos de Japón, así como visitar bares y galerías de arte nipones.
(Ver p. 128).

Anticuarios de Jackson Square
A los amantes de las antigüedades les encanta curiosear en Jackson Square. (Ver p. 254).

0 kilómetros	2
0 millas	1

UN Plaza
Bautizada así tras la firma de la Carta de Naciones Unidas, esta plaza acoge un mercado agrícola dos veces a la semana. (Ver p. 256).

Grant Avenue
Se trata de la principal calle de Chinatown, con balcones pintados, tiendas de recuerdos y bares. (Ver p. 256).

Crocker Galleria
Las tres plantas de este impresionante centro comercial moderno están repletas de tiendas elegantes. En días soleados se puede organizar un picnic *en los jardines de la azotea.* (Ver p. 245).

Fisherman's Wharf y North Beach

Financial District y Union Square

Chinatown y Nob Hill

Saks Fifth Avenue
Estos grandes almacenes exclusivos son sinónimo de estilo y elegancia. (Ver p. 245).

DE COMPRAS POR UNION SQUARE
Los consumidores más exigentes deben centrarse en las manzanas delimitadas por las calles Geary, Powell y Post y en las manzanas aledañas a las calles Market y Sutter. Los comercios de lujo y *boutiques* asequibles de esta zona venden todo tipo de artículos. El ambiente se completa con grandes hoteles, magníficos restaurantes y coloridos puestos de flores.

Nordstrom
Westfield Shopping Centre, que aglutina 400 comercios. (Ver p. 245).

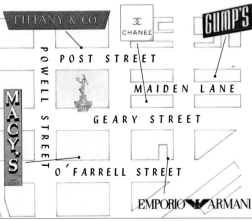

Compras

Los minoristas, diseñadores y distribuidores se enorgullecen de ofrecer artículos inusuales y artesanales a los consumidores, de hecho, a menudo relatan la historia de dichos productos. La oferta comercial es inmensa, desde delicado papel florentino artesanal, tés de hierbas chinas, hasta aparatos electrónicos de última generación. Estos establecimientos especializados, escondidos en rincones apartados o agrupados, crean un ambiente apropiado, gracias al cual, ir de compras en San Francisco es toda una experiencia.

TIENDAS ESPECIALIZADAS

Para reírse un poco, nada mejor que **Smile-A Gallery with Tongue in Chic,** donde se venden prendas o artículos de diseño humorístico, incluidos objetos realizados por artistas de la bahía.

Malm Luggage, una tienda de propiedad y gestión familiar de maletas, maletines y pequeños artículos de piel, ha mantenido su excelente reputación desde los tiempos de la fiebre del oro. En **Comix Experience** se puede encontrar un amplio surtido de cómics y recuerdos, ya sea de las ediciones más recientes o de las más antiguas, mucho más caras.

Una exquisita mayólica se expone en **Biordi Art Imports,** en North Beach, que dispone de vajillas, jarrones y fuentes pintados a mano de todos los tamaños. Para disfrutar del ambiente genuino de Chinatown, se recomienda acudir a **Ten Ren Tea Company of San Francisco. En Golden Gate Fortune Cookies,** los descendientes de inmigrantes chinos ofrecen a los clientes probar, antes de comprarlas, las galletas de la fortuna de San Francisco (una invención de Chinatown). **Flax Art and Design,** un establecimiento de 60 años, posee una gran selección de papel artesanal, artículos de escritorio por encargo y utilería de arte.

Las piedras preciosas, el oro y los relojes de los joyeros más prestigiosos del mundo pueden encontrarse en **Tiffany & Co** y **Bulgari.** Jeanine Payer crea joyas que trascienden generaciones, fusionando la artesanía del Viejo Mundo con diseños contemporáneos.

TIENDAS SOLIDARIAS

En San Francisco se puede ir de compras cumpliendo los principios del comercio justo. A continuación se señalan unos cuantos establecimientos, en los que el consumidor responsable puede adquirir productos solidarios. La tienda oficial de UNICEF es **Planetweavers Treasure Store,** donde se vende artesanía y prendas elaboradas en países en vías de desarrollo, así como un surtido de juguetes educativos procedentes de todo el mundo; UNICEF recibe el 25% de los beneficios netos. **Golden Gate National Park Store** es un comercio sin ánimo de lucro que ofrece recuerdos del parque, postales, planos y libros. Todos los beneficios obtenidos en **Under One Roof** se destinan a diversas asociaciones dedicadas a combatir el sida.

RECUERDOS

En **Only in San Francisco** y **Cable Car Store** se decoran con motivos de la ciudad todo tipo de objetos, como camisetas, llaveros, jarritas o adornos navideños. **Krazy Kaps** dispone de gorras de recuerdo y fantasía de todos los colores, formas y tamaños. Las puertas de los comercios de Grant Avenue y Fisherman's Wharf están llenas de cestas repletas de recuerdos a buen precio.

ANTIGÜEDADES

En la zona comercial más exclusiva de San Francisco se halla **Sacramento Street Antique Dealer's Association,** un grupo de comercios que venden una amplia gama de artículos, como, por ejemplo, mue-

bles y pequeños objetos para el hogar; resulta ideal para curiosear.

Los aficionados al *art déco* deben pasarse por **Decorum,** en Market St.; dispone de una impresionante selección de utensilios domésticos y adornos elegantes. En **Genji** se puede encontrar un gran surtido de *tansu* (un tipo de cajonera japonesa) junto a otras piezas del antiguo Edo realizadas en maderas nobles.

JUGUETES Y JUEGOS

Toys R Us, una de las jugueterías más importantes de la ciudad, vende todo lo que los niños puedan desear, pues está repleta de variados juguetes, videojuegos, piezas de coleccionismo; también dispone de una sección con artículos especiales y regalos para bebés.

Academy Store y **Exploratorium Store** venden libros, herramientas y juegos para que aprender resulte divertido. Los propietarios de **Puppets on the Pier** ofrecen clases de guiñol en la tienda. **Gamescape** posee todo tipo de juegos (salvo electrónicos), como juegos de mesa, cartas de coleccionismo y libros de rol.

En **Chinatown Kite Shop** se expone una extraordinaria muestra de objetos voladores, que incluyen desde cometas tradicionales hasta inventos presentados en campeonatos internacionales; cualquiera de ellos constituye un regalo estupendo. En **Sony Style** resulta fácil quedarse fascinado antes las las prestaciones de los aparatos y máquinas electrónicas de última generación que se venden aquí. Para más tiendas infantiles, *ver p. 275.*

TIENDAS DE MUSEOS

Las tiendas de los museos ofrecen recuerdos preciosos y de calidad para todos los bolsillos, ya sean equipos científicos, joyas de imitación o esculturas. En Golden Gate Park se recomienda visitar la **Academy Store** de la California Academy of Sciences *(ver pp. 150-151).* Los aspirantes a naturalistas pueden adquirir aquí maquetas de dinosaurios, animales de plástico muy realistas y recuerdos que no dañan el medio ambiente. También se venden objetos inspirados en la Far Side Gallery del museo, dedicada a los trabajos del dibujante humorístico Gary Larsen. Cerca de aquí, en la tienda del **de Young Museum**, se puede encontrar un espléndido surtido de artículos. La tienda del **Legion of Honor Museum Store** *(ver pp. 156-157)*, en Lincoln Park, ofrece numerosas reproducciones de piezas pertenecientes a las exposiciones.

La tienda del **Asian Art Museum**, en Civic Center, dispone de un gran inventario de libros y objetos relacionados con la temática del museo.

En **Exploratorium Store** *(ver pp 60-61)* apasiona a los jóvenes interesados en la ciencia. Aquí se puede adquirir el material necesario para realizar experimentos científicos, juegos basados en temas que abarcan desde la astronomía hasta la zoología, libros y juguetes. **San Francisco MOMA MuseumStore,** en el San Francisco Museum of Modern Art

(ver pp. 118-121), vende una amplia selección de libros de arte con magníficas reproducciones, láminas, tarjetas de felicitación y alegres camisetas.

Gump's *(ver p. 116)* es tan espléndida que podría considerarse un auténtico museo. Muchos de los artículos expuestos son antigüedades estadounidenses o europeas, ediciones limitadas y piezas únicas. Californianos y turistas con alto poder adquisitivo acuden aquí en busca de muebles, magníficas obras de arte, porcelana, cristal, joyas y recuerdos.

INFORMACIÓN GENERAL

TIENDAS ESPECIALIZADAS

Biordi Art Imports
412 Columbus Ave.
Plano 5 C3.
Tel 392-8096.

Bulgari
237 Post St.
Plano 5 C5.
Tel 399-9141.

Comix Experience
305 Divisadero St.
Plano 10 D1.
Tel 863-9258.

Flax Art and Design
1699 Market St.
Plano 10 F1.
Tel 552-2355.

Golden Gate Fortune Cookies
56 Ross Alley.
Plano 5 C3.
Tel 781-3956.

Jeanine Payer
672 Market St.
Plano 5 C5.
Tel 788-2417.

Malm Luggage
222 Grant Ave.
Plano 5 B1.
Tel 392-0417.

Smile-A Gallery with Tongue in Chic
500 Sutter St.
Plano 5 B4.
Tel 362-3437.

Ten Ren Tea Company of San Francisco
949 Grant Ave.
Plano 5 C3.
Tel 362-0656.

Tiffany & Co
350 Post St.
Plano 5 C4.
Tel 781-7000.

TIENDAS SOLIDARIAS

Golden Gate National Park Store
Embarcadero Center.
Plano 6 D3.
Tel 984-0640.

Planetweavers Treasure Store
1573 Haight St.
Plano 9 C1.
Tel 864-4415.

Under One Roof
549 Castro St.
Plano 10 D1.
Tel 252-9430.

RECUERDOS

Boudins Bakery
4 Embarcadero Center.
Plano 6 D3.
Tel 362-3330.
Una de varias sucursales.

Cable Car Store
Pier 39.
Plano 5 B1.
Tel 989-2040.

Krazy Kaps
Pier 39.
Plano 5 B1.
Tel 296-8930.

Only in San Francisco
Pier 39.
Plano 5 B1.
Tel 397-0122.

ANTIGÜEDADES

Decorum
1400 Vallejo St.
Plano 5 B3.
Tel 474-6886.

Genji Antiques Inc.
22 Peace Plaza.
Japan Town
Plano 4 E4.
Tel 931-1616.

Sacramento Street Antique Dealers Association
3419 Sacramento St.
Plano 3 C4.
Tel 567-4094.

JUGUETES Y JUEGOS

Chinatown Kite Shop
717 Grant Ave.
Plano 5 C3.
Tel 391-8217.

Gamescape
333 Divisadero St.
Plano 10 D1.
Tel 621-4263.

Puppets on the Pier
Pier 39. **Plano** 5 B1.
Tel 781-4435.

Sony Style
101 4th St. **Plano** 5 C5.
Tel 369-6053.

Toys R Us
2675 Geary Blvd.
Plano 3 C5.
Tel 931-8896.

TIENDAS DE MUSEOS

Academy Store
California Academy of Sciences, 875 Howard St. (hasta 2008). **Plano** 6 D5.
Tel 750-7330.

Asian Art Museum
200 Larkin St.
Plano 4 F5.
www.asianart.org

de Young Museum
50 Tea Garden Dr, Golden Gate Park. **Plano** 8 F2.
Tel 863-3330.

Exploratorium Store
Marina Blvd. y Lyon St.
Plano 3 C2.
Tel 561-0390.

Gump's
135 Post St. **Plano** 5 C4.
Tel 982-1616.

Legion of Honor Museum Store
Lincoln Park.
Plano 1 B5.
Tel 750-3600.

San Francisco MOMA MuseumStore
Museum of Modern Art.
Plano 6 D5. *Tel 357-4035.*

Ropa y complementos

En lo que a moda se refiere, San Francisco es famosa por la sofisticación, que se puede apreciar en los escaparates de numerosas tiendas.

En agosto, la atrevida semana de la moda presenta el trabajo de diseñadores emergentes de la bahía de San Francisco, la costa oeste y Nueva York. A diferencia de los grandes almacenes *(ver p. 245)*, que se caracterizan por ofrecer una amplia selección, la mayoría de los comercios que figura a continuación son de dimensiones pequeñas o medianas. Los aficionados a la moda y a las compras pueden disfrutar visitando estas joyas de la industria minorista.

DISEÑADORES DE SAN FRANCISCO Y EE UU

Las líneas de los diseñadores estadounidenses se venden en las *boutiques* de los grandes almacenes o en tiendas exclusivas del modisto. Minoristas como **Wilkes Bashford** se centran en firmas con aires clásicos que pueden vestir a la perfección a los ejecutivos del Financial District.

Entre las tiendas de firma de San Francisco destacan **Diana Slavin,** de estilo italiano clásico, **Betsey Johnson,** con atrevidas prendas y complementos femeninos, y **Joanie Char's,** con piezas sueltas deportivas y chic. **Emporio Armani Boutique** dispone de una impresionante selección de ropa y complementos, mientras que **Jessica McClintock Boutique** es famosa por sus vestidos de novia. En **Weston Wear** se pueden adquirir prendas de punto para mujer a precios sin competencia.

La diseñadora **Sunhee Moon** dedica cada una de sus prendas, inspiradas en la década de 1950, a un amigo. Un tercio de la ropa de caballero y señora que vende **MAC (Modern Appealing Clothing)** es creación de diseñadores de San Francisco.

ROPA DE FIRMA REBAJADA

Para encontrar ropa de diseñadores a precios asequibles hay que dirigirse a la zona de SoMa (South of Market). Yerba Buena Square alberga varios establecimientos con este tipo de prendas, entre ellos **Burlington Coat Factory;** aquí se pueden encontrar líneas con descuento de numerosos diseñadores locales. **Georgiou Outlet** vende ropa clásica elaborada con fibras naturales. **Jeremy's,** en la elegante zona de South Park en SoMa, ofrece descuentos en ropa formal y prendas de firma para caballero y señora.

CENTROS DE ROPA REBAJADA EN LA BAHÍA

Si se está especialmente interesado en adquirir prendas a precios rebajados, se recomienda desplazarse en coche hasta los centros comerciales de *outlets* (tiendas que venden ropa de saldo o de otras temporadas) de la bahía. A pesar de que se encuentran a una hora de camino de San Francisco, la gran oferta garantiza encontrar alguna prenda irresistible.

Petaluma Village Premium Outlets, 74 km al norte de la ciudad, reúne tiendas *outlet* de Liz Claiborne, Off 5th Saks Fifth Avenue, Brooks Brothers, así como OshKosh y Gap para ropa infantil, y Bass y Nine West para calzado.

En Milpitas, 80 km al sureste de San Francisco, **Great Mall** ofrece algunas de las mejores marcas. Entre las firmas más conocidas figuran Tommy Hilfiger, Eddie Bauer, Polo Jeans Factory Store, St. John Knits y Chico's.

CASTRO DISTRICT

La ropa y los complementos de este barrio se centran en un

EQUIVALENCIA DE TALLAS

Las tallas de ropa y los números de calzado se clasifican de forma diferente en EE UU. A continuación se ofrece una tabla en la que se muestran las equivalencias con las tallas y números europeos (salvo Gran Bretaña).

Ropa infantil

EE UU	2–3	4–5	6–6x	7–8	10	12	14	16 (talla)
Europa	2–3	4–5	6–7	8–9	10–11	12	14	14+ (edad)

Calzado infantil

EE UU	8½	9½	10½	11½	12½	13	1½	2½	2½
Europa	24	25½	27	28	29	30	32	33	34

Vestidos, abrigos y faldas de señora

EE UU	4	6	8	10	12	14	16	18
Europa	38	40	42	44	46	48	50	52

Blusas y jerseys de señora

EE UU	6	8	10	12	14	16	18
Europa	40	42	44	46	48	50	52

Calzado de señora

EE UU	5	6	7	8	9	10	11
Europa	36	37	38	39	40	41	44

Trajes de caballero

EE UU	34	36	38	40	42	44	46	48
Europa	44	46	48	50	52	54	56	58

Camisas de caballero

EE UU	14	15	15½	16	16½	17	17½	18
Europa	36	38	39	41	42	43	44	45

Calzado de caballero

American	7	7½	8	8½	9½	10½	11	11½
Europa	39	40	41	42	43	44	45	46

COMPRAS 251

estilo propio para una clientela predominantemente homosexual y transexual. Los nombres de las tiendas, como es el caso de **InJeanious,** pueden ser tan ingeniosos como el amplio surtido de prendas que ofrecen.

CHESTNUT STREET

En esta calle comercial de Marina District se puede encontrar ropa maravillosa adaptada al gusto femenino. Así son las prendas que vende la *boutique* **Rabat,** que además dispone de zapatos cómodos y con estilo y bolsos de diseño actuales.

FILLMORE

Los edificios victorianos de Fillmore St. y la creación del Jazz Preservation District le aportan un ambiente diferente a una tarde de compras. **Mrs. Dewson's Hats** se hizo famosa por ser la sombrerería del antiguo alcalde Willie Brown.

HAIGHT-ASHBURY

Paseando por Haight St. es fácil encontrar comercios de ropa de segunda mano. Las gigantescas piernas de **Piedmont Boutique,** cubiertas con medias de red, anuncian este comercio, que todavía confecciona sus diseños a mano.

HAYES VALLEY

Los centros comerciales y las grandes marcas compiten en Hayes Valley. El nombre y la actitud independiente de **Manifesto** reflejan el estilo del barrio, marcado por las creaciones independientes. La ropa de caballero y señora es creación de los propietarios de las *boutiques.*

SOUTH OF MARKET

El área de SoMa, antaño repleta de almacenes industriales y hostales, reúne numerosos estudios y *lofts* de lujo. Sin

embargo, aún posee cierto aire de inconformismo y atrevimiento con el que atrae a una clientela joven que frecuenta sus clubes. La diseñadora **Isda & Co** vende en su tienda moda unisex sencilla.

UNION SQUARE

Las *boutiques* de los diseñadores europeos y los importadores se concentran en Union Square; en ellas se puede encontrar prendas de líneas clásicas e importantes marcas. **David Stephen** vende camisas de caballero italianas en la selecta Maiden Lane, enfrente de Union Square.

UNION STREET

Esta coqueta calle de pequeñas *boutiques* se halla a un breve paseo de lujosas mansiones. **Mimi's on Union** vende moda convertida en auténtico arte, como quimonos, pañuelos y chaquetas.

INFORMACIÓN GENERAL

DISEÑADORES DE SAN FRANCISCO Y EE UU

Betsey Johnson
2031 Fillmore St.
Plano 4 D4.
Tel 567-2726.

Diana Slavin
3 Claude Lane.
Plano 5 C4.
Tel 677-9939.

Emporio Armani Boutique
1 Grant Ave.
Plano 5 C5.
Tel 677-9400.

Jessica McClintock Boutique
180 Geary St.
Plano 5 C5.
Tel 398-9008.

Joanie Char's
527 Sutter St.
Plano 5 B4.
Tel 399-9867.

MAC
387 Grove St.
Plano 4 F5.
Tel 863-3011.

Sunhee Moon
3167 16th St.
Plano 10 E2.
Tel 355-1800.

Weston Wear
584 Valencia St.
Plano 10 F2.
Tel 621-1480.

Wilkes Bashford
375 Sutter St.
Plano 5 C4.
Tel 986-4380.

ROPA DE FIRMA REBAJADA

Burlington Coat Factory
899 Howard St.
Plano 11 B2.
Tel 495-7234.

Georgiou Outlet
925 Bryant St.
Plano 11 B2.
Tel 554-0150.

Jeremy's
2 South Park St.
Plano 11 C1.
Tel 882-4929.

CENTROS DE ROPA REBAJADA EN LA BAHÍA

Great Mall
447 Great Mall Dr.
Milpitas.
Tel 408-945-4022.

Petaluma Village Premium Outlets
2220 Petaluma Blvd.
North Petaluma
Tel 707-778-9300.

CASTRO DISTRICT

InJeanious
432 Castro St.
Plano 10 D3.
Tel 864-1863.

CHESTNUT STREET

Rabat
2331 Chestnut St.
Plano 3 C2. *Tel 929-8868.*

FILLMORE

Mrs Dewson's Hats
2050 Fillmore St.
Plano 4 D4.
Tel 346-1600.

HAIGHT-ASHBURY

Piedmont Boutique
1452 Haight St.
Plano 9 C1.
Tel 864-8075.

HAYES VALLEY

Manifesto
514 Octavia St.
Plano 4 E5.
Tel 431-4778.

SOUTH OF MARKET

Isda & Co
19 South Park St.
Plano 11 C1.
Tel 344-4891.

UNION STREET

Mimi's on Union
2133 Union St.
Plano 4 D3.
Tel 923-0454.

UNION SQUARE

David Stephen
50 Maiden Lane.
Plano 5 C4.
Tel 982-1611.

ROPA DE CABALLERO

Para encontrar marcas de firmas, ropa deportiva, calzado y complementos masculinos de estilo europeo, hay que dirigirse a **Rolo. Brooks Brothers** fue el primer minorista de confección de caballero de Estados Unidos, y hoy es conocido por la elegancia de sus trajes y camisas de vestir.

La ropa de calle actual se puede adquirir en **Eddie Bauer. The Gap** y **Old Navy** combinan líneas de vestir desenfadadas a precios asequibles. Los hombres que necesiten tallas grandes pueden comprar tanto ropa informal como trajes en **Rochester Big and Tall. Body,** en Castro St., es un paraíso repleto de ceñidas camisetas, zapatos y lencería.

ROPA DE SEÑORA

En San Francisco están instalados muchos de los grandes nombres de la moda internacional, como **Chanel** y **Gucci. Gianni Versace** abre sus puertas en Crocker Galleria. **Prada** es famoso por sus prendas de lana merina extrafina y cachemira. **Jorja** está surtida con diversas firmas, pero presta especial atención a Nicole Miller. **Banana Republic** y **Guess** son muy conocidas por su estilo.

Los jerseys tejidos a mano de **Three Bags Full** lucen diseños únicos. **Loehmann's** vende ropa de diseñadores neoyorquinos y europeos con descuento. **Ann Taylor** dispone de trajes, blusas, vestidos de noche y jerseys con buenos cortes. **Bebe** resulta ideal para las más chic. En **Harper Greer** es posible encontrar moda impecable para tallas 46-50. **Urban Outfitters** está especializada en ropa elegante de segunda mano y nueva. **American Rag** vende prendas nuevas y usadas.

ROPA INFANTIL

En **Kids Only** se ofrece un amplio muestrario con colecciones alegres de prendas de algodón, incluidas camisetas de tirantes y toques étnicos. **Small Frys** es otro de los favoritos para la ropa de algodón. **Gap Kids** y **Baby Gap** disponen de una interesante selección.

CALZADO

Kenneth Cole cuenta con zapatos de primera calidad. Las mejores marcas y las más cómodas, como Clarks, Birkenstock, Timberland, Sebago y Rockport, se pueden encontrar en **Ria's. Nike Town** es una macrotienda de calzado deportivo. **DSW Shoe Warehouse** vende calzado con descuento.

Shoe Biz es una cadena con tres sucursales. La situada en Haight St., **Shoe Biz II,** es fácil de reconocer gracias a la maqueta del dinosaurio de la fachada; se puede probar algún par de la amplia selección de zapatillas deportivas. **Show Biz I** dispone de calzado actual para el día a día a buen precio, mientras que **Super Shoe Biz** es frecuentado por los adictos a la moda.

Foot Worship vende desde el número 36 al 47 de señora; el personal atiende amablemente a la clientela.

LENCERÍA

Alla Prima Fine Lingerie está surtida de lencería, camisones de seda y saltos de cama de firmas europeas de lo más exquisito. **Victoria's Secret** posee varias sucursales en San Francisco; una de ellas se sitúa en Union Square. La bailarina de *topless* más famosa de Estados Unidos diseña y vende sus artículos en su tienda, **Carol Doda's Champagne & Lace Lingerie.**

PRENDAS DE PIEL

Fog City Leather confecciona por encargo chaquetas de piel de caimán, también vende toda clase de prendas de piel. **Image Leather,** en Castro District, dispone de una extensa selección de chaquetas y gorras para motoristas. **A Taste of Leather,** es el lugar donde los hombres pueden equiparse, desde chalecos y ropa interior hasta correas.

ROPA CÓMODA

Debido a la proximidad de numerosos parajes naturales, abundan los establecimientos dedicados a ropa, complementos y equipos para los amantes del deporte y la aventura. Los interesantes precios que ofrece **REI** el primer sábado de mes y las rebajas de temporada resultan ideales para adquirir todo lo necesario para practicar el esquí, snowboard, ciclismo o paddle; no faltan las prendas cómodas.

North FACE, inaugurada en North Beach en 1966, dispone de prendas deportivas diseñadas para temperaturas bajo cero. **Patagonia** trabaja el algodón orgánico para realizar prendas resistentes a la humedad y al calor.

ROPA DEPORTIVA

Los incondicionales del béisbol compran desde gorras hasta bermudas en las tiendas **SF Giants Dugout.** En **NFL Shop,** en Pier 39, se puede encontrar un amplio muestrario de sudaderas y pantalones de deporte de los equipos de la NFL y NBA. Los jerseys y chaquetas de los equipos universitarios de los San Francisco 49er son artículos típicos de **Champs.**

Lombardi Sports dispone de prendas informales y deportivas. La **Adidas Store** tiene una gran variedad de calzado clásico así como indumentaria y complementos deportivos. Entre otros establecimientos especializados de confección y equipamiento deportivo se incluyen **Don Sherwood Golf & Tennis World,** que ofrece precios interesantes, y **KinderSport,** que vende prendas infantiles de esquí durante todo el año.

Aquellas personas que busquen camisetas, gorras o incluso pijamas bordados con logotipos de San Francisco, **I Herat SF,** en Fisherman's Wharf, ofrece una de las mayores selecciones.

ROPA 'VINTAGE'

Buffalo Exchange y Crossroads Trading venden ropa de segunda mano con algo de historia. **Wasteland,** en Haight Ashbury District, es conocida por sus prendas *vintage.* **Guys and Dolls Vintage** rezuma estilo bohemio **Clothes Contact** vende ropa de segunda mano al peso.

INFORMACIÓN GENERAL

ROPA DE CABALLERO

Body
450 Castro St.
Plano 10 D3.
Tel 575-3562.

Brooks Brothers
150 Post St.
Plano 5 C4.
Tel 397-4500.

Eddie Bauer
3521 20th Ave.
Plano S. de 8 E5.
Tel 664-9262.

The Gap
100 Post St.
Plano 5 C4.
Tel 421-2314.
890 Market St.
Plano 5 C5.
Tel 788-5909.

Old Navy
801 Market St.
Plano 5 C5.
Tel 344-0375.

Rochester Big and Tall
700 Mission St.
Plano 5 C5.
Tel 982-6455.

Rolo
2351 Market St.
Plano 10 D2.
Tel 431-4545.

ROPA DE SEÑORA

American Rag
1305 Van Ness Ave.
Plano 5 A5.
Tel 474-5214.

Ann Taylor
240 Post St.
Plano 5 C4.
Tel 788-0716.

Banana Republic
256 Grant Ave.
Plano 5 C4.
Tel 777-3087.

Bebe
San Francisco Centre.
Plano 5 C5.
Tel 543-2323.

Chanel
155 Maiden Lane.
Plano 5 C4.
Tel 981-1550.

Gianni Versace
60 Post St.
Plano 5 C4.
Tel 616-0604.

Gucci
200 Stockton St.
Plano 5 C5.
Tel 392-2808.

Guess
90 Grant Ave.
Plano 5 C5.
Tel 781-1589.

Harper Greer
580 4th St.
Plano 11 C1.
Tel 543-4066.

Jorja
2015 Chestnut St.
Plano 4 D2.
Tel 674-1131.

Loehmann's
222 Sutter St.
Plano 5 C4.
Tel 982-3215.

Prada
140 Geary St.
Plano 5 C5.
Tel 391-8844.

Three Bags Full
2181 Union St.
Plano 4 D3.
Tel 567-5753.

Urban Outfitters
80 Powell St.
Plano 5 B5.
Tel 989-1515.

ROPA INFANTIL

Gap Kids/Baby Gap
100 Post St.
Plano 5 C4.
Tel 421-4906.

Kids Only
1608 Haight St.
Plano 9 B1.
Tel 552-5445.

Small Frys
4066 24th St.
Plano 10 D4.
Tel 648-3954.

CALZADO

DSW Shoe Warehouse
111 Powell St.
Plano 5 B5.
Tel 445-9511.

Foot Worship
1214 Sutter St.
Plano 5 A5. *Tel 921-3668.*

Kenneth Cole
865 Market St.
Plano 5 C5.
Tel 227-4536.

Nike Town
278 Post St.
Plano 5 C4.
Tel 392-6453.

Ria's
301 Grant Ave.
Plano 5 C4.
Tel 834-1420.

Shoe Biz I
1446 Haight St.
Plano 9 C1.
Tel 864-0990.

Shoe Biz II
1553 Haight St.
Plano 9 C1.
Tel 861-3933.

Super Shoe Biz
1420 Haight St.
Plano 9 C1.
Tel 861-0313.

LENCERÍA

Alla Prima Fine Lingerie
1420 Grant Ave.
Plano 5 C2.
Tel 397-4077.

Carol Doda's Champagne & Lace Lingerie
1850 Union St.
Plano 4 E2.
Tel 776-6900.

Victoria's Secret
335 Powell St.
Plano 5 B5.
Tel 433-9671.

PRENDAS DE PIEL

A Taste of Leather
1285 Folsom St.
Plano 11 A2.
Tel 252-9166.

Fog City Leather
2060 Union St.
Plano 4 D2.
Tel 567-1996.

Image Leather
2199 Market St.
Plano 10 E2.
Tel 621-7551.

ROPA CÓMODA

North Face
180 Post St.
Plano 5 C4. *Tel 433-3223.*

Patagonia
770 North Point St.
Plano 5 A2.
Tel 771-2050.

REI
840 Brannan St. **Plano** 11 B2. *Tel 934-1938.*

ROPA DEPORTIVA

Adidas Store
865 Market St, Suite 211.
Plano 5 C5. *Tel 975-0934.*

Champs
San Francisco Centre.
Plano 5 C5. *Tel 975-0883.*

Don Sherwood Golf & Tennis World
320 Grant Ave.
Plano 5 C4. *Tel 989-5000.*

I Heart SF
2545 Powell St.
Plano 5 B1. *Tel 392-2001.*

KinderSport
3655 Sacramento St.
Plano 3 B4. *Tel 563-7778.*

Lombardi Sports
1600 Jackson St.
Plano 4 F3. *Tel 771-0600.*

NFL Shop
Pier 39
Plano 5 B1. *Tel 397-2027.*

SF Giants Dugout
SBC Park.
Plano 11 C1. *Tel 972-2453.*

ROPA 'VINTAGE'

Buffalo Exchange
1555 Haight St. **Plano** 9 C1. *Tel 431-7733.*
1210 Valencia St. **Plano** 10 F4. *Tel 647-8332.*

Clothes Contact
473 Valencia St.
Plano 10 F2.
Tel 621-3212.

Crossroads Trading
1901 Fillmore.
Plano 4 D4.
Tel 771-8885.
2123 Market St
Plano 10 E2.
Tel 552-8740.

Guys and Dolls Vintage
3789 24th St.
Plano 10 E4.
Tel 285-7174.

Wasteland
1660 Haight St.
Plano 9 B1.
Tel 863-3150.

Libros, música, arte y antigüedades

Cientos de tiendas surten a multitud de escritores, artistas y coleccionistas. Los residentes decoran sus viviendas con piezas procedentes de las galerías de arte y anticuarios de la ciudad. Los amantes de los objetos preciados y singulares –ya sea una pieza única o una obra de arte étnica– tienen prácticamente garantizado encontrar más de un tesoro en las tiendas de San Francisco.

LIBRERÍAS

Limelight Books es la mayor fuente que queda en la costa oeste para obras de teatro, guiones de cine y libros sobre escritura y dirección. Los *beats* se reunían en la década de 1960 en **City Lights Bookstore** *(ver p. 88)*, una famosa institución de San Francisco; permanece abierta hasta tarde, por lo que constituye un popular punto de encuentro de estudiantes. **Green Apple Books** dispone de ejemplares nuevos y de segunda mano; cierra a las 22.30 (a las 23.30 los viernes y sábados). En **Borders Books & Music** se puede encontrar casi de todo, mientras que **The Booksmith,** situada en Haight Ashbury, destaca por su surtido de publicaciones extranjeras y de contenido político. **Cover to Cover** es una librería de barrio con simpáticos dependientes y una excelente sección para niños. **Stacy's of San Francisco** y **Alexander Books** disponen de interesantes selecciones de libros infantiles y de interés general.

LIBRERÍAS ESPECIALIZADAS

Los libros de temática afroamericana se pueden encontrar en **Marcus Books. The Complete Traveller** y **Rand McNally Map & Travel Store** cuentan con un amplio surtido de guías y mapas locales y del resto del mundo. **Get Lost Travel Books, Maps & Gear** también posee una gran selección de literatura de viajes y mapas.

DISCOS, CINTAS Y DISCOS COMPACTOS

Las sucursales de **Virgin** están abastecidas con una gran variedad de música. **Streetlight Records** ofrece una variada selección de discos nuevos y usados, así como DVD y vídeos a precios rebajados. Los sonidos oscuros se pueden encontrar en **Recycled Records,** en Haight St., donde se compran, venden y cambian grabaciones nuevas o de segunda mano. Los amables y expertos empleados de **Open Mind Music** venden temas antiguos y modernos y otros artículos relacionados con la música. **Amoeba Music** ofrece la mayor selección de discos compactos y cintas del país: 500.000 títulos, tanto nuevos como de segunda mano, entre los que se incluyen obras de jazz, blues y rock internacional. Este paraíso de los coleccionistas de música es el lugar al que deben acudir quienes busquen rarezas musicales a precios económicos.

TIENDAS DE PARTITURAS

Para encontrar la mayor selección de temas clásicos hay que dirigirse a **Byron Hoyt Sheet Music Service.** En el **Music Center of San Francisco** se vende todo tipo de música y libros.

GALERÍAS DE ARTE

Todos los amantes del arte pueden encontrar piezas de su gusto en los cientos de galerías de la ciudad. **John Berggruen Gallery** *(ver p. 38)* reúne el conjunto más amplio de obras de artistas emergentes y consolidados de San Francisco. **The Simmon's Gallery** vende obra gráfica de maestros contemporáneos de la talla de Picasso, Matisse y Miró. **Fraenkel Gallery** es conocida por su colección de fotografía de los siglos XIX y XX. **Haines Gallery,** en el mismo edificio, dispone de pinturas, dibujos, esculturas y fotografías.

Compositions Gallery exhibe piezas de arte de cristal y madera. Las obras más recientes de artistas estadounidenses cuelgan en la **Gallery Paule Anglim. John Pence Gallery** está centrada en el realismo. **Kertesz International Fine Art** destaca por sus óleos de los siglos XIX y XX.

Aquellas personas que busquen obras asequibles de artistas de la bahía han de visitar la galería **Hang.** En **Vista Point Studios Gallery** se hallan las fotos más extraordinarias de la bahía y de muchos más lugares.

ARTE ÉTNICO Y ESTADOUNIDENSE

Existen diversas galerías con notables colecciones de arte étnico. **Folk Art International, Xanadu & Boretti,** en el Frank Lloyd Building, dispone de máscaras, telas, esculturas y joyas. Las exposiciones de **Albers Gallery of Inuit Art** recogen la cultura y las tradiciones de los inuit (esquimales). En **African Outlet** se pueden encontrar máscaras, joyas y tejidos africanos, aunque también resulta difícil resistirse a la alfarería y máscaras japonesas de **Ma-Shi'-Ko Folk Craft.** La **Galería de la Raza** exhibe obras tradicionales y actuales de artistas locales.

ANTIGÜEDADES INTERNACIONALES

El área de Barbary Coast de San Francisco *(ver pp. 26-27)* se ha transformado en una zona comercial de antigüedades, que recibe el nombre de Jackson Square *(ver p. 110).* En **Baker Hamilton Square** se concentran varios anticuarios. **Ed Hardy San Francisco** trabaja con antigüedades inglesas y francesas. **Lang Antiques** dispone de todo tipo de objetos de los periodos victoriano, eduardiano, *art nouveau* y *art déco.* **Dragon House** vende antigüedades orientales y delicadas piezas de arte, mientras que en **Prints Old & Rare** se puede encontrar libros, grabados y mapas antiguos, aunque es preciso concertar cita.

INFORMACIÓN GENERAL

LIBRERÍAS

Alexander Books
50 Second St.
Plano 6 D4.
Tel 495-2992.

Borders
400 Post St.
Plano 5 B4.
Tel 399-1633.

The Booksmith
1644 Haight St.
Plano 9 B1.
Tel 863-8688.

**City Lights
Bookstore**
261 Columbus Ave.
Plano 5 C3.
Tel 362-8193.

Limelight Books
1803 Market St.
Plano 10 E1.
Tel 864-2265.

Cover to Cover
3812 24th St.
Plano 10 E4.
Tel 282-8080.

Green Apple Books
506 Clement St.
Plano 3 A5.
Tel 387-2272.

**Stacy's of San
Francisco**
581 Market St.
Plano 5 C4.
Tel 421-4687.

LIBRERÍAS ESPECIALIZADAS

**The Complete
Traveler**
3207 Fillmore St.
Plano 4 D2.
Tel 923-1511.

**Get Lost Travel
Books, Maps &
Gear**
1825 Market St.
Plano 10 E1.
Tel 437-0529.

Marcus Books
1712 Fillmore St.
Plano 4 D4.
Tel 346-4222.

**Rand McNally Plano
& Travel Store**
595 Market St.
Plano 5 C4.
Tel 777-3131.

DISCOS, CINTAS Y DISCOS COMPACTOS

Amoeba Music
1855 Haight St..
Plano 9 B1.
Tel 831-1200.

Open Mind Music
342 Divisadero St.
Plano 10 D1.
Tel 621-2244.

Recycled Records
1377 Haight St.
Plano 9 C1.
Tel 626-4075.

Streetlight Records
2350 Market St.
Plano 10 D2.
Tel 282-8000.

Virgin Megastore
Stockton St con
Market St.
Plano 5 C5.
Tel 397-4525.
Una de varias sucursales.

TIENDAS DE PARTITURAS

**Byron Hoyt Sheet
Music Service**
360 Florida St.
Plano 11 A3.
Tel 431-8055.

**Music Center of San
Francisco**
207 Powell St.
Plano 5 B1.
Tel 781-6023.

GALERÍAS DE ARTE

**Compositions
Gallery**
317 Sutter St.
Plano 5 C4.
Tel 885-0402.

Fraenkel Gallery
49 Geary St.
Plano 5 C5.
Tel 981-2661.

**Gallery Paule
Anglim**
14 Geary St.
Plano 5 C5.
Tel 433-2710.

Haines Gallery
5ª planta, 49 Geary St.
Plano 5 C5.
Tel 397-8114.

Hang
556 Sutter St.
Plano 3 C4.
Tel 434-4264.

**John Berggruen
Gallery**
228 Grant Ave.
Plano 5 C4.
Tel 781-4629.

John Pence Gallery
750 Post St.
Plano 5 B5.
Tel 441-1138.

**Kertesz
International Fine
Art**
535 Sutter St.
Plano 5 B4.
Tel 626-0376.

**Vista Point
Studios Gallery**
405 Florida St.
Plano 11 A3.
Tel 215-9073.

**The Simmon's
Gallery**
565 Sutter St.
Plano 5 B4.
Tel 986-2244.

ARTE ÉTNICO Y ESTADOUNIDENSE

African Outlet
524 Octavia St.
Plano 4 E5.
Tel 864-3576.

**Albers Gallery of
Inuit Art**
760 Market St.
Plano 5 C5.
Tel 391-2111.

**Folk Art
International,
Xanadu & Boretti**
Frank Lloyd Wright Bldg.,
140 Maiden Lane
Plano 5 B5.
Tel 392-9999.

Galeria de la Raza
Studio 24, 2857 24th St.
Plano 10 F4.
Tel 826-8009.

**Images of the
North**
2036 Union St.
Plano 4 E2.
Tel 673-1273.

Instinctiv Designs
3529 Mission St.
Tel 647-2131.

Japonesque
824 Montgomery St.
Plano 5 C3.
Tel 391-8860.

**Ma-Shi'-Ko
Folk Craft**
1581 Webster St,
Japan Center. **Plano** 4 E4.
Tel 346-0748.

ANTIGÜEDADES INTERNACIONALES

Dragon House
455 Grant Ave.
Plano 6 C4.
Tel 421-3693.

**Ed Hardy San
Francisco**
188 Henry Adams St.
Plano 10 D2.
Tel 626-6300.

**Jackson Square Art
& Antique Dealers
Association**
463 Jackson St (junto a
Jackson Square). **Plano** 5 C3.
Tel 397-6999.

Lang Antiques
323 Sutter St. **Plano** 5 C4.
Tel 982-2213.

Prints Old & Rare
580 Mount Crespi Drive,
Pacifica, California.
Tel (650) 355-6325.

Alimentación y artículos domésticos

Los productos de alimentación de la ciudad son de lo más selecto. Cuando no salen fuera, muchos habitantes de San Francisco disfrutan preparando la comida en casa, con sus despensas bien surtidas y sus cocinas ultramodernas. Los amantes del buen vino, *delicatessen* y los diferentes artilugios que convierten la cocina en una forma de arte pueden abastecerse aquí. Además, existen multitud de comercios dedicados a los últimos artículos para el hogar, ordenadores y equipos de fotografía y electrónica.

'DELICATESSEN'

Los ultramarinos selectos como **Whole Foods** disponen de un gran surtido de productos; trabajan con productos frescos californianos y alimentos de primera calidad de importación. **Williams-Sonoma** vende mermeladas, mostazas y mucho más. **David's** es conocido por su *lox* (salmón ahumado), sus panecillos y la tarta de queso. Para avituallarse para una excursión o elegir un conjunto de productos con bonitos envoltorios, se recomiendan las secciones de alimentación de grandes almacenes como **Macy's Cellar**. La mayoría de las grandes cadenas de alimentación cuenta con buenas secciones internacionales.

Además de productos frescos para comer en el día, los *delicatessens* italianos venden aceite de oliva, polenta y pastas italianas. **Molinari Delicatessen** es famoso por sus raviolis y *tortellini* listos para calentar. Los dependientes de **Luca Ravioli** preparan la pasta en el establecimiento. **Pasta Gina,** en el encantador Noe Valley, vende pasta, *pesto* preparado y otras salsas con grandes albóndigas.

Merece la pena desplazarse a los barrios chinos –Chinatown *(ver pp. 94-99),* en el centro, y Clement St. *(ver p. 63)–*, si se desa adquirir productos y alimentos asiáticos. **Casa Lucas Market** vende especialidades españolas y latinoamericanas.

TIENDAS ESPECIALIZADAS DE ALIMENTACIÓN Y VINO

Las barras de pan ácimo fresco de **Boudins Sourdough Bakery** son muy populares. **Boulange-rie,** un trozo de París en San Francisco, ofrece el mejor pan de la ciudad. Se pueden comprar especialidades italianas en la panadería **Il Fornaio,** un comercio abierto por el restaurante homónimo *(ver p. 230).* **La Nouvelle Patisserie** vende deliciosa repostería. Las empanadas de carne y fruta de **Beppie's Pie Shop** son inmejorables.

Existen numerosos establecimientos especializados en café. El **Caffè Trieste** vende café tostado o de mezcla por encargo, así como un surtido de cafeteras. Tanto **Caffè Roma Coffee Roasting Company** como **Graffeo Coffee Roasting Company** disponen de granos de primera calidad. **Peet's Coffee & Tea** y la empresa **Tully's Coffee** cuentan con una clientela fiel.

Los adictos al chocolate suelen frecuentar **See's Candies, Confetti Le Chocolatier** y la sucursal de **Ghirardelli's** en San Francisco. **Joseph Schmidts** vende trufas sin parangón. **Ben & Jerry's Ice Cream** y **Hot Cookie Double Rainbow** se sitúan entre las mejores heladerías.** Para comprar especias indias de importación, se debe acudir a **Bombay Bazaar.**

El personal de **California Wine Merchant** conoce bien sus vinos asequibles y asesora a los clientes. **Napa Valley Winery Exchange** dispone de caldos seleccionados de diferentes bodegas californianas.

MERCADOS

Los camiones descargan productos de la zona en los mercados agrícolas del centro de la ciudad, donde se montan puestos diarios y los granjeros atienden directamente al público. **Heart of the City** abre de 7.00 a 17.30 los miércoles y hasta las 17.00 los domingos. A **Ferry Plaza** se puede ir de 9.00 a 14.00 los sábados. Las tiendas de ultramarinos de Chinatown con su variedad y abundancia se asemejan a un mercado; abren todos los días. En los mercadillos callejeros se vende todo tipo de de artículos; el de **Berkeley,** por ejemplo, no está lejos de la ciudad. Se debe estar dispuesto a regatear y a pagar en efectivo. En algunos mecados, hay que abonar una entrada simbólica.

ARTÍCULOS DOMÉSTICOS

El menaje y equipamiento de cocina de **Williams-Sonoma's** son ideales para los cocineros. **Crate & Barrel** vende artículos a precios moderados para la cocina y la terraza, desde prácticas ollas a preciosas fuentes. **Wok Shop** está espcializado en equipamiento de cocina chino. En cuanto a ropa de cama, baño y mesa y otros objetos para el hogar se recomienda **Bed, Bath & Beyond. Sue Fisher King** vende artículos elegantes y actuales para la casa. Si se desea elegir entre una amplia gama de telas y accesorios, como seda, lana, algodón, botones, lazos, encaje e incluso materiales de tapicería, hay que dirigirse a **Britex Fabrics.**

INFORMÁTICA, ELECTRÓNICA Y FOTOGRAFÍA

Uno de los mejores establecimientos de informática es **Central Computers.** Para *software* y cualquier otro aparato electrónico, se recomienda visitar **Best Buy. Video Only** compite con una amplia selección de equipos a precios razonables.

Para comprar máquinas de fotografía, carretes o realizar reparaciones, los mejores establecimientos son **Adolph Gasser Inc.** o **Brooks Camera.** Algunas tiendas de cámaras de fotos de Market St. tienen una dudosa reputación, por lo que conviene informarse de los establecimientos de confianza a través del Visitor Information Center *(ver p. 117).* Si sólo se necesitan carretes u otros artículos de fotografía, **Photographer's Supply** ofrece precios muy económicos y buen asesoramiento.

INFORMACIÓN GENERAL

'DELICATESSEN'

Casa Lucas Market
2934 24th St.
Plano 9 C3.
Tel 826-4334.

David's
474 Geary St.
Plano 5 A5.
Tel 276-5950.

Lucca Ravioli
1100 Valencia St.
Plano 10 F3.
Tel 647-5581.

Macy's Cellar
Stockton St con
O'Farrell St.
Plano 5 C1.
Tel 296-4436.

Molinari Delicatessen
373 Columbus Ave.
Plano 5 C3.
Tel 421-2337.

Pasta Gina
741 Diamond St.
Plano 10 D4.
Tel 282-0738.

Whole Foods
1765 California St.
Plano 4 F4. *Tel 674-0500.*

Williams-Sonoma
340 Post St. **Plano** 5 C4.
Tel 362-9450. www.
williams-sonoma.com
Una de varias sucursales.

TIENDAS ESPECIALIZADAS DE ALIMENTACIÓN Y VINO

Ben & Jerry's Ice Cream
1480 Haight St. **Plano**
9 C1. *Tel 626-4143.*
www.ben&jerrys.com

Bombay Bazaar
548 Valencia St.
Plano 10 F2. *Tel 621-1717.*

Boudins Sourdough Bakery
4 Embarcadero Center.
Plano 6 D3. *Tel 362-3330.*
Una de varias sucursales.

Boulangerie
2325 Pine St. **Plano** 4 D4.
Tel 440-0356.

Caffè Roma Coffee Roasting Company
526 Columbus Ave.
Plano 5 B2.
Tel 296-7942.

Caffè Trieste
601 Vallejo St. **Plano** 5 C3.
Tel 982-2605.

California Wine Merchant
3237 Pierce St.
Plano 4 D2.
Tel 567-0646.

Confetti Le Chocolatier
525 Market St.
Plano 5 D3.
Tel 543-2885.

Ghirardelli's
Ghirardelli Square.
Plano 4 F1.
Tel 474-3938.
44 Stockton St.
Plano 5 C1.
Tel 397-3030.

Graffeo Coffee Roasting Company
735 Columbus Ave.
Plano 5 B2.
Tel 986-2420.

Hot Cookie Double Rainbow
407 Castro St.
Plano 10 D2.
Tel 621-2350.
Una de varias sucursales.

Il Fornaio Bakery
1265 Battery St.
Plano 5 C2.
Tel 986-0646.

Joseph Schmidt
3489 16th St.
Plano 10 E2.
Tel 861-8682.

La Nouvelle Patisserie
2184 Union St.
Plano 4 D2.
Tel 931-7655.

Napa Valley Winery Exchange
415 Taylor St. **Plano** 5 B5.
Tel 771-2887. www.
napavalleywineryex.com

Peasant Pies
4108 24th St.
Plano 10 D4.
Tel 642-1316.

Peet's Coffee & Tea
2156 Chestnut St.
Plano 4 D2.
Tel 931-8302.
Una de varias sucursales.

See's Candies
3 Embarcadero Center.
Plano 6 D3.
Tel 391-1622.
Una de varias sucursales.

Tango Gelato
2015 Fillmore St.
Plano 4 D4.
Tel 346-3692.

The Stinking Rose
325 Columbus Ave.
Plano 5 C3.
Tel 781-7673. www.
thestinkingrose.com

Tully's Coffee
2 Embarcadero Center.
Plano 6 D3.
Tel 391-9447.
Una de varias sucursales.

MERCADOS

Berkeley Flea Market
1837 Ashby Ave,
Berkeley, CA 94703.
Tel (510) 644-0744.

Ferry Plaza Farmers' Market
Junto a Embarcadero.
Plano 6 D3. *Tel 291-3276.* www.ferry
plazafarmersmarket.com

Heart of the City Farmers' Market
United Nations Plaza.
Plano 11 A1.
Tel 558-9455.

ARTÍCULOS DOMÉSTICOS

Bed, Bath & Beyond
555 9th St.
Plano 11 A4.
Tel 252-0490.

Britex Fabrics
146 Geary St.
Plano 5 C5.
Tel 392-2910.

Crate & Barrel
55 Stockton St.
Plano 5 C5.
Tel 982-5200.
www.crateandbarrel.com

Sue Fisher King
3067 Sacramento St.
Plano 3 C4.
Tel 922-7276.

The Wok Shop
718 Grant Ave.
Plano 5 C4.
Tel 989-3797.

Williams-Sonoma
340 Post St.
Plano 5 C4.
Tel 362-9450. www.
williams-sonoma.com
Una de varias sucursales.

INFORMÁTICA, ELECTRÓNICA Y FOTOGRAFÍA

Adolph Gasser, Inc
181 Second St.
Plano 6 D5.
Tel 495-3852.

Best Buy
1717 Harrison St.
Plano 11 A3
Tel 626-9682.

Brooks Camera
125 Kearny St.
Plano 5 C4.
Tel 362-4708.

Central Computers
837 Howard St.
Plano 5 C5.
Tel 495-5888.

Photographer's Supply
436 Bryant St.
Plano 11 C1.
Tel 495-8640.

Video Only
1199 Van Ness Ave.
Plano 4 F4.
Tel 563-5200.
Una de varias sucursales.

TIEMPO DE OCIO

San Francisco se enorgullece de ser la capital cultural de la costa oeste desde que comenzó a prosperar como ciudad en la década de 1850. Las actividades de ocio son generalmente de gran calidad.

El complejo de artes escénicas del Civic Center es el principal escenario de música clásica, ópera y danza. La última incorporación a la vida cultural de la ciudad es el Centro de Arte de Yerba Buena Gardens, donde se puede asistir a espectáculos de compañías internacionales. Las numerosas salas de cine comercial *(ver pp. 262-263)* ofrecen una amplia

Beach Blanket Babylon
(ver p. 263)

cartelera. En cambio, el teatro, a excepción de algunas producciones independientes, no es lo más destacado de la agenda cultural de la ciudad. San Francisco es famosa por su ambiente musical, especialmente por su jazz y su blues. Se pueden escuchar a grupos de calidad en pequeños locales sólo pagando una consumición, o bien en las fiestas de los barrios y en los festivales de música que se celebran durante los meses de verano *(ver pp. 48-51)*. Los amantes del deporte cuentan con variadas instalaciones donde practicar desde ciclismo hasta pesca, pasando por el golf.

INFORMACIÓN

Los periódicos *San Francisco Chronicle* y *Examiner* publican en sus páginas una cartelera con todo lo que acontece en la ciudad. La edición dominical del *Chronicle* resulta de gran utilidad, pues incluye la sección *Datebook* (también denominada *Pink Pages, Páginas Rosas),* que proporciona reseñas de cientos de eventos que se celebran cada semana. Los periódicos semanales gratuitos constituyen otra fuente interesante de información, como es el caso de *San Francisco Bay Guardian* o *San Francisco Weekly* (disponible en quioscos, cafés y bares),

Cartel del festival de jazz *(ver p. 266)*

que ofrecen tanto listados como artículos sobre conciertos, películas y locales nocturnos.

Los viajeros pueden encontrar de gran utilidad hojear *San Francisco Book,* una publicación semestral de la Oficina de Turismo y Congresos de San Francisco, que recoge los eventos culturales de la ciudad. Este libro se puede conseguir gratuitamente en el centro de información de visitantes de Hallidie Plaza. Existen numerosas revistas gratuitas para los visitantes, así como calendarios de

eventos, entre los que se cuentan *Key This Week San Francisco* y *Where San Francisco.*

ENTRADAS

La principal taquilla de entradas para conciertos, obras de teatro y espectáculos deportivos es **Ticketmaster.** Esta empresa conforma prácticamente un monopolio de venta de entradas: gestiona un amplio servicio de compra telefónica en las tiendas Tower Records del norte de California. Cobra una comisión de 7 $ por entrada. La única alternativa a Ticketmaster es adquirir las entradas directamente en las taquillas, aunque muchas abren poco antes del comienzo de las representaciones nocturnas.

Muchas de las producciones de la orquesta sinfónica y de las compañías de danza y ópera de San Francisco cuelgan pronto

Oficina de venta de entradas de San Francisco

Ajedrez al aire libre en Portsmouth Plaza, Chinatown

el cartel de "no hay billetes", por lo que, si se tiene previsto acudir a alguna de ellas, resulta imprescindible reservar con antelación. Todas cuentan con abonos para la temporada, con los cuales resulta más fácil conseguir entrada y que resultan muy prácticos si se planea una estancia prolongada.

En San Francisco sólo existen unas cuantas oficinas de venta de entradas y la mayoría está especializada en butacas caras difíciles de conseguir. Todas ellas figuran en las páginas amarillas. Antes de que comiencen los espectáculos de los que se han agotado las entradas, es habitual ver a personas dedicadas a la reventa a precios desorbitados.

Festival de blues *(ver p. 267)*

ENTRADAS CON DESCUENTO

TIX Bay Area ofrece butacas a mitad de precio en la taquilla situada en el lado este de Union Square. Las entradas se venden a partir de las 11.00 el mismo día de las representaciones y pueden pagarse en efectivo o con cheques de viaje. Además, los fines de semana cabe la posibilidad de adquirir algunas entradas a mitad de precio para el domingo y lunes siguientes.

TIX Bay Area funciona también como oficina de venta de entradas con descuento; acepta tarjetas de crédito. Abre de martes a jueves de 11.00 a 18.00, viernes y sábados de 11.00 a 19.00 y domingos de 11.00 a 15.00.

EVENTOS GRATUITOS

En San Francisco se celebran eventos gratuitos en numerosos escenarios. La orquesta sinfónica de San Francisco ofrece una serie de conciertos dominicales a finales de verano en Stern Grove, al sur de Sunset District, que esporádicamente también acoge espectáculos danza.

El Cobbs Comedy Club, situado en Fisherman's Wharf, organiza el concurso de comedia internacional de San Francisco durante cuatro semanas entre agosto y septiembre.

Los cantantes de la ópera de San Francisco actúan al aire libre en el Financial District durante el ciclo Brown Bag Operas. También se les puede escuchar en los conciertos del programa Opera in the Park, que tiene lugar en Golden Gate Park. En verano este parque es escenario del festival de Shakespeare, del Día de la Comedia y de la compañía de mimo de San Francisco. El conjunto de conciertos denominado Music in the Park se celebra los viernes a mediodía en verano detrás de la Transamerica Pyramid *(ver p. 111)*. Old St. Mary's Cathedral *(ver p. 98)* acoge en ocasiones, durante la semana, recitales a las 12.30.

VIAJEROS DISCAPACITADOS

California está a la cabeza de EE UU en lo que a accesos e intalaciones para discapacitados se refiere. En consecuencia, la mayoría de los teatros y salas de conciertos de San Francisco son totalmente accesibles y disponen de áreas adecuadas para espectadores que utilicen silla de ruedas. Algunas salas de cine también cuentan con audífonos amplificadores para sordos. Para cerciorarse de las instalaciones, hay que ponerse en contacto con las salas. También se puede consultar *Información práctica (ver p. 280)*.

Presidio Cinema *(ver p. 262)*

INFORMACIÓN
TELÉFONOS ÚTILES

San Francisco Convention and Visitors Bureau
Suite 900, 201 3rd St.
San Francisco, CA 94103-9097.
Tel 974-6900. www.sf.visitor.org
Visitor Info Center, planta baja de Hallidie Plaza, en la esquina de Powell St. con Market St.
Tel 391-2000.

Servicio de espectáculos (24 horas)
📧 391-2122 (español)

OFICINAS DE VENTA DE ENTRADAS

Ticketmaster
Compra telefónica. *Tel 421-8497.*
www.tickets.com

TIX Bay Area
Lado este de Union Sq., Powell St. entre Geary St. y Post St.
Tel 433-7827.
www.theatrebayarea.org

AT&T Park, estadio de los San Francisco Giants *(ver p. 272)*

Lo mejor de San Francisco: tiempo de ocio

Con una oferta tan amplia de ocio, San Francisco se sitúa entre las ciudades más animadas del mundo. Aquí actúan grandes figuras de diferentes artes y estilos. Muchos artistas incluso eligen la ciudad como lugar de residencia, atraídos por el ambiente creativo. Además de contar con la mejor compañía de ópera, ballet y orquesta sinfónica de la costa oeste, San Francisco fomenta una rica escena de jazz y rock, así como de diversos grupos de teatro y danza. Los aficionados al deporte tienen la oportunidad de asistir y participar en numerosas citas. Y, cómo no, los espectaculares parques y espacios lúdicos permiten realizar toda clase de actividades al aire libre.

Fillmore Auditorium
Famoso por actuaciones de la década de 1960, este auditorio ha sido remodelado para convertirse en un escenario musical de primera. (Ver p. 266).

Presidio

Pacific Heights y Marina District

Golden Gate Park y Land's End

Civic Center

Día de la Comedia de San Francisco
Este festival anual, celebrado en Golden Gate Park, brinda al público la oportunidad de ver a nuevos talentos que pueden convertirse en estrellas como Whoopi Goldberg. (Ver p. 259).

Haight Ashbury y Mission District

0 kilómetros 2
0 millas 1

Ballet al aire libre en Stern Grove
Este anfiteatro natural constituye un apacible marco para danza. (Ver p. 259).

Clay Theatre
Para ver películas extranjeras hay que ir al Clay Theatre, en Fillmore St. Fue construido en 1910 y es uno de los teatros más antiguos de la ciudad. (Ver p. 262).

Artistas callejeros en Fisherman's Wharf

En Fisherman's Wharf, varios músicos, malabaristas e improvisadores entretienen a la multitud. (Ver p. 259).

The Saloon

En este popular bar de North Beach actúan todas las noches bandas de blues locales. El Saloon data de 1861 y es un auténtico superviviente de la fiebre del oro. (Ver p. 266).

Fisherman's Wharf y North Beach

Financial District y Union Square

Fairmont Hotel

En los piano-bares de los grandes hoteles se puede escuchar la mejor música en directo. En Tonga Room, en el Fairmont, Tony Bennett hizo famoso su tema "I left my heart in San Francisco". (Ver p. 266).

Geary Theater

Este edificio emblemático, sede del prestigioso American Conservatory Theater, fue ampliamente restaurado tras el terremoto de 1989. (Ver p. 263).

War Memorial Opera House
Hay que reservar con antelación para disfrutar de la Ópera de San Francisco. (Ver p. 264).

Slim's

Slim's, uno de los clubes nocturnos más exclusivos de SoMa, ofrece una mezcla de jazz, rock y blues. (Ver p. 266).

Cine y teatro

En San Francisco existe una ávida comunidad de cinéfilos. Los estrenos de las últimas grandes producciones se proyectan en los cines de barrio. Conforme a su estatus de importante ciudad cultural, San Francisco acoge varios festivales cinematográficos. Además del festival internacional y el festival de Mill Valley, muy conocidos, se programan ciclos de cine y vídeo temáticos.

La oferta teatral es menos variada y más cara que la cinematográfica, y, en ocasiones, puede suceder que en cartelera sólo haya unos pocos montajes entre los que elegir. Los teatros comerciales, que acogen obras itinerantes de Broadway y otras de compañías locales, se concentran en el Theater District *(ver p. 116),* a lo largo de Geary St., al oeste de Union Square. Fort Mason Center *(ver pp. 74-75)* es otro centro teatral, con una reputación más vanguardista.

ESTRENOS

La experiencia multimedia más moderna de la ciudad la proporciona **Sony Metreon,** un macrocomplejo de 15 salas, que además, ofrece tecnología IMAX, tiendas, restaurantes y programas especiales. **AMC Kabuki,** del Japan Center *(ver p. 128),* el moderno **Embarcadero** y **Presidio Theater** son otros multicines magníficos. El Embarcadero también destaca por sus películas extranjeras y alternativas. Los precios de todas las salas de estreno son similares.

Otras salas populares son **AMC 1000 Van Ness** y **Loew's Theater at the Sony Metreon.** Century San Francisco Centre, en el Westfield Shopping Centre, tiene butacas de lujo y una cafetería para gastrónomos. Por lo general, las sesiones comienzan al mediodía, con sesiones cada dos horas hasta las 22.00. En ocasiones, los fines de semana se programan pases a medianoche.

Casi siempre se consiguen entradas a mitad de precio como mínimo para la primera sesión, aunque esto varía de una sala a otra. Kabuki ofrece sus mejores descuentos de 16.00 a 18.00 todos los días.

PELÍCULAS EXTRANJERAS E INDEPENDIENTES

Los principales cines que programan cine extranjero son **Clay,** en Pacific Heights, **Lumiere,** en Civic Center, y **Opera Plaza,** un multicine con cuatro salas. Todos ellos pertenecen a la cadena Landmark, que vende una tarjeta con descuento para cinco sesiones con un ahorro del 30%.

Castro *(ver p. 136),* la sala más antigua y mejor de San Francisco, proyecta clásicos de Hollywood y otras reposiciones, así como películas más modernas y singulares, en una cartelera que cambia a diario.

El elegante **Roxie,** una sala independiente de Mission District, y el minúsculo **Red Vic** de Haight Ashbury también programan viejas películas y estrenos originales.

Cinematheque, más alternativa y sugerente, organiza sesiones los domingos por la noche en el San Francisco Art Institute y los jueves por la noche en el **Yerba Buena Center for the Arts.**

FESTIVALES DE CINE

El **festival internacional de cine de San Francisco,** que se celebra en el complejo Kabuki durante una quincena de mayo, suele ofrecer algunos éxitos comerciales, aunque generalmente se proyectan estrenos independientes y extranjeros.

Las entradas se agotan muy pronto, por lo que se hace necesario reservar con tres o cuatro días de antelación. El **festival de cine de Mill Valley,** que tiene lugar a principios de octubre, también es una cita imprescindible, al igual que el **festival de cine de gays y lesbianas,** de creciente prestigio, que se programa en junio en **Castro, Roxie** y **Yerba Buena Center for the Arts.**

CLASIFICACIÓN PARA EL PÚBLICO

En EE UU las películas se clasifican de la siguiente forma:

G (*General*) Apta para todos los públicos.

PG (*Parental guidance*) No recomendada para niños.

PG-13 No recomendada para menores de 13 años.

R (*Restricted*) Los menores de 17 años han de ir acompañados por un adulto.

NC-17 (*No children under 17*) No apta para menores de 17 años.

RODAJES

Muchos lugares de San Francisco y los alrededores han aparecido en varias películas:

Alcatraz es la famosa prisión de *El hombre de Alcatraz y Fuga de Alcatraz.*
Alta Plaza Park alberga la escalera que Barbra Streisand bajó conduciendo en *¿Qué me pasa, doctor?*
Bodega Bay, en la costa al norte de San Francisco, es la pequeña localidad de *Los pájaros* de Hitchcock.
Chinatown es escenario de *Chan is missing, La lista negra, Dim Sum y Hammett.*
Fillmore Auditorium, con un concierto de Grateful Dead, es el protagonista de *Fillmore.*
Mission District aparece en la violenta película policiaca *San Francisco, ciudad desnuda.*
Presidio es el escenario de un sangriento asesinato en *Más fuerte que el odio.*
Union Square aparece en *La conversación.*

TEATRO COMERCIAL

El teatro no es tan popular aquí como en otras grandes ciudades. A pesar de ello, casi siempre suele haber como mínimo dos producciones importantes en escena en los principales teatros del Theater District. **Golden Gate Theater, Curran Theater** y **Orpheum Theater** son tres de los más mayores y reciben los mejores montajes de Broadway. También cabe citar **New Conservatory Theater Center** y **Marines Memorial Theater. Stage Door Theater** disfruta de buena reputación gracias a sus cuidadas producciones. Los musicales y comedias se representan en **The Marsh.**

American Conservatory Theater (ACT) es la compañía más prestigiosa de la ciudad. Su sede permanente, el emblemático Geary Theater, ha reabierto sus puertas tras las reformas posteriores al terremoto de 1989 *(ver pp. 18-19).* La temporada se extiende de octubre a mayo.

TEATRO ALTERNATIVO

Con multitud de pequeñas salas repartidas por toda la ciudad y muchas más en la bahía, la escena ajena a la influencia de Broadway permanece viva y con buena salud, aunque resulte difícil localizarla. **Fort Mason** es el lugar más notorio, sede del **Magic Theater,** conocido a nivel nacional, y de otros grupos. También acoge un festival de dramaturgos en agosto *(ver p. 49).*

North Beach District cuenta con el **Actors Theater of San Francisco,** mientras que en Mission District se ubican el satírico **Theater Rhinoceros** y el atrevido **Theater Artaud.** La obra más querida de la ciudad, *Beach Blanket Babylon,* se representa en **Club Fugazi** de North Beach.

Otras compañías dignas de mención son **Intersection for the Arts; Exit Theater,** que incorpora tecnología multimedia, y **Berkeley Repertory Theater,** al este de la bahía, muy apreciado.

INFORMACIÓN GENERAL

ESTRENOS, PELÍCULAS EXTRANJERAS E INDEPENDIENTES

AMC 1000 Van Ness
Plano 4 F4.
Tel 922-4262.

AMC Kabuki
Plano 4 E4.
Tel 346-3243.

Bridge
Plano 3 B5.
Tel 267-4893.

Castro
Plano 10 D2.
Tel 621-6120.

Century San Francisco Centre
Plano 5 C5.
Tel 538-3456.

Cinematheque
Plano 11 B3.
Tel 552-1990.

Clay
Plano 4 D3.
Tel 267-4893.

Embarcadero
Plano 6 C3.
Tel 267-4893.

Loew's Theater at the Sony Metreon
Plano 5 C5.
Tel 369-6000.

Lumiere
Plano 4 F3.
Tel 267-4893.

Opera Plaza
Plano 4 F5.
Tel 267-4893.

Presidio Theater
Plano 3 C2.
Tel 776-2388.

Red Vic
Plano 9 B1.
Tel 668-3994.

Roxie
Plano 10 F2. *Tel 863-1087.*

Sony Metreon
Plano 5 C5.
Tel 369-6000.

Yerba Buena Center
Plano 5 C5.
Tel 978-2787.

FESTIVALES DE CINE

Festival internacional de cine
Plano 4 D5.
www.sffs.org
Tel 561-5000.

Festival de cine de gays y lesbianas
Plano 11 A2.
Tel 703-8650.
www.frameline.org

Festival de cine de Mill Valley
38 Miller Ave, Mill Valley.
Tel 383-5256.

TEATRO COMERCIAL

American Conservatory Theater (ACT)
Plano 5 B5.
Tel 749-2ACT.

Curran Theater
Plano 5 B5.
Tel 551-2000.

Golden Gate Theater
Plano 5 B5.
Tel 551-2000.

Marines Memorial Theater
Plano 5 B4.
Tel 771-6900.

New Conservatory Theatre Center
Plano 10 F1.
Tel 861-8972.

Orpheum Theater
Plano 11 A1.
Tel 551-2000.

Stage Door Theater
Plano 5 B5.
Tel 749-2228.

The Marsh
Plano 10 F3.
Tel 826-5750.

TEATRO ALTERNATIVO

Actors Theater of San Francisco
Plano 5 B4.
Tel 296-9179.

Berkeley Repertory Theater
2025 Addison St, Berkeley.
Tel (510) 845-4700.

Club Fugazi
Plano 5 B3.
Tel 421-4222.

Exit Theater
156 Eddy St
Plano 5 B5.
Tel 673-3847.

Fort Mason Center
Plano 4 E1.
Tel 441-3687.

Intersection for the Arts
Plano 10 F2.
Tel 626-2787.

Magic Theater
Plano 4 E1.
Tel 441-8001.

Theater Artaud
Plano 11 A3.
Tel 626-4370.

Theater Rhinoceros
Plano 10 F2.
Tel 861-5079.

Ópera, música clásica y danza

San Francisco se enorgullece de sus instituciones culturales y de su habilidad para atraer a figuras de talla internacional. Diversas empresas colaboran económicamente con estas artes, sin olvidar el gran apoyo del público, que queda patente en las salas a rebosar. Los principales escenarios, incluida la War Memorial Opera House y el Louise M. Davies Symphony Hall, se sitúan en el complejo de artes escénicas del Civic Center *(ver pp. 126-127).* La mejor época para asistir a las representaciones es en invierno y primavera, cuando las temporadas de ópera, orquestas sinfónicas y ballet se encuentran en todo su apogeo. Puede que resulte difícil conseguir entradas, por lo que conviene reservar con bastante antelación.

ÓPERA

La ópera goza de popularidad en la ciudad desde mucho antes de 1932, fecha en la que se construyó en San Francisco la primera sala de ópera municipal del país. La San Francisco Opera ha cosechado una gran fama internacional en los últimos años por ser uno de los mejores escenarios del mundo, acoger a figuras como Plácido Domingo o Dame Kiri Te Kanawa o contratar al artista David Hockney para diseñar los decorados. El libreto de todas las producciones se traduce al inglés en subtítulos que se proyectan al pie del escenario.

La temporada principal se extiende de septiembre a diciembre. Los espectáculos estivales especiales tienen lugar en junio y julio, meses en los que resulta más fácil conseguir entradas.

Las entradas cuestan desde aproximadamente 10 o 15 $ (de pie y para el mismo día del espectáculo) hasta más de 100 $. Se puede conseguir más información poniéndose en contacto con la **San Francisco Opera Association;** para consultar la disponibilidad de entradas, hay que dirigirse a la taquilla de la **War Memorial Opera House.**

Al otro lado de la bahía, la compañía **Berkeley Opera,** pequeña pero de gran categoría, ofrece representaciones durante abril y mayo en el Julia Morgan Theatre.

MÚSICA CLÁSICA

Louise M. Davies Symphony Hall, la incorporación más reciente al centro de artes escénicas Civic Center, se inauguró el 16 de septiembre de 1980. Tras duras críticas a su acústica, se tomó la decisión de llevar a cabo unas obras de mejora que comenzaron en 1991. La sala, que reabrió sus puertas en 1992, se ha convertido en el escenario principal de San Francisco para conciertos de música clásica de calidad, además de ser sede de la **San Francisco Symphony Orchestra.**

Esta orquesta ofrece hasta cinco conciertos por semana durante la temporada, de septiembre a junio. Los directores, cantantes y orquestas visitantes completan la programación con conciertos adicionales. En julio se celebra el ciclo Symphony Pops en Louise M. Davies Symphony Hall. **Herbst Theatre,** contiguo a la Opera House, acoge recitales de destacadas figuras.

Aparte de estos grandes acontecimientos, en la bahía se organizan otros muchos recitales y conciertos. La **Philharmonia Baroque Orchestra,** una orquesta de cámara con instrumentos de época, actúa en diversos emplazamientos de la ciudad, mientras que la histórica **Old First Presbyterian Church** acoge un conjunto de conciertos de música de cámara y recitales individuales los viernes por la noche y domingos por la tarde a lo largo de todo el año. **Florence Gould Theater,** en Legion of Honor, recibe a menudo pequeños grupos de música clásica; aquí también se puede escuchar instrumentos antiguos, como el clavicordio.

Hertz Hall, en el campus de la UC Berkeley *(ver pp. 176-177),* al otro lado de la bahía, acoge a estrellas emergentes de la música clásica en sus temporadas de invierno y primavera. La innovadora **Oakland East Bay Symphony** actúa en el emblemático Paramount Theater, de estilo *art déco.*

MÚSICA CONTEMPORÁNEA

La incorporación del **Yerba Buena Center for the Arts** ha promovido de manera significativa la música contemporánea en San Francisco. En el teatro de este centro y en el Forum, mucho menor, alternan los conciertos de compositores y músicos de la bahía, como John Adams o **Kronos Quartet,** con actuaciones de otros artistas extranjeros. Louise M. Davies Symphony Hall ofrece ocasionalmente conciertos de música contemporánea.

El otro escenario de música actual es **Zellerbach Hall,** en el campus de la UC Berkeley. **Cowell Theater** de Fort Mason también acoge conciertos dos veces al mes.

Audium es una de las aventuras musicales más originales de San Francisco. En esta escultura de sonido, el público se sienta a oscuras rodeado de cientos de altavoces.

BALLET Y DANZA

San Francisco Ballet, fundada en 1933, es la compañía de ballet profesional más antigua de EE UU. Bajo la dirección de Helgi Tomasson, ha demostrado ser una de las mejores a nivel internacional. La temporada, que se extiende de febrero a mayo, se inaugura con un montaje del *Cascanueces* de Tchaikovski. El programa incluye obras clásicas con coreografía de Balanchine, entre otros, así como estrenos.

Los talentos locales suben a escena en el pequeño **Theater Artaud** y en **ODC Performance Gallery,** ambos situados en Mission District. El **Yerba Buena Center for the Arts** es sede del **LINES Contemporary Ballet,** mientras que

Zellerbach Hall, al otro lado de la bahía, acoge las mejores producciones de gira, con invitados como Pilobolus, Dance Theater de Harlem o Merce Cunningham.

VISITAS ENTRE BASTIDORES

En Louise M. Davies Symphony Hall y War Memorial Opera House se programan visitas guiadas por los bastidores. Se pueden recorrer ambos edificios los lunes cada media hora de 10.00 a 14.00. Las visitas a Davies Symphony Hall sólo pueden concertarse los miércoles y sábados (hay que realizar las reservas con una semana de antelación). Todos los recorridos comienzan en la entrada de Grove St. y ofrecen una interesante perspectiva entre bambalinas.

EVENTOS GRATUITOS

Por toda la ciudad se celebran conciertos y representaciones gratis. La mayoría se programa al aire libre, durante el día y en el periodo estival. Por ejemplo, la San Francisco Symphony Orchestra ofrece una serie de conciertos dominicales a finales de verano en un frondoso anfiteatro natural en Stern Grove *(ver p. 259)*. Los cantantes de la San Francisco Opera Company interpretan una selección de arias a mediodía ante un público multitudinario en Bush St., en el Financial District, durante el ciclo Brown Bag Operas, y en Sharon Meadow y Golden Gate Park *(ver pp. 143-155)*, durante el festival Opera in the Park. Old St. Mary's Cathedral *(ver p. 98)* organiza recitales gratuitos los martes a

las 12.30. En verano, los viernes a mediodía se celebra Music in the Park en el recinto de secuoyas, detrás de la Transamerica Pyramid *(ver p. 111)*.

Grace Catedral ofrece un marco imponente para la música sacra que interpreta el coro de la catedral, integrado por hombres y niños. El coro, que fue fundado en 1913, canta en las vísperas los jueves a las 17.15 y en la misa que se oficia los domingos a las 11.00.

Para obtener más información sobre eventos gratuitos, se puede consultar en la SF Convention and Visitors Bureau *(ver p. 278)* o llamar a la línea permanente y actualizada: 415-391-2001. Otra opción consiste en leer la sección dominical *Datebook* de *San Francisco Chronicle, Examiner* o cualquiera de los semanales de ocio.

INFORMACIÓN GENERAL

ÓPERA

Taquilla de Berkeley Opera
2138 Cedar St. Berkeley.
Tel (510) 841-1903.

San Francisco Opera Association
301 Van Ness Ave.
Map 4 F5.
Tel 861-4008.

Taquilla de War Memorial Opera House
199 Grove St *(día)*,
Plano 4 E5;
301 Van Ness Ave *(noche)*,
Plano 4 F5.
Tel 864-3330.
www.sfopera.com

MÚSICA CLÁSICA

Old First Presbyterian Church
1751 Sacramento St.
Plano 4 F3.
Tel 474-1608.

Florence Gould Theater
Legion of Honor,
Lincoln Park.
Plano 1 C5.
Tel 863-3330.

Herbst Theatre
401 Van Ness Ave.
Plano 4 F5.
Tel 621-6600.

Hertz Hall
UC Berkeley.
Tel (510) 642-9988.

Taquilla de Louise M. Davies Symphony Hall
201 Van Ness Ave.
Plano 4 F5.
Tel 864-6000.

Taquilla de Oakland East Bay Symphony
2025 Broadway,
Oakland.
Tel (510) 444-0801.

Taquilla de Philharmonia Baroque Orchestra
180 Redwood St,
Suite 100.
Plano 4 F5.
Tel 392-4400.

Taquilla de San Francisco Symphony Association
201 Van Ness Ave.
Plano 4 F5.
Tel 864-6000.

MÚSICA CONTEMPORÁNEA

Audium
1616 Bush St.
Plano 4 F4.
Tel 771-1616.

Cowell Theater
Fort Mason Center
Pier 2.
Plano 4 E1.
Tel 441-3687.

Kronos Quartet
Tel 731-3533.

Yerba Buena Center
701 Mission St.
Plano 5 C5.
Tel 978-2787.
www.ybca.org

Zellerbach Hall
UC Berkeley.
Tel (510) 642-9988.

BALLET Y DANZA

LINES Contemporary Ballet
Yerba Buena Center for the Arts
700 Howard St.
Plano 5 C5.
Tel 978-2787.

ODC Performance Gallery
3153 17th St.
Plano 10 E3.
Tel 863-9834.

San Francisco Ballet
455 Franklin St.
Plano 4 F4.
Tel 861-5600.
www.sfballet.org

Taquilla de San Francisco Ballet
455 Franklin St.
Plano 4 F4.
Tel 865-2000.

Theater Artaud
450 Florida St.
Plano 11 A5.
Tel 626-4370.

VISITAS ENTRE BASTIDORES

War Memorial Performing Arts Center
199 Grove St.
Plano 4 E5.
Tel 552-8338.

EVENTOS GRATUITOS

Grace Cathedral
1051 Taylor St. **Plano** 5 B4. *Tel 749-6300.*
www.gracecathedral.org

Rock, jazz, blues y country

En San Francisco siempre se encuentra un local donde escuchar casi cualquier género de música, ya sea jazz sureño, country, folclore, *delta blues,* rap urbano, rock psicodélico o los últimos sonidos de África o del este de Europa. En los bares de los barrios se pueden ver grupos de calidad; además, existen diversos locales pequeños que cobran una entrada simbólica.

La escena musical de la ciudad posee una larga y diversificada tradición de primera calidad. El cartel cambia sucesivamente pero, sea cual sea, siempre es bueno.

LOCALES Y PRECIOS

Las primeras figuras internacionales suelen actuar en los grandes pabellones municipales de la bahía. Uno de los lugares más importantes de San Francisco es el **Masonic Auditorium,** en Nob Hill. Al sur de la ciudad hay dos espacios mayores, **Cow Palace** y **Shoreline Amphitheater,** mientras que los principales espectáculos de grandes dimensiones se celebran fuera de la ciudad, en la bahía.

Greek Theater, en Berkeley, acoge una serie de conciertos a lo largo de todo el verano. El inmenso **Chronicle Pavilion** de Concord recibe a figuras como Bonnie Raitt, Dave Matthews y Santana.

El mejor local de dimensiones medias de la ciudad es el elegante y antiguo **Warfield,** en Market St., que cuenta con pista de baile en la planta baja y asientos en la terraza; suele presentar música rock. Los clubes más pequeños se distribuyen por toda la ciudad, pero donde más se concentran es en el área de South of Market (SoMa), entre 11th St. y Folsom St.; en esta zona abren unas cuantas salas de rock y jazz. Las entradas a los clubes oscilan entre 5 y 20 $ (las tarifas son más elevadas los fines de semana). Algunos locales también exigen una o dos consumiciones mínimas. Las entradas para conciertos cuestan entre 15 y 25 $ y están a la venta en las taquillas o a través de BASS o Ticketmaster, que cobra una pequeña comisión por la gestión *(ver p. 259).*

Para conocer los listados y reseñas de los eventos en la ciudad y en toda la bahía, se recomienda consultar *SF Weekly, Bay Guardian* u otros periódicos locales *(ver p. 281),* o bien coger un ejemplar gratuito de *Bay Area Music (BAM),* disponible en tiendas de discos y clubes.

ROCK

San Francisco ofrece una dinámica escena rockera. Las bandas locales cuentan con sus propios circuitos, y la mayoría de los clubes son pequeños e informales. En febrero grupos y cantantes de todo el país se desplazan para presentar sus discos en Gavin Convention, organizada por la industria radiofónica. Sin embargo, el resto del año los eventos son en general a pequeña escala.

Slim's y **Bimbo's 365 Club** son dos de las mejores salas de rock para escuchar música en directo. Bimbo's acoge rock, jazz, country y R&B y atrae a un público heterogeneo. Slim's, del que el músico Boz Scaggs es copropietario, es un poco más selecto y tiende a invitar a artistas consolidados en su confortable sala de 436 asientos. Otro local popular es el **Fillmore Auditorium,** la legendaria cuna del rock psicodélico durante los años de *flower power* de la década de 1970 *(ver p. 129).*

Entre los locales más pequeños para escuchar música de calidad cabe citar el club **Bottom of the Hill,** en Potrero Hill, la legendaria sin peaje I-80, al sur de Market St., y **Great American Music Hall.** El mundo rock-punk de la bahía se centra en el club **924 Gilman Street** de Berkeley, apto para todas las edades.

JAZZ

A finales de la década de 1950, durante el apogeo de la generación *beat (ver p. 32),* San Francisco se convirtió en uno de los centros de jazz más dinámicos del país. Clubes nocturnos como el legendario Blackhawk compitieron con los locales más importantes de la nación con artistas de la talla de Miles Davis, John Coltrane o Thelonius Monk. Aunque la actividad ha descendido considerablemente, aún existen unas cuantas salas excelentes en las que escuchar jazz en directo. Si se busca jazz sureño tradicional en un marco informal (y gratis), se recomienda el agradable **Gold Dust Lounge,** junto a Union Square.

Aquellas personas que prefieran sonidos más modernos pueden elegir clubes como **Jazz at Pearl's,** en North Beach, o **Yoshi's,** en Jack London Sq. Aquí actúan multitud de grandes artistas de jazz y blues. También se recomiendan los piano-bares de los restaurantes y hoteles del centro; el mejor de ellos es el bonito **Carnelian Room,** en el edificio de Bank of America.

Para asistir a actuaciones de primera tal vez haya que desplazarse al este de la bahía; en esta zona destaca **Kimball's East,** considerado el mejor club de jazz de la bahía. En **SF Brewing Company** el jazz es protagonista casi todas las noches. Los clientes de **Moose's** pueden escuchar a pianistas de jazz de primera categoría mientras almuerzan o cenan.

El **festival de jazz de Monterey,** de fama internacional, se celebra anualmente en septiembre en esta ciudad *(ver pp. 186-187).* Monterrey se encuentra dos horas al sur de San Francisco.

BLUES

Todas las noches tocan buenas bandas de blues en algún lugar de la ciudad, ya sea en bares de North Beach como **The Saloon** o **The Boom Boom Room,** cuyo propietario era John Lee Hooker. **Lou's Pier 47,** en Fisherman's Wharf, tiene en cartel bandas de blues en directo casi todos los días, con actuaciones especiales los fines de semana. **Biscuits and Blues** presenta a estrellas locales los días laborables y conciertos especiales los fines de semana.

El **festival de blues de San Francisco** se celebra a finales de septiembre en Great Meadow, en Fort Mason (*ver pp. 74-75*).

FOLK, COUNTRY Y MÚSICAS DEL MUNDO

Desde la década de 1960, el interés masivo por la música folk ha ido disminuyendo progresivamente no obstante sus seguidores pueden asistir a conciertos en clubes y cafeterías de toda la bahía. **Freight & Salvage Coffeehouse,** en Berkeley, acoge a bandas de country y música sureña, además de cantautores; probablemente se trate de la sala de música folk más importante de la bahía. En **Starry Plough,** en Berkeley, también predomina el folk, aunque actúan numerosas estrellas de country. **Café du Nord** ofrece conciertos acústicos en su club subterráneo, mientras que **Sweetwater,** en

el condado de Marin, atrae a un elenco variopinto de cantantes y cantautores muy conocidos.

Mientras que los aficionados a la música country genuina han de buscar bastante para encontrar actuaciones adecuadas a su gusto, los amantes de las músicas del mundo lo tienen más fácil, pues es habitual que se programe algún concierto de *reggae, soca,* tambores *taiko,* música *klezmer,* etc. El acogedor **Ashkenaz Music & Dance Café** presenta un variado cartel de intérpretes de ritmos étnicos

INFORMACIÓN GENERAL

PRINCIPALES SALAS

Chronicle Pavilion
2000 Kirker Pass Road, Concord.
Tel (925) 363-5701.

Cow Palace
Geneva Ave con Santos St.
Tel 404-4111.

Greek Theater
UC Berkeley.
Tel (510) 642-9988.

Masonic Auditorium
1111 California St.
Plano 4 F3.
Tel 776-4702.
www.sfmasonic center.com

Shoreline Amphitheater
1 Amphitheater Parkway, Mountain View.
Tel (650) 967-4040.

Warfield
982 Market St.
Plano 5 C5.
Tel 775-7722.

ROCK

924 Gilman Street
924 Gilman St., Berkeley.
Tel (510) 525-9926.

Bimbo's 365 Club
1025 Columbus Ave.
Plano 5 A2.
Tel 474-0365.
www.bimbo365clubs. com

Bottom of the Hill
1233 17th St. **Plano** 11 C3. *Tel 621-4455.*

Fillmore Auditorium
1805 Geary Blvd.
Plano 4 D4.
Tel 346-6000.
www.thefillmore.com

Great American Music Hall
859 O'Farrell St.
Plano 5 A5
Tel 885-0750.

Hotel Utah
500 4th St.
Plano 5 C5.
Tel 546-6300.

Slim's
333 11th St.
Plano 10 F1.
Tel 255-0333.
www.slims-sf.com

JAZZ

Carnelian Room
555 California St, 52nd Fl.
Plano 5 C4.
Tel 433-7500.

Gold Dust Lounge
247 Powell St.
Plano 5 B5.
Tel 397-1695.

Jazz at Pearl's
256 Columbus Ave.
Plano 5 C3.
Tel 291-8255.

Kimball's East
5800 Shellmound St., Emeryville.
Tel (510) 658-2555.

Moose's
1652 Stockton St.
Plano 5 B2.
Tel 989-7800.

SF Brewing Company
155 Columbus Ave.
Plano 5 C3.
Tel 434-3344.

Yoshi's Nightspot
510 Embarcadero West.
Jack London Sq., Oakland
Tel (510) 238-9200.

BLUES

Biscuits and Blues
401 Mason St.
Plano 5 B5.
Tel 292-2583.

The Boom Boom Room
1601 Fillmore St.
Plano 10 F2.
Tel 673-8000.

Lou's Pier 47
300 Jefferson St.
Plano 5 B1.
Tel 771-5687.

The Saloon
1232 Grant Ave.
Plano 5 C3.
Tel 989-7666.

FOLK, COUNTRY Y MÚSICAS DEL MUNDO

Ashkenaz Music & Dance Café
1317 San Pablo Ave., Berkeley.
Tel (510) 525-5054.

Cafe Du Nord
2170 Market St.
Plano 10 E2.
Tel 861-5016.
www.cafedunord.com

Freight & Salvage Coffeehouse
1111 Addison St., Berkeley.
Tel (510) 548-1761.

Starry Plough
3101 Shattuck Ave. Berkeley.
Tel (510) 841-2082.

Sweetwater
153 Throckmorton Ave., Mill Valley. *Tel 388-2820.*

FESTIVALES DE MÚSICA

Festival de jazz de Monterey
2000 Fairgrounds Rd en Casa Verde, Monterey.
Tel (831) 373-3366.
www.montereyjazz festival.org

Festival de blues de San Francisco
Fort Mason. **Plano** 4 E1.
Tel 826-6837.
www.sanfranciscoblues festival.com

Clubes nocturnos

El ambiente nocturno de San Francisco es bastante informal, alegre y sin pretensiones. Las grandes discotecas escasean y se encuentran dispersas. Muchos de los locales más de moda abren sólo una o dos noches a la semana, pero, por lo general, el precio tanto de las entradas como de las consumiciones es económico.

Aquellas personas que deseen descubrir una de las principales facetas de la vida nocturna de la ciudad han de acudir a los clubes de comedia. A pesar de que en los últimos años han cerrado algunos, aún se pueden encontrar monólogos humorísticos interesantes.

Por otro lado, San Francisco cuenta con numerosos piano-bares situados en hoteles o restaurantes de lujo. Son perfectos para una velada entretenida e íntima. El viajero descubre que merece la pena descansar un poco durante el día para aprovechar también la noche.

DÓNDE Y CUÁNDO

Los nombres, horarios y ubicaciones de los locales nocturnos cambian constantemente, y es posible que hasta los lugares más populares cierren antes de cumplir su primer año de existencia. Por todo ello, lo mejor es consultar *SF Weekly, Bay Times, Bay Guardian (ver p. 281)* y otras revistas y periódicos para informarse a este respecto. Casi todos los grandes clubes están situados en el área industrial de South of Market (So-Ma) y abren aproximadamente de 21.00 a 2.00. Unos cuantos permanecen abiertos toda la noche, especialmente los fines de semana, pero todos dejan de servir alcohol a las 2.00. Para entrar es imprescindible presentar un documento de identidad que demuestre que se tiene más de 21 años.

DISCOTECAS

Uno de los clubes nocturnos más animados de San Francisco es **Ruby Skye**, en Mason Street, con una decoración llamativa, un buen sistema de sonido y una clientela fiel y moderna. En **Nickie's BBQ**, en Haight Ashbury, se baila al ritmo de R&B, hip-hop y jazz, mientras que **Factory 525** y **City Nights**, ambas en Harrison St., se animan con rock alternativo y música comercial moderna; al salir de madrugada hay un ambiente extraño en el vecindario, por lo que se recomienda coger un taxi.

Bambuddha Lounge ofrece estupendas cenas y excelentes pinchadiscos. **The Mexican Bus** es un autobús que traslada a la gente a tres discotecas de salsa en la misma noche. **Suede** es el lugar imprescindible para bailar música *indie* diferente cada noche. **Ten 15** es otro local con música diversa y ambiente eléctrico. En esta zona también se halla el *after-hours* **Cat Club**, que mantiene el ambiente animado con *acid jazz* y sonidos alternativos e industriales, así como música de la década de los ochenta, hasta el amanecer. En **330 Ritch Street** se puede disfrutar de música *house, goth,* pop británico, *mod, indie,* R&B y hip-hop.

Los incondicionales de la salsa deben acudir a un **Café Cocomo**; se imparten clases a partir de las 20.00 casi a diario.

CLUBES PARA HOMOSEXUALES

Uno de los clubes más famosos es **Endup**, que permanece abierto sin interrupción desde el viernes por la noche hasta el lunes por la mañana para bailar sin parar. Otros locales para gays y lesbianas son **El Río**, en Mission District, y **Rawhide**, para vaqueros urbanos, que organiza bailes populares de parejas todas las noches.

En 18th St. y alrededores, en Castro District, hay varias discotecas como **Midnight Sun** y **Detour**. **White Horse Inn**, al este de la bahía, es un bar y discoteca popular desde principios de la década de 1960.

Conviene consultar las listas y anuncios en periódicos locales como el *Bay Times y Bay Area Reporter*. También se puede encontrar más información en las publicaciones gays *Betty y Pansy's Severe Queer Review*.

PIANO-BARES

Los bares y locales nocturnos que se recomiendan a continuación ofrecen música en directo todas las noches, casi siempre jazz, que se puede escuchar por el precio de una consumición. Muchos de los mejores clubes de la ciudad pertenecen a hoteles de cuatro estrellas. **The Lush Lounge,** a escasas manzanas de Theater District, ofrece martinis fuertes en un ambiente de moda. **Top of the Mark,** de estilo *art déco,* está situado en lo alto de Nob Hill, en la última planta del Mark Hopkins Hotel. Otros piano-bares de calidad ubicados en azoteas son **Grand View,** en la planta 36 del Grand Hyatt Hotel, en Union Sq., y **Carnelian Room,** en el edificio de Bank of America; este último ofrece estupenda comida, buena música y vistas panorámicas.

Los mejores restaurantes también cuentan con piano-bares en los que se puede escuchar música antes. Destacan en North Beach, **Washington Square Bar & Grill** y **Moose's,** próximo a Washington Sq., en el que suena música más moderna; ambos establecimientos ofrecen comida y bebida de una calidad por encima de la media. Otro local interesante es **Lefty O'Doul's,** con buena música con cierto aire irlandés y una espléndida selección de cervezas.

En Theater District, al oeste de Union Sq., hay bares animados. **Julie's Supper Club,** en South of Market Street, ofrece jazz típico y R&B de calidad junto a comida cajún y estupendos cócteles. **Harry Denton Starlight Room** acoge música en directo todas las noches en la planta 21 del Sir Francis Drake Hotel.

Martuni's, junto a Market St., se caracteriza por los martinis fuertes, temas clásicos y una clientela variopinta. Por último, pero no por ello menos importante, se recomienda **Tonga Room,** en la planta baja del Fairmont Hotel *(ver p. 213).* En esta coctelería de recargado estilo polinesio se puede bailar o simplemente escuchar jazz, que se interrumpe cada media hora con una tormenta simulada.

CLUBES DE COMEDIA

En San Francisco, que en el pasado contaba con una dinámica escena de comedias en directo, se dio a conocer el

famoso actor Robin Williams, entre otros muchos talentos locales. Mientras que las comedias han disminuido bastante en San Francisco, casi siempre hay alguna actuación en algún bar o café por la noche. Se recomienda consultar la cartelera de los periódicos locales *(ver p. 281).*

En **Tommy T's Comedy House** se celebran algunos de los mejores espectáculos, con artistas habituales de la talla de Bobby Slayton, Will Durst y Richard Stockton. Otros clubes con monólogos humorísticos o improvisados son

Marsh's Mock Café-Theater, en Mission District, y **Cobb's Comedy Club,** North Beach, así como **The Punchline** y **The Green Room Comedy Club. Kimo's,** en Polk St., es una institución desde hace décadas; presenta números de transformismo, cabaré y comedia todas las semanas.

Los espectáculos suelen comenzar a las 20.00 y los fines de semana las actuaciones comienzan alrededor de las 22.00. La mayoría cuesta unos 15 $ y pueden tener una política de una o dos consumiciones mínimas.

INFORMACIÓN GENERAL

DISCOTECAS

330 Ritch St
330 Ritch St.
Plano 11 C1.
Tel 541-9574.

Bambuddha Lounge
Phoenix Hotel,
601 Eddy St. **Plano** 5 A5.
Tel 885-5088.

Cafe Cocomo
650 Indiana (en Mariposa)
Plano 11 C3.
Tel 824-6910.
www.cafecocomo.com

Cat Club
1190 Folsom St.
Plano 11 A2.
Tel 431-3332.
www.catclubsf.com

City Nights
715 Harrison St,
Plano 5 D5
Tel 339-8686
(linea permanente SF Club).

Factory 525
525 Harrison St.
Plano 5 D5.
Tel 339-8686
(linea permanente SF Club).

The Mexican Bus
llamar para traslado en autobús. **Tel** *546-3747.*
www.mexicanbus.com

Nickie's BBQ
460 Haight St.
Plano 10 E1.
Tel 621-6508.

Ruby Skye
420 Mason St. **Plano** 5 B5.
Tel 693-0777.

Suede
383 Bay St.
Plano 5 B2.
Tel 399-9555.

Ten 15
1015 Folsom St.
Plano 11 B1.
Tel 431-1200.

CLUBES PARA HOMOSEXUALES

Detour
2348 Market St.
Plano 10 D2.
Tel 861-6053.

El Rio
3158 Mission St.
Plano 10 F4.
Tel 282-3325.
www.elriosf.com

Endup
401 6th St. **Plano** 11 B1.
Tel 357-0827.

Midnight Sun
4067 18th St.
Plano 10 D3.
Tel 861-4186.

Rawhide
280 7th St. **Plano** 11 A1.
Tel 621-1197.

White Horse Inn
6551 Telegraph Ave.,
Oakland.
Tel (510) 652-3820.

PIANO-BARES

Carnelian Room
555 California St,
planta 52. **Plano** 5 C4.
Tel 433-7500.

Grand View
Grand Hyatt Hotel
planta 24.
345 Stockton St.
Plano 5 C4.
Tel 398-1234.

Harry Denton's Starlight Room
450 Powell St.
Plano 5 B5.
Tel 395-8595.

Julie's Supper Club
1123 Folsom St.
Plano 11 A1.
Tel 861-0707.

Lefty O'Doul's
333 Geary St.
Plano 5 B5.
Tel 982-8900.

Lush Lounge
1092 Post St.
Plano 5 A5.
Tel 771-2022.
www.lushlounge.com

Martuni's
4 Valencia St.
Plano 10 F1.
Tel 241-0205.

Moose's
1652 Stockton St.
Plano 5 B2.
Tel 989-7800.

Tonga Room
950 Mason St.
Plano 5 B4.
Tel 772-5278.

Top of the Mark
Mark Hopkins Inter-Continental Hotel
1 Nob Hill. **Plano** 5 B4.
Tel 616-6916.

Washington Square Bar & Grill
1707 Powell St.
Plano 5 B2.
Tel 982-8123.

CLUBES DE COMEDIA

Cobb's Comedy Club
915 Columbus Ave.
Plano 5 B2.
Tel 928-4320

The Green Room Comedy Club
2801 Leavenworth St.
Plano 5 A1.
Tel 674-3540.

Kimo's
1351 Polk St. **Plano** 4 F4. **Tel** *885-4535.*

Marsh's Mock Cafe-Theater
1074 Valencia St.
Plano 10 F3.
Tel 826-5750.

The Punchline
444 Battery St. **Plano** 6 D3. **Tel** *397-7573.*
www. punchlinecomedyclub.com

Tommy T's Comedy House
1655 Willow Pass Rd.
Concord.
Tel (925) 686-6809.
www.tommyts.com

Bares

Durante el momento de apogeo de la fiebre del oro *(ver pp. 24-25)*, en San Francisco había una taberna por cada 50 habitantes. Hoy ya no queda abierto ninguno de estos locales libertinos de mediados del siglo XIX. No obstante, es posible beber disfrutando de las vistas, probar una rica cerveza, saborear un dulce cóctel en un local chic, catar un vino de calidad de la región, mezclarse con aficionados al deporte que contemplan un partido en un bar o escuchar un concierto ocasional en una taberna irlandesa. A esta amplia oferta se suman un gran número de locales orientados a una clientela predominantemente homosexual.

BARES EN AZOTEAS

Aquellas personas que deseen situarse por encima de las colinas pueden visitar los bares abiertos en las azoteas de las torres del centro de la ciudad. Tanto **Grand View Lounge** del Grand Hyatt, **View Lounge** del Marriott Hotel y **Top of the Mark** del Mark Hopkins *(ver p. 102)* ofrecen vistas fantásticas y noches de jazz y música de baile. El más alto de estos bares es **Carnelian Room**, en la planta 52 (se exige corbata y reserva); el siguiente en altura es **Cityscape**, en la planta 46 del Hilton Hotel, que ofrece una panorámica despejada.

CERVECERÍAS

Las numerosas cervecerías de la ciudad se han convertido en lugares de reunión típicos tanto a la salida del trabajo como los fines de semana. Las mejores están especializadas en cervezas producidas en fábricas de la costa oeste, como las espléndidas Anchor Steam y Liberty Ale, de San Francisco. **Mad Dog in the Fog,** una de las más recomendables, está situada en Haight St. **Magnolia Pub & Brewery,** en un edificio victoriano de 1903 de Haight, conserva la barra original de madera y el nombre de la ex bailarina Magnolia Thunderpussy. **The Thirsty Beer,** conocida por sus tapas, **SF Brewing Company,** con una interesante hora feliz, y la selecta **Gordon Biersch Brewery** elaboran su propia cerveza. Las cervezas producidas por **Beach Chalet** se sirven en el borde de Golden Gate Park con estupendas vistas del Pacífico.

COCTELERÍAS

Las coctelerías tradicionales de San Francisco, suelen estar muy animadas. La cantidad y variedad de estos locales es inmensa.

Los solteros suelen ir de copas a **Harry Denton's Starlight Room.** A los que les gusta exhibirse frecuentan **Redwood Room,** en Clift Hotel, con una barra iluminada de fondo y cócteles a precios elevados. A lo largo de Columbus Ave. se concentra una clientela bohemia y animada en **Specs', Tosca** y **Vesubio.** Este último fue un lugar de encuentro *beatnik*, de hecho, una de las bebidas de la casa es Jack Kerouac (ron, tequila, zumo de naranja o arándanos y lima). En **Tony Niks** se combinan taburetes, potentes cócteles y decoración de la época del clan Sinatra con una parroquia tranquila de North Beach.

Elixir, en Mission District, es un bar de barrio situado en un edificio victoriano; posee un juego de dardos y una barra de madera en la parte posterior. Se dice que en **Buena Vista Café** en 1952 se inventó el café irlandés; en la actualidad sirve 2.000 al día. **Minx** es lo más cercano a una coctelería clásica con colores intensos. Se puede encontrar cierto estilo étnico asiático en **Bambuddha Lounge** o en **Lingba Lounge,** que ofrece bebidas y noches temáticas como *Karaoke sexy,* en Potrero Hill. Otros bares, como **Café du Nord,** un despacho de bebidas clandestino de la época de la Ley Seca, y el premiado **Biscuits and Blues** también ofrece jazz.

BARES DE VINOS

Ferry Plaza Wine Merchant Bar, rodeado de queserías, panaderías artesanales y otras tiendas de *gourmet,* es un lugar estupendo donde catar vinos.

El champán y la luz de las velas crean un ambiente íntimo en **Bubble Lounge. London Wine Bar** se llena los días laborables de trabajadores del Financial District; sirve caldos californianos. **Diablo Grande Wine Gallery** vende su propio vino en el área de museos de SoMa. Al otro lado de la calle, **Vino Venue** ofrece una original manera de probar sus 100 vinos antes de comprarlos mediante un catador autoservicio que expende un poco de cada caldo. **Bacar,** en SoMa pero más cerca del AT&T Park, dispone de 1.400 marcas; está frecuentado por una clientela elegante que cada noche se mezcla con sedientos aficionados al béisbol.

BARES TEMÁTICOS

Uno de los mejores bares temáticos es **Knuckles Sports Bar,** con más de 24 televisiones donde se sintonizan retransmisiones en directo. En **Green Sports Bar** sólo se sirven bebidas. **Pat O'Shea's Mad Hatter** combina los espectáculos deportivos con el ambiente de las tabernas irlandesas. **The Irish Bank** y **The Chieftain** ofrecen cerveza Guinness irlandesa.

BARES PARA HOMOSEXUALES

Los locales populares entre gays, lesbianas, bisexuales y transexuales incluyen los especializados en cuero, motos, látex y otros fetichismos hasta simples bares de barrio. Los distritos de Castro, SoMa y Mission son zonas muy frecuentadas. **Daddy's,** en Castro, atrae a clientes con Levi's y cuero. En **The Stud** y **EndUp** las bebidas se consumen mientras se baila. Entre los bares de lesbianas cabe destacar **Cherry Bar,** con música en directo sólo para chicas. **Divas** es un local de transexuales muy conocido.

INFORMACIÓN GENERAL

BARES EN AZOTEAS

Carnelian Room
Planta 52,
555 California St.
Plano 5 C4.
Tel 433-7500.

Cityscape
Planta 46,
Hilton Hotel,
333 O'Farrell St.
Plano 5 B5.
Tel 923-5002.

Grand View Lounge
Planta 36,
Grand Hyatt Hotel,
345 Stockton St.
Plano 5 C4.
Tel 398-1234.

Top of the Mark
Planta 19,
Mark Hopkins
Inter Continental Hotel,
999 California St.
Plano 5 B4.
Tel 616-6916.

View Lounge
Planta 39,
Marriott Hotel 55
4th St.
Plano 5 C5.
Tel 896-1600.

CERVECERÍAS

Beach Chalet
1000 Great Hwy.
Plano 7 A2.
Tel 386-8439.

Gordon Biersch Brewery
2 Harrison St.
Plano 6 E4.
Tel 243-8246.

Mad Dog in the Fog
530 Haight St.
Plano 10 E1.
Tel 626-7279.

Magnolia Pub & Brewery
1398 Haight St.
Plano 9 C1.
Tel 864-7468.

S F Brewing Company
155 Columbus Ave.
Plano 5 C3.
Tel 434-3344.

The Thirsty Bear
661 Howard St.
Plano 6 D5.
Tel 974-0905.

COCTELERÍAS

Bambuddha Lounge
661 Eddy St.
Plano 5 A5.
Tel 885-5088.

Biscuits and Blues
401 Mason St.
Plano 5 B5.
Tel 292-2583.

Buena Vista Café
2765 Hyde St.
Plano 4 F1.
Tel 747-5044.

Café du Nord
2170 Market St.
Plano 10 D2.
Tel 861-5016.

Elixir
3200 16th St.
junto a Valencia St.
Plano 10 F2.
Tel 552-1633.

Harry Denton's Starlight Room
450 Powell St.
Plano 5 B4.
Tel 395-8595.

Lingba Lounge
1469 18th St.
Plano 11 C3.
Tel 355-0001.

Minx
827 Sutter St.
Plano 5 B4.
Tel 346-7666.

Redwood Room
495 Geary St.
Plano 5 B5.
Tel 775-4700.

Specs'
12 Adler Place
(cruzando Columbus Ave.
desde Vesubio).
Plano 5 C3.
Tel 421-4112.

Tony Niks
1534 Stockton St.
Plano 5 B2.
Tel 693-0990.

Tosca
242 Columbus Ave.
Plano 5 C3.
Tel 391-1244.

Vesuvio
255 Columbus Ave.
Plano 5 C3.
Tel 362-3370.

BARES DE VINOS

Bacar
448 Brannan St.
Plano 11 C1.
Tel 904-4100.

Bubble Lounge
714 Montgomery St.
Plano 5 C3.
Tel 434-4204.

Diablo Grande Wine Gallery
669 Mission St.
Plano 5 C5.
Tel 543-4343.

Ferry Plaza Wine Merchant Bar
One Ferry Building,
Shop 23.
Plano 6 E3.
Tel 391-9400.

London Wine Bar
415 Sansome St.
Plano 5 C3.
Tel 788-4811.

Vino Venue
686 Mission St.
Plano 5 C5.
Tel 341-1930.

BARES TEMÁTICOS

Knuckles Sports Bar
555 North Point St.
Plano 5 A1.
Tel 563-1234.

Greens Sports Bar
2339 Polk St.
Plano 5 A3.
Tel 775-4287.

Pat O'Shea's Mad Hatter
3848 Geary Blvd.
Plano 3 A5.
Tel 752-3148.

The Chieftain
195 5th St.
Plano 11 B1.
Tel 615-0916.

The Irish Bank
10 Mark La
(junto a Bush St.).
Plano 5 B4.
Tel 788-7152.

BARES PARA HOMOSEXUALES

Cherry Bar
917 Folsom St.
Plano 11 B1.
Tel 974-1585.

Daddy's
440 Castro St.
Plano 10 D3.
Tel 621-8732.

Divas
1081 Post St.
Plano 4 F4.
Tel 434-4204.

Endup
401 6th St.
Plano 11 B2.
Tel 646-0999.

The Stud
399 9th St.
Plano 11 A2.
Tel 252-7883.

Deportes y actividades al aire libre

Los habitantes de San Francisco son entusiastas de los deportes. Se puede elegir entre gimnasios, piscinas, pistas de tenis y campos de golf públicos y privados. Los espectáculos deportivos tienen por protagonistas a equipos de béisbol, ligas de fútbol, baloncesto y hockey, sin olvidar los numerosos equipos universitarios existentes en la bahía. Ente las actividades al aire libre se incluyen ciclismo, esquí, navegación y piragüismo. También merece la pena probar la emocionante experiencia de observar las ballenas. Las entradas están a la venta en **Ticketmaster** *(ver p. 258)* y otras agencias *(ver p. 273)*.

FÚTBOL

El campo de juego de los **San Francisco 49ers** es **Monster Park.** Los **Oakland Raiders** juegan en **Network Associates Coliseum.** Las universidades locales, como la **Universidad de California,** en Berkeley, y la **Universidad de Stanford,** en Palo Alto, poseen buenos equipos de fútbol.

OBSERVACIÓN DE BALLENAS

En invierno no hay que perderse: la migración anual de la ballena gris californiana. A veces se divisan estos gigantescos mamíferos desde cabos como el de Point Reyes *(ver p. 160)*, pero la mejor manera de contemplarlos es participando en una excursión en barco. Los pasajes se pueden adquirir en **Tickets.com** o **Ticketmaster** *(ver p. 259)*.

Los recorridos más interesantes los ofrece **Oceanic Society Expeditions.** Navegan hacia el oeste hasta las islas Farallón, donde además de ballenas grises se puede avistar una avifauna singular, así como ballenas azules. Muchas excursiones para la observación de ballenas zarpan de Half Moon Bay *(ver pp. 186-187)*, 32 km al sur de San Francisco.

Tickets.com
Tel (510) 762-2277.

Oceanic Society Expeditions
Fort Mason. **Plano** 4 E1.
Tel 441-1106.

BÉISBOL

Los **San Francisco Giants,** pertenecientes a la liga nacional, disputan los partidos en casa en el ultramoderno estadio **AT&T Park.** Los **Oakland Athletics,** que juegan en la liga americana, salen al campo en el **Network Associates Coliseum,** en Oakland, al otro lado de la bahía.

BALONCESTO

El único equipo de baloncesto de la bahía que compite en la NBA es el de los **Golden State Warriors,** que juegan en el Oakland Coliseum Arena. Los Golden Bears de la **UC Berkeley** también disputan algunos partidos aquí, pero la mayoría de los partidos locales se celebra en el campus; lo mismo sucede con los equipos de la Universidad de Stanford.

HOCKEY SOBRE HIELO

Los partidos locales de los **San José Sharks,** el único equipo de hockey profesional de la bahía, tienen lugar en el San José Arena, en el centro de San José, una hora al sur de San Francisco.

GIMNASIOS

Por lo general, los grandes hoteles orientados a clientes en viajes de negocios cuentan con un gimnasio. Si carecen de él, suelen asociarse a un gimnasio en el que los clientes del hotel pueden emplear abonos para cortos periodos de tiempo. También se puede acudir al exclusivo **Bay Club,** cerca de Financial District, a **Crunch Fitness** o a **24-Hour Nautilus Fitness Center.**

NAVEGACIÓN

A menos que se tenga la suerte de conocer a alguien con yate propio, la única manera de navegar por la bahía pasa por alquilar un barco en **Cass' Marina,** en Sausalito; también ofrece clases y barcos con patrón. Para realizar sencillas excursiones por el mar se puede alquilar un kayac en **Sea Trek Ocean Kayac Center** o una barca, un barco a pedales o un barco con motor en **Stow Lake Boathouse,** en Golden Gate Park.

GOLF

Los golfistas disponen de una amplia variedad de campos de golf para elegir, incluidos los campos municipales de **Lincoln Park** y **Golden Gate Park** y el precioso **Presidio Golf Club.** A las afueras, la orilla del Pacífico, a la altura de Carmel *(ver pp. 186-187)*, está bordeada por algunos de los campos de golf más famosos del mundo. Por ejemplo, por unos 275-300 $, se puede practicar y jugar una o dos partidas en el célebre **Pebble Beach Golf Links.**

ESQUÍ

La gente de la ciudad se desplaza al este para esquiar en las montañas del lago Tahoe *(ver pp. 196-199)*, donde estaciones como **Heavenly** y **Alpine Meadows** proporcionan excelentes pistas para todos los niveles. **Squaw Valley,** la estación mayor, está situada al norte del lago; fue sede de los Juegos Olímpicos de Invierno de 1960. Tanto **Badger Pass,** en el Yosemite National Park *(ver pp. 200-201)*, como **Kirkwood Ski Resort,** orientado al esquí de fondo, se encuentran a escasa distancia de la bahía. En todas estas estaciones se alquilan equipos de esquí y se imparten clases.

NATACIÓN

La mayoría de las piscinas públicas se sitúa en las afueras. Para obtener información sobre horarios y precios, se debe llamar por teléfono al **City of**

San Francisco Recreation and Parks Department. Para darse un baño en el frío océano hay que ir a China Beach, la única playa segura de la ciudad. Polar Bear Club se reúne para nadar en la bahía. En Aquatic Park *(ver pp. 172-173)* también hay dos clubes de natación, **Dolphin Club** y **South End Rowing Club,** que organizan para sus miembros el baño del Día de Año Nuevo *(ver p. 51).*

CICLISMO

Pedalear cuesta arriba y cuesta abajo por las empinadas colinas de San Francisco tal vez no parezca muy atractivo, pero planeando bien un itinerario, puede que la bicicleta se convierta en el mejor medio de apreciar la ciudad. Un paseo por Embarcadero y Golden Gate Promenade, en especial los fines de semana, cuando el tráfico es relativamente escaso, brinda fantásticas vistas de la ciudad. La zona de Presidio y Golden Gate Park también resulta ideal para pedalear; aquí se sitúa la mayoría de las tiendas de alquiler, como **Stow Lake Bike Rentals.** En **Blazing Saddles,** en North Beach, también se alquilan bicicletas.

En la región vitivinícola *(ver pp. 190-193)* se puede participar en los recorridos organizados por **Backroads Bicycle Tours.**

TENIS

Existen buenas pistas de tenis en casi todos los parques públicos. Golden Gate Park es el que más alberga. Se han llevado a cabo mejoras en las pistas municipales y muchas cuentan con iluminación para partidos nocturnos. Todas ellas están gestionadas por el **City of San Francisco Recreation and Parks Department.** Para informarse, hay que llamar por teléfono. El **San Francisco Tennis Club** tiene 24 pistas y ofrece clases privadas y para grupos. Los huéspedes del **Claremont Resort Spa and Tennis Club** *(ver p. 163)* pueden apuntarse a clases.

INFORMACIÓN GENERAL

ENTRADAS

Golden State Warriors
Oakland Coliseum Arena.
Tel (1) (888) 479-4667.

Oakland Athletics
Tel (510) 638-0500.

Oakland Raiders
Tel (1) (800) 949-2626.

San Francisco 49ers
Monster Park.
Tel 656-4900.

San Francisco Giants
AT&T Park.
Tel 972-2000.
www.sfgiants.com

San Jose Sharks
San Jose Arena.
Tel (408) 287-7070.

Stanford University Athletics
Universidad de Stanford.
Tel (1) (800) STANFORD.

Tickets.com
Tel (510) 762-2277.

UC Berkeley Intercollegiate Athletics
UC Berkeley.
Tel (1) (800) 462-3277.

GIMNASIOS

Bay Club
150 Greenwich St.
Plano 5 C2.
Tel 433-2550.

Crunch Fitness
1000 Van Ness Ave.
Plano 5 A5. *Tel 931-1100.*
www.crunch.com

24-Hour Nautilus Fitness Center
1200 Van Ness St. **Plano** 4 F4. *Tel 776-2200.*
www.24hourfitness.com
Una de varias sucursales.

NAVEGACIÓN

Cass' Marina
1702 Bridgeway, Sausalito.
Tel 332-6789.

Sea Trek Ocean Kayak Center
Schoonmaker Point Marina, Sausalito.
Tel 488-1000.

Stow Lake Boathouse
Golden Gate Park.**Plano** 8 E2. *Tel 752-0347.*

GOLF

Golden Gate Park
(Campo municipal de 9 hoyos).**Plano** 7 B2. *Tel 751-8987.*

Lincoln Park
(Campo municipal de 18 hoyos).**Plano** 1 C5. *Tel 221-9911.*

Pebble Beach Golf Links
Pebble Beach.
Tel (831) 624 3811.
www.pebblebeach.com

Presidio Golf Club
300 Finley Rd.
Plano 3 A3.
Tel 561-4653.

ESQUÍ

Alpine Meadows
Tahoe City.
Tel (530) 583-4232.

Badger Pass
Yosemite National Park.
Tel (209) 372-1001.

Heavenly Ski Resort
Stateline, Nevada.
Tel (775) 586-7000.

Kirkwood Ski Resort
Kirkwood.
Tel (209) 258-6000.

Squaw Valley USA
Squaw Valley.
Tel (530) 583-6985.

NATACIÓN

Dolphin Club
502 Jefferson St.
Plano 4 F1.
Tel 441-9329.
www.dolphinclub.com

City of San Francisco Recreation and Parks Department
Información de natación
Tel 831-2747.
Información de tenis
Tel 831-6302.
www.parks.sf.gov.org

South End Rowing Club
500 Jefferson St.
Plano 4 F1. *Tel 776-7372.*
www.southend.org

CICLISMO

Backroads Bicycle Tours
1516 Fifth St., Berkeley.
Tel (510) 527-1555.
www.backroads.com

Blazing Saddles
1095 Columbus Ave.
Plano 5 A2.
Tel 202-8888. Una de dos sucursales.
www.blazingsaddles.com

Stow Lake Bike Rentals
Golden Gate Park. **Plano** 8 E2. *Tel 752-0347.*

TENIS

Claremont Resort, Spa & Tennis Club
41 Tunnel Rd., Oakland.
Tel (510) 843-3000.
www.claremont
resort.com

San Francisco Tennis Club
645 5th St.
Plano 11 B1.
Tel 777-9000.

VIAJAR CON NIÑOS

San Francisco ofrece gran abundancia de lugares y eventos que pueden satisfacer la curiosidad infantil y la búsqueda incesante de aventura y diversión. Muchos museos diseñan sus exposiciones para despertar la imaginación de los más pequeños y mantenerles con las manos ocupadas. De primavera a otoño se celebran animadas ferias de barrio y, a lo largo de todo el año, se reviven los días de la fiebre del oro o los *gángsters* presos en Alcatraz en diversos enclaves de valor histórico. Los niños pueden ver de cerca animales exóticos en el zoo o divertirse en Golden Gate Park.

ALGUNOS CONSEJOS

Gracias a los descuentos familiares de la mayoría de los hoteles, los niños pueden alojarse gratis en la habitación de sus padres. Por lo general, disponen de cunas para los más pequeños. Casi todos los hoteles pueden facilitar canguros y las agencias oficiales como **American Child Care Services, Inc.** trabajan con cuidadores con experiencia.

El transporte público es excelente. Se recomienda planear la estancia utilizando el plano de la contraportada de esta guía y organizar una emocionante combinación de autobuses, tranvías y funiculares. Los menores de cinco años viajan gratis en los transportes públicos; los niños entre 5 y 17 años tienen billetes con descuento. Los Muni Passports de uno, tres o siete días sirven para cualquier edad (*ver p. 294*).

Se aconseja utilizar los aseos públicos de pago (*ver p. 280*) o los lavabos de los grandes almacenes y hoteles. En **Walgreen's Drugstore** (*ver p. 283*) se venden medicamentos las 24 horas.

Las actividades más recomendables para familias se publican en *San Francisco Book* y en el calendario *Arts Monthly* (*ver p. 281*).

Castillo Loco, zoo de San Francisco

FAUNA

Se puede coger un transbordador o ir en coche hasta **Six Flags Marine World,** en Vallejo, para subirse a un elefante o tocar un delfín. En el Marine Mammal Center de Marin Headlands (*ver pp. 174-175*) se pueden ver de cerca leones marinos rescatados. En el San Francisco Zoo (*ver p. 160*) se puede pasar una entretenida jornada contemplando a sus habitantes, también se puede dar de comer a las crías de pingüino en la colonia en cautividad más prolífica del mundo. El **Josephine D. Randall Junior Museum** dispone de un zoo doméstico y rutas naturales. Oceanic Society Expeditions (*ver p. 299*) navega 40 km por el Pacífico hasta la Farallones National Marine Sanctuary. Las excursiones se organizan a lo largo de todo el año, pero la mejor época para observar a las ballenas grises es de diciembre a abril.

MUSEOS

En la California Academy of Sciences (*ver pp. 150-151*) se puede presenciar un terremoto en el Earthquake! Theater. La academia alberga asimismo el planetario Morrison y el enorme acuario Steinhart. En **Zeum**, en Rooftop, en Yerba Buena Gardens, los pequeños pueden descubrir el arte multimedia. Además, Rooftop cuenta con una pista de patinaje sobre hielo y un tiovivo de 1906.

El **Bay Area Discovery Museum** ofrece actividades para fomentar la imaginación de niños de 2 a 12 años. El **Exploratorium** (*ver pp. 60-61*) es célebre por sus más de 700 puestos expositivos interactivos. Los niños que visiten la bóveda táctil han de confiar en su sentido del tacto para abrirse camino en la oscuridad. Tampoco hay que perderse el Wells Fargo History Museum (*ver p. 110*), donde los más pequeños pueden revivir la época de la fiebre del oro subiendo a una diligencia, transmitiendo mensajes por telégrafo o descubriendo oro. La entrada es gratuita, tanto en el Wells Fargo History Museum como en el Maritime Historical

Saludo de bienvenida a los niños

Niño con una oveja de Barbados, zoo de San Francisco

Park *(ver p. 83)*, un espacio lleno de tesoros marinos con maquetas y restos de barcos. En Hyde Street Pier se pueden explorar tres de los buques históricos restaurados del museo.

Los museos de Fisherman's Wharf están diseñados para entretener y fascinar a los adolescentes. Se recomienda visitar las curiosas viñetas de Ripley's Believe It Or Not! *(ver p. 82)* y las figuras de cerca del Wax Museum *(ver p. 82)*. Por último, pequeños y mayores disfrutan en las marismas, dunas y playas acondicionadas de Crissy Field.

Crissy Field *(ver p. 59)*

DIVERSIÓN AL AIRE LIBRE

La manera más emocionante de recorrer la ciudad con niños es en tranvía *(ver pp. 296-297)*. Para un descenso con adrenalina, se recomienda bajar por el último tramo de la línea Powell-Hyde hasta el Aquatic Park *(ver pp. 172-173)* y a continuación coger el transbordador hacia la isla de Alcatraz *(ver pp. 84-87)*.

En Golden Gate Park *(ver pp. 142-157)* hay establos donde se puede montar a caballo, carriles para bicicletas, lagos con barcas, un tiovivo en el área de recreo infantil e incluso una manada de bisontes. En los talleres que se organizan al término de cada espectáculo de **Make*A*Circus,** en Fort Mason, el público joven se puede transformar en payaso o malabarista. **Paramount's Great America** es un parque temático con 40 hectáreas de atracciones y espectáculos.

TIENDAS

El surtido interminable de juguetes de **Toys R Us** cautiva a todos los niños. En **Basic Brown Bear** los visitantes pueden recorrer la fábrica y comprar y rellenar sus propios osos de peluche. En **Gamescape** se vende todo tipo de juegos no eléctricos. En Ghirardelli Chocolate *(ver p. 83)* se puede observar el proceso de fabricación de chocolate y comprar golosinas.

DIVERSIÓN A CUBIERTO

Mission Cliffs es un enorme gimnasio cerrado con rocódromo. Exploratorium alberga interesantes exposiciones interactivas. Zeum y Sony Metreon son de visita obligada para niños de todas las edades.

RESTAURANTES

Los establecimientos de comida rápida abundan por toda la ciudad, ya sea *dim sum* para llevar en Chinatown o hamburguesas en Union Sq. En el caso de optar por una comida más formal, se ha de saber que los niños son bienvenidos en la mayoría de los restaurantes; casi todos cuentan con tronas y menús infantiles especiales.

En **California Pizza Kitchen** y **The Night Kitchen**, en Metreon, se preparan sabrosas pizzas, sándwiches y ensaladas. Una comida en el **Rainforest Café**, con su fauna animada y otros efectos especiales, fascina a los más pequeños.

Establos en Golden Gate Park

INFORMACIÓN

CANGUROS

American Child Care Services, Inc.
Tel 285-2300.

FAUNA

Josephine D Randall Junior Museum
199 Museum Way. **Plano** 10 D2.
Tel 554-9600.

Six Flags Marine World
Marine World Parkway, Vallejo.
📠 *(707)* 643-ORCA.

MUSEOS

Bay Area Discovery Museum
557 East Fort Baker, Sausalito.
Tel 339-3900.
www.badm.org

Zeum
221 4th St. **Plano** 5 C5.
Tel 777-2800

DIVERSIÓN AL AIRE LIBRE

Paramount's Great America
Tel (408) 988-1776.

Make*A*Circus
Fort Mason. **Plano** 4 E1.
Tel 242-1414.

TIENDAS

Basic Brown Bear
2801 Leavenworth St.
Plano 5 A1 *Tel* 409-2806.
www.basicbrownbear.com

Gamescapes
333 Divisadero St. **Plano** 10 D1.
Tel 621-4263.

Toys R Us
2675 Geary Blvd. **Plano** 3 C5.
Tel 931-8896. **www**.toysrus.com

DIVERSIÓN A CUBIERTO

Mission Cliffs
2295 Harrison St.
Plano 11 A4. *Tel* 550-0515.

RESTAURANTES

California Pizza Kitchen
53 3rd St. **Plano** 5 C5.
Tel 278-0443.

Rainforest Café
145 Jefferson St.
Plano 5 A1. 📠 *440-5610.*
www.rainforestcafe.com

GUÍA ESENCIAL

INFORMACIÓN PRÁCTICA

Uno de los lemas turísticos de San Francisco la ha definido como la ciudad favorita de todo el mundo. Lo que es indudable es que numerosas revistas de viajes han colmado de premios sus instalaciones y servicios. Cualquier viajero, desde el más modesto hasta el más caprichoso, encuentra algo adaptado a su bolsillo entre una amplia oferta hotelera *(pp.*

Cartel de un edificio estatal

206-221), restaurantes de variada gastronomía *(pp. 222-243)*, tiendas *(pp. 244-257)*, distracciones *(pp. 258-273)* y viajes organizados *(p. 279)*. Desplazarse en la ciudad resulta fácil *(pp. 282-283)*. La información práctica que se ofrece a continuación facilita desde direcciones de bancos *(pp. 284-285)* hasta dónde encontrar asistencia médica *(pp. 282-283)*.

Tráfico en Chinatown

VISITAS TURÍSTICAS

Para evitar largas colas y aglomeraciones conviene visitar los principales lugares de interés (Alcatraz, Pier 39, Fisherman's Wharf o líneas de tranvía) por la mañana y dejar los paseos por zonas más amplias así como las actividades menos turísticas (travesías por la bahía, Golden Gate Bridge, Golden Gate Park, museos y tiendas) para después de almorzar. Se aconseja visitar los diferentes lugares de interés pertenecientes a un barrio en el mismo día para ahorrar tiempo y gastos de transporte. Los fines de semana suele haber mucha más gente que los días laborables. Las horas punta son de 7.00 a 9.00 y de 16.00 a 18.30 de lunes a viernes, cuando se abarrotan todos los medios de transporte público y las calles del centro. Ver página 282 para obtener información sobre la seguridad de los visitantes que recorren la ciudad.

PROPINAS Y OTRAS COSTUMBRES

Está prohibido fumar en los lugares de trabajo, comercios, restaurantes y en las zonas de gradas del 3Com Park, aunque sí está permitido en los bares y junto a la barra de algunos restaurantes. Los hoteles deben destinar el 35% de sus habitaciones y el 75% del vestíbulo a zonas libres de humo, aunque en muchos está prohibido totalmente fumar. Conviene consultar al reservar.

En los restaurantes se deja una propina del 15 o 20%; a los taxistas, camareros y peluqueros se les deja el 15%. Los botones y mozos de aeropuertos esperan de 1 a 1,50 $ por pieza de equipaje, y las camareras de las habitaciones de 1 a 2 $ por día de estancia.

HORARIOS

Casi todos los negocios abren de 9.00 a 17.00 los días laborables. Los horarios de las sucur-

sales bancarias varían, aunque todas funcionan con un horario mínimo de 10.00 a 15.00 de lunes a viernes. Algunos bancos abren a las 7.30, otros cierran a las 18.00 o abren los sábados por la mañana. Muchos poseen cajeros automáticos operativos las 24 horas. Algunos museos cierran los lunes y/o martes y los días festivos. En ocasiones, algunos permanecen abiertos hasta tarde.

INFORMACIÓN TURÍSTICA

San Francisco Visitors Information Centre *(ver p. 117)* facilita planos, guías, listas de eventos y abonos para transportes y lugares de interés. **Información útil** San Francisco Convention and Visitors Bureau, planta baja de Hallidie Plaza, entre Powell St. y Market St. **Plano** 5 B5. **Tel** 391-2000. **Dirección postal:** PO Box 4299097, San Francisco, CA 94142-9097. ⬭ *9.00-17.00 lu-vi, 9.00-15.00 sá. Enviar 3 $ para recibir un kit del viajero.* **www**.sfvisitor.org

Centro de información de visitantes, Hallidie Plaza

◁ **Tranvía pasando junto a un edificio estilo Tudor**

ENTRADAS A MUSEOS

El precio de las entradas a los principales museos oscila entre 5 y 10 $, con descuentos para pensionistas, estudiantes y niños. Los pequeños museos son gratuitos o se pide un donativo. La entrada a la mayoría de las grandes instituciones es gratis una vez al mes. También hay visitas con guía, exhibiciones y conferencias gratuitas. En Fort Mason *(ver pp. 74-75)*, Yerba Buena Gardens *(ver pp. 114-115)* y Golden Gate Park *(ver pp. 143-155)* se concentran varios museos. El abono Culture Pass de Golden Gate Park permite la entrada a tres museos y dos lugares de interés con un ahorro del 30%. El CityPass, que proporciona un descuento similar al Culture Pass en todos los museos de la ciudad, se puede obtener en el Visitor Information Center *(ver p. 278)*.

CARTELERA Y AGENDA CULTURAL

El Visitor Information Center *(ver p. 278)* facilita publicaciones gratuitas: *The San Francisco Book* está dedicado a conciertos, espectáculos, clubes nocturnos y restaurantes, mientras que *Arts Monthly* recoge la cartelera de cine, teatro, artes visuales, música y danza. *Key This Week in San Francisco* y *Where Magazine* (mensual) se pueden conseguir gratis en hoteles y comercios. La sección *Datebook* de la edición dominical del *San Francisco Chronicle/Examiner*

Publicaciones de ocio de San Francisco

incluye reseñas de los principales eventos culturales. Los listados de la sección *Weekend* del *San Francisco Examiner* del viernes y *The Bay's Guardian* y *San Francisco Weekly's* son muy prácticos.

VISITAS ORGANIZADAS

Las visitas turísticas en autobús recorren los lugares de interés en media jornada. Los itinerarios a pie pueden resultar sorprendentes. Contemplar la ciudad desde el aire es inolvidable. Los tranvías a motor cubren su trayecto por la ciudad en una hora. También se pueden contratar calesas o alquilar una audioguía. City Segway Tours cubre la costa.

Paseos en barco
Ver p. 299.

Visitas en autobús
Agentours, Inc
126 West Portal Ave.
Tel *661-5200.*
www.agentours.com

California Parlor Car Tours
1253 Post St, # 1011
Plano 4 F4.
Tel *474-7500 or
(1 800) 227-4250.* Visitas
turísticas en minibús.
www.calpartours.com

Gray Line of San
Francisco
Pier 43½. **Plano** 5 B1.
También en: Transbay
Terminal. **Plano** 6 D4.
Tel *558-9400.*
Autobuses de dos pisos y
de lujo. **www**.grayline
sanfrancisco.com

Lucky Tours
1111 Mission St.
Plano 11 A1.
Tel *864-3855.*
www.luckytours.com

The Mexican Bus
3rd St. y Howard St.
Plano 6 D5.
Tel *546-3747.*
Murales de Mission District.
www.mexicanbus.com

Viajes en helicóptero
San Francisco Helicopter
Tours **Tel** *(1 800) 400-2404.* **www**.sfhelicopter
tours.com

Red and White Fleet
Helicopter Tours
Pier 43½. **Tel** *673-2900.*
www.redandwhite.com

Tranvías a motor
Cable Car Charters
Tel *922-2425.*

Paseos a caballo y en calesa
Waterfront Horse/Carriage
Rides. **Tel** *771-8687.*
Comienzan y terminan en
Pier 41.

Audioguías
Disponibles en cintas
y discos compactos.
Tel *(1) (650) 219-8029.*

Itinerarios a pie
Visitas a Chinatown con
Wok Wiz. 660 California St.
Plano 5 C4. **Tel** *982-8839.*
Visita guiada con almuerzo
de *dim sum.* **www.**
allaboutchinatown.com

City Guides
Friends of the San Francisco
Public Library. **Tel** *557-4266.*
Visitas históricas, arquitectónicas y culturales gratis.

Cruisin' the Castro from
an Historical Perspective
375 Lexington St,
94110. **Plano** 10 F3. **Tel**
550-8110. Para explorar
la comunidad homosexual.
www.webcastro.com
/castrotour

Heritage Walks
2007 Franklin St. **Plano**
4 E3. **Tel** *441-3000.*
Visitas arquitectónicas.
www.sfheritage.org

Roger's Highpoints
Chartered Tours
2640 Ridgeway Ave,
San Bruno, 94066.
Tel *(650) 742-9611.*

San Francisco Parks Trust
McLaren Lodge, Golden
Gate Park. **Plano** 9 B1.
Tel *750-5105 o 263-0991.* Recorridos a pie
gratis, may-oct: sá y do.

Victorian Home Walk Tour
Plano 5 B5. **Tel** *252-9485.*
www.victorianwalk.com

Walking Tours San Francisco 925 Sutter St, Suite
101. **Plano** 5 C4.
Tel *317-8687.* **www.**
walkingtourssf.com

City Segway Tours
Tel *409-0672.* **www.**
citysegwaytours.com

Visita turística por la ciudad en tranvía a motor

VIAJEROS DISCAPACITADOS

Casi todos los lugares de interés, edificios y transportes públicos de San Francisco disponen de accesos adecuados para discapacitados. Los carteles, aseos y entradas están especialmente adaptadas para invidentes y personas con movilidad reducida, tal y como estipula la Normativa Estadounidense de Minusvalías. Algunos teatros y salas de cine disponen de equipos especiales de sonido para espectadores con problemas de audición. TDD y TDI/TTY son sistemas telefónicos que permiten que los usuarios sordos se comuniquen por medio de una pantalla y un teclado. Las plazas de aparcamiento para minusváli-

Aparcamiento para minusválidos

dos están marcadas con una señal azul y blanca y un bordillo azul; también pueden indicarse mediante la silueta de una silla de ruedas dibujada en el pavimento.

ADUANA E INMIGRACIÓN

Los ciudadanos españoles que estén en posesión de un pasaporte de lectura mecánica en vigor y un billete de vuelta no necesitan disponer de visado para estancias por motivos de turismo o negocios inferiores a 90 días en EE UU. Sí hay que solicitar en internet una autorización (https://esta.cbp.dhs.gov). En ocasiones, los viajeros extranjeros han de demostrar su solvencia económica.

HUSOS HORARIOS

En EE UU existen cuatro demarcaciones horarias. Los 48 Estados continentales se dividen en Eastern Time, Central Time, Mountain Time y Pacific Time; Alaska y Hawai poseen su propia zona horaria. Entre cada zona hay una hora de diferencia.

San Francisco se sitúa en la franja de Pacific Time, por lo que tiene una diferencia de -8 horas con respecto al meridiano de Grenwich y -9 horas con respecto al horario español (una hora menos en las islas Canarias).

A las 2.00 del primer domingo de abril los relojes se adelantan una hora para aprovechar la luz solar. El último domingo de octubre a las 2.00 se adopta el horario de invierno y retrasan los relojes una hora. Esto se traduce en que la diferencia horaria con España es siempre la misma, independientemente de la época del año.

Ciudad y país	horas + o -	Ciudad y país	horas + o -
Chicago (EE UU)	+ 2	Nueva York (EE UU)	+ 3
Madrid (España)	+ 9	Washington, DC (EE UU)	+ 3

Los límites arancelarios para viajeros mayores de 21 años que visiten Estados Unidos son: 200 cigarrillos, 50 cigarros (no procedentes de Cuba) o 1,4 kilos de tabaco, 1 litro de alcohol y regalos por un valor inferior a 100 $. No se permiten productos cárnicos (ni en lata), drogas ilegales, queso, semillas, plantas vivas ni fruta fresca. Los turistas extranjeros pueden entrar o salir del país con un máximo de 10.000 $ en moneda estadounidense o extranjera.

Al llegar al aeropuerto internacional de San Francisco *(ver pp. 288-289)* hay que seguir los indicadores Other than American Passports hasta los mostradores de inmigración para que los funcionarios comprueben y sellen el pasaporte. Tras recoger el equipaje, los viajeros han de dirigirse a la aduana, donde se revisa la declaración que se rellenó durante el vuelo; si no se solicita un registro del equipaje, los trámites acaban aquí y se puede abandonar el aeropuerto. Este proceso puede durar de 30 minutos a 1 hora.

ESTUDIANTES

Los estudiantes pueden beneficiarse de descuentos en numerosos museos y teatros siempre que aporten un docu-

Carné internacional de estudiante

mento que acredite su estatus. El carné internacional de estudiante es el más aceptado. Antes de partir, se puede solicitar en los centros de información juvenil municipales o autonómicos y algunas agencias de viajes. Las estancias combinadas con trabajo para estudiantes extranjeros pueden gestionarse a través de la **Student Travel Association (STA).** Ésta dispone de 2 oficinas en la bahía, 10 en el país y más de 100 en todo el mundo.

ASEOS Y BAÑOS PÚBLICOS

Los aseos públicos de las estaciones de autobuses y metro BART suelen frecuentarlos mendigos e incluso drogadictos. Los nuevos aseos automáticos de pago, situados en las esquinas de las zonas turísticas, suponen una alternativa más higiénica y segura. Se identifican fácilmente por su distintivo color verde, forma oval y un círculo amarillo con un triángulo azul; también exhiben una señal de acceso para discapacitados de color azul y blanco. Los servicios de los vestíbulos de los principales hoteles y grandes almacenes son gratis y generalmente están bien cuidados.

EQUIVALENCIAS

Imperial a métrico
1 pulgada = 2,54 centímetros
1 pie = 30 centímetros
1 milla = 1,6 kilómetros
1 onza = 28 gramos
1 libra = 454 gramos
1 pinta = 0,5 litros
1 galón = 3,8 litros

Métrico a imperial
1 milímetro = 0,04 pulgadas
1 centímetro = 0,4 pulgadas
1 metro = 3 pies y 3 pulgadas
1 kilómetro = 0,6 millas
1 gramo = 0,04 onzas

PRENSA, TELEVISIÓN Y RADIO

La prensa extranjera se puede encontrar a la venta en diversos establecimientos y puestos de periódicos, como **Café de la Presse** o **Galleria Newsstand**. La mayoría de los periódicos y revistas españolas publica ediciones electrónicas en internet. La programación televisiva se puede consultar en la revista *TV Guide* y en el apartado de televisión de la

Periódicos a la venta
en San Francisco

edición dominical del *Chronicle*. En San Francisco emiten cuatro canales de televisión: CBS en el canal 5 (KPIX), ABC en el canal 7 (KGO), NBC en el canal 11 (KNTV) y FOX en el canal 2 (KTVU). La televisión local de la PBS se sintoniza en el canal 9 (KQED). Por cable se difunde la CNN, la ESPN y otras. Algunos hoteles ofrecen un canal gratuito de información turística; también cabe la posibilidad de ver determinadas películas o canales por cable pagando. La emisora de radio AM comprende la KCBS (740Hz) de noticias; la KNBR

(680Hz) de deportes, y la KOIT (1050Hz) de rock melódico. Entre las emisoras de FM figuran: KLLC Alice (97.3M) de pop; KBLX (102.9M) de jazz, y KDFC (102.1M) de música clásica. Muchas emisoras de radio españolas se pueden sintonizar en la Red.

ELECTRICIDAD

En EE UU la corriente eléctrica es de 110-120 voltios AC (corriente alterna). En España es de 230 voltios, así que para conectar aparatos de este voltaje es necesario un convertidor y un adaptador con dos patillas planas paralelas que se ajusten a los enchufes estadounidenses. Las habitaciones están equipadas con enchufes especiales con corriente de 110 o 220 voltios aptos sólo para maquinillas de afeitar. Muchos hoteles modernos **Enchufe de dos** disponen de secador en **patillas** los baños, algunos cuentan con cafetera en la habitación y, por lo general, se puede pedir una plancha al servicio de habitaciones.

INFORMACIÓN GENERAL

SERVICIOS RELIGIOSOS

La mayoría de los hoteles facilita horarios y direcciones.
A continuación se enumeran algunas iglesias.

Católica
St Mary's Cathedral
1111 Gough St.
Plano 4 E4. **Tel** *567-2020.*

Episcopal
Grace Cathedral
1100 California St junto a Taylor. **Plano** 5 B4.
Tel *749-6300.*

Judía
Conservative
Congregation B'Nai
Emunah, 3595 Taraval.
Tel *664-7373.*

Ortodoxa
Adath Israel
1851 Noriega St.
Plano 8 D4. **Tel** *564-5665.*

Luterana
St. Mark's
1111 O'Farrell St.
Plano 5 A5.
Tel *928-7770.*

Metodista
Glide Memorial United
330 Ellis St. **Plano** 5 B5.
Tel *771-6300.*

Presbiteriana
Calvary
2515 Fillmore St.
Plano 4 D3. **Tel** *346-3832.*

VIAJEROS DISCAPACITADOS

Muni Access Guide
Muni Accessible Services
Programs,
949 Presidio Ave.
Plano 3 C4.
Tel *923-6142 días laborables o 673-MUNI.*

San Francisco Convention and Visitors Bureau
Tel *391-2000.*

INFORMACIÓN PARA ESTUDIANTES

STA Travel
36 Geary St.
Plano 5 C5.
Tel *391-8407.*

PRENSA INTERNACIONAL

Café de la Presse
352 Grant Ave.
Plano 5 C4.
Tel *398-2680.*

Galleria Newsstand
50 Post St., Ste 44.
Plano 5 C4.
Tel *398-4847.*

EMBAJADAS Y CONSULADOS

Embajada de EE UU en España
Serrano 75, 28006 Madrid.
Tel *91 587 22 00.*
Tel *807 488 472*

(información sobre visados).
Fax *91 587 23 03.*
www.embusa.es

Embajada de España en Washington, DC
2375 Pennsylvania Ave., NW Washington, DC.
Tel *202/452-0100, 202/728-2340.*
Fax *202/833-5670.*
www.spainemb.org

Consulado de España en San Francisco
1405 Sutter St.,
San Francisco,
CA 94109.
Tel *415/922-2995, 415/922-2996.*
Fax *415/931-9706.*
cog.sanfrancisco@
maec.es

Seguridad personal y salud

San Francisco es una de las grandes ciudades más seguras de EE UU. El índice de visitantes víctimas de delitos callejeros es escaso gracias a que la policía patrulla las zonas turísticas con regularidad. Además, las asociaciones de vecinos de los distritos de Civic Center, Tenderloin, Western Addition y Mission están trabajando para mejorar sus barrios. Con todo, se aconseja coger un taxi para moverse por estos distritos al anochecer, dado que los lugares de interés turístico pueden lindar con zonas un poco sórdidas. Para disfrutar de una estancia segura es preciso seguir las indicaciones del departamento de policía que figuran a continuación y aplicar el sentido común.

Placa de la policía de San Francisco

***Koban* de Policía, Powell Street**

FUERZAS DE SEGURIDAD

El departamento de policía de San Francisco patrulla a caballo, en coche y en moto día y noche. Los policías vigilan los principales acontecimientos culturales, así como los grandes eventos que se producen en los barrios (en especial por la noche en Tenderloin). Existen cinco puestos de de policía, llamados *kobans*, en Chinatown, Japantown, Union Square, Mission District y Hallidie Plaza (sus horarios varían). Las fuerzas de seguridad encargadas del tráfico y del aparcamiento realizan sus rondas. Los aeropuertos, comercios, hoteles y red de transporte disponen de su propio personal de vigilancia.

Agente de policía

SEGURIDAD PERSONAL

La mayoría de los vagabundos de San Francisco no son peligrosos, no obstante, en todas las grandes ciudades hay delicuentes por lo que no se debe bajar la guardia. Conviene planear el itinerario que se va a seguir en la habitación del hotel o consultar los planos y folletos con discreción. Siempre hay que mantenerse alerta y evitar zonas solitarias. Otra buena práctica consiste en preguntar direcciones sólo en los hoteles y tiendas, al personal de oficinas o a oficiales de policía, para no hablar con extraños por la calle.

Conviene utilizar la tarjeta de crédito para sacar pequeñas cantidades de dinero o emplear cheques de viaje. Para guardarlos, es mejor utilizar riñoneras ocultas bajo la ropa que bolsos o carteras. Resulta aconsejable guardar el dinero y otros objetos de valor separados. Nunca hay que bajar la guardia en las aglomeraciones.

Siempre es buena idea hacer fotocopias de toda la documentación necesaria en el viaje y guardarlas en otro lugar que los originales.

En el hotel es preciso vigilar el equipaje a la llegada y salida. Hay que asegurarse de la identidad de los miembros del servicio de habitaciones y mantenimiento antes de dejarles entrar en la habitación. Se recomienda no dejar dinero en efectivo ni objetos de valor en la habitación y cerrar bien el equipaje.

Si se dispone de coche, ya sea propio o en régimen de alquiler, se recomienda aparcar en zonas bien iluminadas y transitadas y nunca dejar equipaje ni objetos de valor en el interior.

Policía motorizada

OBJETOS PERDIDOS

Aunque las posibilidades de recuperar los objetos perdidos en la calle son escasas, se puede llamar al **servicio de atención de la policía** (una línea en la que no se atienden emergencias). La red de transportes Muni posee una **oficina de objetos perdidos**.

Es preciso fijarse en el nombre de la compañía, el color y el número de cualquier taxi en el que se desplace, pues, si se pierde algo, será necesario facilitar estos datos al llamar a la empresa para informar del asunto.

SEGUROS DE VIAJE

Es esencial que los viajeros extranjeros contraten un seguro de viajes, pues la asistencia médica en EE UU es muy cara. Se debe comprobar si el seguro cubre los siguientes casos: urgencias médicas y cuidados dentales, pérdida o robo de equipaje y documentos de viaje, muerte accidental, así como los costes derivados de la cancelación o modificación de viajes.

ATENCIÓN MÉDICA

Las consultas privadas, hospitalarias o clínicas pueden

Coche de policía

Coche de bomberos

Ambulancia

resultar caras para quienes no dispongan de seguro médico. Incluso si se ha suscrito un seguro, puede que se tenga que abonar el tratamiento en el acto; posteriormente se debe reclamar el importe a la compañía de seguros. Muchos médicos, dentistas y hospitales aceptan tarjetas de crédito,

pero, en ocasiones, el único medio de pago que se admite a los no residentes son los cheques de viaje y el dinero en efectivo.

Si el médico prescribe una receta, se puede solicitar que la remitan a una farmacia para que lo envíen al hotel. **Four-Fifty Sutter** y **Saint Francis Medical Center** son farmacias con servicio de reparto. Algunas sucursales de **Walgreen's Drugstores** permanecen abiertas hasta tarde o durante las 24 horas.

EMERGENCIAS

Para llamar a los servicios de emergencias médicos, de la policía o de los bomberos, hay que marcar el 911. Las urgencias de los hospitales y los hospitales públicos figuran en las páginas azules. Los servicios públicos tal vez estén saturados, pero no son tan caros como los hospitales privados. Las direcciones y teléfonos de estos últimos aparecen en las páginas amarillas.

Los hoteles pueden gestionar la visita de un doctor o dentista a la habitación. La oficina local del **Ejército de Salvación** también puede facilitar asistencia en muchos tipos de emergencias.

INFORMACIÓN GENERAL

EMERGENCIAS

Todas las emergencias
Tel 911. Aviso a policía, bomberos y hospitales.

Línea de atención a víctimas de delitos (24 horas)
Tel (1) (800) 842-8467.

Farmacias
Four-Fifty Sutter Pharmacy, 450 Sutter St, 7ª planta.
Plano 5 B4. **Tel** 392-4137. *(Envío a domicilio).*
Saint Francis Medical Center 901 Hyde St.
Plano 5 A4. **Tel** 776-4650. *(Envío a domicilio).*

Walgreen's Drug Stores
135 Powell St.
Plano 5 B5.
Tel 391-4433
498 Castro St.
Plano 10 D3.
Tel 861-3136 (24 horas).
3201 Divisadero St.
Plano 3 C2.
Tel 931-6417 (24 horas).

Cruz Roja
Tel 427-8000.

Sociedad Dental de San Francisco
Tel 421-1435.

Ejército de Salvación
Tel 553-3500.

Asistencia médica sin cita
University of California, San Francisco Clinic, 400 Parnassus Ave.
Plano 9 B2.
Tel 353-2602.
Physician Access Center, 26 California St.
Plano 6 D4.
Tel 397-2881.
Wall Medical Group
2001 Union St.
Plano 4 E3.
Tel (415) 447-6800.

OBJETOS PERDIDOS

Policía local (no emergencias)
Tel 553-0123.

Objetos perdidos de Muni
Tel 923-6168.

Robo o pérdida de tarjetas de crédito (llamada gratuita)
American Express
Tel (1) (800) 528-4800.
Diners Club
Tel (1) (800) 234-6377.
MasterCard (Access)
Tel (1) (800) 627-8372.
VISA
Tel (1) (800) 336-8472.

Bancos y moneda

El Financial District de San Francisco *(ver pp. 106-121)* es el centro bancario de la costa oeste. En esta prestigiosa área se concentran las sedes de las principales entidades bancarias estadounidenses y las sucursales de algunas de las instituciones financieras más importantes del mundo. Para comodidad de residentes y visitantes, existen cientos de cajeros automáticos (ATM) distribuidos por la ciudad operativos las 24 horas.

Bank of America y Wells Fargo Bank tienen sus oficinas centrales en la ciudad. Además, existen numerosas sucursales en el Financial District y en las zonas comerciales de los barrios.

Fachada de un banco

BANCOS

Por lo general, en San Francisco, los bancos abren de 10.00 a 15.00 de lunes a viernes, aunque algunos abren a las 7.30, cierran a las 18.00 y/o abren los sábados por la mañana.

Hay que informarse de las comisiones antes de realizar cualquier tipo de transacción. La mayoría de las entidades cambian cheques de viaje siempre que se presente un documento con fotografía (por ejemplo, el pasaporte, el carné de conducir o el carné internacional de estudiante). Se puede cambiar divisas extranjeras en las principales sucursales de los grandes bancos; tal vez no sea necesario hacer cola en caja si disponen de un mostrador específico para esta operación.

Cajero automático en la fachada de un banco

CAJEROS AUTOMÁTICOS

La mayoría de los bancos posee cajeros automáticos (ATM) en el vestíbulo o en una de las paredes de la fachada cercana a la entrada. En ellos se puede retirar dólares estadounidenses; casi siempre la cantidad se entrega en billetes de 20. Antes de salir del cajero, es aconsejable consultar en el banco o caja donde se tenga abierta la cuenta por las comisiones que se aplican en el extranjero, así como por la validez de la tarjeta. Entre los sistemas de cajeros más populares figuran Cirrus, Plus y Star; aceptan varias tarjetas estadounidenses, además de Mastercard (Access), Visa y otras.

Como es obvio, es posible que se produzcan robos en los cajeros, por lo que conviene utilizarlos sólo durante el día o cuando haya gente en las inmediaciones.

Al retirar dinero de un cajero, el cliente puede beneficiarse de un tipo de cambio más interesante que el que se aplica a las transacciones de efectivo.

TARJETAS DE CRÉDITO

Las tarjetas de crédito permiten llevar encima un mínimo de efectivo. Además,

en determinadas ocasiones, sus titulares se pueden beneficiar de seguros, garantías de los productos y otras ventajas. American Express, Diners Club, JBC, Mastercard (Access) y Visa son las más aceptadas.

La mayoría de los hoteles exige una tarjeta de crédito al registrarse. Las agencias de alquiler de vehículos solicitan a los usuarios sin tarjeta elevadas fianzas en efectivo.

CAMBIO DE DIVISAS

Las oficinas de cambio de moneda cobran comisiones. Suelen abrir de 9.00 a 17.00 los días laborables. Una de las compañías más conocidas es **Thomas Cook Currency Services. Bank of America** gestiona un servicio de cambio de divisas en el aeropuerto internacional de San Francisco; su sucursal permanece abierta de 7.00 a 23.00 todos los días. Otra opción consiste en dirigirse a la sucursal principal de cualquier entidad bancaria.

Cambio de divisas

CHEQUES DE VIAJE

Los cheques de viaje emitidos en dólares estadounidenses por American Express y Thomas Cook se aceptan comúnmente sin comisión en casi todas las tiendas, restaurantes y hoteles. Los cheques de viaje de divisas extranjeras se pueden cambiar en los bancos o en las cajas de los grandes hoteles.

El tipo de cambio se puede consultar en los periódicos y en las sucursales bancarias. Las delegaciones de American Express cambian sus propios cheques sin comisión. Los bancos y las oficinas de cambio rara vez aceptan talones de entidades extranjeras.

Monedas

El dólar estadounidense tiene monedas de 1, 10, 25 y 50 céntimos y 1 dólar. También están en circulación las monedas de 1 dólar de color dorado y las de 25 céntimos de los Estados. Cada moneda recibe un nombre popular: la de 1 céntimo se denomina penique (penny); la de 5 céntimos, níquel (nickel); la de 10 céntimos, décimo (dime), y la de 25, cuarto (quarter).

25 céntimos (cuarto)

10 céntimos (décimo)

5 céntimos (níquel)

1 céntimo (penique)

Billetes

Los billetes tienen denominaciones de 1, 5, 10, 20, 50 y 100 dólares; todos son del mismo color. Los billetes de 20 y 50 dólares con mayores medidas de seguridad ya están en circulación. El papel moneda se emitió por primera vez en 1862, época en la que las monedas escaseaban y se necesitaba financiación para la guerra de secesión.

1 dólar (pavo)

1 dólar (1 $)

5 dólares (5 $)

10 dólares (10 $)

20 dólares (20 $)

50 dólares (50 $)

100 dólares (100 $)

Teléfonos

Los teléfonos públicos de monedas suelen funcionar bien. Es fácil encontrarlos en esquinas, restaurantes, bares, teatros, grandes almacenes, hoteles y oficinas. Los teléfonos que admiten tarjeta de crédito permiten realizar llamadas sin utilizar efectivo. Los hoteles fijan sus propias tarifas, por lo que las llamadas desde la habitación pueden ser bastante caras.

TELÉFONOS PÚBLICOS

Pacific Bell (PacBell) opera la mayoría de las cabinas telefónicas de la ciudad, que se identifican con un distintivo azul y blanco con un auricular y la palabra *phone* o un círculo con una campana.

Las compañías independientes gestionan algunos teléfonos públicos, pero no ofrecen la misma calidad y pueden resultar más caros. Por ley, en las cabinas debe aparecer información que recoja las tarifas que se aplican, los números gratuitos de atención, las instrucciones para realizar llamadas al extranjero a través de otros operadores, así como la ubicación exacta de la cabina.

Las tarjetas telefónicas son muy comunes y constituyen una opción económica para llamadas internacionales. Para comunicar una queja sobre el servicio hay que llamar a la operadora (0).

TARIFAS TELEFÓNICAS

Dentro del área urbana se aplica una tarifa estándar de 50 céntimos por 3 minutos. El prefijo local de la ciudad es el **415**. Los prefijos **650** y **408** corresponden a las áreas suburbanas; mientras que el **510** pertenece a Oakland, Berkeley y el este de la bahía. Las llamadas realizadas a estas zonas desde San Francisco (y viceversa) son consideradas interurbanas. Cuando se telefonea desde una cabina a un número de fuera de la ciudad pero con el

Cabina telefónica

mismo prefijo, un mensaje automático especifica la cantidad adicional que hay que depositar. Las llamadas interurbanas son más económicas si no se efectúan a través de operadores; de hecho, el operador no suele ser necesario a menos que se desee realizar una llamada a cobro revertido. También se puede llamar a muchos teléfonos internacionales directamente.

En EE UU se aplican tarifas reducidas en llamadas directas de larga distancia por la noche y los fines de semana. Las páginas blancas contienen las tarifas actualizadas, así como información sobre llamadas de larga distancia. Los horarios en los que se aplican las tarifas reducidas para llamadas internacionales varían; en información internacional se especifican las horas más convenientes para telefonear.

CÓMO USAR UN TELÉFONO DE MONEDAS

1 Descolgar el auricular y esperar el tono.

2 Insertar la moneda o monedas en la ranura.

3 Marcar el número.

4 Si se desea cancelar la llamada antes de la respuesta o si no se consigue conectar, hay que pulsar el botón situado sobre la ranura y retirar las monedas.

Monedas

Es preciso disponer de varias de las siguientes monedas.

5 Si se establece la conexión y la llamada dura más de tres minutos, el operador interrumpe la conversación para indicar la cantidad que hay que depositar. Estos teléfonos no devuelven cambio.

5 céntimos

10 céntimos

25 céntimos

Máquina de fax en el aeropuerto

FAX

El servicio de fax internacional está extendido en toda la ciudad. El aeropuerto internacional de San Francisco dispone de aparatos de fax en el centro de negocios *(ver p. 289).* Muchas empresas de correspondencia y fotocopias del centro de la ciudad cobran los envíos de fax en función del destino y el número de páginas. También pueden recibir documentos, en este caso sólo se cobra por página. En la sección *Facsimile Transmission Services* de las páginas amarillas se facilitan más detalles. Para telegramas, télex y fax se puede acudir a alguna sucursal de **Western Union.**

INFORMACIÓN TELEFÓNICA

• Llamadas de larga distancia dentro de Estados Unidos y Canadá: marcar **1.**
• Llamadas internacionales directas: marcar **011,** seguido del código del país (34 para España) y del número del abonado.
• Llamadas internacionales por operador: marcar **01,** seguido del código del país y del número de abonado.
• Información internacional: marcar **00.**
• Operador internacional: marcar **01.**
• Operador nacional: marcar **0.**
• Los prefijos **800, 888 o 887** pertenecen a números gratuitos. Se debe marcar **1** antes del **800.**
• Información sobre números de teléfono locales: marcar **411** (es posible que se cobre por este servicio).
• Emergencias: marcar **911.**

TELEFONOS ÚTILES

Comisión de servicios públicos de California
Tel (1) (800) 649-7570.

Información nacional
Tel 411.

Servicio nacional de meteorología
Tel (831) 656-1725. *Mensaje grabado con el pronóstico para la bahía.*

Hora
Tel 767-8900.

Western Union
Tel (1) (800) 325-6000.

Correos

Los sellos se encuentran a la venta en oficinas de correos, recepciones de hoteles o máquinas expendedoras; en otros establecimientos pueden costar más. Las tarifas postales están a la disposición del público en las oficinas de correos. Las cartas se pueden enviar a través de oficinas de correos, hoteles, en el aeropuerto y en los buzones.

U.S.MAIL
Logotipo del servicio postal estadounidense

SERVICIOS POSTALES

Las oficinas de correos, además de los servicios habituales, gestionan giros y venden material de embalaje. Las principales oficinas de correos se señalan en los planos del *Callejero (ver pp. 302-311).*
Toda la correspondencia nacional se clasifica prioritaria y llega a su destino en un periodo de uno a cinco días. La correspondencia urgente internacional a Europa tarda entre 5 y 10 días laborables. Los envíos de paquetería al extranjero con tarifa normal llegan en cuatro o seis semanas.
La oficina de correos federal ofrece dos servicios urgentes: **Priority Mail** garantiza la entrega más rápido que el correo

ordinario, y **Express Delivery,** más caro, realiza repartos al día siguiente en EE UU y en un plazo de 2 o 3 días en muchos destinos internacionales. Los envíos urgentes se pueden gestionar a través de las mensajerías privadas que figuran en las páginas amarillas; **DHL** y **Fed Ex** son dos compañías internacionales.

Sellos estadounidenses

'POSTE RESTANTE'

En la General Post Office se guardan cartas y paquetes que pueden recogerse en un plazo de 30 días. Se han de enviar a: nombre del destinatario, General Delivery, Civic Center, 101 Hyde St., San Francisco CA 94142. Para retirarlo hay que presentar un documento de identidad.

SERVICIOS POSTALES

Oficina de correos de San Francisco, teléfono de información (24 horas)
Tel (1) (800) 275-8777.

'Poste Restante'
1300 Evans Ave.
Tel 550-5134.
◻ *7.00-20.30 lu-vi, 8.00-14.00 sá.*
www.usps.com

Correo Express y Priority
Tel (1) (800) 222-1811.

DHL
Tel (1) (800) 225-5345.

Fed Ex
Tel (1) (800) 463-3339.

Buzón de correos

Buzones de correos
Las horas de recogida figuran en el interior de la tapa móvil. Los buzones de Express Mail y Priority tienen el mismo aspecto, pero se distinguen claramente.

LLEGADA Y DESPLAZAMIENTOS

Varias compañías aéreas internacionales operan vuelos desde Europa hasta San Francisco, además existen numerosos vuelos chárter así como vuelos nacionales que comunican la ciudad con otros puntos del país. La competencia entre las aerolíneas ha propiciado la rebaja de los precios. Los trenes Amtrak viajan desde cualquier lugar de Estados Unidos hasta las inmediaciones de Oakland, donde los auto-

Avión de pasajeros

buses recogen a los pasajeros para depositarlos en la estación de San Francisco. Los autobuses de lujo de larga distancia constituyen un medio a menudo más económico de desplazarse entre las diferentes ciudades de Estados Unidos. Varias navieras fondean en el muelle 35. Los viajeros que llegan a San Francisco en coche o autobús disfrutan de unas insuperables vistas al cruzar el puente de la Bahía y el Golden Gate.

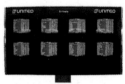

Pantallas de llegadas de vuelos

LLEGADA EN AVIÓN

El aeropuerto internacional de San Francisco (SFO) es uno de los más transitados del mundo. El plan de ampliación que se está llevando a cabo va a convertir el SFO no sólo en el mayor aeropuerto nacional sino en uno de los mejores. Las principales compañías aéreas que trabajan en el aeropuerto son: **Air Canada, American Airlines, British Airways, Delta Airlines, Northwest/ KLM Airlines, Qantas Airways, United Airlines, USAirways** y **Virgin Atlantic.**

AEROPUERTO INTERNACIONAL DE SAN FRANCISCO

Las principales pistas del SFO, situado 23 km al sur del centro, se extienden junto a la bahía de San Francisco. El SFO sirve a San Francisco y su área metropolitana, a la bahía y a Silicon Valley. En él aterrizan vuelos procedentes de la costa del Pacífico, Europa y Latinoamérica. Las puertas de salidas y llegadas se distribuyen a lo largo de las tres terminales (norte, sur e internacional), que están conectadas entre sí a través de pasillos que rodean una zona de aparcamiento provisional. En la

siguiente fase de ampliación del SFO está prevista la construcción de un aparcamiento, un centro de comunicaciones internacional y una zona de agencias de alquiler de vehículos. Todas las compañías aéreas internacionales se sitúan en la terminal internacional. Los vuelos con destino y procedencia de Canadá operan en otras terminales.

Las terminales norte e internacional albergan sucursales de Bank of America y oficinas de cambio de divisas; también hay cajeros automáticos.

Siempre que se disponga de tiempo, no hay mejor forma de pasar el rato que visitando el Museo de Historia de la Aviación, en la terminal internacional. Este museo contiene una biblioteca, un archivo y salas dedicadas a la evolución del transporte aéreo comercial. La terminal sur dispone de un completo acuario. Kid's Spot II, en la terminal norte, se compone de puestos interactivos cedidos por el Exploratorium. Por todo el aeropuerto, hay distribuidas salas donde se pueden contemplar diversas exposiciones

temporales con temas tan variados como las sombrillas japonesas o el arte de los indios americanos.

Autobús privado

Minibús a domicilio

INSTALACIONES DEL AEROPUERTO DE SAN FRANCISCO

Los viajeros que aterrizan en el aeropuerto internacional de San Francisco encuentran al llegar la aduana, recogida de equipaje, información turística, mostradores de alquiler de vehículos y transporte a la ciudad, todo ello en la planta baja. En la última planta se encuentran los servicios para los viajeros que se dirigen hacia San Francisco, incluidos mozos portaequipajes, consignas, mostradores de empresas de seguros, restaurantes, bares, tiendas y puestos de seguridad. Todos los usuarios de vehículos de alquiler, aparcamientos, autobuses públicos y traslados en minibús han de dirigirse a esta planta.

Tienda libre de impuestos de la terminal internacional

El servicio de transporte interno, que opera las 24 horas entre las terminales y el aparcamiento permanente, parte de la isleta central situada junto a las taquillas en intervalos de entre 5 y 20 minutos.

La oficina de cambio de divisas de Bank of America de la terminal internacional abre de 7.00 a 23.00 todos los días. **Global Communications Center** posee equipos de telefonía y teleconferencia, sala de congresos y servicio de fax. Cada terminal cuenta con bares, restaurantes, bancos, cajeros automáticos, puestos de prensa y otros establecimientos.

También hay servicios de cambio de pañales, guardería, buzones, máquinas expendedoras de sellos, televisores, duchas y una clínica. El aeropuerto está dotado con sillas de ruedas, teléfonos con texto para personas con problemas auditivos (*ver p. 280*) y un servicio de traslado para discapacitados. Por último, los usuarios tienen a su disposición teléfonos gratuitos para ponerse en contacto con todos los servicios del aeropuerto.

TRANSPORTE DESDE EL AEROPUERTO

Los mostradores de la planta baja facilitan información sobre el transporte a la ciudad; basta con seguir las señales Ground Transportation. Los autobuses de lujo que dirige **SFO Airporter** salen cada 20 minutos de 5.00 a 23.00 con

destino a tres zonas urbanas céntricas; efectúan paradas en los principales hoteles. También se puede llegar a la ciudad en minibús privado o limusinas compartidas: el importe del trayecto se divide entre los pasajeros, con un coste medio de 10 a 25 \$.

La tarifa de los trayectos en taxi suele ser de 35 \$. El recorrido sin paradas entre el aeropuerto y el centro de la ciudad puede durar unos 25 minutos

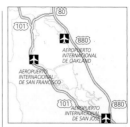

UBICACIÓN DE LOS AEROPUERTOS DE SAN FRANCISCO Y LA BAHÍA

Escaleras mecánicas en la moderna terminal internacional

y hasta 40 o más en horas punta. Los viajeros con escaso presupuesto que lleven poco equipaje y dispongan de mucho tiempo pueden coger un autobús público de **SamTrans** hasta la terminal Transbay (*ver p. 291*). Una red ferroviaria (el AirTrain) conecta el aeropuerto con una estación BART, donde enlaza con la ciudad, la bahía este y con los servicios ferroviarios de **CalTrain** (*ver p. 290*) y autobuses de SamTrans.

OTROS AEROPUERTOS

Los **aeropuertos internacionales de Oakland** y **San José** también se encuentran en la bahía y están menos congestionados, pues la mayoría de los aviones aterriza en el SFO. Ambos están bien comunicados a través de autobuses y limusinas a domicilio. **BART** (*ver p. 298*) opera en SFO y Oakland International, y existe una conexión de SamTrans/CalTrain a San José.

Fachada de acero y cristal del aeropuerto internacional de San Francisco

LLEGADA EN TREN

La red nacional de trenes de pasajeros, **Amtrak,** comunica las principales ciudades estadounidenses, conecta con servicios de autobuses, transbordadores y compañías aéreas y opera un servicio conjunto internacional con Rail Canada. Todos los trenes de largo recorrido disponen de vagones-cama y cafeterías; a menudo incluyen un vagón panorámico desde el que disfrutar del paisaje.

En muchos trayectos es imprescindible reservar con antelación, en cualquier caso, se recomienda reservar siempre que se vaya a viajar en fechas de mucho tránsito. Amtrak ofrece un programa variado de descuentos y ofertas especiales, por ejemplo, existen abonos de 15 y 30 días para viajar ilimitadamente en determinadas zonas. Los pasajeros que se dirigen a San Francisco en tren acaban su trayecto en la estación Amtrak Emeryville, al norte de Oakland. La estación está situada en un área industrial, por lo que la mayoría de los pasajeros recoge el equipaje y continúa hasta su destino sin apenas detenerse. Amtrak ofrece un servicio gratuito hasta el centro de la ciudad. El trayecto en autobús, de unos 45 minutos, cruza Oakland y el puente de la Bahía para terminar en el Ferry Building *(ver p.112)*, desde donde se puede coger transborda-

Market Street, con vistas a la bahía

Billete de CalTrain

dores, autobuses, tranvías de **BART** o MUNI Metro en dirección a otros puntos de la ciudad. Los pasajeros de Amtrak que lleguen a la estación de San José pueden hacer transbordo a través de la red ferroviaria **CalTrain** hasta San Francisco. Para realizar este trayecto se necesita otro billete, que se puede adquirir en el mismo tren.

La mayoría de los autobuses de Oakland llega a la estación CalTrain de San Francisco, que está situada en la esquina de 4th St. con Townsend St.

LLEGADA EN COCHE

Al atravesar en coche el puente de Golden Gate o el de la Bahía se disfruta de una fantástica panorámica de la ciudad. Ambos puentes son de peaje, pero sólo se cobra en una dirección. Si se accede desde el norte a través de la US 101, se paga el peaje del Golden Gate al entrar en la ciu-

dad, pero si se conduce en dirección al condado de Marin, no es necesario abonar tarifa alguna. Para acceder al centro desde el Golden Gate Bridge se deben seguir las indicaciones de la US 101 hasta Lombard St. y Van Ness Ave. Aquellos conductores que lleguen a la ciudad por la I-80 de Oakland han de pagar el peaje del puente de la Bahía al aproximarse a San Francisco. Las dos primeras salidas conducen al centro. Si se llega desde el sur a través de la península, se puede acceder por la US 101, 280 o la Hwy. 1. Todas estas arterias están bien señaladas y son gratuitas.

LLEGADA EN AUTOBÚS

Greyhound Bus Line opera trayectos regulares a casi todos los puntos de Estados Unidos. Los autocares son modernos y están limpios. Conviene informarse en la taquilla de esta compañía sobre descuentos en vigor o cualquier tipo de oferta especial. Si se planea interrumpir el itinerario en varias ocasiones o si San Francisco constituye sólo una parada de un viaje mayor por EE UU, tal vez sea posible beneficiarse dentro algún producto que tenga en cuenta este tipo de necesidades. **Adventure Travel Network (ATN)** es un servicio muy flexible que trabaja en la costa oeste hasta Los Ángeles y Las Vegas; los pasajeros pueden subir y bajar en cualquier punto y utilizar este servicio con la frecuencia que deseen durante todo el periodo de validez del billete.

La línea de autocares **Green Tortoise** es un medio asequible, original y, a veces, aventurero de viajar. Las instalaciones y las paradas son muy limitadas, por lo que no es raro que los pasajeros se preparen sus comidas. En algunos itinerarios, los autobuses se detienen para que los viajeros se refresquen en manan-

Los trenes Amtrak viajan a casi todos los puntos de EE UU desde Emeryville

tiales de agua caliente naturales. Este servicio es lento, por lo que, si se necesita llegar a un destino a una hora determinada, se recomienda coger un Greyhound o un tren. Entre los destinos de Green Tortoise se incluyen Los Ángeles, Yosemite National Park, el Gran Cañón, el Valle de la Muerte y Seattle.

En la estación Transbay, en First St. y Mision St., operan autobuses de largo recorrido, regionales y urbanos, así como unas cuantas compañías de visitas turísticas. Conviene mantener vigilados los efectos personales, ya que a veces rondan por la estación pequeños delincuentes.

Autobús de largo recorrido Greyhound

LLEGADA EN BARCO

Navegar bajo el Golden Gate Bridge para entrar a la bahía de San Francisco constituye una manera deliciosa de llegar a la ciudad. Los cruceros de lujo fondean cerca de Fisherman's Wharf, en el muelle 35. La ciudad es el punto de embarco y desembarco de numerosas travesías procedentes de Alaska o la Riviera Maya. En el muelle hay paradas de taxi y transporte público de BART *(ver p. 298)*, autobuses y tranvías de Muni Metro *(ver pp. 294-295)*.

INFORMACIÓN GENERAL

INFORMACIÓN DEL AEROPUERTO DE SAN FRANCISCO (SFO)

Información del aeropuerto
Tel (650) 876-2377.
A través de un menú automático se selecciona el servicio que se precise.

Serivicio de portaequipaje
Tel (650) 876-2377.

Policía del aeropuerto
Tel (650) 876-2424.

Cambio de divisas
Tel (650) 876-2377.

Global Communications Center
Tel (650) 876-2377.

Aparcamiento
Tel (650) 821-7900.

Asistencia al viajero
Tel (650) 821-2730.

COMPAÑÍAS AÉREAS DEL SFO

Air Canada
Tel 1-(888) 247-2262.

American Airlines
Tel 1-(800) 433-7300.

British Airways
Tel 1-(800) 247-9297.

Delta Airlines
Tel 1-(800) 221-1212.

Northwest KLM Airlines
Tel 1-(800) 225-2525.

Qantas Airways
Tel 1-(800) 227-4500.

United Airlines
Tel 1-(800) 241-6522.

USAirways
Tel 1-(800) 428-4322.

Virgin Atlantic Airways
Tel 1-(800) 862-8621.

SERVICIO DE AUTOBUSES

SFO Airporter
Tel (650) 624-0500.

HOTELES DEL SFO

Best Western El Rancho Inn
1100 El Camino Real
Millbrae.
Tel (650) 588-8500.

La Quinta Inn
20 Airport Blvd
Sur de San Francisco.
Tel (650) 583-2223.

Travel Lodge Airport West
1330 El Camino Real
Sur de San Francisco.
Tel (650) 589-8875.

AEROPUERTO INTERNACIONAL DE OAKLAND

Información del aeropuerto
Tel (510) 577-4000.

Hoteles
Clarion
500 Hegenberger Rd.
Oakland.
Tel (510) 562-5311.

La Quinta Inn
8465 Enterprise Way
Oakland.
Tel (510) 632-8900.

AEROPUERTO INTERNACIONAL DE SAN JOSÉ

Información del aeropuerto
Tel (408) 277-4759.

Hoteles
Executive Inn Airport
1310 N 1st St, San José.
Tel (408) 453-1100.

Hyatt Hotel
1740 N 1st St, San José.
Tel (408) 993-1234.

TRASLADOS A DOMICILIO (24 HORAS)

American Airporter Shuttle
Tel 202-0733. Se recomienda reservar.

Bayporter Express
Tel 467-1800.
El servicio regular opera entre los aeropuertos SFO y Oakland.

SuperShuttle
Tel 558-8500.
www.supershuttle.com

TRENES Y AUTOBUSES

Amtrak
Tel 1-(800) 872-7245.
www.amtrak.com

BART
Tel (650) 992-2278.
www.bart.gov

CalTrain
Tel 1-(800) 660-4287.
www.caltrain.com

SamTrans
Tel 1-(800) 660-4287.
www.samtrans.com

AUTOBUSES DE LARGO RECORRIDO

Adventure Travel Network (ATN)
Tel 247-1800.

Green Tortoise
Tel 956-7500.
www.greentortoise.com

Greyhound Bus Line
Tel 1-(800) 231-2222.
www.greyhound.com

CÓMO DESPLAZARSE

San Francisco ocupa un área compacta, lo que hace que sea una delicia recorrerlo. Muchos de los lugares de interés se encuentran a escasa distancia entre sí. Además, el transporte público urbano es eficaz y muy fácil de utilizar. Son pocos los visitantes que pueden resistirse a un paseo en tranvía. Las líneas de autobuses atraviesan la ciudad

El *velotaxi*, un popular medio de transporte

y pasan junto a los enclaves más turísticos. Los tranvías Muni Metro y las líneas BART operan en las afueras. Los taxis son asequibles, pero a menudo resulta difícil encontrar uno libre; se recomienda su uso para desplazarse de noche o incluso de día por ciertas partes. Varios transbordadores y buques de pasajeros surcan las aguas de la bahía.

Caminando por San Francisco

PLANEAR EL ITINERARIO

Todos los transportes públicos y taxis funcionan a todo ritmo durante las horas punta, esto es, de 7.00 a 9.00 y de 16.00 a 19.00 de lunes a viernes. Durante estas horas toda la ciudad bulle. Para evitar estas aglomeraciones, resulta más conveniente caminar que montarse en autobús, tranvía o tren de cercanías, o quedarse bloqueado al volante en un atasco. Las vías de las inmediaciones de South of Market Street tienen un tráfico especialmente denso al final de la jornada, cuando los vehículos

hacen cola para atravesar el puente de la Bahía y dirigirse a la autopista sin peaje en dirección sur. Los desfiles y eventos especiales pueden saturar una zona concreta; conviene preguntar a este respecto en el hotel y consultar el calendario de celebraciones de la ciudad para evitar quedar atrapado en medio de cualquier festejo (*ver pp. 148-151*). Los eventos diarios se pueden consultar en los periódicos y publicaciones locales o bien a través de San Francisco Convention and Visitors Bureau (*ver p. 278*) o en la recepción del hotel.

TRAZADO Y NUMERACIÓN URBANOS

Casi todas las calles de San Francisco se basan en un sistema de cuadrículas. Market St. atraviesa la ciudad de suroeste a noreste y la divide en las secciones norte y sur. Salvo contadas excepciones, la numeración tiene como referencia la esquina de las manzanas. Así, la primera vivienda de la primera manzana es el 1 (y los siguientes inmuebles el 2, el 3...), la de la segunda es el 100, la de la tercera es el 200.

La numeración de las calles trazadas de este a oeste aumenta en dirección oeste. La numeración de las calles trazadas de norte a sur comienza en el punto más cercano a Market St. Al preguntar por una dirección

conviene dar indicación también de la calle perpendicular más cercana.

Los habitantes de San Francisco denominan The Avenues al conjunto de avenidas de Richmond District que reciben como nombre un

número (1st Ave., 2nd Ave., etc). Las calles denominadas numéricamente comienzan en el lado sur de Market St. y terminan en Mission District.

La numeración de las calles trazadas de norte a sur comienza en el punto más cercano a Market St.

A PIE

La mejor forma de explorar San Francisco es a pie, pues las principales zonas de interés turístico distan unos 15 o 20 minutos de distancia caminando a un ritmo normal. Las colinas, especialmente Nob Hill *(ver pp. 101-103)* y Tele-

Paso de peatones

graph Hill *(ver pp. 90-93)*, pueden ser un auténtico desafío, pero sin duda merece la pena subir las empinadas cuestas para disfrutar de las vistas de la ciudad y la bahía que se contemplan desde la cima.

En la mayoría de los cruces se alza sobre un poste una señal verde y blanca con el nombre de la calle que atraviesa la vía principal. El nombre de la calle suele indicarse sobre el pavimento de la acera en esquinas.

Como en España, los semáforos se ponen en rojo (parar), verde (adelante) y ámbar (precaución o cambio

El peatón no puede cruzar

El peatón sí puede cruzar

a rojo) para los vehículos. Los peatones pueden cruzar cuando en el semáforo se ilumina una figura humana blanca; la luz naranja intermitente con la palabra *Walk* (Camine) aparece durante unos segundos y precede a la señal *Don't Walk* (No camine).

Conviene mirar a ambos lados antes de cruzar. Los vehículos pueden torcer a la derecha con el semáforo en rojo si no viene nadie, por lo que hay que tener cuidado al cruzar junto a los semáforos. Jamás hay que confiar únicamente en el semáforo para peatones, siempre se debe permanecer atento.

Aunque sea común, está prohibido cruzar la calle imprudentemente. Cruzar la calzada a la mitad de una manzana o cuando el semáforo indique lo contrario puede castigarse con una multa mínima de 50 $.

EN MOTOCICLETA Y CICLOMOTOR

Las motos y ciclomotores constituyen una minoría comparado con el número de coches que circula por San Francisco. Los pocos lugares de alquiler de motocicletas y ciclomotores, suelen ubicarse cerca de las playas y campus universitarios. Es imprescindible presentar un permiso internacional o estadounidense de moto en vigor, depositar una fianza, demostrar que se tiene experiencia suficiente y usar el casco.

EN BICICLETA

El ciclismo es muy popular en San Francisco. Se puede alquilar una bicicleta por unos 25 $ al día o 130 $ a la semana. Existen carriles para bicicletas en diversas zonas de la ciudad y la bahía. Algunos autobuses están equipados para transportar bicicletas en el exterior de la parte trasera. Cabe destacar dos rutas panorámicas indicadas para bicicletas: una discurre desde Golden Gate Park *(ver pp. 142-157)* en sentido sur hasta el lago Merced, y la otra comienza al sur del Golden Gate Bridge *(ver pp. 64-67)* y atraviesa el condado de

Marin *(ver pp. 90-93)*, al norte. **Bay City Bike** y **Blazing Saddles** alquilan bicicletas y equipamiento, realizan reparaciones y ofrecen información.

Ciclistas en Golden Gate Park

OTROS MEDIOS

A lo largo del Embarcadero, especialmente en el área de Fisherman's Wharf *(ver pp. 80-81)* se pueden encontrar *velotaxis*. También existe una flota de tranvías a motor que cubre determinados circuitos por la ciudad, en los que los pasajeros pueden subir y bajar a su antojo. Las visitas guiadas en autobús se organizan como excursiones de medio jornada o jornada

completa *(ver p. 279)*. Para desplazarse con verdadero estilo se puede alquilar una limusina con chófer y guía.

INFORMACIÓN

ALQUILER DE MOTOCICLETAS Y CICLOMOTORES

Eagle Rider Motorcycle Sales & Rentals

1060 Bryant St. **Plano** 11 B2.

Tel 503-1900.

www.eaglerider.com

ALQUILER DE BICICLETAS

Bay City Bike

2661 Taylor Street, en Fisherman's Wharf. **Plano** 5 A1.

Tel 346-2453.

www.baycitybike.com

Blazing Saddles

1095 Columbus Ave.

Plano 5 A2. *Tel* 202-8888.

Pier 41. **Plano** 5 B1. *Tel* 202-8888.

www.blazingsaddle.com

Viajar en autobuses y tranvías de Muni Metro

La red ferroviaria municipal de San Francisco o Muni, como se denomina comúnmente, es el organismo que gestiona el sistema de transporte público de la ciudad. Existe un abono único, el Muni Passport, para viajar en autobuses de Muni, tranvías eléctricos de Muni Metro y las tres líneas de tranvías automáticos, frecuentadas principalmente por turistas. Los autobuses y tranvías operan en la mayoría de los lugares de interés turístico, además de en todos los barrios. En el interior de la contraportada de esta guía, se reproduce un plano de autobuses y tranvías de la ciudad.

Marquesina de autobús de Muni con teléfono público

TARIFAS Y BILLETES

Un trayecto en autobús o tranvía cuesta 2 $. Al abonar el billete se puede solicitar un transbordo gratis, con el que se puede enlazar con otro autobús o tranvía sin coste adicional; el transbordo es válido para un plazo de 90 minutos. Las personas mayores de 65 años y los niños entre 5 y 17 años se benefician de tarifas reducidas. No se cobran tarifas adicionales si se sube a un servicio exprés o con paradas limitadas.

Si se tiene pensado realizar diversos trayectos en Muni, el Muni Passport, válido para uno, tres o cinco días, permite viajar ilimitadamente en autobuses y tranvías. Los Muni Passport se pueden adquirir en los puestos de información cercanos a las áreas de recogida de equipaje del aeropuerto internacional de San Francisco; también están a la venta en el quiosco de información del **Visitor Information Center** de la puerta de la estación BART/Metro de Powell St., y en las taquillas de billetes de tranvía de Powell St. con Market St. y Hyde St. con Beach St.

Además, existen unos abonos que ofrecen un descuento del 20% de la tarifa estándar.

Muni Passports

VIAJAR EN AUTOBÚS

Los autobuses se detienen en paradas situadas cada dos o tres manzanas. Al subir hay que introducir el importe exacto o el billete en la máquina o mostrar el Muni Passport al conductor. Los ancianos y los pasajeros discapacitados tienen prioridad en la parte delantera del autobús, por lo que hay que cederles el asiento.

Está prohibido fumar, beber, comer y utilizar aparatos de radio en los autobuses. Se permite que suban gratis a cualquier hora los perros guía que acompañen a invidentes; en ciertas horas del día y si lo permite el conductor, tal vez se puedan subir otros animales en vehículos de Muni. Para avisar de que se desea bajar en la próxima parada, hay que tirar del cordón que cuelga junto a las ventanas, tras lo cual se ilumina la señal de parada solicitada sobre la luna delantera. Junto a la salida se especifican las instruc-

Los números de la línea figuran en la parte delantera y lateral del autobús

ciones para abrir las puertas; al apearse hay que tener precaución con el tráfico. Los números de los itinerarios seguidos por una letra (L, X, AX, BX, etc) indican que bien son servicios exprés o bien que realizan paradas limitadas; en cualquier caso, siem-

pre se puede preguntar al conductor ante cualquier duda. Varias líneas ofrecen servicios nocturnos desde las 24.00 a las 6.00, aunque el taxi es el medio más seguro para desplazarse de noche por la ciudad.

PARADAS DE AUTOBÚS

Las paradas de autobús se indican con señales con el logotipo de Muni o con postes cubiertos de franjas amarillas. Por lo general, en las paradas hay marquesinas con tres lados de cristal. Los números de las líneas de autobuses que se detienen en la parada figuran bajo la señal y en la pared exterior de la marquesina. También se muestran planos de itinerarios y frecuencia de servicios. Muchas marquesinas disponen de teléfono público.

INFORMACIÓN

MUNI

Tel 673-6864, TTY: *923-6373.*

www.sfmta.com

MUNI PASSPORTS

Visitor Information Center

Planta baja, Hallidie Plaza, Market y Powell Sts.

Plano 5 C5. *Tel 391-2000.*

www.transitinfo.org

Quiosco de Powell Street

Hallidie Plaza, Market y Powell Sts. **Plano** 5 C5.

VIAJAR EN TRANVÍA

En el centro, los tranvías operan tanto por la superficie como por debajo de ella, mientras que en los barrios de la periferia sólo circulan en la calle.

Las líneas de tranvía J (Church), K (Ingleside), L (Taraval), M (Ocean View), N (Judah) y T (Third) comparten las mismas vías, que discurren bajo Market St.

En cuatro de las siete estaciones subterráneas de Market St. operan tanto tranvías de Muni Metro como BART (ver p. 298). Las entradas se distinguen con rótulos iluminados en naranja, amarillo y blanco. Una vez en la estación, hay que buscar el acceso a Muni.

Antes de bajar las escaleras hasta los andenes hay que abonar el billete o mostrar el Muni Passport. Para ir en sen-

Tranvía de Muni Metro

tido oeste, se deben seguir las indicaciones *outbound;* para ir al este, se debe seguir la señal *downtown*. En los paneles electrónicos figura el nombre del próximo tranvía. Las puertas se abren automáticamente para subir a bordo; en caso de que no se abran, tanto en paradas al aire libre como subterráneas, hay que empujar la manivela situada junto a la puerta.

Las paradas de las calles se identifican con una bandera metálica naranja y marrón o con un poste cubierto por una banda amarilla con las palabras Muni o Car Stop.

En las líneas J, K, L, M, N y T circulan vagones Breda nuevos, de color plateado y rojo. Los tranvías exteriores también son llamados Light Rail Vehicles, LRV (vehículos de tren ligeros).

TURISMO EN AUTOBÚS Y TRANVÍA

Las líneas más utilizadas por los visitantes son la 30, 38, 39, 45, 47 y la línea histórica de Market y Wharves. El nº 38 discurre hacia las colinas por encima de Ocean Beach, y Golden Gate Park se encuentra en el itinerario del nº 21. En **Visitor Information Center** o en Muni se facilita más información. En el plano del interior de la contraportada figuran más líneas de autobuses y tranvías.

Tranvía histórico en Fisherman's Wharf

SIMBOLOGÍA

═══	Línea 10
═══	Línea 15
⋯⋯	Línea 21
═══	Línea 30
───	Línea 38
───	Línea 39
───	Línea 45
───	Línea 47
───	Línea 76
───	Línea F
───	Línea N
🚇	Estación BART
🚆	Estación Caltrain
⛴	Transbordador

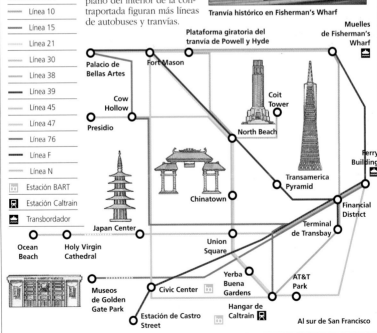

Viajar en tranvía

Los tranvías de San Francisco son internacionalmente famosos *(ver pp. 104-105)*. Funcionan desde las 6.30 hasta las 12.30 todos los días. Se aplica una tarifa única de 5 $ por trayecto, con descuentos para pensionistas y discapacitados entre las 21.00 y las 7.00. A pesar de que constituyen un medio estupendo para ver los lugares de interés, los autobuses *(ver pp. 294-295)* resultan más prácticos.

horas punta *(ver p. 278)*. Sea cual sea la hora en la que se viaje, existen muchas más posibilidades de conseguir un asiento si se toma el tranvía al final de la línea seleccionada.

CÓMO VIAJAR EN TRANVÍA

Los tranvías circulan en tres líneas. La línea Powell-Hyde es la más popular. Comienza en la plataforma giratoria de Powell y Market *(ver p. 117)*, bordea Union Sq. y sube por Nob Hill, donde proporciona bonitas vistas de Chinatown. A continuación pasa por el Cable Car Museum *(ver p. 103)*, cruza Lombard St. *(ver p. 88)* y finalmente baja por Hyde St. hasta la plataforma giratoria cercana a Aquatic Park *(ver p. 172)*. La línea Powell-Mason también sale de la esquina de Powell St. con Market St. y realiza el mismo itinerario hasta el Cable Carn Barn, desde este punto continúa por North Beach para finalizar su

Señal de tranvía

viaje en Bay St. Si el pasajero de las líneas de Powel se sienta en el lado que da al este, puede contemplar los principales lugares de interés. La línea California parte desde Market St., avanza a lo largo de California St. y atraviesa parte del Financial District y Chinatown. Las líneas Powell convergen con la línea California en Nob Hill, donde se puede hacer transbordo, aunque es preciso abonar el importe correspondiente si sólo se dispone de un billete sencillo. La línea California continúa a través de Nob Hill y termina en Van Ness Ave. Los trayectos de vuelta de las tres líneas siguen el itinerario de ida pero en sentido inverso. Los residentes también emplean los tranvías, por lo que conviene evitarlos en

BILLETES

Si no se ha adquirido un Muni Passport *(ver p. 294)*, se puede comprar un billete o un bono diario al conductor. Los abonos Muni, billetes de recuerdo y planos están a la venta en los quioscos de Powell St. con Market St. y Hyde St. con Beach St. y en el Visitor Information Center *(ver p. 294)*.

PARADAS DE TRANVÍAS

Para coger un tranvía se puede hacer cola en ambos extremos de las líneas o esperar en una parada. Es necesario permanecer en la acera y avisar al conductor. Hay que esperar a que el tranvía esté totalmente parado para entonces subir con rapidez. Las paradas están indicadas con señales marrones con la silueta blanca de un tranvía o con una línea amarilla sobre la calzada.

CÓMO RECONOCER LA LÍNEA DEL TRANVÍA

Operan 40 tranvías en las tres líneas urbanas. Cada coche dispone de entre 29 y 34 asientos y, dependiendo del modelo, tiene capacidad para otras 20 o 40 personas de pie.

El nombre de la línea figura en la parte delantera, lateral y posterior de cada coche: Powell Hyde, Powell-Mason o California St.; también se indica el número del tranvía correspondiente. Los de California St. son fáciles de identificar porque tienen una cabina para el conductor en cada extremo, mientras que los tranvías de las dos líneas de Powell sólo poseen una.

Tanto el conductor como el ayudante pueden facilitar la información que se precise sobre el destino elegido.

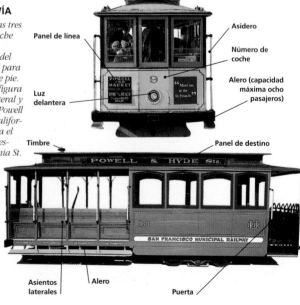

Timbre

Asidero

Número de coche

Alero (capacidad máxima ocho pasajeros)

Panel de línea

Luz delantera

Timbre

Panel de destino

POWELL & HYDE Sts.

SAN FRANCISCO MUNICIPAL RAILWAY

Asientos laterales

Alero

Puerta

TURISMO EN TRANVÍA

Los colinas de la ciudad no son ningún un inconveniente para los tranvías, ya que que circulan por vertiginosas cuestas sin dificultad, pasando por diferentes monumentos y zonas turísticas. El descenso más emocionante se encuentra en el tramo final de la línea Powell-Hyde.

SIMBOLOGÍA

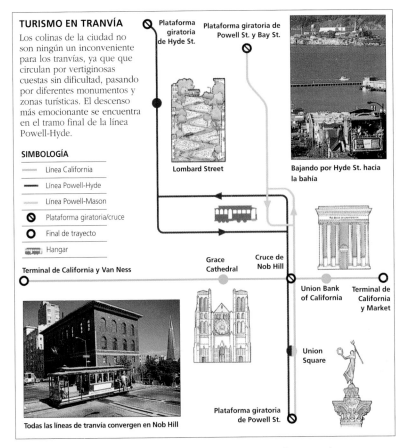

Plataforma giratoria de Hyde St.

Plataforma giratoria de Powell St. y Bay St.

Lombard Street

Bajando por Hyde St. hacia la bahía

	Línea California
	Línea Powell-Hyde
	Línea Powell-Mason
Plataforma giratoria/cruce
Final de trayecto
Hangar

Terminal de California y Van Ness

Grace Cathedral

Cruce de Nob Hill

Union Bank of California

Terminal de California y Market

Union Square

Plataforma giratoria de Powell St.

Todas las líneas de tranvía convergen en Nob Hill

VIAJAR SEGURO EN TRANVÍA

Si no hay mucha gente, se puede elegir entre ir sentado o permanecer de pie en el interior, o sentarse o quedarse de pie en la plataforma exterior. Los pasajeros más atrevidos se aferran a un poste mientras permanecen de pie en un alero lateral.

Conviene no acercarse demasiado al conductor, dado que éste necesita mucho espacio para manejar la palanca; en torno a él, en el suelo, se delimita con líneas amarillas el área que hay que dejar despejada.

Hay que tener cuidado con no asomarse demasiado, pues en ocasiones los tranvías circulan muy próximos entre sí. También se debe subir y bajar con mucha prudencia, ya que los tranvías suelen parar en cruces y hay que subir o apearse del vagón entre otros vehículos.

Todos los pasajeros han de bajarse al final de la línea. Aquellos que deseen realizar el trayecto de vuelta han de esperar a que el tranvía maniobre en la plataforma giratoria o se enganche a la línea de regreso antes de volver a subir.

NÚMEROS ÚTILES

Cable Car Barn
1201 Mason St. **Plano** 5 B3.
Museo Tel *(415) 474-1887.*

Información de Muni
Tel 673-6864. Información sobre tranvías, tarifas y Muni Passports.

Pasajeros en el alero de un tranvía

Viajar en BART

La península de San Francisco y el este de la bahía están comunicados mediante Bay Area Rapid Transit, BART. Se trata de un sistema de transporte exprés que cubre una red de 165 km con una flota de trenes de alta velocidad con accesos para discapacitados.

Logotipo de BART

CÓMO UTILIZAR EL BART

1 Los trenes BART operan a diario hasta las 24.00. Efectúan parada en cinco estaciones subterráneas de Market St.: Civic Center, Powell, Montgomery y Embarcadero. Los trenes procedentes de Daly City se detienen en estaciones del centro antes de continuar su trayecto hacia el este de la bahía a través de un túnel. Sólo se pueden realizar transbordos en dos estaciones del este: MacArthur y Oakland City.

SIMBOLOGÍA

— Pleasanton-Aeropuerto SF

— Milbrae-Aeropuerto SF

··· Fremont–Daly City

···· Fremont– Richmond

— Pleasanton–SF Airport

— Millbrae–SF Airport

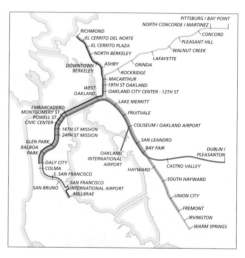

2 Todos los billetes de BART se pueden adquirir en máquinas expendedoras. Para calcular el importe, se debe consultar las tarifas que figuran junto a las máquinas en las estaciones BART.

3 Aquí se insertan las monedas o billetes; las máquinas aceptan también algunas tarjetas de débito y crédito con un cargo mínimo de 20 $.

4 Esta pantalla muestra el importe depositado. Para comprar un billete de ida y vuelta es preciso introducir el doble que para uno sencillo.

5 Los billetes se marcan con un código magnético.

6 Retirada del billete. Todos los pasajeros deben llevar billete.

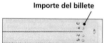

Importe del billete

Banda magnética   Insertar el billete en la ranura

7 Para acceder al andén hay que validar el billete en la máquina, que descuenta automáticamente un trayecto. Antes de salir de la estación se debe volver a pasar el billete por la máquina. Si aún tiene validez, el billete se devuelve al girar el torniquete.

8 Todos los trenes anuncian su destino final, por ejemplo, *westbound* para San Francisco/Daly City y *eastbound* para Oakland, Richmond, Bay Point o Fremont. Las puertas se abren automáticamente y en los andenes figura un cartel con la última parada en la dirección que viaja el tren.

9 Las estaciones BART cuentan con personal que responde a consultas y ayuda a los pasajeros con las máquinas. Existen tarifas para excusiones que permiten diferentes combinaciones. Para más información, llamar a 788-BART (788-2278) o visitar www.bart.gov.

Transbordadores y travesías por la bahía

Antes de que los puentes Golden Gate y Oakland cruzaran la bahía, cientos de transbordadores navegaban regularmente de orilla a orilla, transportando pasajeros y mercancías. A pesar de que hoy por hoy no son necesarios, los barcos y transbordadores continúan siendo un medio muy popular de desplazarse y desde el que contemplar el litoral de la ciudad. La costa de la bahía de San Francisco comprende los municipios de San Francisco, Oakland (ver pp. 164-167), Tiburón y Sausalito (ver p. 161).

Anuncio de cruceros turísticos por la bahía

naviera, atraca en el cercano Fisherman's Wharf (ver pp. 80-81).

EXCURSIONES POR LA BAHÍA

Blue & Gold Fleet y **Red & White Fleet** organizan cruceros turísticos por la bahía desde Fisherman's Wharf. Las travesías que ofrecen recorren la isla del Ángel, Alcatraz (ver pp. 84-87) y localidades del norte de la bahía (ver pp. 160-161). Además, existen excursiones combinadas en barco y autobús para visitar Six Flags Marine World (ver p. 274) y Muir Woods (ver p. 160).

Hornblower Dining Yatchs ofrece almuerzos los viernes, *brunch* los fines de semana y cenas a diario en sus barcos privados.

Ocean Society organiza excursiones con un naturalista a bordo; se navega hasta las islas Farallón, a 40 km de la costa.

También se puede participar en una salida para observar las ballenas en la costa oeste de San Francisco (ver p. 272).

SERVICIOS EN TRANSBORDADOR

Los habitantes de la bahía son muy aficionados a viajar en los transbordadores. De lunes a viernes, se llenan con residentes que evitan así el tráfico en hora punta de los puentes, y los fines de semana familias de las afueras dejan sus coches en casa para hacer excursiones a la ciudad.

Los transbordadores carecen de comentarios de audio que identifiquen y describan los lugares de interés, pero son más económicos que los cruceros turísticos. Venden tentempiés y bebidas a bordo y sólo transportan pasajeros y bicicletas, no vehículos.

El Ferry Building, en el Embarcadero (ver p. 112) es la terminal de **Golden Gate Ferries. Blue & Gold,** otra

---

TRANSBORDADORES Y EXCURSIONES POR LA BAHÍA

A Vallejo

Larkspur

Barco de la bahía

Tiburón

Sausalito

Isla de Alcatraz

Muelles de Fisherman's Wharf

Muelles del Ferry Building

Alameda

- Excursión por la bahía (Blue & Gold)
- Isla de Alcatraz (Blue & Gold)
- Transbordador de Sausalito
- Transbordador de Tiburón
- Transbordador de Larkspur
- Transbordador de Vallejo
- Transbordador del este de la bahía

INFORMACIÓN

TRANSBORDADORES

Blue & Gold Fleet
Pier 39, 41. **Plano** 5 B1. **Tel** 773-1188. *Travesía de 75 minutos.*
www.blueandgoldfleet.com

Golden Gate Ferries
Tel 923-2000.
www.goldengateferry.com

EXCURSIONES POR LA BAHÍA

Hornblower Dining Yachts
Pier 33. **Plano** 5 C1.
Tel 394-8900, ext. 7.
Cruceros con cena y baile.
www.hornblower.com

Oceanic Society Expeditions
Tel 441-1104.
www.oceanicsociety.org

Red & White Fleet
Pier 431/2. **Plano** 5 B1.
Tel 447-0597.
www.redandwhite.com

Viajar en coche

Los atascos, la escasez de plazas donde aparcar (y sus elevados precios) y la estricta aplicación de las normas de aparcamiento desaniman a muchos visitantes a conducir por San Francisco. Es obligatorio llevar abrochado el cinturón de seguridad. Los límites de velocidad varían, pero el máximo es de 56 km/h.

ALQUILER DE VEHÍCULOS

Para alquilar un vehículo es necesario tener como mínimo 21 años y disponer de un carné de conducir en regla. Todas las compañías exigen una tarjeta de crédito o una cuantiosa fianza en efectivo. Se recomienda contratar un seguro de accidentes y responsabilidad civil. Resulta más ventajoso alquilar el vehículo en el aeropuerto, ya que en la ciudad se cobra un impuesto adicional de 2 $ al día.

SEÑALES DE TRÁFICO

Las señales y carteles de colores anuncian las direcciones de los principales lugares de interés, por ejemplo, Chinatown se anuncia con un farolillo, Fisherman's Wharf, con un cangrejo, y North Beach, con la silueta de Italia. Las señales de alto y prohibido el paso son rojas y blancas; las de precaución y ceda el paso, amarillas y negras, y las de sentido único,

Señal de una zona turística

negras y blancas. Los conductores pueden torcer a la derecha con el semáforo en rojo siempre que no haya nadie circulando por el cruce; salvo en este caso, siempre hay que detenerse si el semáforo está en rojo o ámbar.

MULTAS

Está sancionado aparcar junto a un parquímetro que esté fuera de servicio o en un lugar que obstaculice una parada de autobús, boca de incendios, accesos, garajes o rampas para sillas de ruedas, así como saltarse un semáforo en rojo. Para más detalles, hay que contactar con el **departamento de aparcamiento y tráfico.**

Cuando la grúa retira el coche, se debe llamar al servicio de **información de vehículos retirados del departamento de policía,** obtener un permiso de retirada de la comisaría más próxima y, a continuación, dirigirse al depósito municipal, donde es obligatorio pagar una suma considerable. Si se trata de un vehículo de alquiler, es obligatorio presentar el contrato.

APARCAMIENTO

Los parquímetros funcionan de 8.00 a 16.00 de lunes a sábados y, en ocasiones, los domingos. Los aparcamientos públicos cuestan de 9 a 20 $ al día.

Los bordillos están pintados con diferentes colores: el rojo indica que está prohibido aparcar; el amarillo se destina a zonas de carga y descarga; el verde permite el estacionamiento durante 10 minutos; el blanco, 5 minutos en horarios comerciales, y los azules están reservados a minusválidos.

La ley ordena que se dejen las ruedas del vehículo giradas al aparcar en cuestas empinadas: hay que girar las ruedas hacia la carretera cuando se aparque hacia arriba y hacia el bordillo cuando se deje el coche hacia abajo.

Indicador del tiempo

Ranura para insertar las monedas

Manivela giratoria para introducir las monedas

Al girar las ruedas del coche hacia el interior el bordillo sirve de freno

Señales de información de aparcamiento con las ruedas giradas para evitar que el coche se deslice

Viajar en taxi

Los taxis de San Francisco circulan las 24 horas. Es posible que resulte difícil encontrar uno, especialmente en las afueras. Los taxistas suelen ser solícitos y amables, de hecho, muchos conductores son profesionales veteranos con ganas de chalar y compartir su experiencia en las calles. Los taxis tienen que portar una licencia y seguir el reglamento del sector, por lo que es de esperar un servicio eficaz y tarifas regulares.

to si se queda atrapado en un atasco o si se espera en una dirección. El coste aproximado del trayecto entre el aeropuerto de San Francisco y el centro de la ciudad es de 35 $.

Taxímetro

NORMATIVA

Los taxistas deben ir provistos de un documento con su fotografía y una licencia de taxi denominada *medallion*. Si se puede o no fumar, es decisión del propietario. Si se desea formular una queja, se debe llamar al **servicio de reclamaciones de taxis del departamento de policía**.

Tráfico denso en Chinatown

COGER UN TAXI

Los taxis poseen una señal en el techo que se ilumina cuando está libre. Los modelos de las distintas compañías son rojos, blancos y azules; amarillos; amarillos y azules, y verdes. Cada taxi se identifica con el nombre y el número de teléfono de la compañía, además del número del vehículo.

Como en otras ciudades, para coger un taxi se puede esperar en la parada, solicitarlo por teléfono a domicilio o intentar parar uno libre en la calle. Para los servicios a domicilio es necesario facilitar la dirección exacta y el nombre, y esperar en la puerta; si tarda

más de 15 minutos, se debe volver a llamar. Los taxis que se solicitan desde el aeropuerto suelen acudir rápidamente. El taxímetro está colocado en el salpicadero. Después, se le debe facilitar al conductor la dirección, si es posible, indicándole el cruce de calles más próximo. En caso de mucho tráfico tal vez sea mejor acabar el viaje antes, abonar la tarifa y recorrer a pie las últimas manzanas.

Los taxistas no disponen de demasiado cambio, de modo que el billete mayor con el que se les paga es el de 20 $. Se les suele dar una propina del 10 o 15% antes de salir del taxi; todos los taxistas emiten facturas siempre que se les solicite. Es preciso cerciorarse de llevar todos los objetos personales antes de abandonar el vehículo; en caso de olvidar algo, se debe llamar a la compañía correspondiente y comunicarle el número del taxi o el nombre del taxista.

TARIFAS

Las tarifas se anuncian en el interior de los taxis. Siempre se cobra una tarifa mínima (unos 3,35 $ en condiciones normales) que se aplica en la primera milla (1,6 km), después se va sumando 2,25 $ por cada milla o 40 centavos por minu-

Licencia oficial de taxi

Número de vehículo

Taxi amarillo de San Francisco

Nombre de la compañía

Teléfono de la compañía

CALLEJERO

Las coordenadas que figuran en la información práctica de los lugares de interés, restaurantes, hoteles, tiendas y espacios mencionados en tiempo de ocio refieren a los planos de este callejero. En las páginas 313-320 se facilita un índice detallado de los nombres de calles y lugares de interés que aparecen en los planos.

El plano general que figura abajo muestra el área de San Francisco recogida en el callejero. Las zonas turísticas aparecen con los colores distintivos con los que se han identificado a lo largo de la guía. El plano reproduce todo el centro con los distritos principales donde se ubican los restaurantes, hoteles y lugares de ocio.

SIMBOLOGÍA

- Lugar de interés
- Otros lugares de interés
- Estación CalTrain
- Estación BART
- Estación de autobuses de largo recorrido
- Estación de tranvía
- Estación de autobuses
- Terminal de tranvía
- Muelle de transbordador
- Oficina de información turística
- Hospital con urgencias
- Comisaría
- Iglesia
- Sinagoga
- Mezquita
- Templo budista
- Templo hinduista
- Oficina de correos
- Campo de golf
- Línea férrea
- Autopista sin peaje
- Calle peatonal
- <<665 Número de edificio (calle principal)

ESCALA DE LOS PLANOS 1-4 y 7-11
| 0 metros | 500 |
| 0 yardas | 500 |

ESCALA DE LOS PLANOS 5 Y 6
| 0 metros | 500 |
| 0 yardas | 500 |

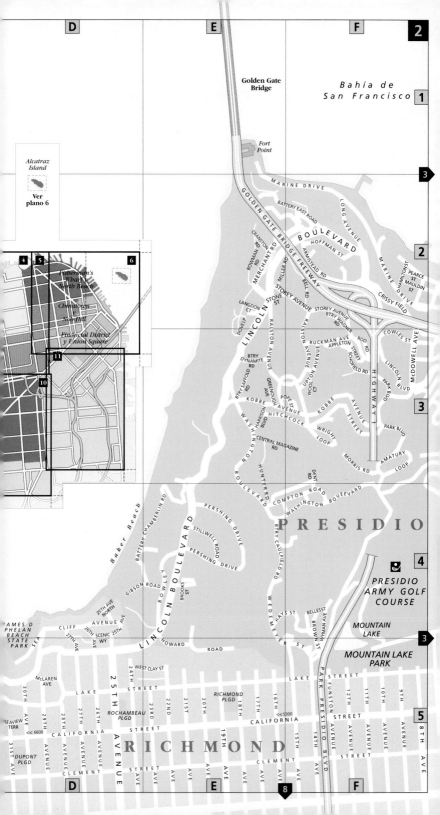

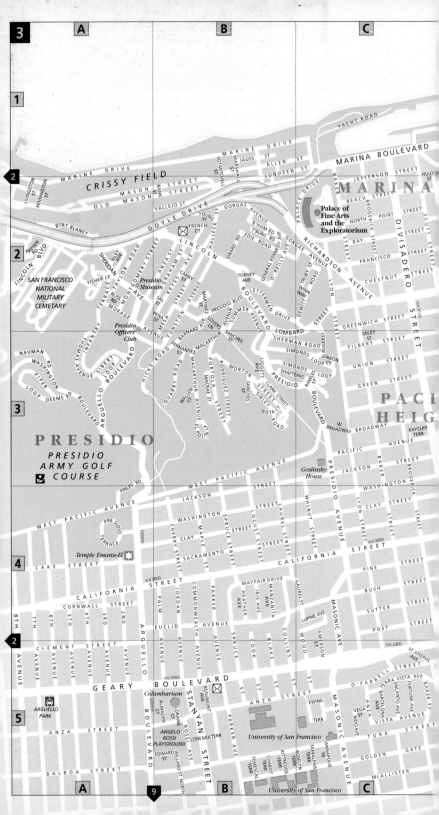

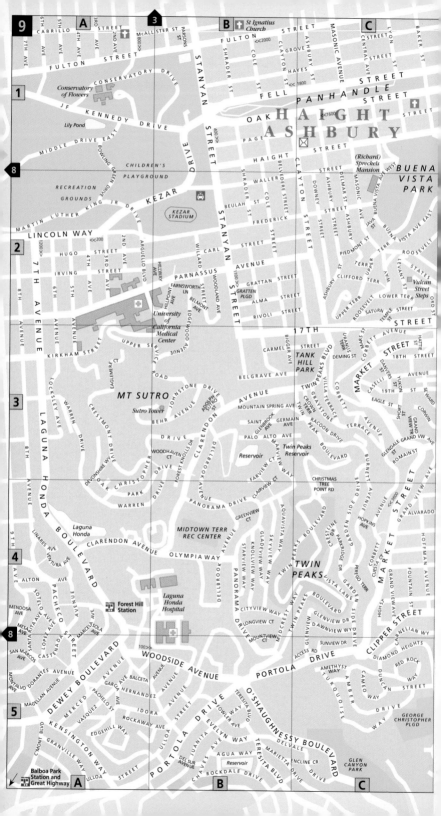

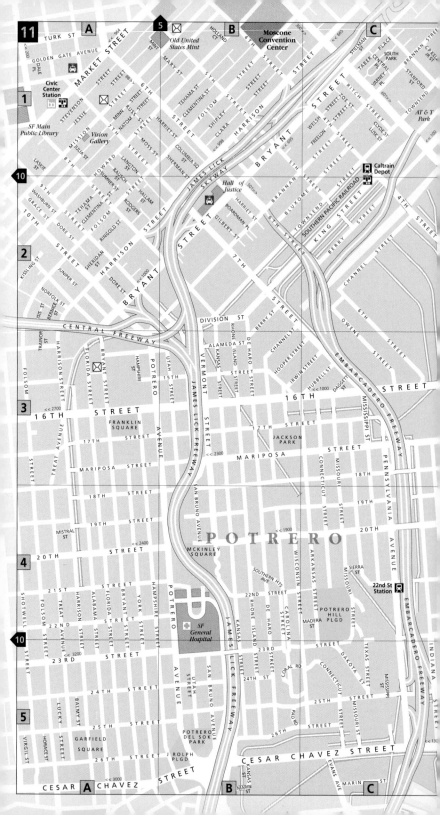

Callejero

Índice general

Agradecimientos

EL PAÍS-AGUILAR y DORLING KINDERSLEY quieren dar las gracias a las personas que han contribuido a la elaboración de esta guía.

Colaboradores principales
Jamie Jensen
Barry Parr

Fotografía adicional
John Heseltine, Trevor Hill, Andrew McKinney, Ian O'Leary, Robert Vente.

Ilustraciones adicionales
James A. Allington, Annabelle Brend, Craig Draper, Steve Gyapay, Kevin Jones Associates, Simon Roulston, Sue Sharples, Paul Williams, Ann Winterbotham.

Cartografía
Jennifer Skelley, Jane Hugill, Phil Rose, Rachel Hawtin.

Asesoramiento especializado
Marcia Eymann y Abby Wasserman del Oakland Museum of California, Stacia Fink de la Foundation for San Francisco's Architectural Heritage, Richard Fishman, Debbie Freedon de la Legion of Honor, Michael Lampen de Grace Cathedral, Dan Mohn, ingeniero jefe del Golden Gate Bridge, Dr. John R. Nudds del Manchester University Museum, Richard Ogar de la Bancroft Library, Peppers, Riggio Café, Royal Thai Restaurant, Scott Sack en la Golden Gate National Recreation Area, Sandra Farish Sloan y Jennifer Small del San Francisco Museum of Modern Art, Stella Pastry and Cafe, Stephen Marcos Landscapes, Dawn Stranne de la San Francisco Convention and Visitors Bureau, The Little Cafe, Carl Wilmington.

Ayudantes de investigación
Christine Bartholomew, Jennifer Bermon, Cathy Elliott, Kirsten Whatley, Jon Williams, Michael Wrenn.

Permisos fotográficos
EL PAÍS-AGUILAR y DORLING KINDERSLEY quieren dar las gracias a los siguientes organismos por permitir amablemente que se realizaran fotografías en sus establecimientos: Asian Art Museum, Cable Car Barn Museum, California Academy of Sciences, Cha Cha Cha, Chinese Historical Society, City Hall, Coit Tower, Columbarium, Crocker Galleria, Ernie's, The Exploratorium, Fort Mason Center, Fortune Cookie Factory, Foundation for San Francisco's Architectural Heritage (Haas-Lilienthal House), Golden Gate National Recreation Area (Alcatraz), Gump's, Hyatt Regency Hotel, Kong Chow Temple, Kuleto's, MH de Young Memorial Museum, Mission Dolores, Nordstrom, The Oakland Museum of California, Presidio Museum, Rincon Annexe, Saints Peter and Paul Church, San Francisco History Room, San Francisco Main Library, San Francisco National Historical Park, Sheraton Palace Hotel, Sherman House, St. Mary's Cathedral, Temple Emanu-El, Tosca, USS Pampanito, Veteran's Building, Wells Fargo History Room.

Créditos fotográficos
t = arriba; tc = arriba centro; tr = arriba derecha; cla = centro izquierda superior; ca = centro superior; cra = centro derecha superior; cl = centro izquierda; c = centro; cr = centro derecha; clb = centro izquierda inferior; cb = centro inferior; crb = centro derecha inferior; bl = abajo izquierda; bc = abajo centro; br = abajo derecha.

Las obras de arte se han reproducido con el permiso de los siguientes poseedores de copyright:
© ADAGP, Paris and DACS, London 2006: 108tl, 118tl; © ARS, NY and DACS, London 2006 38bc; By permission of Dara Birnbaum: 118bl; © DACS, London/VAGA, 2006 188clb; New York Five Sacred Colors of Corn © Susan Kelk Cervantes 1996. All rights reserved: 140tl; Creativity Explored © Creativity Explored 1993. All rights reserved: 141t; © Succession Picasso/DACS, London 2006: 120t; © Man Ray Trust/ Adagp, Paris and DACS, London 2006: 119cra; © Kate Rothko Prizel & Christopher Rothko ARS, NY and DACS London 2006 118c; Carnival © David Galvez 1983. All rights reserved: 138b; By permission of Jeff Koons: 121t; By permission of the Estate of Philip Guston: 37crb; 8 Immortals (Bok-Sen) & 3 Wisdoms © Josie Grant 1979. All rights reserved: 141br; By permission of Charles O. Perry (Montana), sculptor: 104 (Eclipse, 1973, anodized aluminum); Untitled © Michael Rios 1978. All rights reserved: 140tr; By permission of Wendy Ross, Ross Studio: 173b.

El editor quiere dar las gracias a los siguientes museos, empresas y bancos de imágenes por su permiso para reproducir sus fotografías:

Alamy Images: Douglas Peebles Photography, 207c; Robert Harding Picture Library Ltd. 207tl; Roberto Soncin Gerometta 206cla; Allsport: Otto Greule, 50cl; Tony Duffy, 33br; Archive Photos: 32cb, 102bl; Armstrong Redwoods State Reserve: 182c; J. Allan Cash Limited: 178/179; Roger Allen Lee: 186c; The arts and Crafts museum, Fort Mason: 38t; Bancroft Library, University of California, Berkeley: 22br, 22cla, 22/23c, 23br, 23cla, 24br, 24clb, 27crb, 60bl, 146c; Morton Beebe: 11br, 179tr; Berkeley Convention and Visitors Bureau: 162t; Bridgeman Art Library: The Thinker (Le Penseur), by Auguste Rodin (1840–1917), Musée Rodin, Paris/Bridgeman Art Library, London, 156tr; Marilyn Blaisdell Collection: 27cr.

California Academy of Sciences: 150bc, 151bl, 151cra, 151tc; Caroline Kopp 145c;

Dong Lin 36br, 150tr; Susan Middleton 35tl; California Historical Society, San Francisco: 27b, 28cla, 29crb, 46c, 146b; Camera Press: Gary Freed-man 32tr; Carolyn Cassady: 32tl, 88b; Center for the Arts Galleries: 37br; Ken Friedman, 114t; Center of the Arts Theater/ Margaret Jenkins Dance Company: 115tl; Cephas Picture Library: Mick Rock, 191bl, 193br; Colorific!: Chuck Nacke, 49b; Corbis: Morton Beebe 148-9, 179b; Bettman 42bl, 43b, 198tr; Jan Butchofsky-Houser 127b, 178t; Richard Cummins 10cla, 178b; Kevin Fleming 10b Gerald French 199t; Lowell Georgia 10t; 125cr; Robert Holmes 38b, 89tc, 192b, 193t, 244br, 261cra; Catherine Karnow 181t; Craig Lovell 45br; Charles O'Rear 192cl, 193cl; Reuters Newmedia Inc 259b; Tony Roberts 154-155; Royalty Free 180t; San Francisco Chronicle/Deanne Fitzmaurice 43t; Phil Schermeister 11t Michael T Sedam 75br; Culver Pictures, Inc: 31tl. De Young Museum: Mark Darley 143t; Bernard Diamond: 60br; Embarcadero Center: 108tr; Donna Ewald/ Peter Clute/Vic Reyna/Ed Rogers: 72br; Explor-atorium: 36tr, 61b, 61cr, 61tl; Fairmont Hotel: 207t; Fort Ross State Historic Park: Daniel F. Murley, 188t; The Fine Arts Museums of San Francisco: Sailboat on the Seine, c.1874, by Claude Monet, gift of Bruno and Sadie Adrian, 36cla; Saint John the Baptist, by Matti Preti, 38cl; High chest, museum purchase, gift of Mr. and Mrs. Robert A. Magowan, 144tr; Saint Wenceslaus, Patron Saint of Bohemia, after a model by Johann Gottlieb Kirchner (b.1706), hard-paste porcelain, museum purchase, Roscoe and Margaret Oakes Income Fund, 156b; Waterlilies, c.1914–17, by Claude Monet, oil on canvas, Mildred Anna Williams Collection, 156c; Camille Claudel, 1880s, by Auguste Rodin, plaster with plaster base, 154tl; Old Woman, c.1618, by Georges de la Tour, Roscoe and Margaret Oakes Collection, 157cla; The Impresario, (Pierre Duc-arre), c.1877, by Edgar Degas, oil on paper board, 157clb; The Flight Collection: 288t.

Steven Gerlick: 105bl; Getty Images: News /Justin Sullivan 42cr; Stone 2/3, 48b, Roy Giles 78c; Taxi 11br; Golden Gate Bridge Highway and Transportation District: 64 all pictures, 65 all pictures, 66bl, 66tl, 66/67tc, 67tr; Golden Gate National Recreation Area: Don Denevi Collection: 86clb, 86tl, 87bl, 87br, 87crb, 87tr; Fischetti Collection, 84bl; Stephen D. Gross, G-WIZ G&P: 188b. © The Henry Moore Foundation: 123t; Robert Holmes Photography: Markham Johnson 37bl, 49cr; Hulton Getty: 33br, 33 bc; Ine Tours: 247cr; Mark Hopkins Inter-Continental Hotel 102t; the Image Works: Lisa Law, 129c; Kelley/ Mooney Photography: 209bl; Courtesy of Landmark Theatres: 260br; Lawrence Hall of Science, University of California: Peg Skorpinskin, 162b; Courtesy Levi Strauss &

Co., San Francisco: 135c, 135t; Neil Lukas: 200br, 200cl.

Andrew Mckinney Photography: 72bl, 109c; Alain Mclaughlan 289c, 289b; Magnes Museum Permanent Collections: 19th-century blue velvet embroidery brocade robe, 163t; Magnum Photos: Michael K. Nichols, 33bl; Mark Hopkins Inter-Continental Hotel: 206bl; Museo Italoamericano: Muto, 1985, by Mimmo Paladino, aquatint and sugarlift etching, gift of Pasquale Iannetti, Museo ItaloAmericano, 39tl; Meta III, 1985, by Italo Scanga, oil and lacquer on wood, Museo ItaloAmericano, gift of Alan Shepp, 75bl; Museum of the City of San Francisco: Richard Hansen, 19br, 21t, 28clb, 28/29c, 29clb, 29t; Names Project AIDS Memorial Quilt: Mark Theissen, 136b; Napa Valley Visitors Bureau: 190b, 190tl; Peter Newark's American Pict-ures: 6t, 9 (inset), 23bl, 25bl, 25br, 25cra, 25crb, 25tl, 26b, 26tl, 86bl, 105crb, 205 (inset), 277 (inset); N.H.P.A.: David Middle-ton 194bl; John Shaw 203cr; Bob von Normann: 189t; Oakland Convention Bureau: 165t. Courtesy The Oakland Museum History Department: 19bl, 22tl, 23cra, 24clb, 25cra, 26cla, 27tr, 29cra, 30c, 31cr, 166bl, 166tl, 166tr, 167tl; Oakland Museum of California: Phyllis Diebenkorn, Trustee, Ocean Park No.107, 1978, Richard Diebenkorn 166cl; Pacific Union Railroad Company: 27tl; Pictorial Press Limited: J. Cummings/SF, 32ca, 129b, 134c, 260tr; www.photographersdirect.com: Justin Bailie198tl, 199br; Ann Purcell Travel Journalism, 198b; Nancy Warner 180b, 181b; Picturepoint: 87tl; Precita Eyes Mural Arts and Visitors Centre: Balloon Journey © 2008 Precita Eyes Muralists, by Kristen Foskett 140crb; Hillcrest Elementary School © 2007 Precita Eyes Muralists 140 cb; Oakland, Stop the Violence © 2007 Precita Eyes Muralists. Directed by Joshua Stevenson. Designed and painted by AYPAL youth (Asian Pacific Islander Youth Promoting Advocacy and Leadership) including Recy, Marcus and many others. Acrylic paint on Tyvek 140b; Presidio of San Francisco: NPS staff 59tl.

Rex Features: B. Ward, 33tl; San Francisco Arts Commission Gallery: 126t; San Francisco Blues Festival: 259t; San Francisco Cable Car Museum: 26br, 105tl; San Francisco Convention and Visitors Bureau: 40b, 48bl, 48c, 49c, 50cr, 51c, 104c, 161b, 258t; San Francisco Examiner: 48br; San Francisco Museum of Modern Art: Back View, 1977, by Philip Guston, oil on canvas, gift of the artist, 37crb; Orange Sweater, 1955, by Elmer Bischoff, oil on canvas, gift of Mr. and Mrs. Mark Schorer, 115c; Les Valeurs Personnelles, 1952, by Rene Magritte, purch-ased through a gift of Phyllis Wattis 118tr; No 14, 1960, by Mark Rothko, 118c; Zip-Light, 1990, by Sigmar Willnauer, leather, polyester, zipper, San Francisco Museum of Modern Art purchase,

118tl; The Nest, 1944, by Louise Bourgeois, steel, 118bl; Country Dog Gentlemen, 1972, by Roy De Forest, polymer on canvas, gift of the Hamilton-Wells Collection, 119br; Koret Visitor Education Center, photo © Richard Barnes 119crb; Lesende (Reading) (1994) © Gerhard Richter 119cr; by R for Richter; Melodious Double Stops, 1980, by Richard Shaw, porcelain with decal overglaze, purchased with funds from the National Endowment for the Arts and Frank O. Hamilton, Byron Meyer and Mrs. Peter Schlesinger, 119tl; '92 Chaise, 1985–92, by Holt, Hinshaw, Pfau, Jones Architecture, steel, plastic, rubber and ponyhide, Accessions Committee Fund, 120b; Les Femmes D'Alger (Woman of Algiers), 1955, by Pablo Picasso, oil on canvas, Albert M. Bender Collection, gift of Albert M. Bender in memory of Caroline Walter, 120t; Cave, Tsankawee, New Mexico, 1988, by Linda Connor, gelatin silver print, fractional gift of Thomas and Shirley Ross Davis, 121b; Graphite To Taste, 1989, by Gail Fredell, steel, gift of Shirley Ross Davis, 121c; Michael Jackson and Bubbles, 1988, by Jeff Koons, porcelain, purchased through the Marian and Bernard Messenger Fund, 121t; San Francisco Opera: 124clb; San Francisco Public Library, San Francisco History Center: 22clb, 28bl, 28br, 28tl, 31bl, 31cl, 32bl, 32cra, 33cla, 42cl, 84c, 87clb, 102br, 146tl, 146tr, 299bl; San Francisco Zoo: 160t; San Jose Convention and Visitors Bureau: 168c, 168t, 169t; Santa Cruz Seaside Company: 186t; Science Photo Library: Peter Menzel, 18t; David Parker, 18c, 19c, 19t; Mark Snyder Photography: 246tl; Sonoma Valley Visitors Bureau: Bob Nixon, 226tr, 195cr; Spectrum Color Library: 187b, 282br.

Tahoe North Visitors and Convention Bureau: 196tl 196tr; Deacon Chapin, 197tr; University of California, Berkeley: Within, 1969, by Alexander Lieberman, gift of the artist, University Art Museum, 177b; Vision Bank: Michael Freeman, 191c, Wells Fargo Bank History Room: 21b, 24/25c, 25tr, 110b; Paul Williams: Chinese dish, front cover; Val Wilmer: 30br; Yosemite Collections, National Park Service: 200tl; Zeum: 114clb.

Cubierta
Delantera – DK Images: bl; Getty Images: Photo-grapher's Choice/Mitchell Funk main image. Trasera – DK Images: John Heseltine tl; Neil Lukas cla, bl; Andrew McKinney clb. Lomo – DK Images· Neil Lukas b, Getty Images: Photographer's Choice/Mitchell Funk t.

Resto de imágenes © Dorling Kindersley.

GUÍAS VISUALES

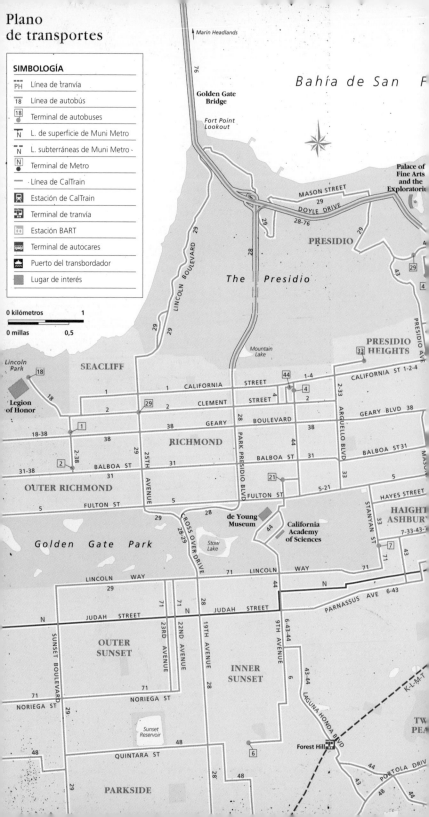